Raça como retórica

Yvonne Maggie e Claudia Barcellos Rezende
(Organizadoras)

Raça como retórica
a construção da diferença

CIVILIZAÇÃO BRASILEIRA

Rio de Janeiro
2002

COPYRIGHT © Yvonne Maggie e Claudia Barcellos Rezende

CAPA
Evelyn Grumach

PROJETO GRÁFICO
Evelyn Grumach e João de Souza Leite

CIP-BRASIL. CATALOGAÇÃO-NA-FONTE
SINDICATO NACIONAL DOS EDITORES DE LIVROS, RJ

R117   Raça como retórica: a construção da diferença /
            organizadoras, Claudia Barcellos Rezende e Yvonne Maggie.
            – Rio de Janeiro: Civilização Brasileira, 2001.

            Inclui bibliografia
            ISBN 85-200-0532-2

            1. Raças – Brasil. 2. Identidade social – Brasil. 3. Brasil
            – Relações raciais. I. Rezende, Claudia Barcellos. II.
            Maggie, Yvonne.

                                        CDD 305.8
01-1443   CDU 316.356.4

Direitos desta edição adquiridos pela
EDITORA CIVILIZAÇÃO BRASILEIRA
um selo da
DISTRIBUIDORA RECORD DE SERVIÇOS DE IMPRENSA S.A.
Rua Argentina 171 – Rio de Janeiro, RJ, Brasil, 20921-380 – Tel.: 2585-2000

PEDIDOS PELO REEMBOLSO POSTAL
Caixa Postal 23.052, Rio de Janeiro, RJ – 20922-970

Impresso no Brasil
2002

Sumário

Prefácio

PETER FRY

Na sala da professora Yvonne Maggie no Instituto de Filosofia e Ciências Sociais da Universidade Federal do Rio de Janeiro (IFCS/UFRJ) encontram-se cinco cabeças em gesso pintado. É o que resta da coleção representando as "raças" humanas que pertencia ao professor Artur Ramos, um dos fundadores, em 1939, da Faculdade Nacional de Filosofia da Universidade do Brasil e seu primeiro catedrático de antropologia.

Apesar do seu interesse pela antropologia física, e a coleção é boa lembrança disto, o professor e médico Artur Ramos é justamente lembrado por ter tirado o estudo das relações raciais do reino da natureza para colocá-lo no âmbito da sociologia e da cultura. Ramos acreditava, de acordo com o pensamento otimista da sua época, que sendo os arranjos sociais, em particular as relações raciais, produto social, resultados de uma história e imaginação social específicas, seriam também passíveis de mudança por parte de intervenções sociais premeditadas.

Foi com este otimismo que Ramos incentivou a UNESCO a financiar uma série de pesquisas no Brasil logo depois do fim da Segunda Guerra Mundial. Acreditando, junto com outros cientistas brasileiros e estrangeiros, sem esquecer alguns importantes líderes negros americanos, que as relações raciais desenvolvidas no Brasil eram mais harmoniosas do que em outros lugares do mundo, imaginava que um estudo da situação racial brasileira poderia revelar fórmulas a serem aplicadas em outras sociedades para imunizá-las, por assim dizer, contra os horrores do mortífero racismo do Terceiro Reich.

Como afirmam Yvonne Maggie e Claudia Barcellos Rezende na Introdução a esta coletânea, a série de estudos promovida pela UNESCO teve pelo menos dois efeitos da maior importância. O primeiro resultado foi a formação da primeira geração de cientistas sociais brasileiros sob a orientação de Roger Bastide na Universidade de São Paulo. O segundo foi produzir pelo menos três idéias sobre as relações raciais brasileiras que são agora quase do senso comum: (1) é impossível compreender as relações raciais no Brasil sem levar em consideração as relações de classe; (2) a taxinomia racial no Brasil é extremamente complexa, senão ambígua, e o processo de classificação dos membros da sociedade se dá não só segundo sua aparência física como também segundo sua posição de classe; e (3) apesar da existência de uma ideologia de "democracia racial", há uma correlação entre raça e classe social, os mais escuros sendo os mais pobres, o que denuncia e corrobora a observação empírica de um forte preconceito contra os indivíduos mais escuros.

Ao longo dos anos que seguiram o programa da UNESCO, esta terceira constatação tem se tornado o principal argumento dos que denunciam o racismo à brasileira, incluindo os sociólogos e os movimentos negros no Brasil. Estes alegam que a situação brasileira, longe de ser uma alternativa "melhor" ao sistema dos Estados Unidos, seria, de fato, muito pior. A coexistência do "mito" da democracia racial e o racismo seria nociva porque o primeiro existe para "mascarar" o segundo, impedindo a tomada de consciência daqueles que são oprimidos pelo racismo, dificultando a formação de um movimento negro grande e eficaz, e contribuindo, portanto, para a manutenção do *status quo*. Implícita ou mesmo às vezes explícita, nesta forma de pensamento, é a convicção de que o racismo é "melhor" quando posto às claras, e quando as categorias raciais são estanques, como nos Estados Unidos, onde a ação afirmativa foi introduzida para amenizar as desigualdades raciais.

Ao mesmo tempo que esta idéia ganha força, inclusive na seara do Estado brasileiro, uma outra posição continua a entusiasmar alguns pensadores e ativistas. Estes argumentam que, embora haja uma larga consciência da existência do racismo entre os brasileiros, independentemente da sua classe ou da sua cor, há também uma forte resistência contra a "racialização" da vida social. Reconhecem que a "democracia racial" não se realiza na prática, mas nela vislumbram uma projeção utópica, um ideal a ser alcançado. Afinal, dizem, nenhuma instituição social se explica pela sua suposta função. Liberais convictos, levam ao pé da letra uma constituição que reza a igualdade de todos perante a lei, preferindo enfrentar o racismo através da sanção legal e de outros métodos de persuasão social, e da articulação de políticas públicas dirigidas contra as desigualdades de educação e riqueza.

Durante os últimos anos, o Núcleo da Cor, que faz parte do Laboratório de Pesquisa Social do IFCS, vem desenvolvendo pesquisas sobre a questão racial no país. Mas o aparente impasse entre as duas posições teóricas e programáticas mencionadas acima fez com que a coordenadora do Núcleo, Yvonne Maggie, seguindo os passos de seu precursor Artur Ramos, tenha concebido a idéia de colocar o Brasil em perspectiva comparativa. Assim, desenvolveu o Programa Raça e Etnicidade, que, apoiado pela Fundação Rockefeller, resultou neste livro. Através dele, pensadores e pensadoras de diferentes idades, nacionalidades e cores, e com experiência de pesquisa em várias sociedades e situações sociais, desenvolveram pesquisas no Brasil, conversaram com os alunos e professores do IFCS, e demais pessoas interessadas na questão, e escreveram. Uns já conhecíamos, outros não. Uns ficaram por pouco tempo, enquanto outros ficaram por até seis meses, mas todos escreveram trabalhos originais que apresentaram em seminários públicos.

Para quem, como eu, teve o privilégio de conviver com todos, foi uma experiência ímpar. Seja na sala de aula, nas nossas casas ou nos bares da Cinelândia, o debate prosseguia, caloroso e contundente, mas, dentro do melhor espírito da academia, raramente rancoroso. Numa universidade dilacerada por embates políticos nos quais o diálogo respeitoso parecia impossível, o Programa Raça e Etnicidade representou para nós uma tentativa bem-sucedida de civilidade. Creio que foi este debate e a sua reconhecida importância que fez com que os participantes se superassem nas suas tentativas de refinar seus argumentos, ora para adequá-los às críticas, ora para torná-los mais convincentes.

Para todos que compartilham o horror ao racismo e que se empenham em entendê-lo e superá-lo, este livro é leitura obrigatória.

Raça como retórica:
a construção da diferença

Claudia Barcellos Rezende
Yvonne Maggie

Em 1950 a UNESCO promoveu um programa de estudos sobre as relações raciais no Brasil fortemente marcado pela impressão de harmonia nas relações entre negros e brancos que o país oferecia aos estrangeiros. A motivação original para a realização do programa era tomar o Brasil como uma possível saída diante do terror europeu do pós-guerra em face do holocausto. O projeto da UNESCO teve como mentores brasileiros o antropólogo Artur Ramos e, depois de sua morte, o sociólogo Luiz Aguiar Costa Pinto. Esse projeto gerou grande quantidade de estudos sobre as relações raciais que tinham como cenário a comparação com os Estados Unidos e, de certa forma, fundou a sociologia brasileira contemporânea. Roger Bastide (1959), Florestan Fernandes (1959), Oracy Nogueira (1985 e 1998), Thales de Azevedo (1951), Luiz Aguiar Costa Pinto (1998) e Charles Wagley (1952) foram alguns dos que trabalharam o tema no âmbito daquele projeto e buscaram entender as relações entre negros e brancos no Brasil.

A maioria desses estudos, no decorrer das décadas de 1950 e 1960, provou o contrário da imagem inicial de harmonia racial. Mesmo relativizando o racismo brasileiro em contraste com outros países, esses estudos acabaram formulando um "problema racial brasileiro" que explicitava a desigualdade nas relações entre brancos e negros. Os estudos descreveram uma sociedade em que a classe era mais importante que a raça nas relações sociais. Falaram de um preconceito que tinha origem na sociedade escravista e se constituía em uma sobrevivência desse passado. E, ao discutirem o sistema brasileiro de classificação racial, apontaram para sua estrutura ambígua e indefinida.

Em 1992, com uma idéia diversa e forçados por uma intrigante pressão, tanto dos movimentos sociais quanto de intelectuais norte-americanos que se dedicavam ao estudo deste tema, resolvemos refazer a pergunta inaugurada na décaaa de 1950. Seria o Brasil uma democracia racial ou, como queriam alguns, o racismo aqui era pior porque mais dissimulado? Essa nova pergunta refeita poderia nos levar a pensar a raça e o racismo a partir de outro viés. Inspirados pelo projeto da UNESCO e apoiados pela Fundação Rockefeller, resolvemos trazer para o debate pesquisadores nacionais e estrangeiros que pudessem enriquecer a comparação entre o Brasil e outras sociedades e, assim, pensar outros ângulos da questão.

A intenção era não só retomar certas questões mas repensar a maneira de olhar o "problema". Depois da UNESCO, e sobretudo durante as décadas de 1970 e 1980, os estudos tinham se voltado muito mais para as diferenças culturais, e não propriamente sociológicas. Tais estudos apontavam para a defasagem cultural entre brancos e negros, o que levou seus seguidores a buscar uma cultura essencialmente "negra". Esses autores, que enfatizavam a necessidade de buscar uma essência cultural negra, produziram inúmeros trabalhos sobre candomblé, macumba, samba e carnaval.

Algumas vozes dissonantes descreveram uma cultura que, apesar da origem africana, não era monopólio dos negros e buscaram relativizar a defasagem cultural descrevendo as muitas formas pelas quais as identidades do negro e do branco eram construídas. O tema do racismo tinha sido mais uma vez relativizado em contraste com outras situações sociais em que a polarização e a segregação eram evidentes. Também descobria-se no Brasil, pela maior influência da antropologia, que a identidade era construída.

Nesse emaranhado de discussões sobre nossas identidades pouco espaço sobrava para estudos mais quantitativos sobre o lugar social do negro na nossa sociedade. Carlos Hasenbalg (1979) e Nelson do Valle e Silva (1992) foram pioneiros na tentativa de provar que a desigualdade no Brasil não era apenas conseqüência das diferenças de classe, mas que a "raça" determinava de forma muito evidente a posição social dos indivíduos. O diálogo entre estes dois autores e a produção da antropologia brasileira com outros estudos sobre etnicidade alcançaram um resultado profícuo porém restrito ao meio acadêmico. Diferentemente das décadas de 1950 e 1960, em que o impacto dos estudos sociológicos foi importante nos movimentos negros, as de 1970 e 1980 demarcaram maior distanciamento entre estes dois campos.

Se nas décadas de 1950 e 1960 a harmonia nas relações entre brancos e negros no Brasil era decantada pelos estrangeiros como uma solução para o racismo no mundo, na década de 1990 alguns intelectuais norte-americanos acusavam os brasileiros de alienados. Totalmente alheia aos debates das décadas de 1970 e 1980, nas quais o papel das identidades era discutido, a nova onda da década de 1990 tomava como exemplar o modelo norte-americano de solução dos conflitos raciais. Foi nesse clima de perplexidade, diante de paradigmas tão opostos para entender a sociedade brasileira, que decidimos investir novamente em um programa de pesquisa voltado para o tema. Parecia que estávamos em um beco sem saída e não se via no horizonte outras alternativas. Ou éramos totalmente alienados ou vivíamos em um paraíso racial. O debate estava empobrecido. Com a vontade de superar este impasse, buscamos apoio para o Programa Raça e Etnicidade no Instituto de Filosofia e Ciências Sociais da Universidade Federal do Rio de Janeiro.

Entre 1994 e 1997, trouxemos inúmeros pesquisadores visitantes com perspectivas disciplinares diversas e promovemos inúmeros debates entre estes e outros estudiosos, sempre refazendo as perguntas que marcam o campo de forma tão profunda: classe ou raça? O racismo brasileiro é mais ou menos violento do que outros? Qual o estatuto da categoria raça? O "problema" existe para os acadêmicos que construíram o campo ou é um problema brasileiro? Ou seja, até que ponto o resultado das pesquisas e a autoridade dos pesquisadores contaminam o campo? Existem diversas ordens em que a questão pode ser colocada? Uma mais acadêmica e outra mais do senso comum?

O resultado dessa busca para redefinir perguntas trazendo diversos parceiros para a discussão foi o questionamento profundo da idéia de raça. Muitos dos projetos desenvolvidos dentro do Programa Raça e Etnicidade contêm a idéia de que a classificação racial, como qualquer classificação, apresenta uma dimensão retórica que, no Brasil, apesar de revestir-se de potencial autoritário, é também capaz de inverter e subverter essa mesma autoridade. Ou seja, as categorias não são fixas; pelo contrário, são acionadas em determinados contextos e relações. Negro, branco, preto, moreno etc. tornam-se atribuições que podem variar de acordo com quem fala, como fala e de que posição fala. As formas de manipular esse sistema de classificação não se dão, entretanto, por acaso. Há certas regras de classificação que deixam entrever um complexo jogo de relações de poder.

Dentro dessa perspectiva, repensou-se a idéia de raça e de nação, expressão máxima de como categorias raciais são acionadas na defesa de interesses e projetos políticos. A comparação com a Europa do século XIX, África do Sul, Moçambique e Cabo Verde, e com diversas situações etnográficas no Brasil, foi fundamental para esse deslocamento. Repensando a relação entre raça e a construção da nação, chega-se à idéia de que raça não está sempre no horizonte de quem fala. Parece que há muitos paradigmas de raça e nação, porém dois são preferencialmente objeto das reflexões dos autores de forma mais ou menos consciente. De um lado a nação que busca na mistura a sua identidade; de outro a que, temendo a mistura, segrega e opõe.

Como conseqüência destas constatações, desnaturalizou-se, entre outras, a idéia de uma identidade negra. Retomando as lições da antropologia fundadora, que era anti-racista e antiessencialista, buscou-se entender as muitas formas de se construir a identidade negra no Brasil.

Voltando ao período colonial, Flávio Gomes mostra como foram os contatos entre índios e negros na Amazônia, através dos quais as fronteiras étnicas entre esses grupos e colonos europeus foram reinventadas. Negros e índios estabeleciam rotas de fuga em conjunto ou criavam relações comerciais. Outras vezes, esses contatos eram conflitivos, como nas retaliações indígenas contra os quilombolas, que atraíam consigo expedições punitivas. De um modo ou de outro, Gomes apresenta de que maneira tais contatos interétnicos foram fundamentais ao forjarem diferenças e fronteiras importantes entre negros e índios. Mais interessante ainda, ele nos revela uma Amazônia que não foi somente indígena, desvinculando esta identidade étnica de uma base territorial.

Partindo de um questionamento do presente, Olivia Cunha discute como um grupo de jovens negros constrói sua identidade a partir de seu cotidiano de moradores de uma favela do subúrbio carioca. É em torno do elemento do funk — da música, dos bailes, do estilo de roupa usado, das galeras como uma forma de sociabilidade particular — que esses jovens se pensam e pensam os outros, vizinhos, amigos ou inimigos. Pela proximidade com a violência e o narcotráfico, eles estão constantemente dialogando com as representações da mídia e com as de pessoas dos segmentos médios e altos, procurando desvencilhar-se do estigma da criminalidade que lhes é atribuído. Para ela, a cor aparece como uma característica que reforçaria esta estigmatização, como explicitado em seus "discursos de vitimização", mas não é ela um fator aglutinador, de identidade comum. Revertendo a imagem negativa da favela, e tendo nela um motivo de orgulho, a territorialidade é acionada no processo de construção de identidade dos jovens, unindo-os a alguns — os *sangue-bom* — e afastando-se de outros — os *alemães*.

De modo semelhante, os jovens negros pesquisados por Livio Sansone, tanto no Rio de Janeiro quanto em Salvador, têm na vivência de moradores de favelas um eixo central na representação que fazem de si mesmo. Embora desponte entre eles uma nova forma de orgulho racial, que valoriza o corpo e o visual, apenas alguns — os chamados "alternativos" — apresentam posturas étnicas mais consolidadas. A experiência do que Sansone denomina uma "nova pobreza" é sem dúvida marcada pela experiência da discriminação racial, mas é também afetada por frustrações nas áreas de consumo e lazer, mais acentuadas nas regiões metropolitanas fortemente influenciadas pela globalização.

Se nas favelas a construção de uma identidade racializada é entrecortada por outros fatores igualmente significativos, como consumo e lazer, pobreza e território, entre os pentecostais estudados por John Burdick há indícios de uma consciência negra maior do que seria esperado. Ao contrário do que pensam vários acadêmicos e militantes do movimento negro, que veriam no pentecostalismo dificuldades para o desenvolvimento de identidades sociais fortes, há abertura nesta religião para a articulação de elementos de etnicidade negra, através, por exemplo, da criação de auto-estima com referência à cor. Com isso, Burdick questiona certas posturas do movimento negro quando postulam que a construção de uma identidade negra deve necessariamente passar pela valorização dos cultos religiosos afro-brasileiros. Em outras palavras, mais uma vez estamos discutindo a possibilidade de várias, e não de uma, identidades negras.

O trabalho de Robin Sheriff também reforça esta idéia, através da análise do uso dos termos relativos à raça e à cor, em sua etnografia de uma favela carioca. Segundo a autora, estes termos não devem ser vistos como categorias de classificação racial mas como "discursos de descrição", mais adjetivos do que substantivos. Palavras como preto, negro, moreno, branco, entre outras, constroem os contextos em que são utilizados, tornando-se fundamentais na negociação das relações sociais. Se por um lado estes discursos enfraquecem ou negam retoricamente idéias sobre uma identidade racial estática e essencializada, por outro há uma ênfase onipresente, ainda que de caráter "subterrâneo", na noção de raça. A percepção do preconceito e racismo dos brasileiros é aguda entre os moradores da favela, desmistificando a visão freiriana de "democracia racial". Mas, sem renegá-la por completo, tais discursos argumentam que, justamente em virtude da mestiçagem característica dos brasileiros, não deveria haver discriminação racial. Temos assim não apenas a problematização do que seriam raça e identidade racial no Brasil, mas um questionamento de alguns grupos específicos da mestiçagem como base de uma identidade nacional brasileira.

Enquanto Sheriff mostra a visão da mistura racial de moradores de uma favela, em sua maioria negros, John Norvell aborda a questão da perspectiva de um grupo de pessoas brancas de camadas médias e de alguns escritos acadêmicos deste século. Se a mestiçagem é ponto focal dos discursos sobre identidade brasileira, ela é pensada de forma paradoxal tanto pelos acadêmicos quanto pelo grupo social estudado. Para os primeiros, os brasileiros sempre se misturaram com negros e índios, revelando portanto uma continuidade entre o brasileiro e o europeu branco. Para os segundos, o brasileiro é mestiço, de modo que se reconhecer branco — ou não tão misturado assim — implica uma participação parcial na vida cultural do país.

Guy Massart também questiona a mistura racial como característica forte dos brasileiros, partindo do ponto de vista de estudantes cabo-verdianos residentes no Rio de Janeiro. Para eles, a dificuldade de integração social com cariocas deve-se, em muito, ao fato de serem estrangeiros e negros, ressaltando assim os limites da cordialidade brasileira. A vivência como um "outro" no Brasil acentua, por sua vez, a ausência daquilo que os torna cabo-verdianos: a distância e a saudade da terra, a falta de uma rede densa de relações de parentesco e amizade e a dificuldade de adequarem suas percepções de masculinidade e feminilidade às construções de gênero encontradas entre os cariocas.

A contrapartida da valorização da mestiçagem brasileira poderia estar na visão essencializada de raça discutida por Ciraj Rassool e Patricia Hayes em sua análise de uma expedição científica na África do Sul em 1936. Através do estudo de fotografias da época, e em particular dos retratos de uma mulher bosquímana — /Khanako —, Rassool e Hayes traçam o jogo de forças e tensões políticas entre ciência e administração colonial naquele período. A expedição teve o intuito de selecionar "bons espécimens" bosquímanos para apresentá-los na Exibição Imperial. Ao mesmo tempo que seus idealizadores encampavam um discurso de pesquisa científica sobre um grupo racial/étnico a ser preservado, subjazia a proposta de levar para a metrópole um "primitivismo" sob controle, realçando assim o contraste entre "tradição" e "progresso". As várias reproduções de /Khanako, algumas delas com uma suástica pintada sobre suas nádegas, revelam um processo de tipificação e desumanização imputado por pesquisadores brancos, em sua maioria homens, aos bosquímanos e principalmente às suas mulheres. Relegando o estudo dos aspectos culturais do grupo, privilegiava-se a pesquisa antropométrica como modo de chegar aos "tipos físicos puros" dos bosquímanos, em suma, como forma de apresentar a sua essência.

Em Moçambique a diversidade de grupos étnicos é um elemento problemático para o processo de formação de uma identidade nacional. José Luís Cabaço discute os diversos projetos de construção desta identidade criados após a independência do país há vinte anos. Apoiados por setores distintos da sociedade, há projetos que visam maior assimilação à cultura portuguesa e outros que buscam a "moçambicanidade", um sentimento de pertencimento a uma comunidade supra-étnica. Esta segunda linha de pensamento toma como ponto de partida e de união uma cultura "crioula", formada pelo processo de aculturação das diversas sociedades nativas. Entretanto, apesar da ampla discussão e mobilização gerada por estes projetos, José Luís Cabaço mostra que a questão de uma identidade nacional moçambicana ainda está longe de ter uma solução consensual.

De certa maneira, muitos destes artigos estão discutindo a construção de identidades nacionais e as diversas relações de poder, tanto do governo quanto da academia, que perpassam os projetos de Estado-nação. Em todos eles, a relação entre grupos raciais ou étnicos distintos está na base central das identidades nacionais. Como argumenta Verena Stolcke, a delimitação de quem constitui "o povo" faz-se necessária na elaboração e atribuição dos direitos de cidadania, privilégios dos nacionais de um dado Estado. Examinando a história da construção do conceito de nacionalidade na França, na Alemanha e na Grã-Bretanha no século XIX, Stolcke aponta uma contradição fundamental na base desse processo: como conciliar a ideologia do individualismo e liberalismo que embasava a idéia original de cidadania com as restrições à liberdade de movimento colocada pela delimitação de fronteiras e nacionalidades. A esta contradição estava associada uma segunda, relacionada às desigualdades formais que afetavam as mulheres. Contrariando as noções do individualismo igualitário, cabia às mulheres uma nacionalidade dependente do pai ou do marido.

Neste sentido, o ensaio de Stolcke destaca-se dos demais por ter no gênero uma dimensão fundamental do processo de construção de identidades raciais e nacionais. Como afirma em outro artigo seu, "se a classe ou a 'nação' é conceitualizada em termos essenciais, a capacidade procriativa das mulheres precisa ser controlada para perpetuar os privilégios de classe e nacionais com os raciais. E o controle implica a dominação pelos homens" (1991: 115).

O caso da expedição científica estudada por Rassool e Hayes exemplifica esta questão, mostrando como a tipificação dos bosquímanos tem nas mulheres seu principal alvo. Como revelam as muitas fotografias das genitálias e nádegas femininas, uma atenção considerável era dada, por pesquisadores homens, ao aparelho reprodutor feminino das bosquímanas. Produzia-se assim "cientificamente" a imagem de um primitivismo que era acima de tudo feminino e controlado por homens-representantes da ciência, da metrópole, do moderno. De modo semelhante, Norvell ressalta em sua análise de textos acadêmicos sobre a mestiçagem brasileira a marca do gênero na interação das raças. Neles, é sempre o colono português que se deixa seduzir pelas mulheres negras e índias. A própria ambiguidade do discurso sobre a mestiçagem reproduz esta equação: a mistura resultante, característica da autenticidade cultural brasileira, é sempre feminina, ao mesmo tempo que o brasileiro branco, cuja continuidade com o europeu é acentuada, é figura masculina.

A dimensão de gênero figura principalmente nas construções de identidades raciais e nacionais essencializadas. Se a tendência ou mesmo busca de essencialismos é uma constante de várias sociedades, foco de análise de muitos dos textos reunidos aqui, no cotidiano das relações interpessoais há espaços de manipulação dos elementos que constróem identidades sociais. O ensaio teórico de Vincent Crapanzano resume talvez, neste sentido, a tônica principal das discussões ocorridas no Programa Raça e Etnicidade e que se encontram parcialmente materializadas nos artigos desta coletânea. Argumentando contra constructos, como "racismo brasileiro", Crapanzano defende que todo estudo sobre raça ou qualquer outro sistema de classificação social deve levar em consideração o modo como tais sistemas determinam as aplicações e manipulações possíveis de suas categorias. Somente assim poderemos compreender seus efeitos sociais e políticos, pois é na prática e nos jogos de retórica que o poder é introduzido nas classificações.

Voltamos assim à problemática da noção de raça como base para a construção de um certo tipo de diferença entre as pessoas. Vimos por um lado como no contexto acadêmico, tanto no Brasil como na Europa e na África do Sul, a tendência é construir raça (e também povo) como uma categoria de significado único, com freqüência remetendo a um essencialismo de cunho biológico. Por outro lado, os estudos mais etnográficos, sobre brasileiros e cabo-verdianos demonstram como na prática esta noção adquire conteúdos distintos de acordo com os contextos em questão. Mais do que tê-la como uma categoria monolítica e substantiva, a raça tomaria a forma de uma categoria adjetiva e relacional. Isto não significa que a idéia de raça desapareça de discursos que procuram construir e afirmar identidades e alteridades. Pelo contrário, ela continua atuante, introduzindo ou realçando desigualdades, delineando relações de poder.

Embora os trabalhos aqui apresentados não se refiram de forma direta ao problema das políticas públicas ante as desigualdades raciais, são úteis para pensar essa difícil questão no Brasil. É possível copiar soluções? Há formas mais brasileiras de enfrentar essas desigualdades? Por que a nossa ambigüidade não pode ser tomada como um sinal de ausência de ódio racial? Por que não tomar como legítimo o desejo de harmonia? Diante de um mundo onde os conflitos étnicos dilaceram pessoas e grupos de forma tão desumana, por que o Brasil não pode ser, apesar de tudo, um exemplo de uma utopia humanista desejada?

Os artigos aqui reunidos são de autoria de alguns dos visitantes que participaram do Programa Raça e Etnicidade em Perspectiva Comparada por períodos mais ou menos longos durante os três anos de sua existência. Todos os autores apresentaram estes trabalhos em conferências e seminários nos quais participavam estudantes de graduação, pós-graduação, professores do IFCS e muitos outros pesquisadores que compartilharam conosco destas tertúlias. A única oportunidade na qual pudemos reunir grande parte destes visitantes ao mesmo tempo foi por ocasião do IV Congresso[1] Luso-Afro-Brasileiro de

Ciências Sociais, que se realizou em setembro de 1996 no Instituto de Filosofia e Ciências Sociais da UFRJ.

O Programa Raça e Etnicidade em Perspectiva Comparada foi uma dessas raras oportunidades na vida acadêmica propiciadoras de um espaço frutífero para o debate intenso e acirrado em torno de idéias sobre um tema. Coube à nossa Coordenação uma pequena parcela de responsabilidade nesse clima, com o apoio da Fundação Rockefeller foi possível reunir meios para que as atividades acontecessem sem muito sofrimento, em uma instituição que se caracteriza pelas dificuldades materiais. O apoio desta Fundação, em especial de seu representante Tomás Ybarra Faustro, foi incondicional e absolutamente isento.

Os debates gerados no Programa Raça e Etnicidade em Perspectiva Comparada contaram com a colaboração de muitos outros estudiosos, além destes cujos trabalhos apresentamos neste volume. Gostaríamos de destacar o papel fundamental que Peter Fry teve ao longo do Programa, tanto em questões logísticas mas principalmente como grande instigador com idéias valiosas a partir de sua experiência de pesquisa no Brasil, em Zimbábue e em Moçambique. Através de estadias mais curtas e mesmo de palestras apenas, tivemos participações importantes de Athayde Motta, Denise Silva, Fernando Rosa Ribeiro, Loïc Wacquant, Nelson Lima, Parsudi Suparlan e Sônia Travassos.

A realização do Programa Raça e Etnicidade em Perspectiva Comparada não teria sido possível sem a ajuda de Rosane Lopes Corrêa, Olivia Maria Galvão e Laura Moutinho na organização dos seminários. Mais fundamental ainda foi o trabalho de Secretaria administrativa de Angela Cristina Fernandes, sem o qual o Programa Raça e Etnicidade em Perspectiva Comparada não teria saído do papel. Por fim, gostaríamos de registrar a cuidadosa preparação dos originais feita por Maria Teresa Kopschitz de Barros, que pôde dar ordem e consistência a um conjunto tão diversificado de traduções e textos.

A publicação deste volume contou com o apoio do Núcleo Interdisciplinar de Estudos da Desigualdade (NIED), financiado pelo PRONEX/MCT. A

Fundação Ford também contribuiu através do Programa Cor e Educação do Laboratório de Pesquisa Social do IFCS/UFRJ. Agradecemos em particular às coordenadoras destes programas, Elisa Reis e Glaucia Villas Bôas, respectivamente, pela colaboração.

Nota

1. Ver Villas Bôas (org.), 1998.

Referências Bibliográficas

AZEVEDO, Thales de. *As elites de cor*: um estudo de ascensão social. São Paulo: Cia. Editora Nacional, 1951.

BASTIDE, Roger e Fernandes, Florestan. *Brancos e negros em São Paulo*: ensaio sociológico sobre aspectos da formação, manifestações atuais e efeitos do preconceito de cor na sociedade paulistana. São Paulo: Cia. Editora Nacional, Col. Brasiliana, 1959.

CHOR MAIO, Marcos. "A História do Projeto Unesco: Estudos Raciais e Ciências Sociais no Brasil." Rio de Janeiro: Doutorado — Ciência Política, IUPERJ, 1997.

COSTA PINTO, Luiz Aguiar. *O negro no Rio de Janeiro*. 2 ed. Rio de Janeiro: Editora UFRJ, 1998.

HASENBALG, Carlos. *Discriminação e desigualdades raciais no Brasil*. Rio de Janeiro: Graal, 1979.

NOGUEIRA, Oracy. *Tanto preto quanto branco*: estudos das relações raciais. São Paulo: TA. Queiroz, 1985.

————. *Preconceito de marca*: as relações raciais em Itapetininga. São Paulo: Edusp, 1998.

SILVA, Nelson Vale e Hasenbalg, Carlos (orgs.) *Relações raciais no Brasil Contemporâneo*. Rio de Janeiro: Rio Fundo/IUPERJ, 1992.

STOLCKE, Verena. "Sexo está para gênero assim como raça para etnicidade?" *Estudos Afro-Asiáticos*, n· 20, junho, p. 101-119, 1991.

VILLAS BÔAS, Glaucia (org.). *Territórios da língua portuguesa*: culturas, sociedades, políticas. Rio de Janeiro: Instituto de Filosofia e Ciências Sociais, UFRJ, 1998.

WAGLEY, Charles (org.) *Race and Class in Rural Brazil*. Paris: UNESCO, 1952.

"Amostras humanas": índios, negros e relações interétnicas no Brasil colonial

Flávio dos Santos Gomes

Em várias regiões das Américas negras, comunidades de escravos fugidos miscigenaram-se com populações indígenas locais, como, por exemplo, os *blacks caribs* de São Vicente e Honduras, os *caribs* de São Domingos, os índios *miskitos*, também de Honduras, e os *seminoles* da Flórida. Estes últi-mos chegaram a formar vilas com negros fugidos. Na primeira metade do século XVIII, em locais próximos à região do sul dos Estados Unidos — área de disputas coloniais —, ingleses, espanhóis e franceses utilizaram escravos negros como intérpretes, mensageiros e espiões contra tribos indígenas. Os índios *creeks* dessa região mantinham negros fugidos como escravos ou os utilizavam no tráfico de peles. Podiam tanto protegê-los quanto incorporá-los às suas tribos como escravos. Por vezes surgiam conflitos entre os negros fugidos e os índios em conseqüência do seqüestro de mulheres.

Algumas disputas entre indígenas e grupos de negros fugidos (*maroons*) podem ter sido promovidas pelas próprias autoridades coloniais. Em diferentes contextos, colonos europeus procuraram estabelecer alianças com indígenas e *maroons*. Se, em algumas vezes, conflitos entre indígenas e *maroons* foram provocados e estimulados pelos europeus, em outras ocasiões, ingleses, franceses, holandeses e espanhóis forjaram com eles alianças circunstanciais, visando impedir invasões e/ou garantir possessões nas ilhas caribenhas. Há o exemplo dos *cimarrones* do Panamá, que se aliaram aos ingleses contra os espanhóis em 1570 (Braund, 1991; Socolow, 1992; Price, 1988-89. Para o Brasil, ver Bastide, 1979; Schwartz, 1987).

Pensando na tradição de resistência indígena ao longo da colonização é possível seguir, de fato, algumas pistas. Utilizando a categoria *continuities* (continuidades) em duplo sentido, Craton analisa, por exemplo, as possíveis semelhanças estruturais nos modelos de opressão e resistência e as conexões de significados culturais nas transformações de resistências dos *caribs* e dos *blacks caribs* na região caribenha. Os índios começaram a ver os cativos africanos como aliados circunstanciais e em alguns momentos foram por eles encorajados a fugir. Além disso, as várias populações indígenas locais — principalmente os *caribs* — perceberam as divisões, disputas e guerras entre os colonizadores europeus desde o século XVIII e as utilizaram em seu favor (Craton, 1986; Socolow, 1992). Isso aconteceu em várias outras áreas escravistas das Américas.

Em busca de identidades, classificações, categorias analíticas e territórios étnicos, antropólogos e historiadores brasileiros procuram atualmente — mais do que nunca — focalizar grupos indígenas e as chamadas *comunidades remanescentes de quilombos*. Estas também se descobrem, reavaliam suas memórias e revalidam identidades. Esse processo histórico não foi iniciado somente agora. Em alguma medida fez parte da própria ocupação colonial do Brasil, em várias e diferentes áreas. Vamos seguir neste artigo pistas históricas dos contatos interétnicos entre índios e negros (especialmente grupos de fugitivos) na sociedade colonial brasileira.

No Brasil colonial, contatos interétnicos entre índios e negros tiveram motivações variadas. Em diversas áreas produtivas, nas feitorias e construções de fortificações, escravos, negros e índios trabalhavam juntos. Em muitos engenhos e engenhocas de várias capitanias, isso também aconteceu até os primeiros anos do século XIX. Na Amazônia, no fim do Setecentos, numa grande extensão territorial com uma população totalmente dispersa, em qualquer lugar — guardadas as especificidades sociodemográficas de algumas áreas —, havia sempre alguns índios e alguns africanos e seus descendentes. Houve permanentemente fugas, formação de mocambos, conflitos e alianças. Tais contatos possibilitavam também uniões consensuais e mesmo casamentos entre índios e negros. O fator miscigenação deve, portanto, ser considerado.

Os negros fugidos provavelmente contaram com grupos indígenas para estabelecer rotas de fugas e contatos comerciais. Dominar a floresta era a primeira lição para conquistar a liberdade. A vida aí poderia ser tão dura como aquela conhecida sob a escravidão. Índios e fugitivos negros nas fronteiras amazônicas podem ter compartilhado experiências históricas. Artur Ramos fez uma interessante observação:

E agora ocorre-me uma hipótese ao espírito sobre a discutida questão da procedência dos contos do Ciclo do Jaboti, no norte brasileiro — se de origem africana, se de origem ameríndia, visto ter Couto de Magalhães colhido uma série inteira destes contos entre os indígenas do Amazonas. Poderíamos supor uma influência dos *bush negroes* entre as populações primitivas dos afluentes da margem esquerda do Amazonas, nos limites com as Guianas. Lembro-me de ter assistido num cinema a um desses *shorts* nacionais sobre as fronteiras (e esse justamente na fronteira com as Guianas) onde havia uma rápida cena de um grupo de negros em estado semi-selvagem. Não havia no filme nenhuma legenda, a menor referência àquela amostra humana. Sou levado a crer tratar-se de um grupo de negros das selvas das margens do Suriname, que, ultrapassando as cabeceiras do rio, chegavam às fronteiras brasileiras. É um assunto virgem entre nós — esse do estudo das influências prováveis do *bush negro* entre as populações aborígenes da Amazônia (Ramos, 1942, p. 78).

Ramos era um estudioso das influências da chamada "aculturação negra" em várias partes das Américas. Estava na vanguarda destes postulados nas décadas de 1930 e 1940. Dialogava de perto com a literatura internacional, destacando-se, entre outros, os estudos de Herskovits. Não é nossa intenção fazer a arqueologia de suas idéias a respeito das transformações culturais dos africanos e negros no Brasil.[1] Porém seguiremos suas sugestões para entrar numa outra floresta (Ginzburg, 1989).

MISTURANDO AS CORES NA FLORESTA

Na vasta região amazônica, nos primeiros tempos de colonização, foi tentado o sistema de *plantation*, principalmente com açúcar e tabaco. Tal experiência fracassou. Entre os principais fatores estão: falta de investimentos suficientes de capital, preço da mão-de-obra africana mais alto do que na Bahia e em Pernambuco, epidemias e dificuldades geográficas. A produção de açúcar e de tabaco acabou destinada ao consumo interno, dando-se também prioridade à produção de aguardente. Desenvolveu-se o extrativismo através das "drogas do sertão": cacau, baunilha, salsaparrilha, urucum, cravo, andiroba, almíscar, âmbar, gengibre e piaçava. Havia, ainda, a pesca de tartaruga. Até meados do século XVIII não existia a circulação de moedas no Grão-Pará. Um século antes, a base econômica da região estava assentada no extrativismo e na exclusividade da mão-de-obra indígena. Dos índios tudo dependia: eram guias, pescadores, caçadores, carregadores, farinheiros, faziam remédios etc. O povoamento ainda era escasso. A população branca, diminuta, era formada basicamente por funcionários coloniais (Cardoso, 1981).

A historiografia brasileira — ressalvando-se aquela regional, aliás mal conhecida —, de um modo geral, pouco destacou a presença africana na Amazônia. Preocupada com os chamados "ciclos econômicos" — destacadamente o açúcar, o ouro e o café —, procurava apenas analisar o escravo negro no interior das grandes áreas exportadoras. O modelo seria sempre a *plantation*, a casa-grande e as unidades produtivas com numerosos cativos. Em termos de escravidão negra, para a Amazônia colonial, a presença africana teria tido pouco significado econômico. Na sua paisagem socioeconômica só havia lugar para índios. Aliás, estes, esquecidos e expulsos no Brasil colonial pela historiografia — depois dos primeiros anos de colonização —, só pareciam existir na Amazônia. Porém nem tudo era só o verde das matas e o amarelo dos índios nestes rincões. Vale a pena destacar a obra clássica de Vicente Salles, mostrando a secular presença negra africana na Amazônia desde o fim do século XVII (Salles, 1971; Vergolino-Henry, 1990).

Mas a entrada de africanos para essa região durante o século XVII e início do século XVIII permaneceu comparativamente diminuta. Além da falta de capital para investimento nessa mão-de-obra, era difícil competir com outros mercados, de maior expansão econômica e voltados para a exportação, com permanente demanda de braços escravos. A região amazônica seria atropelada pelo açúcar de Pernambuco e da Bahia, depois pelo algodão do Maranhão. A predominante população indígena ainda era insuficiente. Colonos reclamavam à Coroa sobre a necessidade de se introduzir escravos africanos na região. Algumas medidas foram tomadas. Tentou-se em 1682, através de uma licença régia, concedida a uma companhia monopolista com o capital metropolitano, que se introduzisse no Maranhão e no Pará 500 escravos por ano num contrato de 20 anos. Porém a empresa fracassou. A licença foi cassada porque em 1685 ainda não tinha entrado qualquer escravo. Em 1690, formar-se-ia a Companhia de Cachéu e Cabo Verde para introduzir anualmente o mínimo de 145 africanos por um preço determinado (Almeida, 1988).

O fluxo de escravos africanos foi — pode-se dizer— quase inexistente no século XVII. De 1692 a 1721, foram introduzidos 1.208 africanos no Grão-Pará, número muito reduzido se comparado aos 300 a 350 mil africanos que entraram no Nordeste, já na segunda metade do século XVII. O tráfico para essa região permaneceu quase paralisado. Os preços continuavam altos e os colonos — cada vez mais ávidos por trabalhadores africanos — acabavam endividados. Ainda assim, entre 1756 e 1788, foram introduzidos 28.556 africanos no Maranhão e no Grão-Pará. Destes, 16.077 foram levados especificamente para a região do Pará (Farage, 1991, p. 26-38). Colonos também denunciavam que carregamentos de africanos destinados ao Grão-Pará eram desviados para o Maranhão e para o Mato Grosso. Não há estatísticas anteriores a 1755. A entrada era irregular e grande parte desviada para o Maranhão (Salles, 1971, p. 50-51).

Ao estudar o tráfico negreiro para a Amazônia, Maclachlan adverte que as estatísticas devem ser utilizadas com cuidado. Servem mais como tendências da importação de africanos para o Grão-Pará. Para o período de 1757-1800, teriam desembarcado em São Luís 40.935 africanos e somente 13.958 em Belém (Maclachlan, 1973, p. 137). Nas tentativas de introdução de africanos no Grão-Pará, houve, durante o século XVIII, vários conflitos envolvendo autoridades coloniais e metropolitanas e moradores de Belém e São Luís. Moradores e negociantes de Belém reclamavam que eram sempre preteridos e levavam desvantagens em relação ao comércio de africanos para o Maranhão. Na verdade, a área do Maranhão, com o algodão, prosperou mais na segunda metade do século XVIII, aumentando consideravelmente a demanda de importação de escravos (Salles, 1971, p. 115-121, 127).

Em termos de agricultura, as principais áreas de desenvolvimento no Grão-Pará, no mesmo período, ficavam somente em torno de Belém e no delta do Macapá. De qualquer modo, mesmo nas regiões mais afastadas do Grão-Pará, a população negra já se fazia presente. O tráfico negreiro para essa área foi incrementado somente a partir da segunda metade do século XVIII. Ainda na região do Rio Negro (atual estado do Amazonas) — onde predominou o trabalho indígena — começaria, no último quartel do século XVIII, uma tendência a substituírem trabalhadores indígenas por trabalhadores negros (Farage, 1991, p. 36-38).

Mesmo em outras regiões mais distantes, como Santarém e nas vilas e antigas missões indígenas nas áreas do Tapajós, Solimões e Tocantins, a população escrava negra — ainda que muito diminuta — esteve presente nas últimas décadas do século XVIII (Braum, 1789). Fazendeiros e lavradores tentavam desenvolver uma pequena agricultura e uma economia extrativista utilizando ao mesmo tempo trabalhadores indígenas e escravos negros. Como destaca Ciro Cardoso, ainda que a tenha avançado na Amazônia durante a segunda metade do século XVIII e as duas primeiras décadas do século XIX, a escravidão negra esteve muito longe das características típicas das colônias de *plantation*. Os primeiros engenhos de açúcar estabeleceram-se em meados do século XVIII nas proximidades de Belém (Cardoso, 1981, 1985).

Também com as construções de fortalezas ao longo do século XVIII — em decorrência do processo de militarização das regiões de fronteiras, principalmente por parte dos franceses e espanhóis — havia necessidade de mão-de-obra, fosse de índios, fosse de africanos. A população escrava negra no Setecentos estava, de fato, espalhada na Amazônia. Podia estar nas lavouras — onde trabalhava junto com os índios —, na coleta das "drogas", no transporte das canoas ou nas obras das fortificações militares que pontilhavam o Grão-Pará, em função dos temores de invasões estrangeiras.

MOCAMBOS DE ÍNDIOS? COLETANDO "AMOSTRAS"

A floresta amazônica de fugitivos e de mocambos tinha também a sua complexidade interétnica. Os frutos da floresta podiam ter qualidade, tamanho e gostos diferentes. Eram também freqüentes as fugas e a formação de mocambos de índios, juntamente com os negros. Isso aconteceu em várias partes do Grão-Pará, principalmente ao longo da administração pombalina, com a implantação e depois a desestruturação do Diretório de índios. Populações indígenas inteiras eram atraídas, "resgatadas", ou, através dos "descimentos", acabavam sendo recrutadas para o trabalho compulsório por toda esta área colonial. Havia, assim, uma constante migração forçada das populações indígenas, transferidas das suas localidades de origem para aquelas das feitorias, fortificações e outras regiões de produção extrativa e agrícola (Hemming, 1978, 1987; Sweet, 1974). Este processo foi longo e penoso para as populações indígenas amazônicas. Houve resistências, lutas, levantes, fugas e a formação de mocambos.[2]

Em meados de 1752, uma diligência em Cametá foi enviada contra um "mocambo principal" para capturar índios fugidos. Mais distante, na região do Tapajós, no ano seguinte, reclamava-se dos ataques às roças feitas pelos índios que tinham fugido dos aldeamentos formados por missionários. Soldados enviados a este mocambo não tiveram êxito. Visto que este estava "com sentinelas um dia de caminho antes de chegarem". Deste modo, apenas encontraram as "casas desertas". Índios fugiam em massa. No rio Moju, próximo da Vila de São Miguel e Almas, uma outra expedição punitiva encontrou um mocambo de índios abandonado com "casas e muitas roçarias de mandioca". Do Gurupi, notícias sobre índios amocambados informavam que eles "desertam a fim de não trabalharem". Em Barcelos, em 1761, diligências contra pelo menos dois mocambos conseguiram capturar mais de 30 índios. Descobriu-se ainda que os índios tinham roças e ferramentas nos mocambos.

Existiam mocambos de índios por toda parte. Na Vila do Conde e em Piriá, dizia-se quanto aos índios que tinham "já bastante gente em mocambo". Em Portel, havia várias denúncias quanto ao abandono de "serviço" por parte dos índios e que as povoações eram "compostas de mocambos que só aparecem quando querem". Investigações sobre fugas coletivas de índios em Soure revelaram "que todos seguem no caminho de Arauari, onde se acham grandes mocambos". Da Vila de Monsarás, próximo ao rio Caracará, nos matos de Ponte de Pedra se achavam amocambados 40 pessoas desta vila entre grandes e pequenos [mocambos] vivendo como no sertão sem missa nem confissão". Tomás Gonçalves, índio da Vila de Boim, era acusado, em 1763, de ocultar "certos fugidos da mesma povoação fazendo-se cabeça de mocambo". Não muito distante do engenho do Carmelo, denunciou-se que as expedições antimocambos de índios seriam frustradas, posto que "havia comunicação continuada de alguns índios destes moradores com os do mocambo, que facilmente os poderão avisar". Em Alter do Chão e em Monte Alegre, outras diligências contra índios fugitivos foram realizadas em 1765. Em Serzedelo, em 1791, a atenção estava toda voltada para os índios fugidos que "vieram à povoação, porém ocultos e com o sentido de levar consigo algumas mulheres e se amocambarem na boca deste rio". Nas vilas de Franca, Boim, Santarém e Alter do Chão, os habitantes reclamavam do "gentio do mato" nos mocambos que estavam cometendo razias e assassinatos no local. Também em Santarém, em 1773, notícias informavam sobre os índios "motrucus" que estavam amocambados. No rio Arapi, comentava-se que o "gentio no mocambo" estava faminto. Na Vila de Abaeté, uma relação com os nomes de diversos moradores informava sobre a deserção de mais de 20 pessoas, destacando-se índios e mulatos. Não necessariamente de fugidos, grupos indígenas também atacavam as vilas.

As rotas dos índios fugidos podiam ser as mais diversas. Assim como suas aldeias de origem, seus mocambos eram móveis, podendo migrar para outras regiões em diversas direções. Diga-se, a propósito, que muitos índios estavam destinados a trabalhar bem longe das regiões de suas aldeias de origem. Essa prática das autoridades portuguesas visava, também, dispersar e desarticular os grupos indígenas. Índios capturados em algumas regiões tinham como castigo o envio para outras áreas bem distantes. Em 1781, ordenaram-se "copiosas remessas" de índios das vilas de Ourém, Portel, Melgaço, Monte Alegre, Alenquer e Outeiro para Macapá, como castigo das deserções das viagens do rio Negro do "serviço" dessas vilas. Na Vila de Borba, em 1778, as autoridades foram alertadas para "precaver a furtiva passagem dos índios desta Capitania para a do Mato Grosso". Em Benfica, em 1780, tentava-se capturar "índios amocambados" no igarapé Tamatatu e no rio Tanhá (Gomes, 1997, p. 69 e s.).

O que estava acontecendo aos índios? O trabalho escravo na Capitania do Grão-Pará, até meados do século XVIII, foi fortemente baseado na mão-de-obra indígena. O trabalho compulsório destes até a era pré-pombalina dividiu-se entre escravizados e aldeados. A escravização dava-se por *guerra justa, resgate, descimentos* e compra de prisioneiros de guerra. Havia também a escravização ilegal empreendida por particulares (Almeida, 1988; Farage, 1991). Quanto aos livres, estavam divididos em aldeamentos indígenas organizados por missionários. Apareciam aldeias de serviço das ordens religiosas, aldeias do serviço real e aldeias de repartição. As disputas e conflitos entre colonos e religiosos — principalmente os jesuítas — pelo efetivo controle da mão-de-obra indígena eram constantes (Azevedo, 1901; Moreira Neto, 1988).

Durante a última década do século XVII e a primeira metade do século XVIII, os conflitos e desacordos entre jesuítas, moradores, fazendeiros, autoridades e colonos em torno do tratamento e controle sobre as populações indígenas aldeadas foram permanentes. Foi o período das aldeias-missão. Realizaram-se várias entradas e expedições de resgates para a captura de índios. As estatísticas sobre o número de índios convertidos pelos religiosos são incompletas. Dizia-se que só de índios em aldeamentos jesuítas havia 11 mil em 1696 e 21.031 em 1730. Em 1750, calculava-se que em todas as ordens religiosas na Amazônia (jesuítas, franciscanos, mercedários e carmelitas) havia 63 aldeias e cerca de 50 mil índios aldeados (Boxer, 1963, p. 243-245, 251-253; Belloto, 1988, p. 55-56).

Nas estatísticas dos aldeamentos não foram consideradas as populações indígenas vítimas de varíola e outras epidemias ocorridas nos próprios aldeamentos religiosos, assim como a enorme quantidade de índios fugidos. Comentando sobre o impacto das epidemias na Amazônia colonial, Dauril Alden anota que somente em Belém e seus arredores morreram 4.900 pessoas em 1749, e no ano seguinte quase o dobro. No interior, os índices de mortalidade foram ainda maiores, afetando fundamentalmente as populações indígenas, aldeadas ou não. Nas missões dos rios Negro e Solimões, mais de 2 mil índios morreram. Só em uma missão jesuíta na foz do rio Madeira houve 700 mortes. Em 1750, a capitania do Grão-Pará tinha confirmado a morte de mais de 18 mil pessoas e as autoridades previam que este número poderia ultrapassar 40 mil. Segundo Alden, nesse cálculo não era incluído o grande número de índios foragidos que tinham estabelecido "mocambos" nas florestas. Ressalta que tal fato, ou seja, a fuga e mocambos de índios, era fonte de preocupação constante das autoridades reais e dos colonos na Amazônia (Alden, 1985, p. 437).

Os jesuítas, além de utilizarem índios como mão-de-obra nos aldeamentos, participaram do tráfico escravo de índios e depois de negros na Amazônia durante os séculos XVII e XVIII (Sweet, 1978). Não só religiosos e colonos, mas também o poder público na Amazônia colonial teve importante papel no apresamento e utilização da mão-de-obra indígena. Como bem anotou John Monteiro, destacando a política indigenista colonial na Amazônia no século XVII: "se nas capitanias do Sul as expedições foram empreendidas à revelia das autoridades, a presença e ingerência do Estado no abastecimento e na distribuição da mão-de-obra nativa eram notáveis" (Monteiro, 1994, p. 111-112).

Com o projeto ilustrado pombalino para a região, no início da segunda metade do Setecentos, foi decretado o fim da escravidão dos índios e retirado o poder temporal dos missionários religiosos sobre os aldeamentos, desmanchando parte da estrutura de controle da mão-de-obra indígena na região. Reapareceram mais fortes os conflitos entre o Estado português e os jesuítas pelo controle sobre os indígenas. O processo de secularização das missões avançou. Ao mesmo tempo o tráfico escravo africano foi incrementado (Salles, 1971, p. 32 e s.). Tal projeto de desenvolvimento colonial trouxe um impacto para a região, produzindo efeitos sobre a população indígena. Sob a perspectiva de criar as chamadas "muralhas do sertão", os índios foram transformados em colonos e/ou *súditos*. Povoações indígenas e antigos aldeamentos se transformaram em vilas. Em 1757, o então governador Mendonça Furtado criou os Diretórios pombalinos, que, com a perspectiva de controle sobre a população indígena, consistia num conjunto de normas regendo a vida dessa população. Incentivou-se a agricultura, surgiu a figura do diretor das vilas e as atividades econômicas foram por ele mediadas. Além do desenvolvimento econômico da região, este conjunto de medidas visava tanto controlar a população indígena como aplacar a ira dos colonos, insatisfeitos com o problema da mão-de-obra. Temiam-se motins por parte dos moradores e colonos e a dispersão dos índios escravizados e aldeados (Farage, 1991).

Segundo Maclachlan, a Coroa portuguesa implementou, de fato, para a Amazônia, um tipo de controle agressivo sobre o trabalho indígena ao longo do século XVIII, principalmente depois da extinção do sistema de missões (Maclachlan, 1973). Os Diretórios foram criados em abril de 1757, sendo confirmados em agosto de 1758. Bem antes disso — em meados de 1755 — foi decretada uma lei libertando todos os índios do Grão-Pará e Maranhão. Somente em maio de 1758, ou seja, três anos depois, esta lei seria estendida para as demais capitanias. Para Belloto, a "intenção do Diretório era muito mais no sentido do afastamento da Companhia de Jesus do que no de uma menor sujeição dos nativos ao trabalho forçado". A criação dos Diretórios fazia parte, ao mesmo tempo, de uma política colonial de controle da mão-de-obra indígena e ocupação efetiva da Amazônia. A inclusão sistemática de brancos nos aldeamentos, por exemplo, além do controle, tinha uma perspectiva de integração, domínio e ocupação colonial (Belloto, 1988, p. 59; Perrone-Moisés, 1995).

Entre as principais imposições dos Diretórios estavam: 1) língua geral; 2) escolas e professores; 3) estilo de roupas; 4) vida familiar; e 5) integração econômica e política das populações indígenas. Como parte do controle socioeconômico havia ainda o pagamento dos dízimos (Maclachlan, 1972). Nas mentes das autoridades, este seria um período de transição. Os índios poderiam continuar sendo utilizados nas lavouras, porém cabia aos moradores pedir licença através do Juízo de Órfãos. Sob a ótica da "moralidade" e "civilização" articular-se-iam compulsão ao trabalho e disciplinarização da mão-de-obra. Somente em 1798 os Diretórios foram extintos (Farage, 1991).

Com tais mudanças, as fugas de índios — existindo antes — podem ter aumentado bastante nesta região. Aliás, meses antes do decreto de abolição da escravidão indígena, referindo-se à fuga, um contemporâneo disse: "não há meio algum de os fazer parar, porque nas aldeias não só não são castigados, mas, contrariamente, favorecidos e amparados, e sem estes índios já V. Exª sabe que nada se pode fazer" (*apud* Mendonça, 1967, p. 554-555). Outrossim, além de aumentarem em freqüência, as fugas passaram a ser em massa, com a desorganização das missões e a criação desses Diretórios. Com isso, formar-se-iam mocambos e mais mocambos.

Mocambos de índios e depois de negros e índios. A denominação "mocambos de índios", abundante na documentação pesquisada, talvez não estivesse sendo anacronicamente utilizada pela burocracia colonial. Termo africano utilizado para comunidades de negros fugidos e se tornando, juntamente com quilombo, de uso comum pelas autoridades coloniais, era também usado para definir índios que fugiam e formavam agrupamentos no interior da floresta amazônica. Para além das possibilidades da utilização do termo "mocambo" para os grupos de escravos negros e índios fugidos, quais seriam os significados deste tipo de resistência (fugas coletivas e o estabelecimento de mocambos) para as populações indígenas no contexto da Amazônia colonial?

De início vale destacar que as populações indígenas também percebiam as políticas coloniais na Amazônia e as disputas internacionais em torno delas. Em vários outros contextos de colonização nas Américas, é importante igualmente ressaltar como grupos indígenas, escravos africanos, exércitos coloniais, colonos, marinheiros, piratas e autoridades tiveram percepções políticas complexas do processo de colonização, envolvendo guerras, tráfico, escravização etc. Na Amazônia colonial, um processo histórico de resistência e significados políticos semelhantes podia estar acontecendo. Desde o século XVII, populações indígenas já vinham conhecendo as políticas coloniais de *resgates, entradas, descimentos* e aldeamentos. Perceberiam, até a primeira metade do século XVIII, os conflitos entre colonos, autoridades e, principalmente, jesuítas, em torno das missões. A resistência às missões já acontecia com fugas coletivas e também razias. Ao mesmo tempo, grupos indígenas que não tinham realizado *descimentos* e/ou foram efetivamente aldeados migravam. As experiências seculares de migrações de grupos indígenas aconteciam agora num contexto de ocupações de fronteiras, disputas e implementações de políticas coloniais na Amazônia (Maclachlan, 1972, 1973).

Grupos indígenas também devem ter acompanhado com apreensão as mudanças das políticas coloniais ocorridas na segunda metade do século XVIII, principalmente com a lei da emancipação e a criação e regulamentação dos Diretórios. Grupos indígenas não-aldeados podem ter provocado novos processos migratórios, inclusive, transpondo as fronteiras coloniais internacionais em disputa. Nas vilas formadas pelos Diretórios — com inúmeros indígenas aldeados — ocorreram fugas em massa. Cabe destacar que houve nos Diretórios tentativas de unir grupos étnicos indígenas rivais. Além disso, com os *descimentos,* populações indígenas de algumas áreas eram transferidas para outras mais distantes. Neste caso, grupos indígenas foram divididos e distribuídos em vários aldeamentos. Com as fugas coletivas e a formação de "mocambos de índios", que as autoridades coloniais tanto reclamaram na Amazônia colonial, vários indígenas refugiados devem ter tentado — na impossibilidade de retornar às suas áreas de origem e/ou com suas tribos — se estabelecer em comunidades na floresta, reorganizando-se em grupos étnicos e socioeconômicos.[3]

Estratégias de índios e negros fugidos podiam ser semelhantes. Assim teriam percebido as autoridades coloniais e metropolitanas? Talvez isso explique a série de consultas feitas pelas autoridades coloniais ao Conselho Ultramarino. Em 1752, em carta enviada ao rei, o governador Mendonça Furtado pedia novamente que as penas previstas para os negros pela lei de 1741 fossem também aplicadas aos índios amocambados da Capitania do Grão-Pará. O motivo da renovação de seu pedido tinha razão de ser. Sustentava seu argumento dizendo que, a despeito de uma consulta sua ao Conselho Ultramarino sobre este assunto ter sido indeferida (ou seja, os oficiais da Câmara pediram que os índios fossem igualmente marcados — 30/5/1750 —, porém o Conselho proibiu em resposta de 12/5/1751), os moradores do Pará tinham o costume de marcar com ferro os seus nomes no peito dos índios fugidos de seu poder (*apud* Mendonça, 1967, p. 304-306). Considerando que os burocratas coloniais não inventaram nomes para classificar a formação das comunidades de índios fugitivos, os moradores e autoridades do Grão-Pará criaram práticas específicas para a repressão aos índios fugidos.

Nos anos de 1780, ao que parece, as fugas de índios aumentaram, pelo menos nas regiões de Nogueira, Colares, Soure, Barcelos, Melgaço, Joanes, Ourém, Monte Alegre, Cintra, Alenquer, Rio Negro, entre outras. Não foi por acaso. Neste mesmo contexto tinha aumentado a retenção dos índios, permitindo-se o reassentamento privado, assim como os *descimentos*. Acontecia também a excessiva demanda de mão-de-obra por parte do Estado. Cada vez mais precisava-se de braços para a construção e guarnição de fortalezas, manutenção de estradas e pontes, canoas de vigilância etc. Igualmente aumentavam os trabalhos nas expedições demarcatórias (Almeida, 1988; Farage, 1991; Hemming, 1978, 1987; Sweet, 1974). Ainda que, em 1755, a Coroa portuguesa outorgasse aos índios das capitanias do Grão-Pará e do Maranhão "a liberdade de suas pessoas, bens e comércio sem outra inspeção temporal que não fosse a que devem ter como vassalos", a sua utilização compulsória sempre continuou. Em 1775, em Baião, índios eram denunciados "por não quererem absolutamente trabalhar e com suas fugas, causar inconsiderável prejuízo" às canoas de negócio. Em contrapartida, em 1803, reclamava-se ao Conde dos Arcos que, ali como em outras capitanias, existia o "abusivo costume" de se obrigar índios a trabalhar por "tênue jornal". Com isso eram comuns as fugas de escravos, "procurando uns outras capitanias e buscando outros os sertões e matos" (Gomes, 1997, p. 69 e s.).

Na verdade, mesmo com a extinção do diretório e toda a legislação emancipatória, a exploração do trabalho forçado indígena nunca cessou na Amazônia. Como anotou Nádia Farage: "a liberdade dos índios era uma ficção política" (1991, p. 47). Em 1790, Miguel de Carvalho foi preso, acusado de contratar, sem títulos, "grande número de índios" para as suas roças. Havia ao mesmo tempo falta de controle e vista grossa das autoridades portuguesas. Os próprios colonos reclamavam da falta de mão-de-obra para as lavouras e para a produção extrativa. Por sua vez, mesmo as autoridades do Pará sabiam da vital necessidade dos índios para o trabalho nas fazendas reais, equipamento das canoas etc. Com a falta de gêneros na região, tentava-se, sem sucesso, "promover as lavouras particulares dos índios, persuadindo-os". Enquanto isso, a população indígena diminuía. Não bastassem as deserções, havia ainda o problema das epidemias. Com a continuação das fugas, os índios perceberam não só o impacto das doenças, mas também as mudanças na política colonial. Numa visita pastoral na região do rio Negro, em 1762, foi denunciado que os índios *ariquena* tinham fugido em massa, "muitos das nossas terras para os castelhanos" (Queiroz, 1961, p. 252). Ainda em 1780, noticiava-se que índios escravizados "por não quererem servir a seus senhores se amocambaram em as cabeceiras deste rio [em São Bento] e com a notícia que tiveram da lei das liberdades voluntariamente foram descidos", tendo a Coroa cedido terras para que produzissem. Também nessa ocasião, autoridades e colonos procuraram estabelecer, de forma mais efetiva, o tráfico de africanos para a Amazônia. Os índios também, certamente, perceberam a floresta escurecer cada vez mais com a chegada dos africanos.

Ao mesmo tempo que continuavam os *descimentos* de grupos indígenas, surgiam mais fugas e mocambos de índios. Da Vila de Portel, em 1781, enviavam diligências tanto para acompanhar o "descimento dos índios do Pacajaz" como para destruir um mocambo no rio Arapari. No rio do Taqueri, na Ilha do Marajó, falava-se que "junto à fazenda de Angélica de Barros está um mocambo". Em Santarém, na área de Tabatinga e em outros locais definidos pelos tratados como fronteiras com os domínios espanhóis, também se noticiava a existência de inúmeros mocambos. Nos lagos do Capim Tuba e Paracari, em Alenquer, foram presos 25 índios amocambados. Em 1789, do Bujaru, junto ao rio Jabutiapepu, foi enviada uma diligência para prender índios fugitivos. Em não raras ocasiões, temiam-se ataques às vilas por índios amocambados. De fato, a deserção dos índios — fosse pela freqüência e quantidade — acabava desorganizando parte da economia extrativa no Grão-Pará, tanto para os colonos quanto para as fazendas e propriedades da Coroa (Gomes, 1997, p. 69 e s.).

A AMAZÔNIA E OS *BUSH NEGROES*

Ainda que considerando a imensidão da área amazônica, o pouco povoamento e a dispersão de vilas e povoados, os índios reunidos em tais mocambos não ficavam totalmente isolados. Para melhor analisar as estratégias da população indígena em diversas áreas da extensa Amazônia colonial seria importante resgatar e acompanhar a etno-história de determinados grupos indígenas. Na área do Solimões, desde o fim do século XVIII, existia um comércio intertribal intenso. Houve contatos com as missões espanholas e também com colonos europeus (inclusive holandeses) na região de fronteira com a Guiana Inglesa. Outro fator importante foram as migrações constantes de vários grupos indígenas. Existia mesmo uma tradição indígena de migração e mobilidade. Na área do Tapajós — onde houve igualmente uma ocupação colonial —, esta tradição pode ajudar a explicar os significados da resistência e fugas indígenas, especialmente a partir da reconstrução etno-histórica dos processos migratórios e de contatos interétnicos dos índios *mundurucu* (Porro, 1983-1984; Menéndez, 1981-1982).

O aumento das fugas de índios e de seus mocambos no Grão-Pará acontecia quando africanos ali desembarcavam em maior quantidade. Também seria possível averiguar de que modo a tradição indígena de fugas foi rapidamente influenciada pela fuga de africanos em algumas áreas. Estes e seus descendentes, com apoio dos índios, criavam suas rotas de fuga, seus mocambos e buscavam a liberdade no meio das florestas (Craton, 1982).

Em 1752, num sítio de Antônio Nunes da Silva no rio Cupijó, falava-se da existência de índios escondidos com criminosos e negros. Dez anos depois, negros e índios fugidos em Beja eram acusados de fazerem "salga" conjuntamente. Na mesma ocasião, pretos, mulatos e índios foram capturados em um mocambo na região de Melgaço, no Tapajós. Em 1772, em Ponta da Pedra, tentava-se destruir "um mocambo de índios, mulatos e criminosos, de que é cabeça um mulato chamado Narciso que foi dos padres da Companhia". Estes quilombolas praticavam roubos e mantinham comércio nas povoações próximas. Começava a aparecer solidariedade entre índios e negros naquela terra comum que os escravizava. Índios em Salvaterra invadiram a cadeia para dar fuga ao "preto Manoel José". Na região de Macapá, índios da "nação Marauanu" estavam refugiados com os pretos. Também de Gurupá noticiava-se que índios e cafuzos fugidos andavam juntos. Na região de Baião foi o mameluco Francisco Gregório quem manteve contato com o "gentio Aramari" na cachoeira do rio Itáquona. Em Joanes e Monsarás, foi preso o preto fugido Miguel, conhecido ladrão de gado. Sabia-se mesmo que os índios locais "tinham comércio com os ditos fugidos". Em Benfica, ainda em 1775, a propósito de uma expedição contra "um mocambo de índios vadios", aconteceu que: "[...] vindo os índios conduzindo-os para este lugar encontraram-se com os pretos de Francisco Antônio, e como os ditos vadios tinham contatos com os pretos, estes tiraram das mãos dos índios da povoação os presos" (Gomes, 1997, p. 69 e s.).

Mocambos formados por índios, por negros ou por ambos se misturavam. Autoridades procuravam um, encontravam outro, ou mesmo ambos. Nas matas do engenho de um capitão, no rio Acará, em 1790, aconteceram duas mortes. Com a recomendação de "todo o segredo", foram determinadas investigações visando descobrir se "por ali, ou por outros sítios, haverá mocambos de pretos ou índios fugidos". Em 1795, em Cachoeira, eram enviadas duas escoltas, uma "pelos Rios Anavejú, Tauhá, Atujá, e outra pela foz do Rio Atuá, por todas aquelas ilhas adjacentes, Muaná, Pracáuba para impedir as absolutas [sic] [absurdos?] que costumam por aquelas partes fazerem os índios, pretos e soldados desertores". Em Almerim, mulatos e índios que andavam pelos matos fugidos foram acusados de incendiar uma residência. Também na fronteira com a Capitania de Goiás denunciava-se que pretos e índios fugidos podiam se aliar visando ao extravio de ouro.

Próximo do rio dos Macacus, junto às cabeceiras do rio Mapirá, no início do Oitocentos, foram capturados fugitivos negros e índios. Investigações feitas entre alguns dos capturados e outras pessoas possibilitaram a descoberta de que existiam "pelos centros dos matos da Ilha de Joanes muitos mocambos, com muita e diferente gente, acoitados por algumas pessoas graduadas destes mesmos distritos para se tirarem dos seus trabalhos e negociações como acontecia a estes apreendidos, que se comunicavam com eles bastantes pessoas, utilizando-se do seu trabalho".

No Brasil ainda são poucos os estudos em etno-história que abordem a miscigenação, fusão e interação de grupos étnicos indígenas e negros. Numa perspectiva interessante de classificação étnica colonial, Helms analisa como os índios *miskitos* na Nicarágua e em Honduras, eram descritos por viajantes e cronistas tanto como "índios" quanto como "negros" desde o período de contato colonial. Tratava-se de uma região de fronteiras com impactos socioeconômicos gerados pelos interesses tanto de espanhóis quanto de ingleses do Caribe, e também pela presença de população indígena e escrava, incluindo negros fugidos. Helms aborda as transformações históricas ocorridas, os contextos e o surgimento de identidades étnicas relacionais, com a classificação étnica de *zamboes*. Em épocas mais recentes as classificações étnicas destas populações miscigenadas têm ganhado outros contornos. Os *blacks caribs*, por exemplo, são considerados mais afro, enquanto que os *miskitos*, mais indígenas.[3]

Na Amazônia colonial, grupos de fugitivos negros associaram-se aos indígenas, formando comunidades. Quanto às "amostras humanas" sugeridas por Ramos e outros no contexto amazônico existem várias evidências. No fim do século XIX, o Barão de Marajó afirmou que "índios e negros do mocambo se comunicavam com as malocas de negros que povoavam as cabeceiras do *Saramaca* e *Suriname* na colônia holandesa" (Marajó, 1895, p. 268). Em expedição pela Amazônia em 1928, especialmente na região de

Óbidos e Tumucumaque, Cruls observou que ainda existiam negros remanescentes dos "mocambeiros". Ali, já há algum tempo, faziam comércio de castanha, cumaru (um tipo de fragrância) e óleo de copaíba. Segundo soube na viagem, estes "mocambeiros" tiveram contatos com os grupos indígenas *ariquena, xaruma* e *tunaiana,* contatos esses que, além de trocas comerciais, foram também cercados por conflitos. Roubaram mulheres indígenas e foram atacados, indo se estabelecer em outros pontos mais baixos do rio. Ainda assim, Cruls soube que, através dos grupos *tiriô* e *pianocoto* na fronteira, estabeleceram contatos, inclusive com os "negros da mata" (*bush negroes*) do Suriname (Cruls, 1945, p. 16, 96).

Tais contatos podem ter gerado miscigenação. Grupos de fugitivos negros do Suriname, grupos indígenas e negros fugidos do Grão-Pará fizeram um encontro nas fronteiras amazônicas. Frei Alberto Krause, atravessando a cordilheira do Tumucumaque em 1944, colheu, num depoimento do cacique Aparai dos *macuru,* a informação de que havia naquela região "18 tribos de índios e 4 de negros". O referido Krause acreditava que tais "tribos negras eram compostas provavelmente de negros fugidos, os *meico're,* uma destas tribos fala o dialeto caraíba". Funes — baseando-se em Protássio Frikel — destaca que *meico're* era igual a *mekoro* ou *boschnegers* (Krause, 1945; Frikel, 1955, *apud* Funes, 1995, p. 175).

Durante a breve ocupação de Caiena pelos portugueses nos primeiros anos do Oitocentos, as autoridades coloniais informavam sobre a existência — na região entre o Oiapoque e o Araguari — de várias povoações e aldeias indígenas. Falava-se de "índios selvagens de grandes orelhas" e de uma "outra nação desconhecida que se parece com os negros fugitivos do Suriname" (Monteiro, 1994, p. 178-179). Jorge Hurley visitou a região do Oiapoque na década de 1920, conversou com negros *saramacas* em São Jorge, Caiena. Além disso, anotou que entre as tribos que habitavam a extensa região da Guiana, no lado brasileiro da fronteira, havia os *tahyrá* e os *jucá,* "compostos de homens pretos agigantados, que comerciam ouro em pó com os franceses", e também os *lontravasso,* "pretos antropófagos" (Hurley, 1930, p. 624; Lombard, 1928).

Em 1858, o delegado de polícia de Óbidos, Romualdo de Souza Pais de Andrade, enviou um ofício reservado ao chefe de polícia provincial do Pará. Tinha conseguido preciosas informações junto a Tomás Antônio de Aquino. Este, seguindo pelo rio Trombetas e "internando-se pelo Rio Arepecuruassú foi dar com os índios que habitam nas cabeceiras do mesmo rio". Revelaria ainda que "encontrou pretos fugidos, pois consta que os índios habitam juntamente com os últimos". O referido delegado complementaria estas informações dizendo que "no Trombetas existem não menos de 300 escravos porque tem sido um mocambo inexpugnável e duma existência longüíssima". Por último alertava:

> Os perigos que nos cercam são inúmeros, porque além do mocambo do Trombetas, de outros menores, de que se acha este distrito rodeado, existem os índios aquém da cordilheira do Tumucumaque, e para além da mesma cordilheira existem três repúblicas independentes de negros que infalivelmente devem comunicar-se com os de cá por intermédio dos índios. V.Sª sabe que a parte mais transitável da cordilheira supradita é justamente a que nos serve de limites com a Colônia Holandesa e que desta cidade [Óbidos] sobre a margem do Suriname existem apenas 140 léguas de 18 graus, e que conseqüentemente é preciso que o Governo preste muita atenção para o rio Trombetas. As repúblicas de que acima falei a V.Sª foram reconhecidas pelos holandeses em 1809 e existem uma ao lado do alto Maroni, outra sobre o alto Saramaca, e a outra sobre o alto Cotica todas por conseguinte a menos de 100 léguas desta cidade. A nossa lavoura definha pelas imensas fugas que diariamente aparecem, e se não der providências certamente bem cedo estaremos sem um escravo.[4]

Provavelmente o dito Romualdo referia-se aos grupos de negros *saramaka*, os *boni*, os *paramaka* os *djuka*, antigos redutos de escravos fugidos que forçaram as autoridades coloniais holandesas a estabelecer tratados de paz desde o século XVIII (Groot, 1977, 1985, 1986; Price, 1983, 1987, 1990). Negros fugitivos do lado brasileiro já estavam entrando em contato, nas fronteiras, com os negros fugidos e seus remanescentes *maroons* do Suriname. Tinham o apoio de grupos indígenas locais. De fato, para a região do Baixo Amazonas e as fronteiras com o Suriname existem várias evidências sobre tais contatos socioeconômicos. Funes anota que em 1727 missionários franceses diziam que grupos indígenas — os *xaruma* e os *parankari* —, dos altos rios da Guiana mantinham contato com os traficantes holandeses. Grupos indígenas de ambos os lados desta fronteira tinham a tradição de migrações constantes, permitindo contato com negros fugidos tanto no Brasil como no

Suriname. Dentre estes índios, destacam-se os *tiriô*, os *pianocoto* e os *xaruma*. Sabe-se que desde 1749 grupos indígenas instalados na fronteira estabeleciam contato com os *bush negroes* ("negros da mata") do Suriname (Meirelles, 1955; Frikel, 1971, *apud* Funes, 1995, p. 1.701). Em 1875, Barbosa Rodrigues, um conhecido viajante da região do Trombetas, diria: "Os mocambistas além do trato com os brancos das povoações negociam por intermédio dos *arequena* com os *tunayana*, com os *xaruma* e *pianagotó*, que por seu turno comerciam com os *Drios* e estes com os mocambistas do Suriname" (Barbosa Rodrigues, 1875, p. 28-29).

Entrevistando, em 1992, uma remanescente destes quilombos no Baixo Amazonas — mais propriamente aquele conhecido como Pacoval —, Funes, numa pesquisa de etno-história, anotou uma fala sobre tais possibilidades de contato:

"ficava pra pegá a margem da baía, não ficava longe a cidade de Holanda, que eles sabiam onde era mais não iam lá por que não dava", revelou uma antiga moradora recorrendo à memória oral de sua comunidade. Nestas regiões da Amazônia — principalmente nas divisas do Suriname e Guiana Francesa —, negros fugidos, grupos indígenas e outros personagens reinventaram constantemente suas próprias fronteiras e também identidades. Em 1855, por ocasião de uma expedição antimocambos, dizia-se que no rio Mapuera havia "gentios, uns de cor alva e barbados e outros de cor bronzeada e barbados". Outrossim, estes estavam "em contato com os negros quilombolas e que todos traficam com os comerciantes ou mascates de Demerara, colônia holandesa donde lhes vem armas de fogo, terçados de superior qualidade como os que encontrei no mocambo" (Funes, 1995, p. 172-173).

Outros relatos já no século XX confirmam a permanência deste processo histórico de contatos interétnicos e de circulação de experiências nas fronteiras, envolvendo negros fugidos, grupos indígenas e também regatões. Investigando os índios *tiriô* nas fronteiras, Protássio Frikel destacou que

"anualmente os *djuhas* [*djukas*] faziam viagens comerciais às aldeias *turyjó* [...] os principais artigos de trocas mútuas eram cachorros de caça e arcos fortes pelo lado índio, e pano vermelho, miçangas e instrumentos de ferro por parte dos negros".

Nas anotações de Derby, já no fim do século XIX, aparecem informações conseguidas com os próprios mocambeiros remanescentes. Contaram que, em uma ocasião,

> "uma expedição subiu por um afluente do Trombetas acima, rumo a leste, até onde puderam chegar em canoas, e daí atravessaram um extenso campo onde encontraram-se com índios que negociavam com os brancos da Guiana, receberam destes índios, fazendas, machados, facas, etc.".

Negociavam ainda cachorros, arcos e flechas. Dizia-se que eram "muitos hábeis em ensinar cachorros a caçar sem serem acompanhados". Neste sentido, compravam cachorros "aos pretos para o seu próprio uso ou para revendê-los depois de ensinados" (Frikel, 1971; Derby, 1897-1898, *apud* Funes, 1995, p. 175-176).

Na área do Baixo Amazonas (principalmente na região de Santarém), já avançando os séculos XIX e XX, estão bem documentadas as relações de solidariedade, proteção e conflitos interétnicos de negros fugidos e seus remanescentes[5] com as populações indígenas, alcançando as fronteiras.[5] Em 1844, uma expedição contra o mocambo de Ituqui fracassou "por terem sido os negros avisados por um índio seu comparsa". Um frei franciscano, viajando nesta região em 1867, encontraria um grande mocambo com "cerca de 130 pessoas, além dos índios que estão no meio dos pretos" Funes, 1995, p. 160). Conflitos também aconteceriam. Em 1854, os índios *mundurucu* atacaram e mataram alguns quilombolas do rio Curuá. Em 1876 seria a vez dos índios *parintintin*, e no ano seguinte os *anambés*.[6] Ainda no fim do século XIX, a francesa Atille Coudreau, viajando pela região, destacou como os índios *pianocotos* tinham rivalidades com os mocambeiros dos rios Curuá e Cuminá, na região de Santarém (Coudreau, 1901, p. 139).

No século XX, também existem evidências de contatos interétnicos entre os mocambeiros (comunidades remanescentes daqueles quilombolas) e grupos indígenas. Por ocasião de uma expedição da Comissão Demarcadora de Fronteiras, em 1937, foram encontrados índios *caxuiana*, "mantendo estreita ligação com os pretos do mesmo rio que os empregavam na colheita da castanha e batata, além de se servirem de suas mulheres". Mais uma vez, Protássio Frikel, em 1955, anotaria uma interessante narrativa de um pajé dos índios *caeana*, também nesta região do Baixo Amazonas, falando dos conflitos com os quilombolas locais, envolvendo o rapto de mulheres e saques (Aguiar, 1942; Frikel, 1955 *apud* Funes, 1995, p. 162).

Mais do que em qualquer lugar do Brasil Colônia, na Amazônia, as fronteiras entre quilombolas, traficantes e grupos indígenas — envolvendo aqueles tanto do Brasil como de outras áreas coloniais estrangeiras — estariam borradas (Whitehead, 1988). Citemos aqui o que disse o governador Souza Coutinho, em 1798, preocupado com as "comunicações" de emissários franceses de Caiena com escravos do Brasil na fronteira:

> [...] na Europa precisou o Governo de França enviar emissários seus, precisaram estes instruir-se da língua dos povos a que deviam preparar os ânimos ou aliás aliená-los da sujeição às leis dos seus supremos imperantes e sempre iam expostos ao grande risco de serem conhecidos, e surpreendidos. Aqui, ao contrário, os pretos de diferentes nações que temos por escravos são pais, filhos e irmãos dos que existem livres na confiante colônia. Os índios das nossas povoações ainda que de diferentes nações quase todos têm parentes em Caiena, quase todos falam a língua geral que falam também não só os que fugiram delas mas os que lá habitaram sempre. Uns e outros são sem dúvida melhores emissários do que mais bem instruídos franceses, e tendo muitos dos nossos fugidos que sabem todas as comunicações sendo muitos os que facilitam os muitos rios, riachos e ilhas deste país e muito remotos, espalhadas as povoações... (APEP, Cod. 552, 20/4/1798).

Eram, de fato, complexos os contatos interétnicos — especialmente nas fronteiras — reunindo grupos indígenas e grupos de fugidos negros. Esta fala — temperada por medo — de Souza Coutinho é impressionante. É a melhor descrição do mosaico étnico africano e indígena no Grão-Pará, atravessando fronteiras coloniais.

Estudos etnográficos mais recentes, analisando esses contextos coloniais, têm destacado as transformações vividas por diversos indígenas ao longo da ocupação e colonização da Amazônia. Critica-se a idéia tradicional de que as sociedades amazônicas eram isoladas umas das outras no passado. Ao estudar a região da Guiana Ocidental, Simone Dreyfus (1993) analisa como historicamente repercutiram as lutas das potências européias desde o século XVI nas redes políticas indígenas. Nas fronteiras havia a demanda de escravos indígenas e o próprio tráfico de mercadorias. Foram utilizadas estas redes políticas tradicionais, inclusive, modificando-as. Formava-se ali um sistema complexo de alianças, através da guerra e/ou do comércio entre diferentes grupos indígenas, e mesmo entre as potências européias e alguns deles. No emaranhado da floresta — onde tudo era verde — devem ser consideradas as especificidades tanto dos grupos indígenas em questão como as estratégias coloniais de ocupação e políticas econômicas e militares.

Qual era a política colonial para a Amazônia? Melhor seria dizer políticas coloniais, reforçando o plural. Isso não só porque havia vários interesses estrangeiros, no caso, ingleses, holandeses e principalmente espanhóis e franceses, mas também porque os interesses portugueses não tinham um único vetor definido. Os *projetos* e *processos* de colonização na Amazônia foram complexos e multifacetados, em termos de ocupação, povoamento, práticas econômicas estabelecidas, vinculações políticas e comerciais com a metrópole. É bom destacar — como já falamos um pouco no início — que a ocupação colonial na Amazônia sofreu várias transformações no tempo, mesmo considerando o período pombalino como divisor de águas desta experiência local (Silva, 1992). Tentava-se, de uma maneira geral, desenvolver economicamente a região, povoar áreas diversas, controlar a mão-de-obra negra e indígena, e fundamentalmente ocupar, militarizar e expandir as áreas de fronteiras internacionais.

Foi, sem dúvida, Artur César Ferreira Reis quem melhor pesquisou, refletiu e escreveu sobre a expansão portuguesa na Amazônia. Houve sempre uma preocupação militar. Neste sentido, a ocupação teve um caráter político-estratégico. Ao mesmo tempo que diversos tipos de exploração econômica eram experimentados, formavam-se barreiras contra holandeses, franceses, espanhóis e ingleses. No século XVIII, os vários tratados internacionais (Utrecht/1713, Madrid/1750 e Santo Ildefonso/1777) seriam assinados, tendo como cenário complexas disputas coloniais, principalmente nas áreas de fronteira dos rios Negro, Madeira, Solimões, Branco, Tapajós e Amapá. A construção de fortalezas militares em vários pontos da fronteira aconteceria neste contexto (Reis, 1947).

Uma outra face desta disputa colonial dava-se bem longe dos tratados e diplomacias das autoridades coloniais e metropolitanas francesas, holandesas, espanholas, inglesas e portuguesas. Colonos, autoridades régias locais, moradores, militares, soldados desertores, índios aldeados, tribos indígenas não-contatadas, escravos negros, fazendeiros, traficantes, comerciantes, lavradores, índios e negros fugidos — muitos constituídos em mocambos — não só percebiam com suas próprias complexidades lógicas, contradições, avanços e recuos das várias políticas coloniais implementadas, como agiam a partir destas próprias percepções. No processo histórico de expansão colonial na Amazônia seria interessante pensar a própria idéia de colonização para os vários sujeitos históricos em questão. Rompe-se assim com os argumentos tradicionais de homogeneidade, modelos econômicos internacionais e evolucionismo na história da conquista e colonização européia. Num palco de conflitos e disputas estariam sendo forjados os próprios significados históricos da colonização para diversos setores sociais e conseqüentemente os níveis de alianças, acordos, conflitos, interesses e identidades. Estes vários personagens históricos, ao forjarem o "novo mundo", refaziam-se e às suas identidades.

Na Amazônia, este processo histórico de colonização — talvez mais do que em qualquer outro lugar das Américas — foi muito complexo por ser uma área de várias fronteiras internacionais. Houve diversos tipos de estratégias coloniais de ocupação, envolvendo indígenas, missionários e colonos, desde o século XVII. Espanhóis perseveraram nas missões religiosas com jesuítas e franciscanos. Os franceses insistiram até o último momento na região de Caiena. De um maneira geral, as estratégias de povoamento até o início do século XVIII foram limitadas (Reis, 1940, 1959).

Diferentemente dos espanhóis e portugueses, que tentavam impor sua soberania, "civilizar" e cristianizar os grupos indígenas, os holandeses, por exemplo, tinham uma relação fundamentalmente mercantil com esses povos. Na Guiana Holandesa — depois Suriname —, vários grupos indígenas, nos séculos XVII e XVIII, serviam de intermediários, inclusive no tráfico de escravos índios. Utilizavam também grupos indígenas, enquanto milícias, para combater fugas e revoltas de escravos negros (*maroons*). Os índios *karinya*, tinham uma língua considerada "língua franca", língua de escambo e troca, compreendida entre os *tupi* do Oiapoque. Destaca-se, ainda, que os mascates holandeses que cruzavam toda a região da Guiana Ocidental, guiados por índios, eram invariavelmente negros e mestiços, e falavam, no mínimo, uma língua indígena.

A questão da língua foi outro fator importante neste complexo processo de colonização na Amazônia. Grupos indígenas podiam comunicar-se primeiramente só com os religiosos nas missões e depois com traficantes e colonos nas fronteiras. Podiam ser criadas "línguas" apenas para efeito de comércio, unindo grupos indígenas distintos e diversos colonos estrangeiros. Mesmo a idéia de se criar uma "língua geral" nos Diretórios pombalinos deve ter inicialmente fracassado no sentido de fazer desaparecer as várias "línguas" indígenas. Ainda em 1759, o governador enviado por Pombal para o Grão-Pará, Mendonça Furtado, com ares de surpresa, destacaria os seguintes acontecimentos:

> O primeiro foi vir à minha casa umas crianças, filhos de umas pessoas principais desta terra, e falando eu com elas, que entendendo pouco português, compreendiam e explicavam bastante na língua tapuia, ou chamada geral. O segundo foi ver debaixo da minha janela, dois negros dos que proximamente se estão introduzindo da Costa da África, falando desembaraçadamente a sobredita língua, e não compreendendo nada da portuguesa. (*apud* Reis, 1966, p. 189)

É possível supor que a diferença da "língua" não constituía problema nem fronteira para contatos interétnicos entre índios, africanos e crioulos e outros setores da sociedade envolvente durante o processo de colonização na Amazônia setecentista. Para as fronteiras da Guiana Francesa, como vimos num assustado comunicado do governador Souza Coutinho, índios e pretos diversos não só tinham "parentes" do lado de lá, como todos falavam a "língua geral" (Borges, 1994). Em 1753, numa carta régia ao governador da Capitania do Pará era lembrada a necessidade de se formar aldeias nas margens do rio Branco e enviar patrulhas para conter as incursões dos holandeses para resgatar escravos índios. Dois anos depois, ressaltando-se a importância da nova Capitania de São José do Rio Negro, falava-se não só em vigiar os holandeses, mas os índios *caribe* que cometiam insultos nas fronteiras. O próprio Alexandre Rodrigues Ferreira relata que índios brasileiros tentavam prender "pretos holandeses" próximo à fronteira. Soube-se "que nos distritos em que se achavam andavam pretos holandeses acompanhados de índios *caripuna*, cativando os gentios, e exercendo neles toda a sorte de hostilidades". Tentou-se prendê-los, "porém apenas tiveram notícias da escolta, trataram de se ausentar para os seus domínios" (*apud* Mendonça, 1967, p. 706-708). Ao mesmo tempo que se tentava vigiar fronteiras, impedindo invasões estrangeiras que faziam explorações econômicas e realizavam trocas mercantis e tráfico de índios, era necessário contatar e atrair grupos indígenas diversos — muitos dos quais rivais — para que também pudessem servir de aliados. Ainda na correspondência de Alexandre Rodrigues Ferreira apareceria, em agosto de 1784:

> Sobre os pretos holandeses, que assistidos de índios *caripuna*, constou andarem por aí fazendo escravos, sendo infelizmente alguns dos sobreditos desertadas pessoas, fez V.M. muito bem em procurar apreendê-los, posto que assim se não conseguisse, por se haverem ultimamente retirado, e se bem, que em casos semelhantes se deve obrar da mesma forma, remetendo-se para aqui presas quaisquer pessoas daquela nação, achadas em tão péssima negociação, contudo com os índios *caripunas* haverá o maior cuidado, de se não escandalizarem, para, como nação numerosa, e mais resoluta a não voltarmos nossa inimiga, fazendo-se antes o possível pela reduzir, e ao menos pelo não escandalizarmos (Farage; Amoroso, 1994, p. 123)

É interessante destacar neste trecho o termo "nação" utilizado tanto para holandeses, no caso, os pretos, como para os índios *caripuna*. Alianças com grupos indígenas — principalmente aqueles principais e estabelecidos próximo às fronteiras — tinham que ser feitas. Neste sentido, a militarização das áreas de fronteira devia ser acompanhada de outras estratégias de ocupação, como comércio e alianças com grupos indígenas. Em 1786, diria Alexandre Rodrigues Ferreira, da região de fronteira do rio Branco:

> Logo sem demora empregará V.M. o maior desvelo em construir uma fortificação proporcionada, que presidiada de uma competente guarnição, possa não só conter-nos em segurança contra quaisquer desígnios e insultos dos referidos espanhóis e holandeses, mas até dê princípio também à amizade, e aliança de todas as nações de índios, que habitam as margens, e centros daquele rio. (Idem)

Grupos indígenas, escravos, negros, índios fugidos, traficantes, colonos, quilombolas estavam marcando as fronteiras coloniais com suas experiências históricas. Entretanto, vale ressaltar, nem tudo era harmonia e solidariedade. Alianças e hostilidades podiam ser mais circunstanciais do que duráveis. Assim como veremos em outras áreas no Brasil e no restante das Américas, as relações entre índios e negros foram marcadas também por conflitos. No Grão-Pará não podia ser diferente. E aconteceram em várias áreas. Em Joanes, em 1762, índios desertores foram intimidados pelos pretos numa ocasião. Bem distante dali, no rio Xingu, foi preso um índio por ter agredido um mulato. Em Penha Longa houve mesmo um assassinato, tendo o índio Joaquim de Matos matado um mameluco, morador do rio Obituba. Em Benfica, pretos eram acusados de insultar os índios locais. Anos mais tarde, do outro lado da capitania, em Santarém, a casa de um índio foi invadida à noite por pretos que faziam "roubos e desordens", tendo ele levado "muita pancada".

Não fosse só isso, em não raras ocasiões, as tropas que entravam nas matas para capturar fugitivos negros e destruir seus mocambos eram formadas por índios e/ou por eles guiadas. Talvez também escravos negros tenham sido utilizados para combater mocambos de índios. Em Ourém, em 1762, as autoridades mandaram destruir um mocambo de negros, mas estes tiveram de aguardar os índios por "estarem plantando as suas roças" e "que acabando a plantação" mandariam "fazer a diligência ao dito mocambo". Para perseguir e prender mais de 50 fugitivos negros africanos da obra de fortificação de Macapá foi expedida uma força com índios e até pretos ladinos. Em Porto do Moz, também índios foram utilizados para combater mocambos. Da região do Turiaçu, divisa com a Capitania do Maranhão, em 1771 e novamente em 1774, pretos fugidos foram capturados por índios. Na região de Pesqueiro, no rio Araguari, índios da povoação do Ananim "deram no mocambo dos pretos fugidos de Macapá, que aprisionaram 20, e mataram 7 e os mais fugiram". Em Santarém, nos derradeiros anos do Setecentos, para se investir contra mocambos de negros fugidos, preparava-se um "destacamento de tropa competente a que se deverão unir os milicianos e índios que forem bastante na paragem" (Gomes, 1997, p. 69 e s.).[7]

De uma maneira geral, os índios, bem antes que os negros, integravam as milícias coloniais. Em 1778, na região de Joanes, era ordenada a formação de companhia de infantaria com índios e mestiços. Em 1797 e 1799, outras ordens nesta direção foram executadas. É claro que parte destas divisões, não só entre índios e negros, mas também crioulos, africanos e índios de grupos étnicos diferentes, era provocada pelas autoridades coloniais. Fazia parte das estratégias de dominação e era fundamental naquele caldeirão étnico do Grão-Pará.

Também na correspondência de Alexandre Rodrigues Ferreira apareciam anotadas as perspectivas de se fazer uma política de aliança e atração de vários grupos indígenas, não só aqueles aldeados e/ou que tinham realizado "descimentos":

> Nas prisões, que V.M. tem feito aos principais, deverá haver mais prudência, poupando-se este procedimento, enquanto for possível, pois pode ser de perniciosíssimas conseqüências, praticado entre índios novos, e sem a civilidade, que até agora se lhe não tem introduzido, sendo assim fácil de se assustarem, e de escandalizados para os matos fugirem, como já proximamente aconteceu; e nisto deve V.M. fazer toda a reflexão, para todo o mau sucesso se evitar, e que desgostosas outras nações e nossa aliança repugnem, e rejeitem. (Farage; Amoroso, 1994, p. 117)

É bom que se diga, se escravos negros vindos da África tinham culturas e histórias diversas, os índios no Brasil, especialmente na Amazônia, não eram diferentes. O que na realidade chamamos generalizadamente de índios, aqui constituíam grupos étnicos e lingüísticos variados e complexos, muitas vezes rivais. Um verdadeiro mosaico de populações que viviam na Amazônia naquela ocasião — juntamente com os africanos e europeus. Na região do Jamari, na área do Amapá, 1799, os índios *maué*, além de fugirem das perseguições das "tropas de brancos", temiam os ataques, tanto dos *munduruku* como dos *caripuna*. Um ano antes, preocupado com os mocambos de pretos no Amapá, escreveu uma autoridade:

> [...] mandei tentar o expediente de atrair um corpo de 600 a 700 índios da nação *mundurucu* (mais guerreira desta capitania, e que ultimamente conseguiu reduzir a paz como a V.Exa. disse em tempo próprio) por entender, que seria a gente mais própria para guerrear com pretos por entre matos e pântanos. (Apud Gomes, 1997, p. 69 e s.)

Estes e outros fatores provocaram rixas e animosidade entre negros e índios fugidos. Em Benfica, em 1775, onde destacamos anteriormente que índios "vadios tinham contatos com pretos", estes últimos eram acusados pelos índios das povoações de "insultos", pois "todas as vezes que os índios vão pescar para a banda do seu igarapé, tiram-lhes as canoas, e os parizes, e lhes dão muita pancada, e assim estão os índios tão intimidados, que morrem a fome pelo temor que têm dos pretos". De Santarém, foi enviado preso em ferros o cafuzo Benedito devido aos distúrbios que fazia com os moradores índios. Conflitos e solidariedade podiam surgir também com os brancos. Na Vila de Serpa, em 1785, um sargento-mor era acusado de dar proteção a índios fugidos e deixar existir um mocambo no interior do seu sítio. Índios e negros — com todas as suas complexidades étnicas — cooperaram, fizeram alianças e entraram em conflito naquele contexto colonial. As estratégias destes fugitivos constituídos em mocambos podem ter funcionado com o auxílio de vários grupos indígenas. As fronteiras naturais e a densa malha hidrográfica não constituíram barreiras culturais. Grupos indígenas e negros fugitivos, atentos às disputas coloniais, certamente forjaram suas próprias fronteiras, fossem elas geográficas e/ou comerciais (Viveiros de Castro, 1992; Whitehead, 1988). Pode ter havido, portanto, complexos conflitos engendrados por holandeses, franceses, portugueses, espanhóis, ingleses, colonos, escravos negros, servos índios, comunidades de negros fugidos e grupos indígenas diversos naquelas fronteiras coloniais. Havia disputas coloniais. Percepções e estratégias diversas foram vivenciadas por diferentes setores sociais (Gomes, 1997, p. 69 e s.).

OUTROS CENÁRIOS ÉTNICOS

É possível descortinarmos um pouco do processo histórico de interiorização de alguns dos quilombos brasileiros setecentistas, suas estratégias culturais e socioeconômicas, seus sistemas de proteção e defesa e suas relações com grupos indígenas. Vamos atravessar, porém, para a Capitania do Mato Grosso. Ali, ao longo do século XVIII, particularmente na segunda metade, surgiu um grande quilombo. Foi o Quilombo do Quariterê, depois conhecido como Piolho.[8] Segundo memórias de Felipe José Nogueira Coelho, o "grande quilombo" teria surgido nas "campanhas do Rio Galera". Por volta de 1770, foi atacado e destruído. Nele foram capturados, entre homens, mulheres e crianças, mais de 100 quilombolas, sendo que 30 eram índios. Segundo constava, no Quariterê já "havia tido rei, mas então governava a Rainha Viúva Teresa". Seu reinado era exercido juntamente com um "parlamento em que presidia o capitão-mor José Carvalho e era conselheiro da rainha um José Piolho" (Gomes, 1997, p. 581-582).

Sobre a Rainha Teresa — que teria sido capturada e suicidou-se na prisão — revelou-se que "mandava enforcar, quebrar pernas e sobretudo enterrar vivos os que pretendiam vir por seus senhores". Além disso, "cuidava muito da agricultura dos mantimentos, e algodão, e havia duas tendas de ferreiro". Depois de supostamente destruído e seus habitantes capturados, nada mais se soube deste mocambo. Ele reapareceu no diário de viagem do bandeirante Francisco Pedro de Melo enviado para o governador da Capitania do Mato Grosso em 1795. Esta viagem, que durou quase sete meses, indo de maio a novembro, tinha como principal objetivo "se destruírem vários quilombos, e buscar alguns lugares em que houvesse ouro".[9]

No dia 7 de maio de 1795, a expedição, reunindo pouco mais de 50 pessoas, entre guias, carregadores e soldados, embarcou no porto de Vila Bela. Desceu de canoas o rio Guarapé, e após quatro dias de viagem chegava à foz do rio Branco. Devido às "margens pantanosas" desses rios, a navegação da expedição continuou até o dia 17. Nessa manhã a expedição marchou por terra até o dia 20, buscando "provas" de ouro. No dia seguinte tentou-se novamente com dificuldade a navegação das canoas, porém, além de "margens paludosas", havia "muitas madeiras atravessadas e caídas pelo álveo do rio". Já no dia 23 "partiram as canoas de retirada para Vila Bela, e a Bandeira partiu por terra". Até o início de junho "foram cortando vários córregos e socando-os, dos quais uns não mostravam ouro algum, e outros com efeito o tinham nas mínimas provas". Penetrou-se no "centro das Serras de Parecis", região onde se sabia ter existido o Quilombo do Piolho. Aliás, um dos guias da expedição era um "preto já forro, e que fora apreendido há muitos anos" no mesmo mocambo. Toda esta região — composta por extensiva área — era formada por "grandes ilhas, recebe muitos ribeirões e as suas margens e terrenos do centro são formadas por densa e alta mataria, e as suas terras fundeais, as melhores que se podem desejar para a cultura".[10] Em meados de junho, a expedição procurou acautelar-se, visto que: "no dia 16 como se tinha visto fogos, e rastro de gente, que se julgar ser de gente, se marchou com mais vagar e indagações, tanto em muitos córregos que cortaram como notando os ditos rastros até o dia 18" (Gomes, 1997, p. 582-583).

A expedição seguiu tais rastros e no dia 19 capturaram-se alguns índios e negros fugidos. Explorando as matas circunvizinhas, descobriu-se — talvez para a surpresa dos integrantes da expedição — um considerável mocambo formado por muitos índios, negros e cafuzos. Ao todo foram capturados 54 quilombolas, sendo 6 negros, 27 índios e 21 "caborés" (denominação para os descendentes dos índios miscigenados com os negros). Havia 24 homens e 30 mulheres, incluindo crianças. A expedição permaneceu estacionada neste mocambo por mais de 45 dias, ou seja, do dia 20 de junho até 5 de agosto. Aproveitou-se, então, para perseguir alguns quilombolas que continuavam escondidos pelas matas e para examinar os córregos vizinhos, pois próximo ao "quilombo deu mostras d'ouro que foram as maiores que se acharam em toda esta diligência, e que dão esperanças de ali poder haver úteis descobertas". Com escassez de mantimentos, a expedição também aproveitou-se da economia dos quilombolas, "tendo se feito farinha de milho que ali se acharam, não só para os dias em que se demorou a Bandeira, mas ainda para vinte dias de marcha".

Vale a pena aqui acompanharmos a descrição que o bandeirante Francisco Pedro de Melo fez deste primeiro mocambo atacado por sua expedição:

> O Quilombo do Piolho que se deu este nome ao rio em que está situado, foi atacado e destruído haverá 25 anos, pelo sargento-mor João Leme do Prado, onde apreendeu numerosa escravatura, ficando naquele lugar ainda muitos escravos escondidos pelos matos, que pela ausência daquela Bandeira se tornaram a estabelecer nas vizinhanças do antigo lugar.
>
> Destes escravos novamente aquilombados morreram muitos, uns de velhice e outros às mãos do gentio cabixis, com que tinham continuada guerra, a fim de lhe furtarem as mulheres das quais houveram os filhos caborés, que mostra a relação.
>
> Destes escravos só se acharam seis vivos presentemente, os quais eram os regentes, padres, médicos, pais e avós do pequeno povo que formava o atual quilombo, situado em um belíssimo terreno muito superior, tanto na qualidade das terras, como nas altas e frondosas matarias, as excelentes e atualmente cultivadas margens dos rios Galera, Savaré e Guaporé: abundante de caça e o rio de muito peixe, cujo rio é da mesma grandeza do Rio Branco.
>
> A Bandeira achou no quilombo grandes plantações de milho, feijão, favas, mandioca, manduim, batatas, caraz, abóboras, fumo, galinhas e algodão de que faziam panos grossos e fortíssimos com que se cobriam (Gomes, 1997, p. 583-584).

Destaca-se inicialmente o fato desse quilombo, mesmo depois de ter sido considerado extinto, ter reaparecido. Na realidade, as próprias autoridades sabiam que os quilombolas, quando cercados e/ou atacados, refugiavam-se no interior das florestas, procurando proteção. Após algum tempo reagrupavam-se e procuravam formar novos acampamentos. As expedições antimocambos, invariavelmente, destruíam os "ranchos" e as roças dos quilombolas, visando impedir que reorganizassem suas economias nos próprios locais. Como veremos mais adiante, a bandeira comandada por Pedro de Melo encontrou vários "ranchos de pretos fugidos" ao longo do percurso. Todos foram impiedosamente queimados.

Outro fato interessante foi como o Quilombo do Piolho reapareceu na região. Por volta de 1770 — segundo as autoridades — teria sido destruído, tendo sido preso grande número de quilombolas, porém vários outros que permaneceram escondidos nas matas tentaram reorganizar um novo mocambo. Houve, contudo, alguns obstáculos. Contínuos ataques dos indígenas *cabixis* provocaram a redução da população quilombola local. Além disso, diversas mulheres indígenas haviam sido capturadas pelos quilombolas. A população deste mocambo, então, ganhou uma nova conformação. Era comandado por alguns negros — entre os quais remanescentes dos antigos mocambos — e vários indígenas e "caborés" (filhos de indígenas com negros). Aliás, no fim do Setecentos no Mato Grosso, noticiava-se a existência de vários grupos indígenas. Destacam-se, entre outros, as tribos dos *cabixis*, que se sabia que estavam justamente localizadas nos campos dos parecis, vivendo próximo às cabeceiras dos rios Guaporé, Sararé, Galera, Piolho e Branco, e que "entre eles se ocultam muito os nossos escravos fugidos".[11]

Em várias regiões do Brasil, assim como das Américas — além dos conflitos e confrontos —, negros fugidos aliaram-se a grupos indígenas, formando, inclusive, pequenas comunidades. Os argumentos sobre os contatos interétnicos — negros e índios — envolvendo os quilombos podem ser aqui reforçados. Como mais um exemplo de conflitos e alianças entre índios e negros fugidos podemos citar o caso ocorrido em 1778, no Piauí. A revolta dos índios aldeados gueguê foi comandada por um negro fugido. No ano seguinte noticiou-se haver dois quilombos organizados nas matas do Poti — próximo de Campo Maior — que atacavam os currais (Barbosa, 1984, p. 188-189). Há também as análises de Karasch quanto às estratégias dos grupos indígenas *xavante* e *caiapó*, na Capitania de Goiás. Eram inimigos dos quilombolas, porém, em 1760, os *xavante* juntaram-se aos quilombos, havendo miscigenação de negros fugidos com mulheres indígenas (Karasch,

1996, p. 225 e s.). No Grão-Pará setecentista, negros fugitivos, índios e desertores uniram-se, confundiram as autoridades coloniais e inventaram outras fronteiras. No Maranhão, principalmente na região de Turiaçu-Gurupi, no século XIX, seculares mocambos de negros e diferentes grupos indígenas disputavam entre si e com autoridades e fazendeiros seus espaços de liberdade (Gomes, 1997).

Na Capitania de Mato Grosso, ao que se sabe, eram inúmeros os grupos indígenas. Ainda em 1772 falava-se do envio de duas bandeiras partindo da Vila de Cuiabá. Uma para perseguir os índios *caiapó* e outra para capturar os *bororo*. Cerca de 80 índios foram presos e enviados para os aldeamentos. No ano seguinte quase todos tinham fugido.[12] Assim como podia ter havido conflitos, índios e negros em Mato Grosso também aliaram-se algumas vezes. Os índios *gaicuru*, por exemplo, segundo informa Alexandre Rodrigues Ferreira, "querem aldear-se nas margens deste rio [Paraguai], segundo se exprime uma preta crioula nossa, que eles cativaram quando rapariga, e presentemente serve de língua".[13] Além dos quilombolas, os índios eram uma outra preocupação para as autoridades coloniais de Mato Grosso.

Entre 1740 e 1760, foram vários os ataques de grupos indígenas, matando brancos e negros e levando alguns como prisioneiros. Temia-se também que estes índios aliassem-se aos "castelhanos" na fronteira com os domínios espanhóis.[14] No caso do Piolho, indígenas e cafuzos foram incorporados ao mocambo. Entretanto, podemos pensar de que modo os escravos — fossem crioulos e/ou africanos — agregaram-se a algumas aldeias indígenas. Apesar dos integrantes da expedição terem capturados 54 quilombolas e declarado extinto este mocambo, não sabemos o tamanho exato de sua população. Seriam os seus habitantes só aqueles capturados? Por certo muitos outros quilombolas podem ter fugido para outras paragens. De qualquer maneira, destacamos que as complexas relações entre indígenas e quilombolas podem ter propiciado recriações e reelaborações culturais diversas. Do Quilombo do Piolho, por exemplo, soube-se que

> [...] os caborés e índios de maior idade sabiam alguma doutrina cristã que aprenderam com os negros, e que se instruíram ela suficientemente e com gasto nesta capital [Vila Bela] onde se falaram português com a mesma inteligência dos pretos, de que aprenderam e com todos estavam prontos para receber o batismo[...][15]

Os "negros" teriam "ensinado" a "doutrina cristã" aos índios e seus descendentes no Quilombo do Piolho. Ressalta-se, ainda, quanto à referida descrição, a localização geográfica e a base econômica deste mocambo. Situava-se numa área cercada por rios e montanhas. Deste modo, tanto a proteção como os deslocamentos estavam facilitados. Do ponto de vista econômico, além da abundância de caça e de peixe, os quilombolas tinham uma considerável economia. Havia plantações de vários legumes, verduras e frutas. Tinham igualmente criações de galinhas. Parecia ser uma economia auto-suficiente para os quilombolas. Aliás, com o algodão que plantavam produziam suas próprias roupas. Não podemos, contudo, descartar a hipótese de eles produzirem excedentes para facilitar trocas mercantis com vendeiros, taberneiros, escravos e até grupos indígenas próximos. Uma outra moeda de troca podia ser o próprio ouro, disponível nos córregos da região. No Mato Grosso em 1750, mais propriamente em Vila Bela e nas regiões das minas de Cuiabá, tentava-se conter o comércio clandestino com participação de cativos. Proibiu-se, inclusive, a entrada de mercadores estranhos por causa da "persuasão que fazem aos escravos para lhe comprarem por preços exorbitantes e ilícitos despendendo nisso os jornais dos senhores de que se segue não só faltarem-lhe com eles mas fugirem com o medo do castigo". Neste comércio clandestino, do qual participavam os escravos, tais mercadores enganavam os "pretos na qualidade das fazendas para lhe levarem dobrado". A própria Vila Bela era um importante entreposto de abastecimento para a região. Ali conseguiam-se "carnes frescas de vaca e porco, galinhas, peixe, arroz, feijão, milho, farinha de mandioca, açúcar, aguardente, melancias, laranjas, alguns figos e uvas, fora outras frutas do país e várias hortaliças".[16]

Voltemos agora à expedição. Após permanecer dias naquele mocambo, seguiu viagem levando como bagagem dezenas de quilombolas presos. A marcha prosseguiu no dia 6 de agosto. Até o dia 18 de setembro, quando chegou ao Arraial de São Vicente, a expedição foi desbravando matas, socavando os córregos à procura de pedras preciosas e no caminho encontraram "alguns rastros e ranchos, que mostravam ser de pretos fugidos já abandonados que ele mandou queimar e que provavelmente se tinham retirado logo que lhes chegou a notícia da mesma Bandeira".

A expedição dividiu-se. Uma pequena parte escoltou os quilombolas, então presos, do Arraial de São Vicente até Vila Bela. O restante da bandeira adentrou a região da Vila da Pindaituba, seguindo o "braço mais oriental do

Rio Sararé". Em pouco menos de dois dias de marcha nessa região mais notícias sobre novos quilombos chegaram. Através de "dois escravos pretos"
tomou-se conhecimento "aonde existia um quilombo nos matos da Pindaituba, por viverem nele quando foram presos por seus senhores, nesta vila
aonde vinham não só a comprar o que necessitavam, mas a convidar para a
fuga, e para o seu quilombo outros alheios".

Com a devida precaução a bandeira seguiu viagem, e já no dia 30 fazia
"pouso em uns antigos ranchos de pretos fugidos". A marcha prosseguiu firme. Montanhas foram transpostas e córregos cortados. No dia 2 de outubro, finalmente, descobriu-se o Quilombo de Pindaituba. Segundo descrição,
este estava

> [...] dividido em dois quartéis, um composto de 11 casas e o outro de dez, a
> cinqüenta passos de distância do primeiro. Os negros fugidos que habita-
> vam este quilombo o abandonaram logo que tiveram notícia desta Bandei-
> ra, indo formar outro no Córrego da Mutuca seis léguas a norte do antigo,
> também dividido em dois arraiais três léguas distantes um do outro: do pri-
> meiro era capataz o negro Antônio Brandão com 14 negros, 5 escravas; e
> do segundo que formavam no princípio de agosto deste ano, o outro capa-
> taz era o escravo Joaquim Felix com 13 negros e sete negras. (Apud Gomes,
> 1997, p. 585 e s.)

Ainda que não tenhamos elementos para tentar análises mais conclusi-
vas, é interessante notar a forma da disposição — no caso, dois núcleos —
espacial nestes dois mocambos. Tal disposição pode revelar, entre outras
coisas, grupos de parentesco rituais e simbólicos no interior dessas comunidades. Por que mocambos com prováveis reduzidas populações estavam divididos em núcleos eqüidistantes e separados? Enquanto um núcleo indicava
a formação original dos mocambos, o outro podia representar, por exemplo, novos grupos de fugitivos que a ele incorporavam-se. Ou mesmo podia
ser prática no interior de um só mocambo haver vários núcleos com funções
especializadas e/ou divisões sociocomunitárias específicas.

No Pindaituba, em Mato Grosso, a bandeira, antes de seguir viagem,
conseguiu capturar um quilombola que, com outros dois, tinha vindo "buscar mantimento para a sua nova moradia". A bandeira vai em frente. Já em 3
de outubro, depois de "mais três léguas de marcha chegaram ao buscado

Quilombo da Mutuca, que acharam abandonado pelo aviso dos negros fugidos". No dia seguinte, depois de igualmente caminhar mais "três léguas de caminho a rumo de leste chegaram ao segundo Quilombo de Joaquim Felix, que também estava despejado". Mais explorações nas matas vizinhas foram realizadas. Dez dias depois, foram capturados

> [...] seis negros e cinco negras do quilombo, os quais deixou já arranchados em cinco pequenos ranchos perto das margens do Sararé, em que estavam tratando de uma negra que adoecera. Deste ataque ainda escaparam três escravos que andavam fora à caça, e segundo a informação que deram ainda faltavam 37 pessoas de todo o quilombo, 30 negros e 7 negras. (Apud Gomes, 1997, p. 590)

Enfrentando o "rigor do tempo" e muitas vezes passando "sem abrigo algum nem sustento", a marcha desta bandeira durou até meados de novembro. Nas palavras finais do diário de Pedro de Melo, ela parece ter sido proveitosa, posto que "este informante e laboriosa diligência com seis meses e meio de trabalho em que acharam muitas terras auríferas suposto que de pouco conto enviam as matarias excelentes formadas por madeiras de grande grossura e comprimento e preciosíssimas para a construção de canoas e obras públicas e particulares". Quanto aos quilombolas, além dos 54 inicialmente presos — a maior parte índios e "caborés" — no Quilombo do Piolho, foram presos mais 30 negros, "queimando e destruindo-lhes os seus quilombos e plantações". Posteriormente, o Quilombo do Piolho foi transformado em Aldeia Carlota. Por decisão das autoridades, que esperavam encontrar ouro no "terreno contíguo a este quilombo", foram enviados para lá ferramentas, mantimentos e índios aldeados. Soube-se depois que pouco ouro foi encontrado. Descoberto ou não ouro, o certo é que transformar um antigo quilombo — que teimava em ressurgir — num aldeamento indígena foi sem dúvida uma estratégia para evitar este e outros quilombos ali. Aliás, estratégia parecida foi utilizada na região das Minas Gerais em 1718, quando foi dada ordem para ser formada uma aldeia de índios dispersos na Comarca do Rio das Velhas para afugentar os mocambos de negros.[17] Inaugurar-se-ia no século XVIII mais uma estratégia de conter os quilombolas, qual seja, transformar as áreas de seus mocambos em aldeamentos de índios. Na Província do Maranhão tal estratégia seria aperfeiçoada com as tentativas de se criar colônias militares e de migrantes nordestinos justamente nos locais onde tinham existido mocambos (Gomes, 1997, p. 582 e s.).

A partir dessa descrição original — um diário de viagem — foi possível perceber como, em alguns momentos, diversos quilombos podem ter buscado a interiorização. Este processo, em parte, pode ter propiciado a própria interiorização da colonização brasileira até, pelo menos, o fim do século XVIII. Além disso, várias alianças, principalmente com indígenas, tiveram que ser forjadas.

CAMPONESES, ÍNDIOS E QUILOMBOLAS

Fatores geográficos poderiam interferir no estabelecimento e na estabilidade de alguns grupos de fugitivos e suas estratégias. Schwartz analisa que o fator que contribuiu, por exemplo, para a formação de mocambos estáveis na região de Cairu e Camamu — região sul da Capitania da Bahia — foi a instabilidade militar, uma vez que havia constantes ataques de tribos indígenas hostis e que a ajuda militar de Salvador ficava distante (Schwartz, 1979, 1987, 1988). Quanto à questão da utilização de indígenas para combater mocambos, o referido autor faz também uma interessante abordagem. Foram várias as ocasiões em que tropas de indígenas foram preparadas para invadir quilombos. Em muitas situações, alguns mocambos só eram localizados a partir da utilização de indígenas como guias. Não eram raras as vezes que indígenas atacavam propriedades e matavam escravos. Da Vila de Camamu, em 1719, chegavam denúncias de que o "gentio bárbaro que se acha aldeado dez ou doze léguas distante da mesma vila havia por vezes roubado as suas fazendas, e mortos muitos escravos seus tanto negros como mulatos e um moço branco". Enfim, no contexto colonial baiano podia haver muitos conflitos envolvendo tribos indígenas, escravos e fugitivos negros. Mas se havia conflitos podia haver, igualmente, solidariedade. No século XVII, por exemplo, na região do Jaguaripe, índios, brancos e também negros africanos refugiaram-se para aderir à santidade.[18]

Podemos pensar diferente. Ou seja, a existência de grupos indígenas isolados pode ter ao mesmo tempo ajudado e dificultado o estabelecimento de alguns grupos quilombolas. Por um lado, é fato que nas áreas ocupadas por "tribos hostis" os quilombolas poderiam buscar proteção logística, uma vez que ali a penetração de capitães-do-mato e de expedições punitivas tornava-se mais difícil. De outro modo, muitos grupos indígenas podem ter percebido o quanto a existência de mocambos próximo dos locais onde estavam estabelecidos acabava por atrair a ira das autoridades coloniais. Como em outras áreas coloniais, destruir mocambos e perseguir indígenas era, na maioria das vezes, o único objetivo das expedições punitivas que adentravam as matas do Recôncavo e interior da Capitania da Bahia. Podem, inclusive, ter havido retaliações diretas de indígenas contra quilombolas e vice-versa que nunca apareceram na documentação. Esta possibilidade pode ser explicada pelo uso freqüente de índios nas medidas antimocambos, tanto na Capitania da Bahia como no Rio de Janeiro, São Paulo e Grão-Pará. A propósito, Palmares foi repetidas vezes atacado por indígenas (Gomes, 1996).

Por outro lado, o aldeamento de alguns grupos indígenas pode ter servido em algumas regiões para intimidar e reprimir a formação de grupos de escravos fugidos. Em 1769, a propósito das tentativas de repressão aos mocambos em Minas Gerais e São Paulo, o rei de Portugal argumentava com o conde de Assumar o seguinte:

> Me pareceu dizer-vos, que useis sobre a fugida destes negros, de que se vão formando esses mocambos do meio que se pratica em todas as Capitanias da Bahia, Rio de Janeiro, Pernambuco e Paraíba, que é o de haver capitão-do-mato com o prêmio que se costuma dar a cada um pelos escravos que prendem; pois tem mostrado a experiência o muito que tem sido útil este meio; e quando possa conduzir para o mesmo efeito, o formar-se a aldeia, que se tinha mandado erigir de novo, se deve estabelecer tirando-se das mais aldeias, um certo, e moderado número de índios, com que se possa fundar, valendo-vos também para o mesmo efeito de alguma parte das tropas que mando se formem...[19]

Segundo Schwartz, "aldeias indígenas inteiras eram mobilizadas para servirem como tropas antimocambos, e praticamente todos os esforços militares de vulto empreendidos contra quilombos baianos incluíram auxiliares índios" (Schwartz, 1988, p. 379). No caso relatado acima, as estratégias de repressão antimocambos utilizariam tanto os capitães-do-mato como o recrutamento de índios e a formação de aldeamentos nos locais de mocambos. Estratégias semelhantes, como vimos, se deram no episódio do Quilombo do Piolho e da Aldeia da Carlota na Capitania do Mato Grosso. Também podemos argumentar em direção à possibilidade de ter havido solidariedade e estratégias articuladas de defesa, proteção e atividades econômicas entre fugitivos negros e indígenas. Em Ilhéus, em 1733 — sul da capitania —, informações, por exemplo, davam conta tanto da existência de "gentio bárbaro que infesta os destritos dos rios Una, Poxi e Patipe" quanto de "que naquele continente se acha um grande mocambo de negros fugidos antiqüíssimo". Em Rio das Contas e Jacobina — sertão ao norte da capitania —, em 1736, falava-se de um "poderoso mocambo" existente na região, "estabelecido há muitos anos com trato e comunicação" com indígenas e escravos. Em portaria ao provedor da Fazenda Real, dizia-se:

> [...] que no sertão que medeia entre as minas da Jacobina e as do Rio das Contas há um grande mocambo de negros fugidos que se tratam e comunicam com o gentio bárbaro, donde saem a fazer alguns roubos e insultos aos moradores vizinhos, e passageiros do que tem chegado a este governo repetidas queixas, e porque o dito mocambo se vai engrossando pondo-se com poder tão formidável que dará grande cuidado.[20]

Pode-se pensar mesmo em mocambos baianos — tal qual aqueles que vimos para a Capitania do Mato Grosso — constituídos por escravos africanos, crioulos, indígenas e seus descendentes. Ainda em 1704, do distrito do Brejo, junto ao Paramirim, mandava-se "extinguir os mocambos, aprisionar os negros e reduzir os índios *maracá*, *cucuruí*, *araxá* e caboclos que têm domésticos". Vale lembrar ainda que há uma lenda segundo a qual os grupos de índios *avá-canoeiro* se formaram da miscigenação de índios *carijó* com quilombolas baianos (Viana, 1935; Toral, 1984-85). Em 1783, da região de Geremoabo, noticiava-se que os índios que lutavam contra a perseguição dos bandeirantes — índios *mongoió* — tinham-se aliado a alguns grupos de quilombolas. Durante uma expedição punitiva contra estes mocambos, foram encontrados

> [...] um arco de guerra e de caça do gentio homem; o mesmo do gentio mancebo; o mesmo do gentio menino; doze flechas, um colar, um pandeiro de suas folganças, uma tanga de mulher, uma cinta das mesmas, uma compostura de guerreiro, um ídolo, imagem do fogo ou do sol, sobre que havia ainda

uma machadinha ou acha de pedra com que os índios cortam os paus donde tiram mel e um surrão contendo fragmentos de algum vaso de barro (Barros, *apud* 1950; Moura, 1972, p. 107).

Baseando-se na documentação e nas análises de Borges de Barros, Clóvis Moura argumenta, por exemplo, que as alianças entre quilombolas e indígenas na região central da Bahia acabaram por criar "sérios embaraços às Entradas e Bandeiras do ciclo baiano".[21] Não obstante, em algumas regiões, em razão de determinadas características — formas de ocupação, economia, demografia etc. —, a luta dos quilombolas enquanto resistência escrava pode ter significado a continuidade (padrões estruturais de opressão e resistência) da resistência indígena. No Brasil dos séculos XVII e XVIII isso podia estar acontecendo na Capitania da Bahia. Já vimos isto para a Amazônia.

Entre fins do século XVII e meados do século XVIII, quando o problema dos quilombos começava a se tornar alarmante em toda a capitania baiana — isto serve igualmente para as regiões das colônias do Grão-Pará e Mato Grosso —, as populações indígenas locais ainda deviam ter na memória a experiência da escravização, isso sem contar os inúmeros indígenas que então viviam em aldeamentos controlados pela Coroa, visto que o desaparecimento gradual da escravidão indígena se dá na segunda e terceira décadas do século XVII. Além disso, diversas regiões do sertão baiano foram desbravadas e colonizadas em virtude das constantes incursões contra "índios bravios", já em meados do século XVII.

Nas áreas do sul da capitania — região de Porto Seguro — havia no fim do século XIX tanto aldeias de "gentio manso" como aquelas de "gentio bravo". Com o sistema de diretórios e de controle, os índios "domesticados" e suas aldeias foram transformados em vilas de camponeses (Perrone-Moisés, 1993; Karasch, 1993). Produziam e vendiam farinha de mandioca para os mercados locais. Quanto ao "gentio bravo", nesta região havia os grupos *pataxó*, os *maxacali*, os *botocudo* e os *mongóis*, que vimos terem se aliado aos quilombolas em Geremoabo, em 1783. Havia diferenças étnicas entre estes grupos indígenas embora fossem todos do tronco lingüístico jê. Em termos de estrutura econômica, os *mongóis* e os *maxacali* se dedicavam à agricultura, enquanto os *pataxó* e os *botocudo* baseavam sua economia mais na caça e na pesca (Schwartz, 1988; Barickman, 1995; Reis, 1995).

Em várias áreas coloniais, principalmente nas fronteiras da Amazônia colonial, índios e negros fugitivos — apoiados por outros personagens do mundo da escravidão que já eram hidras — entraram em contato não só com idéias mas fundamentalmente com outras experiências históricas. Pensarmos estes e suas interações com o restante da sociedade escravista pode nos levar a outras direções. É possível descobrir, mais profundamente, entre outras coisas, que os mundos dos quilombos talvez não fossem tão distantes assim das senzalas, mesmo aquelas internacionais (Gomes, 1996). Mais do que isso, caminhando nestas trilhas torna-se possível igualmente juntar pedaços de tradições de liberdade. Ainda bem que estes pedaços não se encontram somente em meio ao pó, às traças e ao amarelar dos documentos manuscritos oficiais nos arquivos. Parte desta tradição pode estar guardada até os dias de hoje na memória de grupos étnicos indígenas e negros. Além disso, essas comunidades — como outras tantas — podem ter reconstruído suas histórias a partir de versões e imagens dos "primeiros tempos" de fugas, lutas e resistência (Perez, 1995; Price, 1988). Estudando a etno-história e a reconstrução dos *waiāpi* — indígenas da região do Amapá —, Gallois ressalta que as suas narrativas registram as disputas entre franceses e portugueses e as conseqüentes alianças e conflitos com outros grupos étnicos da região. Os *waiāpi* referem-se nas suas memórias a grupos de negros *tapajo* (possivelmente descendentes de fugitivos negros) com os quais entraram em contato (Gallois, 1994).

Vejamos o que diz Howard numa análise etnográfica recente sobre a Amazônia:

> Os *waiwai* da aldeia central de Kaxmi em Roraima (onde fiz meu trabalho de campo) dedicaram-se às outras especialidades: papagaios e cães de caça. Estes itens eram enviados às demais aldeias wawai de onde uma boa parte era passada adiante aos *tirijó* do Suriname, a leste, e dali aos *maroons*. Junto com cães e papagaios seguem outras especialidades subsidiárias, como novelos de algodão fiados a mão, urucum, óleo para cabelo, resina de breu-preto, cana de flecha, etc. Em troca, recebem-se bens manufaturados dos *tirijó*: panelas de alumínio, facas, machados e outras ferramentas de ferro, mosquiteiros e miçangas. Há muito que os *tirijó* obtêm estes bens dos *maroons* do Suriname, que os adquirem através de uma rede de contatos que alcança as cidades costeiras (onde muitos destes bens chegam da Europa). Em sua forma básica, esta rede de troca vem operando há pelo menos dois séculos; ela foi suplementada,

mas não substituída, por trocas com os missionários, colonos e agências indigenistas governamentais dos diversos países cruzados pela rede (Howard, 1993, p. 235-236)

Na Amazônia setecentista — com outras lógicas e especificidades —, a movimentação dos fugidos, negros e índios, e as formações de mocambos acabaram expandindo-se e, pelo menos, demarcando as fronteiras colônias internacionais. Também é possível pensar este processo para a Capitania do Mato Grosso. A região de Vila Bela era área de fronteira com mineração e criação de gado. Havia ali disputas coloniais e índios nas fronteiras espanholas no século XVIII (Volpato, 1987). A este respeito, Davidson faz uma interessante abordagem mostrando que a ocupação da fronteira do Mato Grosso foi feita não só a partir dos interesses coloniais (Portugal e Espanha), mas também de paulistas, mineradores, comerciantes de Cuiabá e jesuítas das missões de Moxos e Chiquitos. Poderíamos acrescentar aqui igualmente os argumentos de Volpato a respeito da participação de variados grupos indígenas articulados com escravos fugidos que povoaram diversas regiões do Mato Grosso. Assim como nas capitanias do Pará e Rio Negro havia o problema endêmico das fugas de negros e índios, também as freqüentes deserções militares e as percepções políticas dos fugitivos e colonos nas áreas de fronteiras mato-grossenses (Davidson, 1973; Volpato, 1987). Na Bahia, tal processo de relações interétnicas pode ter possibilitado a gestação de um campesinato, reunindo quilombos, grupos indígenas e índios aldeados (Cardoso, 1987; Reis, 1996).

Artur Ramos estava certo. Acrescentamos às suas desconfianças e suposições analíticas a afirmação de que escravos, negros, índios — muitos dos quais fugitivos — e também colonos europeus e quilombolas reinventaram suas próprias fronteiras étnicas e marcaram encontros. Redescobriram-se. Reinventaram diferenças e semelhanças. Não se tratou apenas de influências culturais. Foi o encontro de histórias na História.

Notas

1. Para o debate clássico e aquele mais recente a respeito das experiências históricas das transformações culturais dos africanos no Brasil e nas Américas, ver Agorsah, 1994; Allen, 1995; Barnes, 1992; Bastide, 1974, 1979 e 1985; Fry e Vogt, 1996; Jackson, 1984; Mintz e Price, 1976; Mullin, 1992; Palmié, 1995; Ramos, 1942, 1935, 1953, 1979; Slenes, 1991-1992, 1994, 1995; Stuckey, 1987; Thompson, 1991; Thornton, 1988, 1991, 1992; Vlach, 1992.

2. Há disponível uma ampla, recente e vigorosa revisão historiográfica nacional e internacional sobre a história indígena colonial nas Américas. Ver, entre outros, Monteiro, 1994, e Vainfas, 1995. No caso dos índios da Amazônia a partir do século XVIII há o trabalho clássico de Moreira Neto, 1888. Uma abordagem — apresentando documentos e estabelecendo uma cronologia — sobre a escravidão de índios e negros no Brasil é feita por Freitas, 1980. Numa reflexão também bastante recente, Edmunds aborda os caminhos da historiografia indígena nos Estados Unidos da América nos últimos cem anos, destacando como esta adquiriu novas perspectivas de análise e o conseqüente papel dos movimentos sociais (particularmente aqueles de lutas pelos direitos civis e aqueles depois da Guerra do Vietnã) das minorias étnicas na mudança da sua importância e enfoque. Ver Edmunds, 1995, p. 717-740.

3. Idem à nota 2.

4. Ver Helms, 1972, p. 157-172. Montiel — abordando o México colonial — aponta a falta de unidade étnica dos *maroons* mexicanos ("lack of ethnic unity"), caracterizando uma "aculturação" no processo de miscigenação e relações interétnicas com grupos indígenas. Ver Montiel, p. 448-449.

5. Arquivo Público do Estado do Pará (Apepa), Doc. Cxs., 1958, 9/2/1858.

6. Sobre a etno-história dos quilombos no Baixo Amazonas, regiões de Alenquer, Óbidos, Trombetas, Monte Alegre e Santarém, ver Acevedo Marin, e Castro, 1991, 1993; Alonso, n. 21, p. 59-68, e p. 349-357, 1994. O principal e mais completo trabalho é a tese de doutorado de Funes, 1995. Ver ainda os artigos no livro de O'Dwyer, p. 121-139, 1995.

7. Ofício de 26/11/1855, documentação manuscrita do Apepa e periódicos *Baixo Amazonas, Diário de Belém* e *Jornal do Pará*, em 2/2/1876, 14/12/1876 e 23/11/ 1877, respectivamente, citados em Funes, 1995.

8. Sobre relações interétnicas entre índios e negros (inclusive remanescentes de quilombos) nas regiões do Gurupi e Turiaçu, entre o Pará e o Maranhão, ver Almeida, 1990; Dodt, 1939; Hurley, 1928; Huxley, 1963; Ribeiro, 1996.

9. Biblioteca Nacional do Rio de Janeiro (Doravante BNRJ), Códice 22, 1, 27 — Memórias Cronológicas da Capitania de Mato Grosso, principalmente da Provedoria de Fazenda Real e Intendência do Ouro escritas por Felipe Joseph Nogueira Coelho, 1775.

10. Instituto Histórico e Geográfico Brasileiro (Doravante IHGB), Conselho Ultramarino, cod. arq. 1.2.5, v. 34, fl. 168-180. O episódio do Quilombo do Piolho também encontra-se analisado em Bandeira, 1988, p. 117-122, e Volpato, p. 222-226, 1996.

11. IHGB, Conselho Ultramarino, cód. arq. 1.2.5, v. 34, fl. 168-180.

12. BNRJ, Códice I - 28, 32, 30 e 11, 1, 37, Descrições geográficas da Capitania do Mato Grosso oferecidas ao Ilmo. e Exmo. Senhor Caetano Pinto de Miranda Montenegro, 1797.

13. BNRJ, Códice 22, 1, 27, Memórias cronológicas da Capitania de Mato Grosso, principalmente da Provedoria de Fazenda Real e Intendência do Ouro, escritas por Joseph Nogueira Coelho.

14. BNRJ, Códice 21, 2, 39 nº 10, Carta de Alexandre Rodrigues Ferreira enviada para João de Albuquerque de Mello Pereira e Cáceres, 5/5/1791.

15. BNRJ, Códice I - 31, 19, 18, Povoações de Cuiabá e Mato Grosso desde os seus princípios até os presentes tempos, julho de 1775, por José Barbosa de Sá, e Códice 21, 2, 39 nº 10, Carta de Alexandre Rodrigues Ferreira..., 5/5/1791.

16. IHGB, Conselho Ultramarino, cod. arq. 1.2.5., v. 34, fl. 168-180.

17. BNRJ, Códice 9, 3, 10, Carta do Ilmo. e Exmo. Sr. Conde de Azambuja relatando os sucessos de sua viagem para o seu governo do Mato Grosso, em 1750.

18. ANRJ, Códice 873, Descrição geográfica da Capitania de Mato Grosso por Ricardo Franco de Almeida Serra, sargento-mor do Real Corpo de Engenheiros no Forte de Nova Coimbra, 1797. Também índios escravizados poderiam ser levados por bandeirantes para outras regiões. Posteriormente, alguns podem ter fugido ou mesmo miscigenaram-se com escravos fugidos. Parece ter sido o caso dos índios avás-canoeiros de Goiás. Ver Toral, p. 287-342, 1984/85.

19. "Para os oficiais da Câmara da Vila do Camamu", 6/7/1719, transcrito em Documentos Históricos, v. 73, p. 135-6. "As matas de Jaguaripe continuaram, pois, a abrigar as santidades ameríndias — idolatria insurgente que parecia cada vez mais assimilar os escravos africanos despejados no Brasil. Na linguagem do rei e das autoridades coloniais, a santidade se tornaria verdadeiro sinônimo de idolatria e rebelião — algo

próximo, talvez, ao significado da palavra 'quilombo' ou 'mocambo' no vocabulário dos colonizadores a partir de meados do século XVIII." Cf. Vainfas, p. 152-153, 222-223, 1986.

20. Documento transcrito em Documentos interessantes para a história e costumes de São Paulo, Correspondências Diversas, v. XIV, 1895, p. 246-247.

21. Ordem enviada para o capitão da Conquista do Gentio Bárbaro, José Duarte Pereira, 26/1/1733, transcrito em Documentos Históricos, v. 75, p. 133-134, e portaria enviada para o provedor-mor da Fazenda Real, 1/3/1736, transcrito em Documentos Históricos, Portarias, Ordens, Regimentos (1734-1736), v. 76, p. 335.

22. Cf. Moura, p. 108, 1972. Numa análise pioneira, Thales de Azevedo escreveria, na década de 1950 sobre as relações interétnicas em Salvador do século XVIII, destacando índios, pretos e brancos. Ver Azevedo, p. 119-132, 1953.

Referências Bibliográficas

ACEVEDO MARIN, Rosa Elizabeth; Castro, Edna M. Ramos. *Negros do Trombetas*: etnicidade e história. Belém: NAEA/UFPa ,1991.

————. *Negros do Trombetas*: guardiões de matas e rios. Belém: UFPa, 1993.

————. "Terras e afirmação política de grupos rurais negros na Amazônia". In O'DWYER, Eliane Cantorino (org.). *Terra de Quilombos*. Rio de Janeiro: Associação Brasileira de Antropologia, jul., 1995.

AGORSAH, E. Kofi (org.). *Maroon Heritage*: archaelogical ethnografic and historical perspectives. Kingston: University of the West Indies, 1994.

AGUIAR, Braz Dias de. "Trabalhos da Comissão Brasileira Demarcadora de Limites — Primeira Divisão — nas fronteiras da Venezuela e Guianas Britânicas e Neerlandesas, de 1930 a 1940". In *Anais do X Congresso Brasileiro de Geografia*. Rio de Janeiro: Conselho Nacional de Geografia, 1942.

ALDEN, Dauril. "El Indio Desechable en El Estado de Maranhão durante los siglos XVII y XVIII". *América Indígena*, v. XLV, n. 2, abr.-jun., 1985.

ALLEN, Scott Joseph. *Africanisms, Mosaics, and Creativity*: the historical archaelogy of Palmares. Tese. Providence: Brown University, 1995.

ALMEIDA, Alfredo Wagner Berno de. "Terras de preto, terras de santo, terras de índio — uso comum e conflito". In CASTRO, Edna M. R.; HABETTE, Jean. (orgs.). "Na trilha dos grandes projetos: modernização e conflito na Amazônia". Belém: *Cadernos do NAEA/UFPa*, 1990.

ALMEIDA, Maria Regina Celestino de. 1988. "Trabalho compulsório na Amazônia: séculos XVII-XVIII". Niterói: *Revista Arrabaldes*. Ano I, n. 2, set./dez., 1990.

ALONSO, José Luis Ruiz-Peinado. "Publicadores de la Amazônia. Cimarrones del Trombetas". *África Latina Cuadernos*, Barcelona: n. 21, p. 59-68. S.d.

————. "Hijos del Rio — Negros del Trombetas". In JORDAN, Pilar Gracia, IZAR, Miguel; LAVINA, Javier (org.). *Mimoria, Creación e Historia*: luchar contra el olvido. Barcelona, p. 349-357, 1994.

AZEVEDO, João Lúcio d'. *Os Jesuítas no Grão-Pará, suas Missões e Colonização*: bosquejo histórico com vários documentos inéditos. Lisboa: Liv. Edit. Tavares Cardoso & Irmãos, 1901.

AZEVEDO, Thales de. Índios, brancos e pretos no Brasil Colonial. *América Indígena*, v. XIII, n. 2, abr., 1953.

BANDEIRA, Maria de Lourdes. Território negro em espaço branco: estudo antropológico de Vila Bela. São Paulo: Brasiliense, p. 117-122, 1988.

BARBOSA, Tanya Maria Brandão. *O Escravo na Formação Social do Piauí*: perspectiva histórica do século XVIII. Recife: Dissertação de Mestrado, UFPe, 1984.

BARBOSA RODRIGUES, João. "Rio Trombetas". In *Exploração e Estudo do Vale do Amazonas*. Rio de Janeiro: Typografia Nacional, 1875.

BARICKMAN, Barry J. "'A bit of land, which they call a roça: slave provision grounds in the Bahia Recôncavo, 1780-1860". *Hispanic American Historical Review*, v. 74, n. 4, p. 649-687, 1994.

————. "'Tame Indians', 'Wild Heathens', and settlers in Southern in the late Eighteenth and early Nineteenth Centuries". *The Americas*, v. 51, n. 3, p. 325-368, 1995.

BARNES, Sandra J. (org.). *Africa's Ogun old World and New*. Bloomington: Indiana University Press, 1992.

BARROS, Borges de. *Bandeirantes e Sertanistas Baianos*. Bahia, 1950[?].

BASTIDE, Roger. "The Other Quilombos", In PRICE, Richard (org.). *Maroons Societies: Rebel Slave Communities in the Americas*. Baltimore: 2. ed. The Johns Hopkins University Press, p. 191-201, 1979.

————. *As Américas Negras*: as africanas no Novo Mundo. São Paulo: Difel/Edusp, 1974.

————. *As Religiões Africanas no Brasil*: contribuição a uma sociologia das interpretações das civilizações. São Paulo: Livraria Pioneira Ed., 1985.

BELLOTO, Heloísa Liberalli. "Política indigenista no Brasil Colonial (1570-1757)". *Revista do Instituto de Estudos Brasileiros*, São Paulo, n. 29, 1988.

————. "Trabalho indígena, regalismo e colonização no Estado do Maranhão nos séculos XVII e XVIII." *Revista Brasileira de História*, São Paulo, ANPUH, v. 2, n. 4, set., 1982.

BORGES, Luiz C. "O Nheengatú na construção de uma identidade amazônica". Belém: *Boletim do Museu Paraense Emílio Goëldi*, v. 10, n. 2, p. 107-135, 1994.

BOXER, Charles R. *A Idade de Ouro do Brasil*. São Paulo: Cia. Ed. Nacional, 1963.

BRAUM, João Vasco Manoel de. Descripção Chorográphica do Estado do Gram-Pará, [s.l], [s.ed.], 1789.

BRAUND, Kathry E. Holand. "The creeks indians, blacks, and slavery". *Journal of Southern History*, v. LVII, n. 4, nov., 1991.

CARDOSO, Ciro Flamarion S. *Escravo ou Camponês?* o protocampesinato negro nas Américas. São Paulo: Brasiliense, 1987.

————. "O trabalho indígena na Amazônia portuguesa". *História em Cadernos*, Rio de Janeiro, IFCS/UFRJ, v. 3, n. 2, set./dez, 1985.

————. *Economia e Sociedade em Áreas Coloniais Periféricas*: Guiana Francesa e Pará, 1750-1817. Rio de Janeiro: Graal, 1981.

————. *O Quilombo de Palmares*. 3. ed., Rio de Janeiro: Civilização Brasileira, 1966.

COUDREAU, Otile. *Voyage au Cuminé*. Paris: A Lahure, Imprimeur-Editeur, 1901.

CRATON, Michael. "From Caribs to Black Caribs: the amerindiam roots of serville resistance in the Caribbean". In OKIHIRO, Gary Y. *Resistance Studies in African Caribbean, and Afro-american History*. Amhrest: The University of Massachusets Press, 1986.

————. Testing the chains: resistance slavery in the British West Indies. Ithaca: Cornell University Press, 1982.

CRULS, Gastão. *A Amazônia que Eu Vi. Óbidos-Tumucumaque*. São Paulo: Cia. Ed. Nacional, 1945.

CUNHA, Manuela Carneiro da. *Negros Estrangeiros*: os escravos libertos e sua volta à África. São Paulo: Brasiliense, 1985.

DAVIDSON, David M. "How the Brazilian West was won: Freelance & State on the Mato Grosso Frontier, 1737-1752". In ALDEN, Dauril, *Colonial Roots of Modern Brazil*. Papers of the Newberry Library Conference. University of California Press, p. 61-106, 1973.

————. "Indigenous populations of the São Paulo-Rio de Janeiro coast: Trade, aldeamento, slavery and extinction". *Revista de História*, São Paulo, n. 17, jul./dez., p. 3-26, 1984.

DERBY, Oliver A. "O rio Trombetas". In HART, C. H.; SMITH, H; L. DERBY, O. Trabalhos restantes inéditos da Comissão Geológica do Brasil (1875-1878). *Belém: Boletim do Museu Paraense Emílio Goëldi*, tomo II, fasc. 1-4.

DODT, Gustavo L. G. *Descrição dos Rios Parnaíba e Gurupi*. São Paulo: Brasiliana: Cia. Editora Nacional, v. 138, 1939.

DREYFUS, Simone. "Os empreendimentos coloniais e os espaços políticos indígenas no interior da Guiana Ocidental (entre o Arenoco e o Corentino), de 1613 a 1796". In CASTRO, Eduardo Viveiros de; CUNHA, Manuela Carneiro da. *Amazônia*: Etnologia e História indígena. São Paulo: NHII/USP, FAPESP, p. 19-41, 1993.

EDMUNDS, R. David. "Native Americans New Voices: American Indian History, 1895-1995". *The American Historical Review*, v. 100, n. 3, jun., 1995.

FARAGE, Nádia. *As Muralhas dos Sertões*: os povos indígenas no Rio Branco e a colonização. Rio de Janeiro: Paz e Terra, ANPOCS, 1991.

————. e AMOROSO, Marta Rosa (org.). *Relatos da Fronteira Amazônica no Século XVIII. Documentos de Henrique João Wilckens e Alexandre Rodrigues Ferreira*. São Paulo: NHII/USP, FAPESP, 1994.

FERREIRA, Alexandre Rodrigues. Tratado Histórico do Rio Branco transcrito em FARAGE, Nádia; AMOROSO, Marta Rosa (org.). *Relatos da fronteira Amazônica no século XVIII. Documentos de Henrique João Wilckens e Alexandre Rodrigues Ferreira.* São Paulo: NHII/USP, FAPESP, 1994.

FREI BONIFÁCIO MEIRELLES. "Como Frei Francisco de São Marcos descobriu o Trombetas", *Revista de Santo Antônio*, 1955.

FREITAS, Décio. *Escravidão de Índios e Negros no Brasil.* Porto Alegre: EST/ICF, 1980.

FRIKEL, Protássio. "Dez anos de aculturação Tiriyó. Mudanças e problemas (1960-1970)". Belém: *Boletim do Museu Paraense Emílio Goëldi*, Publicações Avulsas, n. 16, 1971.

————. "Tradições Histórico-lendárias dos cacuiana caiana". *Revista Brasileira do Museu Paulista*. São Paulo, v. 9, 1955.

FRY, Peter; VOGT, Carlos. *Cafundó: A África no Brasil*: linguagem e sociedade. São Paulo: Companhia das Letras, 1996.

FUNES, Eurípedes. *Nasci nas Matas, Nunca Tive Senhor*. História e memória dos mocambos do Baixo Amazonas. Tese de doutorado, São Paulo, FFLCH/USP, 1995.

————. *Nasci nas matas, nunca tive senhor*. História e memória dos mocambos do Baixo Amazonas. In REIS, João; GOMES, Flávio dos Santos (org.). *Liberdade por um Fio: História dos Quilombos no Brasil*. São Paulo: Cia. das Letras, p. 467-497, 1996.

GALLOIS, Dominique Tilkin. *Mairi Revisitada*: a reintegração da Fortaleza de Macapá na tradição oral do waiãpi. São Paulo: Núcleo de História Indígena e do Indigenismo, USP/ FAPESP, 1994.

GINZBURG, Carlo. "Sinais: raízes de um paradigma indiciário". In *Mitos, Emblemas, Sinais*: morfologia e história. São Paulo: Companhia das Letras, 1989, p. 143-180.

GOMES, Flávio dos Santos. "Em torno dos bumerangues: outras histórias de mocambos na Amazônia colonial". São Paulo: *Revista USP*. n. 28, dez./jan./fev., 1995-96.

————. "Repensando a construção de símbolos de identidade étnica no Brasil", In FRY, Peter; REIS, Elisa; TAVARES DE ALMEIDA, Maria Hermínia. *Política e Cultura. Visões do passado e perspectivas contemporâneas*. São Paulo: HUCITEC/ANPOCS, p. 197-221, 1996.

————. *A Hidra e os Pântanos*: quilombos e mocambos no Brasil — séc. XVII a XIX. Campinas: tese de doutoramento, IFCH/Unicamp, 1997.

GROOT, Silvia W. de. "A comparison between the history of Maroon communities in Surinam and Jamaica". *Slavery & Abolition*, v. 6, n. 3, dez. p. 173-184, 1985.

————. "Maroon of Surinam: dependence and independence". In RUBIN, Vera; TUDEN, Arthur (orgs.). *Comparative Perspectives on Slavery New Wold Plantation Societies*. Nova York: v. 292, p. 455-465, 1977.

————. "The Maroon of Surinam: agents of their own emancipation". In RICHARDSON, David. *Abolition and Its Aftermath. The Historical Context, 1790-1916*. University of Hull, Frank Cass, p. 54-79, 1985.

————. "Maroon women as ancestors, priests and mediuns in Surinam". *Slavery & Abolition*, v. 7, set., p. 160-174, 1986.

HELMS, Mary W. "Negro or Indian? The changing indentity of a frontier population". In PESCATELLO, Ann M. *Old Roots in New Lands*. Historical and anthropological perspectives on black experiences in the Americas. Greenwood, p. 157-172, 1972.

HEMMING, John. *Red Gold. The Conquest of the Brazilian indians*. Boston. Harvard University Press, 1978.

————. *Amazon Frontier. The Defeat of the Brazilian Indians*. Londres: MacMillan London, 1987.

HOWARD, Catherine. *Pawana*: a farsa dos visitantes entre waiwai da Amazônia setentrional. In CASTRO, Eduardo Viveiros de; CUNHA, Manuela Carneiro da. *Amazônia*: etnologia e história indígena. São Paulo: NHI/USP, FAPESP, p. 235-6, 1993.

HURLEY, H. Jorge. "Visões do Oiapoque". *Revista do Instituto Histórico e Geográfico da Bahia*. Salvador, v. 56, 1930.

HURLEY, H. Jorge. *Os Sertões do Gurupi*. Belém: Instituto Lauro Sodré, 1928.

HUXLEY, Francis. *Selvagens Amáveis* (uma antropologista entre os índios urubus do Brasil). São Paulo: Cia. Ed. Nacional, 1963.

JACKSON, Walter. "Melville Herskovits and the search for Afro-American culture". In STOCKING, Jr., George W. *Malinowski, Rivers, Benedict and Others. Essays on culture and personality*. Wisconsin: The University of Wisconsin Press, p. 95-126, 1984.

KARASCH, Mary. "Catequese e cativeiro: política indigenista em Goiás: 1780-1889". In CARNEIRO CUNHA, Manuela. *História dos Índios no Brasil*, São Paulo: Cia. das Letras/Secretaria Municipal de Cultura/Fapesp, p. 397-411, 1992, 1993.

————. "Os quilombos do ouro na Capitania de Goiás". In REIS, João José; GOMES, Flávio dos Santos. *Liberdade por um Fio* — história dos quilombos no Brasil, São Paulo: Cia das Letras, p. 240-262, 1996.

KRAUSE, Frei Alberto. "Viagem ao Maicuru". In *Revista Santo Antônio*, 1945, n. 1.

LOMBARD, J. "Recherches sur les tribus indiennes qui occupaient le territoire de la Guyane Françoise vers 1730 (d'aprés les documents de l'époque)". Paris. *Journal de la Société des Americanistes de Paris*, tomo XX, 1928.

MARAJÓ, José Coelho da Gama, Barão de. *As Regiões Amazônicas*: estudos chorographicos dos Estado do Gram Pará e Amazonas. Lisboa, Impr. de L. da Silva, 1895.

MACLACHLAN, Colin M. "The Indian Directorate: Forced Acculturation in Portuguese América (1757-1799)". *The Americas*, v. XXVIII, n. 4, 1972.

————. "African Slavery and Economic Development in Amazônia (1700-1800)". In TOPLIN, Robert B. (org.) *Slavery R: relations in Latin America*. Greenwood Press, p. 112-145, 1973.

————. "The Indian Labor Structure in the Portuguese Amazon, 1700-1800". In ALDEN,

Dauril. *Colonial Roots of Northern Brazil*. Papers of the Newberry Library Conference. Berkley: University of California Press, p. 228, 1973.

MENÉNDEZ, Miguel. "Uma contribuição para a etno-história da área Tapajós-Madeira". São Paulo: *Revista do Museu Paulista*, USP, v. XXVIIII, 1981-1982.

MINTZ, Sidney; PRICE, Richard. "An Anthropological Approach to the Afro-American past: a Caribbean perspective". Filadélfia: ISHI, 1976.

MONTEIRO, John M. "From Indian to slave: forced native labour and colonial society: São Paulo during the seventeenth century". *Slavery & Abolition*, v. 9, n. 2, set., 1988.

————. "O escravo índio, esse desconhecido". In GRUPIONI, Luís Donisete Benzi (org.) *Índios no Brasil*. Brasília: MEC, 1994.

————. *Guia de Fontes para a História Indígena e do Indigenismo em Arquivos Brasileiros*: acervos das capitais. São Paulo: NHII/USP/Fapesp, 1994.

————. *Negros da Terra*: índios e bandeirantes nas origens de São Paulo. São Paulo: Companhia das Letras, 1994.

MONTIEL, Luiz Maria Martinez. Integration patterns and the assimilation process of negro slave in Mexico. In RUBIN, Vera; TUDEN, Arthur. *Comparative Perspectives on Slavery in New Plantation Societies*. Nova York, p. 448-9, 1977.

MOREIRA NETO, Carlos de Araújo. *Índios da Amazônia, de Maioria a Minoria (1750-1850)*. Petrópolis: Vozes, 1988.

MOURA, Clóvis. *Rebeliões da Senzala*. Quilombos, insurreições e guerrilhas. Rio de Janeiro: Conquista, 1972.

————. *Os Quilombos e a Rebeldia Negra*. São Paulo: Brasiliense, 1981.

MULLIN, Michael. Africa in America. *Slave Acculturation and Resistance in the South America and the British Caribbean, 1736-1831*. Urbana: University of Illinois Press, 1992.

O'DWYER, Eliane Cantarino. "Remanescentes de quilombos na fronteira amazônica", In O'DWYER, Eliane Cantarino (org.). *Terra de Quilombos*. Rio de Janeiro: Associação Brasileira de Antropologia, jul., 1995.

PALMIÉ, Stephan. (org.) *Slave Cultures and the Cultures of Slavery*. Knoxville: The University of Tennessee Press, 1995.

PÉREZ, Berta E. "Versions and images of historical landscape in Aripao: a maroon descendant community in Southern Venezuela". *América Negra*, n. 10, 1995.

PERRONE-MOISÉS, Beatriz. "Índios livres e índios escravos. Os princípios da legislação do período colonial (séculos XVI a XVIII)". In CARNEIRO DA CUNHA, Manuela (org.). *História dos Índios no Brasil*. São Paulo: Cia. das Letras/Secretaria Municipal de Cultura/Fapesp, p. 115-132, 1992.

PORRO, Antônio. "Os solimões ou jurimaguas. Território, migrações e comércio intertribal". *Revista do Museu Paulista*. São Paulo: USP, v. XX/XXI, 1983-1984.

PRICE, Richard. "Resistance to slavery in the Americas: Maroons and their communities". *Indian Historical Review*, v. 15, n. 1-2, 1988-89.

———. (org.). *Maroon Societies*: rebel slave communities in the Americas. 2. ed. Baltimore: The Johns Hopkins University Press, 1979.

———. *First Time*: the historical vision of Afro-American people. Baltimore: The Johns Hopkins University Press, 1983.

———. To slay the hidra: Dutch colonial to perspective on the Saramaka Wars, Arbor: Karona, 1983.

———. *Alabi's world*. Baltimore: The Johns Hopkins University Press, 1990.

QUEIROZ, Fr. João de São José. *Visitas Pastorais*: memórias (1761-1762). Rio de Janeiro: Ed. Melso, 1961.

RAMOS, Artur. *O negro brasileiro*. Rio de Janeiro: Civilização Brasileira, 1935.

———. *A Aculturação Negra no Brasil*. São Paulo: Cia. Ed. Nacional, Col. Brasileira, 1942.

———. *O Negro na Civilização Brasileira*. Rio de Janeiro: Ed. Casa do Estudante do Brasil, 1953.

———. *As Culturas Negras no Novo Mundo*. 3. ed. São Paulo: Ed. Cia. Nacional, 1979.

REIS, Arthur Cezar Ferreira. *A Política de Portugal no Vale Amazônico*. Belém, 1940.

———. *A Expansão Portuguesa na Amazônia nos Séculos XVII e XVIII*. Rio de Janeiro: SPVEA, 1959.

———. *Aspectos da Experiência Portuguesa na Amazônia*. Manaus: Governo do Estado, 1966.

REIS, João José. "Escravos e coiteiros no Quilombo do Oitizeiro, em 1806". In GOMES, Flávio dos Santos e REIS, João (org.). *Liberdade por um Fio*: História dos Quilombos no Brasil. São Paulo: Cia. das Letras, p. 332-372, 1996.

———; GOMES, Flávio dos Santos. "Uma história da liberdade". In *Liberdade por um Fio*: História dos Quilombos no Brasil. São Paulo: Cia. das Letras, p. 9-25, 1996.

RIBEIRO, Darcy. *Diários Índios*. Os urubus-kaapor. São Paulo: Companhia das Letras, 1996.

SALLES, Vicente. *O Negro no Pará, Sob o Regime da Escravidão*. Belém: FGV, 1971.

SCHWARTZ, Stuart B. "Mocambos, quilombos e palmares: a resistência escrava no Brasil Colonial". *Estudos Econômicos*. São Paulo, IPE-USP, 1987, v. 17, número especial, p. 61-88.

———. "Recent trends in the study of slavery in Brazil". *Luso-Brazilian Review*, 1988, v. 25, n. 1, p. 1-25, verão de 1988.

———. *Segredos Internos*: engenhos e escravos na sociedade colonial, 1550-1835. São Paulo: Companhia das Letras, p. 384 e 449, 1988.

———. *Slaves, Peasants, and Rebels*: reconsidering Brazilian slavery. Urbana: University of Illinois Press, 1992.

SERVLNIKOV, Sérgio. "Disputed images of colonialism: Spanish rule and Indian subversion in Northern Potosí, 1777-1780". *Hispanic America Historical Review*, v. 76, n. 2, maio, 1996.

SILVA, Marilene. "O absolutismo lusitano da Amazônia". In *Amazônia em Cadernos*, Manaus: Unaman, p. 16-60, 1992.

SLENES, Robert W. "Malungu, ngoma vem!: África coberta e descoberta no Brasil." São Paulo: *Revista USP*, n. 12, dez./jan./fev., 1991-1992.

————. "Na senzala, uma flor: 'as esperanças e as recordações' na formação da família escrava". Texto inédito, 1994.

————. "Central-African water spirits in Rio de Janeiro: slave identify and rebellion in early-nineteenth century Brazil". Texto inédito, abril, 1995.

————. Bávaros e bakongo na "habitação de negros": Johann Moritz Rugendas e a invenção do povo brasileiro. Mimeo. abril, 1995.

————. "As provações de um Abrão africano: a nascente nação brasileira na viagem alegórica de Johann Moritz Rugendas". Campinas: *Revista de História de Arte e Arqueologia*, IFCH/Unicamp, n. 2, p. 271-536, 1995-1996.

SOCOLOW, Susan Migden. "Spanish captive in Indian societies: cultural contact along the argentine frontier, 1600-1835". *Hispanic American Historical Review*, v. 72, 1992,

STUCKEY, Sterling. *Slave Culture*: nationalist theory and the foundations of black America. Nova York: Oxford University Press, 1987.

SWEET, David G. *A Rich Realm of Nature Destroyed*: the middle Amazon Valley, 1640-1750. Tese Ph.D, Wisconsin: The University of Wisconsin, 1974.

————. "Black robes and 'black destiny': jesuit views of African slavery in 17th century Latin America". *Revista de História de América*, México, n. 86, jun./dez., 1978.

————. "A História vista a partir de baixo". *Textos Didáticos*. São Paulo: IFCH/Unicamp, p. 17-32, 1995.

THOMPSON, Robert Farris. *The Flash of Spirits*. Nova York: Vintage Books, 1991.

THORNTON, John K. "In the trail of voodoo: African christianity in Africa and the Americas". *The Americas*, v. XLIV, n. 3, jan., p. 261-278, 1988.

————. "African dimensions of the Stono Rebellion". *The American Historical Review*, v. 96, n. 4, out., p. 1.101-1.113, 1991.

————. *Africa and Africans in the Making of the Atlantic World, 1400-1680*. Cambridge: Cambridge University Press, 1992.

TORAL, André Amaral. "Os índios negros ou os carijós de Goiás: a história dos avá-canoeiro". *Revista de Antropologia*, São Paulo, FFLCH/USP, v. 27 e 28, p. 287-342, 1984/85.

VAINFAS, Ronaldo. *Ideologia e Escravidão*: os letrados e a sociedade escravista no Brasil Colonial. Petrópolis: Vozes, 1986.

————. *A Heresia dos Índios*: catolicismo e rebeldia no Brasil Colonial. São Paulo: Companhia das Letras, 1995.

VERGOLINO-HENRY, Anaíza; FIGUEREDO, Arthur Napoleão. *A Presença Africana na Amazônia Colonial:* uma notícia histórica. Belém: Arquivo Público do Pará, 1990.

VIANNA, Urbano. *Bandeiras e Sertanistas Baianos*. São Paulo: Cia. Ed. Nacional, 1935.

VIVEIROS DE CASTRO, Eduardo. "O mármore e a murta: sobre a inconstância da alma selvagem". *Revista de Antropologia*, São Paulo, USP, v. 35, 1992.

VLACH, John M. (org.) *By the Work of Their Hands*. Studies in Afro-American Folklife. Charlotte Ville/Londres: University Press of Virginia, 1992.

VOLPATO, Luíza Rios Ricci. *A Conquista da Terra no Universo da Pobreza:* formação da fronteira oeste do Brasil, 1719-1819. São Paulo: Hucitec, 1987.

————. *Cativos do Sertão*: vida cotidiana em Cuiabá em 1850-1888. São Paulo: Ed. Marco Zero/Ed. UFMT, 1993.

WHITEHEAD, Neil L. *Lords of the Tiger Spirit*: a history of the Caribs in Venezuela and Guyana, 1498-1820. Dordrecht: Foris Publications, 1988.

————. "Quilombos em Mato Grosso — resistência negra em área de fronteira." In Reis, João; Gomes, Flávio dos Santos. *Liberdade por um fio*: história dos quilombos no Brasil. São Paulo: Cia das Letras, 1996.

Bonde do Mal:
Notas sobre território, cor, violência e juventude numa favela do subúrbio carioca[1]

Olívia Maria Gomes da Cunha

"Carioca. [Do tupi *Kari'oka*, 'casa do branco'.] 1. De, ou pertencente ou relativo à cidade do Rio de Janeiro."[2]

Era mais ou menos umas onze, dez onze horas por aí. Nós levamos até instrumento, sabe... nós ia bater um pagode na praia e tudo. Começou assim: nós chegamos na praia e pá... sentamos, começamos a bater o pagode. Nego já começou olhar pra gente assim. Nós chegamos na moral e os polícia começou a olhar pra gente assim... os caras com aquelas bermudinhas assim azul, revólver, aquelas camisetas escrito "Eu cuido de você". Mas não cuida nada, eles quer bater. "Eu cuido de você" não, "Eu quero te bater", eles fala assim. Aí ficaram olhando pra gente assim. Nós começamos a bater o pagode e falaram que é bagunça: "pode parar". Aí tomou os instrumentos da gente... Aí tudo bem. Sentamos. Nesse tempo eu já cantava rap. Todo mundo cantando. Daí a um pouquinho volta[m]: "Aí, vamos parar com a bagunça. Vai parando logo, vai se destacando aí. Vai dando um rolé." E começou a bicar nego. Já tava começando a olhar a gente de cara feia... o cara já tinha tomado os instrumentos da gente. Aí foi quando a poeira subiu lá embaixo e eu falei "que que é isso mano?" Todo mundo começou a olhar e todo mundo amarrando as coisas na cintura. De repente um cara [gritou] "Olha lá, olha lá os alemão". Todo mundo correu pra lá e a gente perguntou "[o] que que vocês quer?". Eles [os alemães] disse, "a gente quer passar". Aí começaram a pegar aqueles vidro e tacar. Foi nego tacando areia. "Tem arma", gritaram. E todo mundo correndo pra lá. Só sei que o cara comeu garrafa, comeu areia, comeu pedrada. Os homem veio correndo dando tiro, nego correu pra cima da calçada. Todo mundo correu pra dentro da praia. Tinha gringo e o caramba na praia nesse dia. Só sei que os gringo ficou em pânico, pegou as coisas e ficou agachadinho na areia assim. E eu disse: "É, mané, é agora..." os homem vinham... e os repórteres tudo atiçando: "Vai bater naquele ali, tá tacando mais pedras do que vocês!" Quando vai ver: arrastão de praia. Que eu saiba, arrastão é roubo, né? Como é que não roubaram nada nesse dia? Nesse dia foi só tumulto, mas arrastão não teve não.[3]

André não seria capaz de narrar algumas imagens produzidas e reproduzidas por emissoras de TV nacionais e internacionais. Não só nas cenas mas nos textos que descreveram incidentes ocorridos num domingo de sol nas praias mais famosas da cidade, a chegada do verão prenunciava caos e violência através da combinação explosiva de jovens "suburbanos", roubo, música e confusão nas areias escaldantes de uma Ipanema lotada. Na imprensa os relatos sobre o incidente o diferenciavam de um tipo de violência já "banalizada" pelas manchetes dos jornais. Havia algo de novo no ar. O *Arrastão* foi compreendido como uma pequena amostra do perigo da *horda* sem controle, desinibida ao desafiar as sutis fronteiras da *sociabilidade carioca*, dessagrando certos espaços emblemáticos da cidade. Na narrativa de André, entretanto, a violência foi o que deflagrou tanto o confronto quanto a incompreensão, o pânico e o medo. Talvez por isso a descrição do ocorrido tenha envolvido maneiras distintas de se reportar a certos espaços da cidade, e de reconstruir as rotas de circulação e perambulação preferidas dos "amigos" e "inimigos" em direção ao litoral. Era essa a cartografia que havia sido fragmentada por um incidente que mobilizara diferenciados interlocutores — moradores da cidade ou não — a se posicionarem.

Meu objetivo neste texto é perceber de que modo essas leituras se sobrepuseram e, de certa forma, contaminaram histórias como as de André. Perseguindo algumas dessas narrativas, meu desejo foi o de tentar compreender que outras visões, desenhos e representações da cidade e de seus moradores foram produzidos por um grupo de jovens moradores de uma favela localizada em uma região marginalizada da cidade: Vigário Geral. Na primeira parte do texto serão enfocadas as interpretações produzidas por parte da mídia antes e após o evento ocorrido em 1992. Já na segunda parte, o discurso *mediatizado* da violência na cidade cede lugar a percepções mais subjetivas sobre tais *incidentes*. Falar do *Arrastão*, lembrá-lo e interpretá-lo como um acontecimento inteligível de um ponto de vista subjetivo implicou produzir um mapa particular da cidade, no qual outros significados foram atribuídos as versões espetacularizadas da *violência*.

MARÉS: DA FAROFA À BARBÁRIE

O governo, que tem o dever de assegurar a ordem e defender a população, continua devendo uma estratégia de erradicação da brutalidade nas ruas do Rio. Ainda está atrasado na sua luta contra a desordem e a anarquia que imperam na cidade — da Zona Sul aos subúrbios. Já está na hora de se apressar para evitar essas cenas que se repetem como as marés.[4]

O que mudou no imaginário da cidade após outubro de 1992? Como as *marés* aludidas na epígrafe acima, incidentes conhecidos desde então como *Arrastões* apenas revitalizaram velhos temores, vozes, olhares e silêncios sobre a cidade, seus espaços e habitantes. Sua novidade foi ter colocado em relevo não só novos personagens postos em cena através dos códigos e sinais da *violência urbana*, mas a fragmentação do próprio cenário no qual tal incidente foi descrito. Para isso a praia de Ipanema foi seccionada em microrregiões onde se percebia a presença de outras cidades. Cidades que se "transportavam" em coletivos apinhados e ocupados não só internamente mas, tal como nos trens da Central do Brasil, seus passageiros viajavam no teto, pendurando-se nas janelas e nas escadas. Cidades cujo *transporte* estava condicionado à estabilidade do tempo, à disponibilidade de ônibus e dinheiro e à necessidade de restringir-se a certos pedaços da praia. Tais limitações, antes de serem produzidas somente pelas polícias ou moradores/comerciantes locais, eram orientadas por outras lógicas. Os critérios de escolha e concentração de jovens banhistas — identificados muitas vezes como "suburbanos" — em determinadas praias e pontos são imposições resultantes da possibilidade de contato com turmas, amigos e *galeras* de bairros "inimigos".[5] Mas também, como não poderia deixar de ser, pela possibilidade de escolha livre de constrangimentos: "é ali *a praia* de que eu gosto".

Mas por que a presença desses "novos personagens" teria causado tanto pânico por parte das mesmas vozes que haviam celebrado a praia como o "espaço mais democrático da cidade"? Podemos dizer que são diversos os discursos nos quais a praia é descrita como o lugar da celebração de um *jeito de ser carioca*. São textos de muitos outros contextos — artísticos, políticos e comerciais — que tiveram a *cidade-praia* como foco de atenção. Muitas tentativas de definição de uma possível identidade regional — os "cariocas" — passam por algum tipo de referência às praias de forma a qualificar diferencialmente um *ethos* e um estilo de vida. Do estereótipo à exaltação, a imagem do *carioca* como cidadão-praiano por definição tende a sublinhar determinadas visões sobre a cidade como um todo. A praia, enquanto espaço privilegiado da produção de uma determinada imagem da cidade, é também palco de uma espécie de *mediatização* urbana — cenário no qual se celebra a mistura de corpos, cores, classes e culturas. É assim que se produz e reproduz uma imagem e um discurso sobre a cidade que, diante do *Arrastão*, teria capitulado ante inimigos quase invisíveis. Ao ter essa imagem turvada, tanto pela invasão da praia quanto por outras formas de apropriação do seu mais nobre espaço de lazer, a cidade que se imagina contida na praia entra em pânico. Mas, se a praia é de certa forma metonímia da cidade, são todos os seus freqüentadores *cariocas*? A visão pretensamente crítica das atitudes de *intolerância* aos "farofeiros" publicadas nos jornais cariocas em 1984 nos informa que não. Em vez de *cariocas*, temos freqüentadores, moradores da Zona Norte, moradores da Zona Oeste, da Zona Sul, moradores da Baixada, "suburbanos" e, enfim, "farofeiros".[6]

A presença dos "farofeiros" nas praias mais valorizadas fora percebida alguns anos antes das cenas que celebrizaram o *Arrastão*. Ganhando espaço na mídia em setembro de 1984, foram identificados como "vítimas" de um indisfarçado preconceito dos "moradores da Zona Sul" por ocasião da implantação da ligação de ônibus *norte-sul*.

> João Batista de Melo, de 46 anos, saiu às 7h30min de sua casa, na rua Ponto Chique, Cidade Alta, Cordovil, com a mulher Maria José, os filhos Marco Aurélio, de cinco anos, e João Batista, de oito, além da sobrinha Valdineide e dois vizinhos. Chegaram à praia de Ipanema às 8h30min, num ônibus da linha 461. Em frente à rua Garcia d'Avila, ele armou seu acampamento. Distribuídos nas bolsas de papel estavam a melancia, a galinha assada, a farofa, refresco de morango, panelas e canecas de plástico. Amarrou uma faixa entre dois coqueiros com os seguintes dizeres: Suburbanos, Farofeiros em Lazer. Em uma placa ele colou a matéria do JB "Nuvens suburbanas nas Praias da Zona Sul" e a carta-resposta aos "elitistas" [...] João Batista disse que querer isolar o bairro é, felizmente, idéia de poucas pessoas. "Apreciamos o pessoal de Ipanema e por isto estamos aqui, a maioria nos aceita [...] Farofeiros porque aprendemos a valorizar os nossos mínguados salários. Em vez de nos submetermos à exploração do comércio local, que pelo seu preço parece que foi criado exclusivamente para turista estrangeiro, preferimos os lanches feitos em nossa casa.[7]

O ex-bancário, ex-funcionário de hotel, sindicalista, nordestino e "suburbano" João assumira voluntariamente sua condição de *farofeiro*[8] ao manifestar seu repúdio contra as declarações publicadas pelo *Jornal do Brasil* do dia 11 novembro de 1984. Na matéria, a partir da qual se organizou o "protesto dos farofeiros", a maioria dos moradores e comerciantes entrevistados culpava o arquiteto Jaime Lerner e o então governador Leonel Brizola por um "desastre" causado no bairro. Desde junho daquele ano, iniciaram a reestruturação do acesso viário entre as regiões norte e sul da cidade. Tal projeto consistiu na implantação de linhas de ônibus do tipo *padron* — maiores e mais confortáveis —, capazes de atravessar grandes distâncias da cidade em menor tempo. As primeiras linhas ligavam justamente o bairro de São Cristóvão (situado na Zona Norte da cidade), num ponto ao lado de uma estação de trem, ao Leblon.[9]

As manifestações de repulsa à presença dos chamados "farofeiros" e "suburbanos" causaram indignação a muitos. Comerciantes e moradores expressavam nas páginas dos principais jornais cariocas a dimensão do incômodo causado pela invasão: "Desse jeito vai ser um faroeste [...] são grupos enormes sempre gritando, fazendo bagunça e puxando os cordões de quem passa. Estão criando um cenário de vandalismo e terror. Os moradores daqui estão assustados", diria o então proprietário de uma lanchonete.[10] Em novembro daquele ano, o 19º Batalhão da Polícia Militar iniciou a então chamada *Operação Verão*.

A própria polícia, abalizada por previsões meteorológicas, antevia sol quente, forte calor e mais violência.[11] É bom lembrar que estamos em 1984, quando já se apontam, de maneira explícita, as primeiras manifestações de repúdio, intolerância e preconceitos com relação à então já chamada pela imprensa "invasão das praias cariocas". Muitos foram os sinais desse protesto, na maioria das vezes dissimulados e algumas vezes violentos, com relação a seus chamados "invasores".

É impossível fazer essa leitura sem que se coloque em questão uma tensão: a duplicidade de papéis que informa o olho do etnógrafo e do morador. Por isso, talvez possamos dizer que um certo "desconforto" com relação a esses freqüentadores sempre esteve presente nas (nossas) inúmeras formas de freqüentar, como moradores mais ou menos próximos, as praias cariocas. Morar "próximo à praia" significa para muitos atingir um lugar valorizado da geografia urbana. A idéia de contigüidade entre as praias e certos bairros, ruas e áreas é um poderoso classificador numa hierarquia capaz de desqualificar socialmente parcela dos moradores da cidade. Essa classificação é capaz de produzir normas e um *ethos* relativo a um certo tipo de freqüência: importa saber não só em que parte da praia determinados freqüentadores se reconhecem socialmente mas que marcadores serão privilegiados nessas formas de territorialização.[12] Os critérios de valor, beleza e qualidade, por muitos de nós — moradores da cidade — utilizados ao escolhermos certas praias em detrimento de outras, muito têm a ver com a virtualidade da presença *daqueles que vêm de longe*, quase sempre sentida mas não admitida como indesejável. Seja quando procuramos *sossego* e *anonimato*, seja quando escolhemos determinadas praias pela limpidez das águas e pela brancura da areia. A idéia de "brancura" pode ser utilizada como metáfora que alude a vários critérios que explicam essas "escolhas" sem necessariamente referir-se ao perfil daqueles que compartilharão a praia conosco (o que certamente também não anula essa possibilidade). "Brancura" que nada tem a ver com o propósito de dourar nossos corpos ao sol, mas com acepções mais generalizadas em torno de oposições do tipo "praia limpa/praia suja", praia vazia/ praia cheia, "água limpa/água suja" e "praia de dia de semana/praia de fim de semana". "Brancura" como metáfora que sinaliza a "tranqüilidade", o "ambiente familiar", a "praia deserta" (onde o que se nota é a cor da areia e não a das pessoas) e a "praia calma". As idéias de "sujeira" e "confusão" aparecem imediatamente ligadas à maior quantidade de um certo tipo de freqüentadores.

Nossas escolhas de lazer estão marcadas pela possibilidade de podermos, ainda que de maneira imaginária, usufruir do "paraíso" sozinhos, com a família ou apenas com alguns amigos. As formas de utilizar e estar no "paraíso" é que são vistas de modo diferenciado e classificadas através de padrões estéticos e morais. É neste momento que normas, ainda que fluidas e partilhadas por poucos, serão recorrentes em praias, trechos, *points* e em outros referenciais simbólicos e geográficos. A praia, ou "aquele lugar da praia", passa a ser o indicador de valorização, de modismos, de lugares freqüentados por indivíduos de determinada faixa etária, classe social, orientação sexual etc. O nome da praia que se freqüenta passa a indicar pouco, ao contrário da referência-território, do ponto, da barraca, da quadra de vôlei, do posto-do-salvamar e do quiosque. Essas marcações hierarquizam sutil mas poderosamente um amplo território cuja leitura é a da igualdade e da democracia de gostos, atitudes e cores. Mesmo reconhecendo o poder dessas diferenciações, Luiz Eduardo Soares argumenta que nesses espaços os "corpos são mais eloqüentes que os vestuários".[13] Entretanto, acredito que a nudez nada informa sem os sinais que lhe conformam um lugar, e é sobre ele que as leituras em torno das *diferenças* são produzidas. Tal como os territórios que entrecortam a praia em "pedaços", esses sinais externos conferem valores distintos aos corpos, através de gestos e expressões de pudor e "delicadeza". Não é meu intuito me alongar sobre essas imagens do que seja a praia no imaginário da cidade (e a imagem da cidade a partir da praia) e suas representações mais correntes, entretanto apontar para o fato de, já em meados dos anos 80, certas tensões constitutivas de uma convivência enaltecida em verso e prosa como harmoniosa parecerem estar mais expostas.[14]

Analisando o material de imprensa sobre a ocorrência de conflitos nas praias cariocas, para além do vasto registro de furtos e brigas envolvendo banhistas, é em 1984, com a referida reportagem de página inteira com depoimentos de moradores da Zona Sul, que encontramos os primeiros sinais do que, a partir de então, se tornaria uma constante: a referência aos *arrastões*. Ao publicar a entrevista com um oficial, representante da Polícia Militar, o *Jornal do Brasil* dava destaque a um novo "modismo" do verão carioca e que, naquele ano, lhe dava nome. O diário o batizara como *Verão do Arrastão*.[15] Em meados dos anos 80, assaltos e ações coletivas e rápidas envolvendo jovens, não só nas praias, mas também nos trens, ônibus e ruas, passaram a ser inicialmente designadas pela polícia e pela imprensa como *arrastões*. Ainda sob o calor das reações provocadas por intelectuais e representantes de diversas entidades civis com relação ao evidente "preconceito" revelado por moradores e comerciantes do bairro de Ipanema, na maneira pela qual se referiam àqueles que seriam os "invasores", algumas providências começam a ser tomadas pelos órgãos de segurança pública. No mesmo mês encontramos várias referências quanto a registros de ações propostas por autoridades civis e militares com o intuito de coibir situações de conflito: *blitzes* em pontos e linhas de ônibus e diluição da concentração desses terminais em certas regiões da Zona Sul, como o Posto 6 (Copacabana) e a Praça General Osório (Ipanema). Nota-se então o deslizamento do significado inicialmente atribuído ao *Arrastão* — então definido como a prática coletiva de assaltos — para referir-se à presença de uma parcela distinta da população como ameaça de violência e desordem. Importa coibir, prevenir e impedir certos tipos de "aglomeração". O problema passa a ser sinalizado através da demonização de um certo tipo de freqüência em certas áreas da cidade.[16]

> Nas duas primeiras horas da Operação Verão do 19º BPM, ontem, na Praia de Ipanema, 20 pessoas foram detidas, a maioria por falta de documentos e por contar uma história que não convenceu os policiais [...] durante toda a manhã, enquanto foi grande o acesso de banhistas à praia, um carro da polícia ficou estacionado na esquina das ruas Teixeira de Mello com Vieira Souto. Ali é considerado um ponto crítico, principalmente por causa da subida do Morro do Cantagalo. Os policiais passaram a manhã parando suspeitos, pedindo documentos e fazendo revistas. Os suspeitos, segundo um dos policiais, "mostram que têm problemas com a Polícia no olhar, e são geralmente banhistas que vêm de muito longe: Parada de Lucas, Parada Angélica, Santa Cruz [...]".[17]

Ao confrontar as diversas notícias e matérias que saíram no mesmo ano da implantação da ligação norte-sul, é curioso notar que as reações adversas à presença de banhistas "suburbanos" se refiram muito mais a sua permanência em outros espaços do bairro (principalmente Ipanema) e não à praia. Percebe-se que todas as medidas de segurança tomadas estão vinculadas à diminuição da presença dessa população em pontos de ônibus, muitas vezes localizados em frente a lojas e restaurantes famosos. As *blitzes*, por outro lado, permitem uma espécie de filtragem. Impedem-se de transpor o túnel (uma vez que os pontos privilegiados para a concentração de policiais são as ruas que antecedem os acessos aos bairros) todos aqueles que estão sem documentos, camisa, ou portando qualquer tipo de arma.

É importante ressaltar que nesse momento o que parece ser freqüentemente destacado como causa da desordem é a origem e o comportamento desses banhistas "invasores". São *suburbanos* (categoria que encobre muitas outras representações da cidade e da identidade de seus moradores), desordeiros, malvestidos, mal-encarados, gritam, têm hábitos alimentares bizarros e provocam tumulto por onde passam. Há, contudo, um indisfarçado constrangimento na forma pela qual muitas dessas declarações são descritas e vertidas em matérias jornalísticas. O próprio "João Ninguém" chama a atenção para o fato de essas reportagens serem menos denúncias ou uma espécie de desnudamento do comportamento elitista da Zona Sul e mais a transformação do não-dito em risível e grotesco.[18] Como se uma certa "ética" jornalística conduzisse a um tratamento irônico e crítico de tamanha exposição de desrespeito e preconceito. Essa leitura dos conflitos feita pela imprensa se enquadraria dentro de uma nova abordagem, mais sociológica e menos criminológica, dos fatos cotidianos envolvendo situações de violência transformados em notícia. Ao se identificarem as várias vozes que compõem os conflitos (nos quais, como veremos, o "suburbano" passa a ter cor e se desterritorializa no funk e na praia), passa-se à estigmatização de sujeitos e territórios classificados por uma lógica dualista.[19] Percebe-se assim a preocupação em descrevê-los a partir da explicitação de diferenciadas visões, isto é, os prós e os contras de um mesmo fato.[20] Assim, a construção de uma realidade mediatizada na produção jornalística tende a ser concebida como visão ética, acrítica e democrática do fato descrito e noticiado. Curiosamente, no caso em questão, a voz dos "discriminados", "farofeiros" e "suburbanos" foi substituída pela "denúncia" e detecção das mazelas sociais da cidade injusta. O recurso à palavra especializada dos analistas econômicos e sociais foi a maneira encontrada para preencher o silêncio. Esse sentido de "denúncia", em que o denunciante se afasta daquele que produziu a injustiça qualificando-o através de determinadas categorias — "moradores da Zona Sul" ou "moradores de Ipanema" —, chama para si a relevância da ação do denunciador, que se coloca, desta forma, totalmente fora e distante daquilo que deseja expor e demonstrar.[21] Na linguagem jornalística, paralelamente às novidades de cada verão, as representações, travestidas em modismos, estilos e comportamentos das praias cariocas a cada ano, são identificadas também aos fatos, aos territórios e aos personagens que turvam tanto as águas quanto as imagens da cidade.

Em torno de muitas discussões quanto à necessidade de um tratamento anti-repressivo aos banhistas que vêm do subúrbio e o seu oposto, o apoio à ostensividade da presença policial nas praias, temos todo um complexo cenário envolvendo questões político-partidárias e todo um acirrado debate sobre o recrudescimento da violência na cidade, temas sobre os quais não vou me deter neste artigo.[22] O que desejo colocar em relevo é a anterioridade das questões que fomentaram um debate que ganhou visibilidade em outubro de 1992, quando ocorreu um novo, e mais devastador, *Arrastão*. Antes, porém, é preciso ressaltar que a escolha da imprensa como produtora de imagens/representações concebidas a partir da "realidade" descrita pelos jornais teve duas grandes preocupações. A primeira foi a de devolver-lhes um *status* renegado por muitos de nós, quando analisamos questões que cotidianamente compõem suas manchetes e páginas, mas cujo tratamento é por nós colocado sob suspeita, desprezados devido à sua tendência política e empresarial. Contudo, muitas das análises por nós produzidas sobre os mesmos acontecimentos, quando não explicitamente utilizam matérias jornalísticas como *fontes* do que seria uma "deformação" da realidade (detectada na análise dos discursos ali veiculados), subentendem-nas como "fato" através do uso de certas categorias que foram produzidas não tão longe dos nossos próprios olhos. Ora, como bem apontou Luiz Eduardo Soares, há uma reprodução contínua de certas imagens — entre elas as que perfazem o fenômeno da violência na cidade — que transcende o universo da mídia ao mesmo tempo em que a alimenta e é sua consumidora:

> Se o fenômeno da violência é o que pensamos dele, é o modo como o vivemos, são os significados imaginários que assume, além de ser, como é óbvio, objetividade tangível e dolorosa, é imperioso localizar uma das principais fontes para sua plena configuração, enquanto realidade simbolicamente construída e compartilhada pela sociedade fluminense (e particularmente a carioca): a mídia e o seu trabalho de Sísifo, devotado à invenção cotidiana do mundo a que, paradoxalmente, se refere como uma externalidade que lhe seria anterior e independente. Uma peculiaridade interessante do tratamento usualmente conferido pela mídia à "violência", sobretudo pela forma da criminalidade urbana, reside na supressão da temporalidade, a não ser quando ligada exclusivamente à lógica interna de determinada narrativa dramática (como ilustram os casos "seriais" ou a elaboração serial — tipo folhetim — de crimes seqüenciais). Claro, se a mídia é produto diário e tem de "redescrever" a véspera para dar sentido ao presente imediato, situando-o em certas escalas do tempo e do espaço — escalas com que operam as linguagens disponíveis para cada um dos meios de comunicação —, seus objetos serão cenas contingentes, capazes de dramatizar possibilidades extremas ou ordinárias (conforme o veículo e o *ethos* de seu público) da vida humana, especialmente da experiência coletiva, a qual, sempre, enquanto notícia, nos ultrapassa; sendo, todavia, trivial — se não for sua negação, seu avesso: o perverso, o extraordinário, o transcendente, o singular.[23]

A segunda questão, que será detalhadamente analisada na segunda parte do texto, diz respeito à reprodução/reinvenção de categorias utilizadas/inventadas pela mídia, pelos sujeitos representados nas notícias de forma quase sempre secundária. Se, por um lado, percebe-se que a criminalização do discurso que imputa a determinados indivíduos o papel de agentes da violência se faz a partir do reconhecimento da lógica da exclusão, também é verdade que a mesma preocupação não se verifica quando são vitimizados.[24] André, embora não acreditasse na versão dada pela imprensa ao *Arrastão*, duvidava de que sua história não estivesse sendo contada de maneira correta.

Com o advento do *Arrastão* de 1992 algo se quebrou. As imagens em torno da *praia carioca* seriam diferentemente retratadas e acrescidas de um novo sinal muito mais perturbador. A violência que se explicita nas narrativas dos entrevistados publicadas nos jornais da cidade, e que ganhou ênfase nas vozes dos âncoras e repórteres de TV, sublinha as imagens reproduzidas numa série de inexplicáveis repetições. Era preciso memorizar-lhes os modos, o jeito, as práticas e, sobretudo, as cores. Enunciá-las seria, contudo, politicamente incorreto. Mas mostrá-las não. Os textos então se referem a "vândalos", "marginais", "arruaceiros", "gangues" e "galeras". As imagens mostram correrias desenfreadas de banhistas, brigas entre grupos de jovens em sua maioria não-brancos, que também se digladiam nos pontos finais em busca de *condução* para voltar para casa. A detecção da "origem" da guerra alienígena reproduzida na areia, na TV e nos jornais foi inevitavelmente dirigida às rivalidades entre *galeras funkeiras* em alguns bailes da Zona Norte e da Baixada Fluminense, transportadas para as areias da praia. Se havia algo a diferenciar-lhes culturalmente, essa "diferença" tinha raízes no desregramento, na falta de ética, na certeza da impunidade diante daqueles que deveriam vigiá-los e reprimi-los. Foi em torno desses temas que giraram grande parte das interpretações "autorizadas" sobre o incidente.

Assim, da "farofa" teríamos passado à "barbárie". Curiosamente, cada um desses ingredientes — os "suburbanos", a violência dos *arrastões* e a racialização do debate — foi sendo gradativamente adicionado às matérias e reportagens ao longo dos últimos dez anos. Na virada da década de 1990, a ótica da violência é que passou a determinar o enfoque do que viria a ser o "problema das praias cariocas" segundo a imprensa.[25] A maré que volta às praias cariocas já nos anos 90 não é mais a mesma. Essa mudança pode ser verificada já no verão de 1991, quando os jornais cariocas são tomados por notícias sobre os novos invasores de Ipanema:

> Praia no Rio ainda é o lazer mais barato. Obviamente que os ambulantes vão levar sempre mais do que se pretende gastar. Mas não se paga para entrar. No máximo para ir a um banheiro limpinho. E também não dá para ser elitista na Ipanema dos anos 90. A possibilidade de passar o domingo ao lado da simpática família suburbana, que ouve, feliz, Leandro e Leonardo no super-radião, não deve ser descartada. Para completar, pode-se ter a sensação de "viver perigosamente" ao experimentar, ao vivo e a cores, as emoções de um *"Arrastão"*. É a novidade deste verão, quando um bando de pivetes promove, na marra, a divisão do bolo que o Delfim prometeu e nunca realizou e que seus sucessores nunca ouviram falar.[26]

Os "moradores da Zona Sul" continuaram a ser retratados como saudosistas e preconceituosos. Os "moradores da Zona Norte" — aïnda os "suburbanos" — aparecem como estrangeiros em terras ianques· ingênuos, selvagens, grosseiros e, agora, mais violentos. Todavia, a própria diversidade nas formas de ocupação das praias já não aparece mais tão polarizada entre moradores da Zona Sul e da Zona Norte, mas é descrita em termos de "estilos", "padrões de comportamento" e consumo "alternativo":

> Nos dias úteis, a orla de Ipanema exibe seu comércio típico: *trailers* cheios de cocos e vendedores de espigas de milho. Nos sábados e domingos, entretanto, a paisagem muda muito, principalmente na área do Arpoador. É que aparecem outros ambulantes, com produtos mais adequados aos freqüentadores dos fins de semana: vendedores de caldo de cana com barulhentíssimas moendas a motor; camelôs oferecendo água oxigenada de 20 volumes para aloirar o pêlo das pernas das mulatas; e as bancas de subambúrgueres, sanduíches absolutamente versáteis, como demonstra a diversidade de produtos expostos nas bancas: pão de sal, pão careca e pão de fôrma. Mais variados são os tipos de recheio expostos em frascos de maionese: salada de tomate e cebola picada, carne moída refogada, salsinha picada, ovo cozido, batata frita, galinha desfiada com ervilha e bife de hambúguer. São inúmeras bancas dispostas lado a lado no calçadão, especialmente junto ao Parque Garota de Ipanema.[27]

Ainda que o seu consumo tenha se modernizado e "terceirizado", estes personagens não perderam o estigma de serem "farofeiros", utilizarem comidas excessivamente condimentadas num momento em que os "alimentos naturais" estão no auge da "moda" entre as camadas médias. No início dos anos 90, e mais precisamente em 1992, pode-se perceber uma expressiva alteração na forma pela qual esses banhistas são representados nos jornais. Já não constituem famílias, muitas das quais nordestinas — tal qual a imagem traçada pelo "farofeiro assumido" João Ninguém —, mas grupos de jovens, em sua maioria homens. Se a família era um referencial importante do "tradicionalismo" dos "suburbanos" *versus* a "modernidade" da Zona Sul nas narrativas jornalísticas sobre os conflitos em 1984, em 1991 a adjetivação de comportamentos é invertida. É justamente em nome do passado, do espírito nostálgico do tempo das célebres canções inspiradas no bairro e, principalmente, em nome das famílias, que os moradores denunciam a falta de segurança nas praias.[28] O perigo já podia ser claramente identificado: turmas, galeras, gangues de jovens que chegavam à praia em ônibus superlotados vindos do subúrbio. Mais do que por serem jovens, entoavam gritos de guerra, refrãos e promoviam correrias entre seus pares — amigos e inimigos — e eram freqüentadores de bailes funk.

O serviço reservado da Polícia já identificou a origem dos arrastões, ocorridos domingo passado em Copacabana e Ipanema. Segundo os agentes, tudo não passou de um confronto de gangues que, há muito tempo, haviam loteado parte das duas praias. A primeira briga ocorreu entre o grupo da Cidade Alta, em Cordovil, e outro da favela de Parada de Lucas. Uma das turmas havia invadido o espaço delimitado pela outra. A confusão foi engrossada pelas gangues de Vigário Geral, Vila Cruzeiro (Penha) e do Complexo da Maré, em Bonsucesso, de onde partiram mais de 200 adolescentes, domingo de manhã, em direção às duas praias. O perfil estabelecido pela Polícia mostra que estes jovens têm idades que variam entre 16 e 20 anos e são moradores das zonas Oeste e Norte e da Baixada Fluminense. Os líderes estão sendo identificados. Estes adolescentes geralmente brigam sempre que se encontram, seja num baile funk, na praia ou no Maracanã em dia de jogo. Alguns tentam reproduzir a guerra travada entre as organizações criminosas conhecidas como Comando Vermelho, Terceiro Comando e Falange do Jacaré. A relação com estas facções são normalmente estabelecidas nas comunidades onde os jovens vivem e que estão sob o domínio de uma dessas quadrilhas.[29]

Na segunda-feira, dia 19 de outubro de 1992, todos os jornais da cidade amanhecem com manchetes relacionadas àquele que viria a ser conhecido como o "Grande *Arrastão*". Durante cerca de 40 dias, entre os meses de outubro e novembro, fim do período de campanha eleitoral para a Prefeitura do Rio, a imprensa e as redes de televisão deram ampla cobertura ao fato.[30] Não só representantes dos governos estaduais e municipais e forças de segurança foram entrevistados, mas, sobretudo, intelectuais foram assediados por jornalistas em busca de uma explicação para o *Arrastão*.

Em linhas gerais, podemos reunir os diagnósticos fornecidos por tais "interlocutores especializados" em dois grandes grupos. O primeiro inclui os candidadatos à Prefeitura, integrantes de algumas entidades do movimento negro — entre eles o Ceap e o Sedepron[31] — e os representantes da Prefeitura e do Governo do Estado. O governador Leonel Brizola, na sua coluna semanal, foi o primeiro a sinalizar para a tônica do debate sobre o *Arrastão* quanto ao tratamento dado pela "população da Zona Sul" e a imprensa aos "supostos" responsáveis pelo conflito. Para ele, ao contrário das matérias-denúncias que vinham sendo publicadas nos jornais há quase dez anos, o debate teria sido "racializado". Indentificava como sendo um evidente tratamento discriminatório o que motivou o alarde dado pela mídia aos *Arrastões*. A divulgação dessas imagens em redes de televisão internacionais teria sido impulsionada pelo desejo de "empresários" de difamar o Governo do Estado e enfraquecer a campanha da então vereadora negra Benedita da Silva. Os programas de televisão do Partido dos Trabalhadores (PT) e dos partidos coligados em torno da candidatura de César Maia confrontaram-se através de imagens, cartas-texto e propostas para a diminuição da violência. Enquanto César Maia enfocava de forma ambígua o caso específico dos *Arrastões*, defendendo a manutenção da ordem e antevendo a necessidade de convocação das Forças Armadas para tal, Benedita defendia o direito de ir e vir de todos os moradores da cidade, mas em especial dos moradores das periferias e favelas.

George Yúdice, analisando o que denominou de "o medo do funk", chamou atenção para o fato de que, subjacentes a uma disputa político-partidária, estavam em jogo duas visões antagônicas da cidade: o lado-favela e o lado-Zona Sul.[32] Quase três anos depois daquele embate, o candidato vencedor defendia a institucionalização dessa visão dualista a partir de uma lógica ao mesmo tempo legal, econômica e tributária:

Esta dualidade, ao contrário do que imaginam alguns, nem tão ingênuos, não é a dualidade social. Pobres e ricos, favela e asfalto. Esta é de fato uma dualidade legal, que ocorre em qualquer espaço e em qualquer faixa social. É a dualidade legal que explica a disjuntiva política básica para o Rio. De um lado o lumpesinato e os seus partidos. E de outro lado a sociedade legal e seus políticos.[33]

Embora numa visão diferente daquela enfatizada pela candidata do PT, o governador Leonel Brizola traduziu a sua maneira em que bases reais estavam calcados tais comportamentos discriminatórios. Pela primeira vez chamava-se explicitamente a atenção para um aspecto dissimulado nas imagens e nos textos em torno do *Arrastão*: a cor dos supostos autores do conflito. Para o ex-governador, esses jovens, desprovidos da "boa educação" e jogados à marginalidade pelos mesmos "poderosos que [hoje] os discriminam", seriam o "ovo da serpente": "Como as câmeras da TV Globo estavam colocadas em tantos lugares estratégicos, justamente na hora em que caminhonetes e ônibus estranhos largavam grupos de jovens em pontos estratégicos? Tudo muito estranho [...] agora, invocam as chamadas gangues de subúrbio: os mesmos preconceitos raciais contra os pobres."[34] Como uma solução de ordem prática, Brizola propõe a criação de piscinas olímpicas nos CIEPs (Centros Integrados de Educação Popular) para o lazer da "população carente".

As imagens do "ovo da serpente" e sua versão "nacional" — a do "ovo da jibóia" — foram utilizadas por repórteres/articulistas do jornal *Folha de S. Paulo* para abordar os "dramas sociais" que se ocultavam sob o incidente do *Arrastão*. Mas as imagens-espetáculo de barbárie e miséria foram "traduzidas" por outras vozes especializadas. Além de debates, nos quais foram colocados frente a frente representantes de galeras, policiais militares, associações de moradores dos bairros da orla, Prefeitura, Ordem dos Advogados do Brasil e donos de equipes que promovem bailes funk, uma enormidade de matérias, entrevistas, cartas e editoriais foi escrita com um mesmo propósito: explicar o *Arrastão* e a *origem* de seus protagonistas.[35] Assim, o *Jornal do Brasil* reproduziu, na primeira página do seu caderno cultural, reflexões de jornalistas, artistas e produtores culturais sobre as cenas de violência na praia. O depoimento do cineasta Artur Omar, por exemplo, contém um pouco das várias definições do acontecimento — o temor e a assunção de que se estava diante de um fenômeno particular, a "violência carioca". Para ambos preconizava um positivo futuro: ao desfazer-se das marcas da violência, o *Arrastão* poderia transformar-se num ato performático e artístico.[36] Desse modo, o medo diante do "terror" espalhado pelas galeras funkeiras foi arrefecido por infindáveis investigações da "cultura funk, jovem e suburbana", que submergia na praia vinda de uma *outra cidade*.[37] O debate, inicialmente racializado, se conforma na descoberta da sua dimensão cultural. O funk-único-espaço-de-lazer para a juventude suburbana de baixa renda passa a ser mais um dos tentáculos de um grande monstro, que ninguém vê e que é criminalizado pela sua possibilidade de contaminação. Não são os jovens "suburbanos" a causa do incômodo, mas a ausência de ordem e disciplina no uso dos bens públicos. Não é a música que escutam que ensurdece, mas os códigos a ela relacionados, que contêm termos e insinuam práticas ligadas à guerra do tráfico e à criminalidade.

Do muito que foi dito, poucas mas valiosas informações sobre os supostos senhores da guerra. "Povos" que migravam de *outras cidades* chamavam ônibus de "bonde" e entre gritos bradavam um refrão: "Bonde do Mal é de Vigário Geral".

"QUANDO A PAISAGEM MUDA MUITO": AS ZONAS DE FRONTEIRA E OS SUBAMBÚRGUERES NO ARPOADOR

"Carioca. 2. Diz-se do café preparado ao qual se adiciona água."[38]

O apocalipse foi anunciado nas falas que produziram calendários e mapas de cidades divergentes. Cidades que se alternavam no uso do tempo e do espaço urbano. Cidades que se interligavam em túneis e se dividiam em postos, "pedaços", esquinas e *points*. Cidades-metades, cidade-mosaico. A "praia-espetáculo" e a "cidade-maravilhosa" na trincheira oposta da "praia-da-galera" e da "cidade-barbárie". Entre esses territórios invisíveis, atletas, carrinhos de bebês, babás, barracas, biquínis e bermudas. Gente passando.

> Nos sábados e domingos de sol, os moradores de Ipanema e Leblon cedem a praia para mais de 100 mil suburbanos de todos os cantos da cidade. (Ernesto Rodrigues)

Aos gritos de "CV! CV!", "Acari! Acari!" e "Lua Nova! Lua Nova!", os marginais — na maioria pivetes — se juntaram em uma verdadeira onda humana, que foi pilhando tudo que encontrava pela frente. ("Coisas Práticas", Roberto Marinho de Azevedo)[39]

Na visão não só da polícia, mas também de alguns moradores e trabalhadores do trecho do Arpoador que vai da Pedra (do Arpoador) às imediações da rua Francisco Otaviano — que liga o bairro e a Praia de Copacabana à Praia de Ipanema —, a grande presença de "suburbanos" nessa região se deve à concentração de pontos finais de ônibus que vêm de diversos bairros da Zona Norte, da Central do Brasil e da Baixada Fluminense. Essa explicação nos foi dada por boa parte dos tendeiros, porteiros, atletas, surfistas e freqüentadores habituais da região com os quais conversamos.[40] Nessas conversas procurávamos perguntar-lhes sobre seus hábitos e freqüência naquela praia, os problemas e as vantagens que os teriam levado a escolhê-la. O *Arrastão* ou simplesmente a "violência", a "baderna" e a "bagunça" foram citados como causas da não-freqüência daqueles que estavam ali, para a prática de esporte ou lazer, nos fins de semana. Para eles a *praia de fim de semana* ou feriado sofria uma alteração radical quanto à freqüência. Principalmente se o dia anterior tivesse sido um *dia de sol*, ou o tempo já estivesse *bom* e estável desde manhã cedo. Os porteiros e "seguranças" da avenida Francisco Bhering, que margeia o calçadão do Arpoador entre o Parque e a praia, afirmavam que "morador mesmo", quando freqüentava a praia em frente ao prédio onde mora, o fazia só durante a semana.[41]

A identidade de *morador* parecia garantir um certo privilégio ou legitimidade à freqüência, que era gradualmente enfraquecida no que diz respeito à situação intermediária — a do "trabalhador" — e à exatamente oposta, a do "invasor". Ou seja, a praia, em muitas dessa narrativas, era desenhada como um espaço *doméstico*, quase contíguo à *casa* dos moradores da Zona Sul. Embora essas categorias não possam ser mencionadas como termos "nativos" necessariamente recorrentes, parecem-me extremamente interessantes no sentido de apontar para uma hierarquização social construída através de critérios geográficos. O sentido de pertencimento, propriedade e familiaridade atribuído aos "moradores" — muitas vezes referido na espressão "eles/nós estão/estamos acostumados" — sinaliza que o seu duplo, o "invasor", não comunga do *habitus* que de fato faria da praia um lugar democrático. O que parece estar em questão é o fato de que a "sociabilidade", o caráter "não-hierarquizado" e "democrático" que as imagens mais correntes sobre as praias cariocas sugerem, é extremamente frágil. Isto é, se a "sociabilidade carioca" celebra a indistinção de classes, cores e culturas, a idéia de *invasão* reafirmaria aspectos particulares e relacionados à coesão de um grupo de pessoas por oposição a *outras*. Afinal, de que *invasão* se fala se a mistura é que é, na praia, simbolicamente reatualizada? Tal questão me faz pensar que a idéia de indistinção não se contrapõe necessariamente à sutileza de procedimentos simbolicamente seletivos, estes, sim, muito mais normativos. Ao contrário de negá-los como um princípio, são enfatizados de forma a tornar as representações em torno da *mistura* e da indistinção de *classe-cor-cultura* mais "reais". Voltarei a este ponto mais adiante.

Na pesquisa realizada naquela região durante o verão pude perceber que, de fato, essa *diferença* de freqüência era gritante.[42] Evidentemente, estava claro que a corroboração de tal visão estava eivada da minha própria maneira de perceber e freqüentar as praias da cidade — a qual, se não poderia ser diretamente relacionada à forma como os *moradores* se referiam à legitimidade do seu pertencimento, comungava no seu *ethos*. Ou seja, havia situações de mediação — o fato de "morar na Zona Sul" e (durante algum tempo, ao menos imaginar que) "sabia freqüentar" a praia tal qual os *moradores da Zona Sul* — que me autorizariam a incluir-me como uma freqüentadora próxima ao *habitus* do *morador* e não ao do "invasor". Certamente essa linguagem já me contaminara a tal ponto que o recurso ao uso de aspas e itálico se impunha como um procedimento mais do que estilístico. Era preciso localizar-me não só em termos da linguagem que utilizava para descrever o "outro" — "próximo" ou "distante" —, mas também que eu qualificasse determinadas representações sobre os "personagens" e os "cenários" que descrevia de maneira tão naturalizada. Durante toda o período em que estive envolvida na produção de uma etnografia, não sobre a praia, mas sobre a construção de "zonas fronteiriças" diferenciando sutil mas de forma eficaz *classes-cores-culturas* de seus freqüentadores, tive de repensar a minha própria inserção nesses "cenários". Reler as primeiras versões deste texto e refletir sobre a própria linguagem (e o jargão) etnográfica foi uma maneira de fazê-lo.

Só dessa forma imaginei poder escapar de algumas descrições reducionistas que teimam em descrever a cidade de forma polarizada, opondo de um lado a "Zona Sul" e de outro o "Subúrbio" ou a "Zona Norte". Se considerarmos outras representações "nativas" desses territórios, deveriam tanto ser incluídos entre os primeiros os moradores das favelas da Zona Sul, quanto excluídos os moradores da Tijuca dos segundos. Ao contrário, percebe-se que tal lógica encobre significados locais e subjetivos conferidos a esses recortes geopolíticos. Nesse caso, a identidade de *morador da Zona Sul* seria capaz de atenuar outras identidades territoriais importantes, como, por exemplo, a oposição entre o "asfalto" e o "morro". O mesmo ocorre com a identidade de "tijucano", que se diferencia dos significados pejorativos atribuídos àqueles que "vêm da Zona Norte" ou são "suburbanos".

Durante os dias da semana, não só a praia, mas o Parque Garota de Ipanema, a Pedra do Arpoador e o calçadão eram tomados por pessoas que, usando um critério bastante utilizado por algumas pessoas com as quais conversei, se diferenciavam dos "suburbanos" pelo comportamento e pelas roupas. Eram "malhadores", ciclistas, skatistas, surfistas, babás com carrinhos e crianças pequenas, idosos e turistas. Na areia, mesmo em período de férias escolares, percebiam-se barracas dispersas umas das outras. Padrões de consumo e de "objetos" utilizados por banhistas ou simplesmente freqüentadores do calçadão também podiam ser indicadores importantes, além, é claro, do local onde se tornavam "visíveis", ou seja, a maneira pela qual compunham um "mapa do prestígio".[43] Todavia, é preciso ter em conta que, aqui, essas diferenças estão sendo tomadas como "representação cultural", e não como classificação, de ordem física ou de valoração econômica, dos *objetos* citados. Sahlins nos demonstrou, no seu *La Pensée Bourgeoise*, como um processo de naturalização e hierarquização do vestuário, produzido culturalmente na relação entre os diversos grupos sociais, pode conduzir a uma homologia entre contrastes físicos e significados sociais.[44] Homologia reificada pelos nossos olhares e destruída no discurso sempre diacrítico, capaz de marcar a *diferença* nos gestos, na "postura" e nas escolhas em termos de vestuário que nem sempre são percebidas por todos. O skatista da Penha ou o malhador de Jacarepaguá, por exemplo, não se incluem na categoria "suburbanos" porque se vestem *diferente*, não gostam de funk e "conhecem a galera do pedaço". Vêm do subúrbio, mas não vêm para "sujar" o local onde moram. Muito pelo contrário, "funkeiros" e "suburbanos" "não têm nada a ver". Contudo, alguns jovens moradores do morro/favela do Cantagalo (situada dentro do bairro de Ipanema), que têm no Arpoador o seu "pedaço" da praia preferido, consomem, além do funk, reggae e surf, e não gostam de se misturar ("para não serem confundidos") com as pessoas que vêm de bairros distantes — os "suburbanos". Afinal, não são eles, também, moradores de Ipanema, portanto *moradores da Zona Sul?* Entre os porteiros dos prédios próximos à praia — à exceção de um português, todos nordestinos — percebe-se a preocupação de desestigmatizar a suposta origem "nordestina" dos chamados "suburbanos". Além de o "comportamento" distingui-los daqueles que fazem *Arrastões*, *moram* em Ipanema há alguns anos.

Mas há outras tentativas de traduzir diferenças. Tanto *moradores* como *trabalhadores* partilham a visão de que, aos sábados, domingos e feriados, a praia é muito mais "perigosa".[45] Nos dias de semana é uma "praia de bairro", calma, segura e mais freqüentada por moradores. Nesses dias podemos notar que aqueles que vão à praia utilizam bicicletas (muitas das quais importadas) e carros. Em termos de faixa etária, a freqüência é variada. Em termos de cor, pode-se dizer de maneira bem genérica (ainda que informada pelas categorias classificatórias propostas pelo IBGE), que um gradiente que vai do *pardo* ao *branco* compõe um maior número. Contudo, vale a pena salientar que tais classificações são informadas por outros critérios. Muitas vezes, em conversas com jovens e adolescentes moradores do Morro do Cantagalo, que costumam freqüentar a praia em alguns trechos, percebi que a referência à cor como foco de algum tipo de discriminação, seja por parte de policiais ou por "moradores de Ipanema", vinha associada à referência de uma suposta origem — isto é, o local onde se mora. Os sinais que possibilitariam alguma distinção seriam, primeiro, um distanciamento espacial, segundo, a alusão ao "comportamento" e, terceiro, a prioridade em reafirmar relações de amizade com "moradores do bairro". Nessa recomposição, a distinção entre o "asfalto" e a "favela" dilui-se nas relações que são estabelecidas entre estes dois territórios — que teriam a praia como uma espécie de zona neutra.[46] Por outro lado, percebe-se que a referência às *marcas* que diferenciariam os jovens do Cantagalo daqueles que vêm do "subúrbio" e bairros da Zona Norte não são tão diferentes das citadas por muitos dos "moradores" e "trabalhadores" entrevistados no Arpoador. "Eles não sabem se comportar: levam comida para a praia, gritam, fazem bagunça, não respeitam os outros etc." Vale salientar que essas distinções podem ser superpostas por um outro tipo de engenharia, que produz laços de proximidade, afinidade e pertencimento, rearranjando os territórios e destruindo a oposição dualista: o funk. Sobre ele falarei em outra parte do texto.

Freqüentando o Arpoador durante os dias úteis, pude perceber que de fato os critérios de identificação relacionados a padrões estéticos e comportamentais não eram exclusivos nem unilaterais. Ao contrário, era difícil compreender em que espaços podiam não fazer sentido. Evidentemente, durante esses dias, encontrei alguns daqueles banhistas que freqüentavam mais assiduamente a praia no domingo. Sob a lona de *barraqueiros* conhecidos, sambistas tocando pagode e ambulantes que se distinguiam do *padrão médio* Zona Sul, com suas bicicletas, óculos, biquínis, sungas, cangas, bolsas de palha, *bodyboard* e raquetes de frescobol.[47] Ainda que atentando para o fato de que meus critérios de percepção, enquanto *freqüentadora* das praias da Zona Sul, estavam em jogo, sabia que tal território e seus *moradores* não poderiam ser descritos como uma ilha de modernidade e bem-estar povoada de brancos, loiros de olhos azuis. O Brasil não era a África do Sul, embora no Rio de Janeiro as praias talvez pudessem representar, em escala reduzida, a complexidade das relações "raciais" aqui vigentes. O mar, a areia e os corpos produziam contrastes capazes de revelar seus critérios maleáveis, sua intolerância relativa, suas delicadas estratégias discriminatórias, além de recriar conceitos fugidios e alimentar seu nacionalismo democrático e anti-racista. Parti então para uma experiência mais subjetiva. Para compreender que deslocamentos, em relação à cor, comportamentos, modos de vestir e poder aquisitivo compensavam ou não a perda de *status* em alguns trechos da praia, resolvi atravessar algumas vezes tais "zonas de fronteira". Ao tentar iniciar, sozinha, uma espécie de "observação participante" no Arpoador, pude entender um pouco mais claramente como critérios de diferenciação eram difundidos e partilhados (se assim podemos dizer), "democraticamente", por pretos, brancos, surfistas, favelados, "suburbanos" e moradores da Zona Sul. Sua difusão era muito mais popularizada do que os elementos utilizados para construí-la. Curiosamente, devo confessar que essa "descoberta" se deu após a pesquisa na praia, no alto do Morro do Cantagalo.

O Arpoador aos domingos e em alguns feriados é uma praia totalmente distinta do seu cenário nos dias de semana. Essa distinção é perceptível em qualquer direção para a qual se olhe e foi por todos os *freqüentadores, moradores* e *trabalhadores* identificada. Grande parte dos banhistas são jovens que chegam à praia atravessando o Parque Garota de Ipanema ou vindo da direção da Praça General Osório a pé pelo calçadão. Os rapazes, em sua maioria, de bermudão, boné, de chinelos e sem camisa. As moças, de miniblusa, biquínis, *shorts* e cangas. Qualquer critério de diferenciação que se utilize para descrever estes padrões de vestuário daqueles vigentes entre os jovens *moradores/freqüentadores* da Zona Sul nos leva ao perigo de reificar nossos próprios preconceitos. Assim, prefiro chamar a atenção para a importância de categorias como "jeito de se vestir/jeito de se comportar" na caracterização dessas diferenças, seja por parte dos observadores, seja dos observados, que enumerar suas particularidades.

"Eles vêm em pequenos ou grandes, mas sempre em grupos." Nos jornais ou na boca de alguns entrevistados, essa referência à praia "coletiva" aparecia sempre como algo pejorativo. Muitas vezes, quando informando o "modo de ir à praia", jovens do Cantagalo falaram da necessidade de "ir sozinho", "destacado" e no máximo encontrar com os amigos já na praia. Como decorrência da repressão pós-*Arrastão*, alguns jovens em Vigário Geral também se referiram ao fato como uma estratégia para não sofrer constrangimentos no caminho. Mesmo atentando para a contingência do que externamente se observava como característica naturalizada, em alguns domingos daquele verão, foi assim que eu mesma os percebi no Arpoador. Não sabia quem eram nem mesmo se tinham vindo juntos à praia. Mas lá estavam. Em pequeno grupo de jovens não-brancos, na areia, sempre juntos, conversando.

Revisando uma primeira versão deste texto percebi que eu mesma tendera a descrevê-los através dessas imagens preestabelecidas e arranjadas no meu próprio viés *carioca*. Surpreendi-me naturalizando pseudodiferenças que só faziam sentido num código muito específico — difusamente partilhado por aqueles que, como eu, freqüentavam as praias, e, entre elas, a de Ipanema. Na ocasião, numa descrição demasiadamente afirmativa, assim relatava o que observara nos domingos no Arpoador:

"Vez por outra, escutando rádio/fita, onde se ouvia funk em altura razoável. Outros rádios passam pela beira da água nos ombros de alguns rapazes na forma de *mini-systems*/aparelhagens de som. A música é algumas vezes acompanhada por palmas ou por passos de dança. É comum moças e rapazes formarem grupos separados. Entre os pequenos grupos, percebem-se muitos casais de namorados, que se destacam dos demais. As moças ficam mais tempo deitadas nas cangas, bronzeando-se e passando no corpo uma solução de água oxigenada e amônia para 'clarear os pêlos do corpo'. Os rapazes, sentados ou em pé, fazem brincadeiras com os amigos, conversam, contam histórias de bailes, mergulham e, sobretudo, observam aqueles que por ali transitam. O simples fato de comentar com amigos que iria à Praia no Arpoador causou espanto a muitos. Uns me chamavam de 'louca' e outros de 'corajosa'. Ainda que fosse Ipanema — a praia mais famosa da cidade —, era no Posto 7: a 'praia dos funkeiros', a 'praia do *Arrastão*', a 'praia barra-pesada', etc."[48]

Desta maneira produzi *diferenças*.

Mesmo tendo o objetivo de explicitar a dificuldade de explorar melhor visões sobre como se produziam e se aludiam a tais *diferenças* que opunham o "subúrbio" à "Zona Sul", acabei por tornar o particular em particularmente universal. Era o risco que corria, ao tentar diluir o que imaginava serem as sutis, mas poderosas marcas sociais. Se não eram os agentes da violência, e não reproduziam as imagens estigmatizantes do "farofeiro" nem da "barbárie", qual era de fato o problema, quais os contornos que os transformavam em diferentes e por que o *Arrastão* fora o responsável por tal "pânico moral"?[49] Já na primeira vez na praia, percebi que era mais observada que observadora. Na maior parte das vezes, todos estavam ali com seus amigos e namoradas e eu, sozinha. O contato, a sociabilidade, a conversa em grupo, o bate-papo em nada se diferenciava de outros grupos jovens ao longo da praia. Esse detalhe, aparentemente inexpressivo, era de fundamental importância. Não tinha amigos, não tinha perfil de turista e nem de moradora, quem era eu e o que estava fazendo ali? Se as escolhas em termos de praia estão entrecortadas por algum tipo de afinidade com outros freqüentadores do mesmo local, quem eram os meus próximos? Em última análise, eram essas afinidades que estavam em jogo.

Essa sensação de estar sendo constantemente observada se aproximaria em muito das experiências que me foram contadas mais tarde por Jane e André em Vigário Geral, só que num sentido inverso. Senti-me de fato estranha na cidade em que morava. Tentei fazer contato com as meninas, pedir-lhes que tomassem conta de minhas coisas todas as vezes que mergulhava, mas a tentativa reduziu-se a muito poucas palavras. Não houve hostilidade, só desconfiança. Todas as vezes em que fui à praia naquele local, permaneci quase o tempo todo sozinha. Num domingo em particular, resolvi andar em direção ao Leblon. E foi nessa caminhada que comecei a perceber que tipos de distância estavam em jogo.

Em primeiro lugar, havia um distanciamento físico. No Posto 7 (Arpoador), a freqüência, concentrada, nos fins de semana não se "misturava" com outros banhistas cujo "perfil" se aproximasse do dos banhistas da Zona Sul.[50] Era possível distinguir grupos, padrões de consumo e as "cores" dos banhistas. Logo à frente, no Posto 8, essa concentração inexistia. Não só a praia era mais "misturada" como seus freqüentadores, fossem eles "suburbanos" ou não; ao menos na minha visão, não se diferenciavam entre si em termos de roupas, hábitos e cores. Essa parte da praia fica exatamente na direção do principal acesso ao Morro do Cantagalo, no bairro de Ipanema. Uma segunda "descoberta" se deu ainda no caminho entre o Arpoador e o Posto 8. Uma região intermediária entre os dois postos, mesmo aos domingos, era quase deserta. Comecei a observar em outros dias que sempre o mesmo espaço ficava totalmente "despovoado". Por quê? Ao contrário da areia, o calçadão era o trecho da praia mais policiado. Carros das polícias Civil e Militar faziam ponto naquela região e, de forma não menos ostensiva, o policiamento se estendia até a Pedra do Arpoador.

Só em Vigário Geral pude entender mais claramente que aquele simples percurso que tantas vezes fiz, caso fosse freqüentadora de certos bailes e pertencesse a uma *galera alemã*, naquela época representaria extremo perigo. O vazio, espaço neutro e só freqüentado por "gente que não tinha nada a ver" — "os turistas, os bacanas e os *playboys*" —, era *zona de fronteira*. O trânsito entre estes dois territórios, muito bem vigiados pelas galeras rivais, era proibido aos *alemães*. Havia, dessa forma, uma referência explícita à ausência de afinidades e à guerra.

Um terceiro fato viria confirmar a existência daquele quase deserto em meio a uma massa compacta de pessoas a cada verão e nos domingos de sol. Embora os eventos de 1992 em Ipanema tenham acontecido em vários pontos do trecho que compreende os postos 9 e 7, foi justamente naquele ponto que fotos e gravações em vídeo mostraram para todo o mundo "o pânico" e o "terror" das "gangues" de praia. Evidentemente essa territorialização da praia foi entendida pelos meios de comunicação como extensão do domínio do crime organizado e do tráfico para a praia. Além dos jornais, a polícia promoveu um mapeamento de toda a região segundo a lógica de uma guerra entre quadrilhas de traficantes, em que alguns trechos pertenciam ora ao Comando Vermelho ora ao Terceiro Comando. Foi nessas apressadas tentativas de entender e relacionar os *Arrastões* a um quadro mais amplo de debates sobre a violência na cidade que a TV Globo, a partir de dados "forneci-dos" pela polícia, mapeou as praias segundo ótica do tráfico: cada ponto corresponderia assim às *bocas* que se filiariam a determinadas favelas ou bairros.[51] Em Copacabana, as gangues dos morros do Chapéu Mangueira, Tabajaras e Pavão-Pavãozinho dividiriam a praia com outros grupos que vinham da Baixada Fluminense e concentravam-se no Posto 6, ponto final das linhas que vêm da Central do Brasil. Em Ipanema, o seccionamento da praia por entre galeras rivais obedeceria à mesma lógica, moradores do Cantagalo e Pavão-Pavãozinho no Posto 8 com bairros-favelas como Parada de Lucas, Nova Holanda e Olaria, e, no Posto 7, Lixão, Jardim América e Vigário Geral. A praia era o palco de inúmeros arranjos geográficos e a idéia de invasão sinalizava a possibilidade de embaralhar, expandir ou diminuir suas fronteiras, limites e contornos. Tanto eu, ao cruzar os territórios das *galeras alemãs*, quanto uma determinada parcela da população jovem moradora da Baixada e da Zona Norte, ao cruzar o túnel, havíamos transgredido as poderosas barreiras simbólicas. Estávamos num cenário sem regras, registro ou nome.

ELES FORAM "DAR UM ROLÉ": OS *ALEMÃES*, A CIDADE E O *BONDE*

Do outro lado da cidade o que está longe é a praia. Também estão distantes os "bacanas da Zona Sul". Por isso, para se ver e achar Vigário Geral é preciso querer. Já faz alguns anos, tempo que muitos dos que ali nasceram não sabem precisar, que a favela é um local reconhecidamente perigoso ("perigo" relativizado em determinados momentos da pesquisa, uma vez que, diante do contato mais próximo com alguns moradores, as posições foram sendo, cada vez mais, esclarecidas: "quem deve temer", "em que momentos se deve temer" e "a quem se deve temer" etc.). Entrar em Vigário exige dos não-moradores alguma determinação.[52] O que motivou em mim tal determinação foi a existência da Casa da Paz, para mim, até então, um espaço politicamente protegido e imaculado, onde eu podia estar *dentro* da comunidade e, paradoxalmente, *fora* da favela. Tal sentimento assumidamente contraditório logo se desfez. A Casa da Paz (CP) não só era *favela* na sua constante vulnerabilidade, como também, por alguns momentos, perdia suas referências *comunitárias*. A dessacralização do espaço era unilateral. Se de um lado os "bandidos" a respeitavam, até porque muitos dos seus filhos ali brincavam, pela primeira vez naquele ano, a Polícia Militar chegou a ensaiar um tipo peculiar de invasão. Foi quando dois policiais exibindo forte armamento entraram aos gritos à procura de traficantes. O caso foi parar nos ouvidos do então secretário de Segurança do Estado, que, na defesa da integridade da instituição, usou expressões cujo sentido estavam bem próximos aos de minhas iniciais idéias em torno da CP como um local "protegido". Dirigindo-se ao então coordenador geral da CP, Caio Ferraz, definiu-a como um "santuário" que jamais poderia ser profanado. A pouca integração entre o secretário e seus comandados o fazia, implicitamente, assumir que tal representação passava longe do sentimento geral das polícias da cidade com relação a Vigário Geral.[53]

Uma embaixada estrangeira num país vizinho. Foi como também preferi enxergar a CP, quando me vi diante de seus inúmeros projetos, sonhados ou encaminhados, dentro da *comunidade*/favela. Mesmo que seu "corpo diplomático" flutuante e heterogêneo fosse composto de outros tipos desterritorializados: agentes comunitários que não mais moravam ali, outros em vias de mudança, militantes culturais, *médicos sem fronteira*, profissionais/militantes de ONGs etc. Porém, mais uma vez, fronteiras se impunham na minha visão sobre um outro cenário. Bem nítidas, distinguiam os que lá *trabalhavam* e os *moradores*, ainda que o espaço físico da CP estivesse constantemente aberto, num entrecruzar de mães esperando atendimento no consultório médico e crianças procurando instrumentos, livros, água e banheiro. Foi impossível chegar lá totalmente livre das imagens do bairro, do massacre, do surgimento da Casa da Paz produzidas pela mídia e pelo jornalista Zuenir Ventura em seu livro *A cidade partida* (1994). Eram imagens bastante recentes e fortes, nas quais os exemplos de reconstrução da vida na *comunidade* empreendidos pela Casa da Paz se misturavam à barbárie produzida por policiais militares em agosto de 1993: 21 corpos dispostos lado a lado dentro de terríveis quadros fotográficos.

Foi nesse espaço que meus encontros com André e alguns amigos e "conhecidos" seus ocorreram. Conversas, sem roteiros prévios, aconteceram nas suas casas, na rua ou mesmo dentro da CP. Não se trata de depoimentos, mas de histórias nas quais versões sobre alguns temas — como violência, arrastões, cor e território — tiveram um tratamento necessariamente subjetivo. Subjetividade num duplo sentido, uma vez transformada e, evidentemente, reorganizada segundo os objetivos da minha própria narrativa. Assim, é sobre subjetividade e singularidade de experiências que se fala. Como roteiro que costura algumas dessas falas, tomei emprestado a história de André, um rapaz de 17 anos que sonhou um dia fazer um curso de mecânica mas logo descobriu que também sabia fazer *raps*.

> Ô Galera, acredite mais em mim/ Hoje em Vigário eu sou chamado de MC/ Comunidade dançante/ Comunidade legal/ Eu sou MC/ Sou MC [...] / Faço um apelo/ Do crime que aconteceu/ Um fato em Olaria/Que Vigário entriste-ceu/A mina dos amigo até hoje chora/ Marquinho, Claudinho e Cachorrão/ Esses três que morreram [...]
> Rap dos três amigos,   André

Na boca de outros funkeiros a história à qual o *rap* se refere é uma das mais "sinistras".[54] André é o único a enfatizar que seu grau de amizade com um dos rapazes, o Cachorrão, ia além de uma afinidade construída no *funk*. É com tristeza que André lembra dos amigos e entre estes Henrique — o Cachorrão. Desde a infância, estudou com ele nas muitas escolas pelas quais passaram nos bairros de Vigário Geral e Jardim América. Sua forma de lembrar é cantando. Entre outros integrantes da Galera da Onze Unidos, no entanto, o sentimento era outro: revolta. André diz só poder lamentar, mesmo evitando afirmar a inocência dos três diante das acusações de assalto e furto.

> Não sei se eles tava passando, não sei o que eles tava fazendo certo? Só sei que aconteceu uma coisa triste lá em Olaria. Baixaram a madeira neles, tacaram fogo. Só sei que foi uma tristeza na missa dos amigo funkeiro. Eles eram da-qui. Dois eram do Dique, e um era daqui, que era o Cachorrão. Eles eram estimados, sabe. O Henrique, falecido, ele tinha mais ou menos 16 anos [...] Não sei se eles foram pro baile ou se tava dando um rolé, se ia comprar roupa [...]

André não se referiu ao fogo de maneira alegórica. Nem a história que contou, pelos seus requintes de crueldade, abalou só seus amigos de Vigário Geral. Os principais jornais e revistas da cidade registraram o fato, acompa-nhando as investigações sobre o *incidente* pelo menos durante a semana que sucedeu aquele sábado, 3 de julho de 1993. Oscilando entre o uso das categorias *jovens, menores* e *assaltantes* ao se referirem aos três amigos de André, o *Jornal do Brasil* e *O Dia* deram destaque ao então denominado "Linchamento de Olaria". Segundo os depoimentos supostamente colhidos pela polícia, Carlos Henrique e seus amigos, Cláudio (15 anos) e Marcos (19 anos), viajavam num ônibus quando um alarme de que eram ladrões foi dado por algum passageiro. Expulsos do veículo, foram perseguidos e linchados pelos moradores e comerciantes da região. Uma série de informações contraditórias, nas quais, sucessivamente, novos *suspeitos* eram encontrados pela polícia, apontava para uma possível elucidação do caso. *Bicheiros, lideranças comunitárias* do local, médicos e funcionários de uma clínica de saúde em frente à qual aconteceu o linchamento foram alguns dos incriminados. A delegacia local também apresentou seus suspeitos e uma nova versão para o fato:

> Detetives da 22ª DP [Penha] estão investigando a informação de que dois policiais militares e um X-9 [*informante da polícia*] foram os responsáveis pelo início do massacre em frente ao número 56 da rua Alfredo Barcelos em Olaria, na tarde de sábado. Uma das vítimas morreu logo após o linchamento, a caminho do hospital Souza Aguiar, e as outras duas faleceram na manhã de ontem. Apesar de estarem desarmados e apresentarem documentos — de acordo com moradores do local —, os rapazes foram agredidos pelos policiais. Os jovens foram abordados por volta das 15h30min, quando estavam parados num ponto de ônibus próximo à Igreja Universal do Reino de Deus. Os policiais seriam conhecidos na área. Após serem agredidos, os rapazes tentaram fugir, desencadeando a perseguição de cerca de 200 pessoas que acabou a 360 metros do ponto de ônibus. Aos gritos de "pega ladrão", o grupo cercou os rapazes e pelo menos 20 o massacraram com pedras e pedaços de pau. Os jovens tiveram os olhos furados e, por fim, os corpos incendiados com gasolina. Uma patrulha da PM chegou quase 2 horas depois e encontrou os três jovens agonizando.[55]

Duas semanas depois, nada mais sobre a instauração e o andamento do inquérito foi publicado. Familiares e amigos dos três rapazes fizeram um protesto contra a violência empunhando faixas e cartazes, o que chamou pouca atenção da imprensa. A polícia, os jornais, a família e a cidade silenciaram.

A história que André contou, em parte, eu já sabia por ter acompanhado o caso pelos jornais. A revista *Veja*, em matéria escrita pelo jornalista Marcelo Auler, foi a única a chamar a atenção para algumas "coincidências" desde muito já denunciadas nas letras do *rap* produzido para os bailes funk — a figura do *matador*.[56] Naquele momento, as primeiras pesquisas dedicadas a analisar o perfil das vítimas por morte violenta na cidade apontavam para uma conexão já muito conhecida por grande parte dos amigos de André: a recorrência de homicídios entre jovens e não-brancos. Na *Veja*, o fato de os chacinados serem negros e estarem vestidos no estilo adotado pelos jovens moradores dos subúrbios cariocas e freqüentadores de bailes funk — tênis de marcas como Nike e Reebok, camisões, bermudas e cordões — evidenciava como o preconceito poderia gerar a violência. Envolvia requintes de crueldade protagonizados por "gente comum". O "terror", minuciosamente narrado na imprensa, não parecia incomum nas lembranças de André.

> Francisco Luís Monteiro, 24 anos, desempregado, pegou um paralelepípedo. Bateu com ele no peito de um dos rapazes que tentava se levantar. "Infelizmente fiz isso", disse Monteiro ao depor na Polícia [...] Josefa Alexandrina da Fonseca, 53 anos, viúva e analfabeta, encontrou um cabo de vassoura com a ponta lascada como uma lança. Enfiou-o na boca de um dos jovens caídos. Com a ponta do pau, dava-lhe estocadas fortes. Alguns assistentes contam que dona Josefa estava transtornada. Tentou furar os olhos de um. Não conseguiu. Cravou-lhe a vara numa veia do pescoço. *"O sangue jorrou"*, conta um morador do bairro.[57]

André não tem hipóteses mas acha o caso um "lance sinistro". Para ele tudo se passa como se a vida, ou melhor, a vida dele se resumisse a um barco. Quase sempre, ao narrar uma situação que lhe parecia irremediável ou cuja mudança estivesse longe do seu alcance, finalizava, pensativo, dizendo: "tem que remar". Preocupado estava com seus próprios pensamentos. Uma cisma, algo estranho que lhe vinha à cabeça e era alvo de chacota de seus amigos do bairro. Imaginava que em algum lugar, por entre o lixo e o matagal espalhados pela favela, existia um javali. "Um porco com dentões", explicava. Não exatamente feroz, mas estranho e ameaçador. Chafurdava por entre as vielas, becos e casas. Espreitava algo que André não sabia explicar. O porco morava em Vigário.

Tenho dúvidas sobre a melhor maneira de descrever André, que não encarnava exatamente o estereótipo de funkeiro. Em termos de roupas, tinha preferências próprias. Poderia ser chamado tanto de "preto", "negro", "mulato-escuro" quanto de "pardo", categorias recorrentes em estudos sobre o lugar e a terminologia referentes à cor entre camadas populares.[58] Por alguns momentos, e diante de algumas situações por ele narradas sobre a *discriminação* que dizia sofrer — principalmente na praia e nos *shoppings* —, perguntava-lhe por que tais atos ocorriam com ele. De forma clara e pausada, explicava apontando profundas diferenças entre os "favelados" e os "poderosos", e entre aqueles que "têm pouco" e aqueles que "têm muito e querem mais". Embora a cor não demarcasse diferenças relevantes na sua narrativa, a expressão *discriminação* explicitava a identificação de outras diferenças que não exclusivamente de ordem socioeconômica. Mas nenhum desses termos — que os sociólogos chamam de *categorias classificatórias* — foi utilizado por André. Quase sempre, sua fala, tão conclusiva e didática, se transformava numa narrativa exterior, projetada para fora do próprio André, de Vigário Geral e de seus amigos funkeiros. André não se localizava nessa cartografia, embora a conhecesse. Eram "os pobres" *versus* "os poderosos". Ao adotar a terceira pessoa para responder a uma pergunta que a ele havia sido feita, André estranhamente fazia as vezes de um leitor de jornal em voz alta. Era como se o personagem virasse a cena e representasse o ator. Mais tarde, relatando algumas situações por ele vivenciadas, os significados atribuídos ao que chamava *perseguição* e *discriminação* se mostravam mais claros. "Por causa da cor", dizia ele lacônico. Talvez não a sua própria cor, mas a dos personagens que sabia tão bem descrever. André assumira por direito o papel do *narrador*.

André não sabia dizer o porquê de tudo isso. Do seu silêncio talvez eu pudesse deduzir que talvez soubesse, mas não o fiz. De certa forma, reconhecia algo muito familiar na sua economia de gestos e termos. Bom observador, André podia de maneira privilegiada observar que eu e José Renato tínhamos a sua mesma (indefinida) *cor*. Nossa curiosidade, que imaginávamos tão bem controlada por uma *ética* que aprendemos nos muitos silêncios que invadem nossas experiências cotidianas, foi imediatamente percebida por André. Por minutos, talvez, essa hesitação, receio, *ethos* e sei lá mais o quê, podíamos partilhar. Nada no discurso acadêmico/intelectual sobre o tema nos ensinara mais do que já havíamos aprendido em casa: quando, onde, com quem e como se deve falar sobre *isso*.

Mas a linguagem e a etiqueta acadêmica nos ensinaram outras coisas. Mais uma vez me deparava com os mesmos indícios, apontados por vários autores, de como expressões relacionadas a categorias como *cor* e *raça* no Brasil são construídas de forma relacional e situacional. Mais ainda, de como e em que momentos apareciam as referências à *cor* das pessoas. Em sua pesquisa numa favela da Zona Sul carioca, por ela chamada "Morro do Sangue Bom", Robin Sheriff se deparou com estratégias mais referenciais de alusão à cor/raça do que classificatórias. Tanto a utilização de termos como *escuro, mais escuro, preto, mulato, moreno* e *negro* como outras categorias vexatórias (por fazerem alusão a expressões racistas, como por exemplo *macaco, crioulo* etc.) eram contrapostas às possíveis afinidades existentes entre os interlocutores: o "jeito de falar". Desta forma, um "discurso pragmático" sobre a *cor/raça*, que privilegia termos "menos ofensivos" ou mais abrangentes para identificar pessoas, se conjugaria a uma estratégia mais descritiva e recorrente, que alude a outras questões, relacionadas à posição social e à faixa etária e a valores como "autoridade", "respeito" etc. Como não era meu objetivo me ater especificamente a essa terminologia, bem como sobre seu uso entre os jovens com quem conversei, a abordagem de questões relativas à cor e à aparência estava condicionada ao seu enunciado. Isto é, caso aparecessem como estratégias de referenciação ou mesmo classificação social, seus possíveis usos seriam então explorados. De fato, quase nunca a cor apareceu como questão primordial na produção de um mapa urbano onde estes jovens se localizavam social e culturalmente. Curiosamente, isto não quer dizer que a sua referenciação fosse necessariamente ausente. A *cor* como tema aparecia em contextos muito particulares. Em Vigário Geral, essas referências surgiram em momentos significativos.

André não sabe exatamente onde nasceu, mas acha que foi para os lados da cidade de Friburgo, no Estado do Rio. Parou de estudar na 5ª série e já trabalhou como camelô, distribuidor de panfletos eleitorais e como pintor de paredes. Tem 17 anos e acha que será chamado para prestar o serviço militar. Está receoso de servir num batalhão onde tenha muito *alemão*. Sua mãe, separada de seu pai, veio morar na favela e criar os seus cinco filhos: quatro homens e uma mulher. É empregada doméstica "lá pelos lados da Zona Sul". André também não sabe muito bem onde. Não é por esses lugares que costuma andar quando não tem nada para fazer. Vai mais ao Jardim América, encontrar os amigos e jogar bola. Como quase todos os jovens com quem conversei, André diz que quando tem dinheiro vai para o "asfalto", às vezes para um *shopping*, embora não goste de andar por certos lugares nos quais "tem muito alemão". E é principalmente nos *shoppings* que ocorrem mais problemas devido à sua *aparência*, algo que André situa entre o "tipo", o "chapéu" e o "jeitão assim de funkeiro":

> Shopping eu vou muito. Madureira. No Rio Sul de vez em quando porque... parece até que já é rixa... eles não gostam da gente não. Eles vê que a gente vai entrando e eles vai atrás... é tipo parecendo que você vai roubar alguma coisa. Aí eu fico bolado, tenho que sair, meu. Se eu entrar numa loja e ver que o cara tá me olhando, eu pergunto o que é e eu saio. Eu acho chato, você entrar num lugar e saber que você não é bem-vindo naquele lugar.

Quando tira o chapéu, André mostra sua cabeça quase raspada. Os poucos cabelos que tem são descolorados. Ele diz saber que o chapéu chama atenção, mas se tirá-lo inevitavelmente vai exibir as muitas cicatrizes que tem no rosto e na cabeça. Tudo "briga de alemão", passagens para averiguação em delegacias e pelo Centro de Triagem para menores Padre Severino. Uma vez foi preso com amigos e passou um dia inteiro na 13ª Delegacia Policial de Copacabana. "Estava na praia sem documentos", diz ele. Com a interferência dos patrões de sua mãe, foi solto.

André diz só freqüentar o Arpoador, embora já tenha ido, quando menor, a Copacabana. O Arpoador é a "praia dos funkeiros" e o posto 7 é onde ficam os *amigos* e a galera de Vigário. A Barra é muito longe e a Praia do Flamengo é "praia de bicha e de travesti". André sabe por onde e como deve "circular". Vai à praia como um "funkeiro de raiz": bermudão, chinelos e chapéu. André adora chapéus e está sempre procurando uma novidade, uma moda para criar e lançar nos bailes. Quando o conheci, usava um chapéu de abas curtas com tecido verde-marrom imitando uniforme das forças armadas. Seu cabelo, por ser "muito vermelho", foi tingido com uma solução de água oxigenada com amônia. A mesma mágica que meninas, muitas delas namoradas dos funkeiros, passam no corpo para ficar com os pêlos do corpo descolorados.

ELA, A MENINA QUE VEM E QUE PASSA ÁGUA OXIGENADA: OUTRAS GAROTAS EM IPANEMA

Jane costuma passar creme nas pernas. Naquela ocasião já não ia à praia, por isso não se notava. Ao contrário de André, se definia como "preta" e era assim que se referia ao fato de os funkeiros representarem tanto medo para a maioria das pessoas. Seu cabelo é alisado com alguma substância que o deixa com os fios mais finos, levemente esticados e muito pretos. Lena, uma cabeleireira e, na época, agente comunitária na Casa da Paz, me disse que a maioria das garotas na favela "faz os cabelos" todos os sábados usando os mais variados produtos e técnicas: henê, escova, "relaxante" e alisamento. Jane tem as unhas bem pintadas, é baixinha, muito bonita e desconfiada. Mas já não vai muito aos "bailes de fora" nem à praia. Recentemente desfez o namoro com um funkeiro de prestígio entre a galera. Seria o "braço direito" do líder, José.

Jane também pertence à Galera da Onze Unidos e certamente não gostaria de ser identificada como "farofeira". Muito menos aceitaria levar para a praia coisas como refresco de morango ou farofa, como assim havia prescrito o "farofeiro João Ninguém". Aliás, Jane nunca foi à praia levando qualquer tipo de comida. Jane vai muito pouco à praia e, quando vai, leva dinheiro suficiente para comprar o que quer comer. Só vai nos fins de semana e quando faz sol. Jane não gosta de tumulto, protesto e farofa. Ela gosta do mar, das águas calmas junto à Pedra do Arpoador. Jane não é "suburbana", ela mora em Vigário Geral, na favela. Ainda que nem para todo mundo possa dizer isso. Vai à praia com os amigos para divertir-se e não para protestar contra nada. Jane tem 18 anos. Como ela, outros amigos seus, vizinhos e colegas de turma e de baile, pensam assim. Afinal, por que iriam à praia para serem "pichados"?

Jane gosta de música romântica e rock. "Eu gosto de rock. Eu ouço funk porque todas as minhas colegas só gostam de funk." Também gosta de grupos de pagode como Raça Negra e Só Pra Contrariar. À noite, reúne-se para conversar na Onze. Sexta, sábado e domingo tem baile. Mas só tem ido ao "baile da comunidade".[59] Seu namorado não a levava para os bailes de clube geralmente freqüentados pela Galera, como o Coleginho, o Pam de Pilar, o Pavunense, o Country da Praça Seca e o Mesquita, locais que em meados daquele ano eram reconhecidos pela espetacular violência entre galeras rivais. Entre quarta e domingo, sai sempre um *bonde* de Vigário para algum desses bailes. E é essa forma de freqüência que é enaltecida por alguns funkeiros da favela. Demonstra que a Galera da Onze e a Galera de Vigário "têm disposição".

Ir a bailes famosos por serem "bailes de briga" demonstra ao mesmo tempo coragem, força, tamanho e faz a fama de uma galera. Mas há dissensões que ocorrem justamente devido a essas escolhas. As relações de afinidade tecidas entre jovens que compõem a galera são construídas nesses momentos: a ida ao baile e a partilha de certas situações, nas quais têm de demonstrar tanto solidariedade quanto "disposição" para a briga. Têm de "honrar" o nome de Vigário. André gosta desses bailes, embora seja da Galera das Malvinas. Jane não gosta, embora pertença à Galera da Onze. É difícil estabelecer que tipos de preferência envolvem a "adesão" ou o "compromisso" com esta ou aquela *galera*.

A Galera de Vigário resulta da fusão de várias outras. As galeras são formadas em ruas, certos pontos referenciais dentro da favela ou pela afinidade de jovens e adolescentes que brincam/jogam/conversam perto de um certo campo de futebol (como é o caso da localidade conhecida como Malvinas), um bar, um time/torcida de futebol (caso da Jovem Fla) ou da antiga sede da equipe local/associação de moradores do bairro (a Onze Unidos). Muitas dessas relações de afinidade remontam à fase em que estes jovens, ainda crianças, brincavam com seus vizinhos residentes numa mesma rua. Desta forma temos as galeras das Malvinas, Jovem Fla, Cruzeiro, Brasília e Onze Unidos, que, obedecendo a um calendário bastante maleável, confrontam-se nos "Concursos de Galeras" realizados no Clube União de Vigário Geral, que fica fora da favela mas dentro do bairro de Vigário Geral. Nos bailes de domingo, as várias galeras de Vigário disputam com as outras galeras de Jardim América e outros bairros mais próximos, que, por sua vez, se fazem presentes através de inscrição e eleição de um representante. Na disputa, galeras que vão perdendo aliam-se a outras, que devem vencer as adversárias em etapas que envolvem concursos entre MCs (mestres-de-cerimônias e cantores de *rap*), desfile de modas (com competição de marcas), eleição de rei e rainha, dança, grito de guerra, coreografia etc. Esses concursos são organizados pelas equipes de som, que alugam os clubes para realizar os bailes onde são tocados vários estilos funk.[60] Em bailes distantes da favela, componentes de várias galeras tendem a unir-se formando uma única — a Galera de Vigário Geral. Principalmente nos momentos em que a adscrição territorial representa força e fama. Em Vigário, essas representações muitas vezes são expressas no uso de palavras cujo duplo sentido sugere simultaneamente violência, união, perigo, beleza e honra. É assim que, por exemplo, adjetivos como "sinistro" e "do mal" denotam tanto a excelência e o ardil quanto o perigo, a força e a violência. É justamente na tentativa de afirmar de maneira positiva seu vínculo com um certo território — que, no caso de Vigário, tem representações negativas que ultrapassam as fronteiras das galeras e o mundo funk — que a imagem de uma galera vai sendo construída. Em Vigário Geral, uma sucessão de acontecimentos corrobora a narrativa do funkeiro, sobre os sentidos que expressões como "sinistro" e "do mal" podem tomar.[61]

É preciso ressaltar que estas preferências em torno de determinados bailes "de briga" e pela valorização da galera a partir da escolha de códigos e emblemas que preferencialmente coloquem em destaque a violência não são partilhadas por todos da mesma forma. Igualmente, é preciso estar atento para o fato de que as fronteiras da Galera de Vigário podem ser alteradas, por exemplo, se confrontadas pela preferências de seus membros por determinados times de futebol. Os vínculos com os amigos, em vez de exclusivos, são capazes de incorporar outras filiações, impensáveis dentro da "economia política" do mundo funk. Nesse caso, a "força" de um emblema como *Vigário Geral* pode ser enfraquecida ante a presença de seus membros em algumas torcidas organizadas. Esse esfacelamento já ocorre dentro da favela. Como exemplo, teríamos a possibilidade de uma galera como a Jovem Fla ser composta por jovens da Onze, Malvinas e Dique etc. São todos "rubronegros", e não somente integrantes da Galera de Vigário. A Jovem Fla, por sua vez, também é o nome de uma torcida organizada, que existe para fora da favela, integrando pessoas de variadas faixas etárias, gêneros e moradoras dos mais diversos bairros da cidade. Assim, a galera de Vigário conhecida como Jovem Fla integrará a outra Jovem Fla, mais ampla, ao lado de possíveis *alemães* oriundos de galeras funkeiras "inimigas" de Vigário. Porém, se no baile esse contato é explosivo, nos dias de jogo, no Maracanã, estará sujeito à disciplina dos representantes e chefes de torcida. Os inimigos serão não mais outros funkeiros, mas outros torcedores. Nesse caso, em vez dos *alemães do* funk teremos *torcidas alemãs.*

Na primeira vez que foi ao Pavunense, Jane assistiu a uma briga de meninas, "por causa de homem". Jane diz ser raro, mas de vez em quando acontece. Esses conflitos não se dão no espaço sagrado dos salões, onde a briga entre galeras atinge seu clímax, mas nos espaços periféricos — na rua e nas saídas de baile — e são geralmente bate-boca. Jane não gosta de brigar e tem sua própria explicação para a exaltação dos bailes de briga e a solidariedade masculina que se forma a partir dessas escolhas, nas quais invariavelmente as namoradas e amigas têm um papel secundário. Não acredita no que os funkeiros dizem, e acrescenta, ainda ressentida com o fim do namoro:

> A coisa vai da mente da pessoa. Não tem esse negócio de ser bonito, ser funkeiro... porque funkeiro... é aquele negócio, não tem responsabilidade para nada... eu, sair daqui para brigar?... eu chego lá e posso ganhar até um tiro. E no dia que eu fui tinha um menino novinho e ele morreu com um tiro na cabeça por causa desse negócio de briga. O menino deu tiro em cima e pegou na cabeça dele. Ele tinha 17 anos, isso foi no ano passado.

Por causa das brigas e da violência na *comunidade* Jane tem vontade de sair da favela, mas não sabe como. Às vezes, quando fica "com a cabeça cheia", vai para a casa de uns parentes longe dali. Mas volta. Jane ri muito ao falar que sente saudades das amigas e das *bagunças* que fazem juntas. Ir à praia, por exemplo. Quando lembra do namorado, o riso cessa e a mesma cara, meio invocada e meio *blasé*, reaparece. "Agora enjoei. Antigamente", diz, "não tinha perigo da gente brigar, sei lá... a gente saía. Era uma amizade mais verdadeira, não tinha esse negócio de falsidade. Esse negócio de briga. Era mais divertido." Mas tanto o namorado como os amigos sempre tinham uma justificativa para manter a guerra. "Ele falava que brigava porque via os amigos dele brigar. Porque era alemão. Que já matou amigo deles." Mas para Jane o motivo era mais o flerte, a traição, do que o baile e a briga. Para os rapazes, as "minas" devem ser poupadas e protegidas.

É por esses e outros motivos, mais pessoais, que Jane não gosta de praia. Ainda assim sente saudades do Arpoador: "Lá, nessa praia, que vai mais gente daqui. Mas começou a ter muito arrastão... agora parou porque tem muitos polícia que fica lá..." Jane ri muito, junto com as amigas, ao lembrar dos arrastões: "Ihh! já corri tanto... a gente tá na praia assim, aí tem sempre um que rouba ônibus, assalta ônibus, pega as coisas dos gringos que tem lá. Aí os polícia vê e chega em cima, começa a correria. Todo mundo pensa que é tiroteio e começa a correr para a água. Mas eu vou naquela praia. Aquela praia é muito boa." Saudosa e sorridente, conta o que chama de "aventura" na época em que freqüentava a praia:

> Os meninos tava fazendo bagunça, a polícia parou o ônibus e fez todo mundo descer. A gente veio a pé até aquele túnel que tem lá... Aí a gente pegamos outro ônibus e veio os polícia de novo. A gente teve que abaixar pra eles não vê a gente. A gente estava sem dinheiro de passagem, ainda por cima. Aí a gente pediu o trocador para passar por baixo, ele disse que não podia e paramos só pro polícia entrar. Aí, depois, veio um ônibus, o trocador era maneiro e deixou a gente passar. Nós pega [qualquer ônibus] pra gente sair do lugar.

Jane se sente incomodada com os olhares assustados do *"pessoal de lá"*: "eles lá ficam com muito medo, vê todo mundo de galera assim aí pensa que é assalto. Já se afasta logo"

É justamente quando tenta explicar o motivo de tal perseguição que a referência à cor reaparece. Dos que vão à praia com ela, a maioria é "morena", maneira pela qual de vez em quando se refere à sua *cor*. Adverte, entretanto, que vão pessoas de todas as *cores*. O maior problema é a interseção entre certas *cores* e um certo *bonde*, formado majoritariamente por "meninos": "quando vai assim mais homem, vai preto, moreno, amarelo... aí pronto... preto já é desgraçado mesmo...". Jane tinha sua própria explicação para esta "coincidência": racismo. Resolvi insistir, perguntando se eles eram maltratados por este fato: "Eu acho. [...] igual aquele ditado, ver um branco correndo é um atleta, ver um preto correndo é ladrão. [...] a mesma coisa." Aqui em Vigário tem racismo?, perguntei. Jane pareceu-me não ter mais certezas. Olhando para as amigas, hesitou: "Não, aqui eu acho que não tem não, né? Racismo, assim, de preto... acho que não tem não." Continuei insistindo em saber em que outros lugares percebia tal diferença de tratamento e Jane voltou a se referir às lojas e aos *shopping-centers*.

> Tem porque quando a gente entra em loja assim... também vai da roupa também... mal vestido... a cor também... aí vem logo [alguém] na frente atender a gente pensando que a gente vai roubar, pensando que a gente vai assaltar ou alguma coisa. Já vem logo em cima, já trata mal e olha com cara feia.

Quer dizer que quando você vai a um *shopping*, tem que ir com uma roupa melhor? Tem que botar, né, se não ninguém compra nada... ou então vão me olhar de cara feia."

Na favela não haveria tal problema porque "todos se conhecem". Ou, mesmo, o que Jane chama de "racismo de preto" só poderia existir em lugares onde "pretos" e "não-pretos" estivessem em contato. Em outros momentos Jane fez referências a sentimentos como "ciúme", "inveja", "fofoca" e intrigas como atitudes muito próximas. Certamente não acreditava que na favela todos fossem iguais, entretanto localizava num outro cenário, que não a favela, tal atitude: o "racismo de preto".

Em princípio muitas das *diferenças* entre o "asfalto" e a "favela" comportariam o desenho de vários cenários entrecortados de possíveis distinções de cor, *status*, classe etc. Mas o que Jane parece sinalizar é a possibilidade de essa experiência — o "racismo de preto" — estar associada à presença da *favela* no *asfalto*. O *bonde*, no seu percurso e itinerário praia-baile-futebol, não só cruzaria muitas dessas fronteiras como também instauraria outros limites. Essa *lógica territorial*, porque compreende os dois "campos" não só através de noções espaciais, mas, sobretudo, culturais e sociais, de fato tem demarcado as fronteiras através das quais alguns desses jovens vêem a cidade. A *cor*, quando aparece citada nessas falas, ainda que a partir de sinais mais próximos à idéia de aparência que à de fenótipo, se apresenta como uma espécie referencial agravante nos momentos da vitimização dos "favelados", tanto por *bacanas* quanto por *playboys* e *policiais*.[62] Ao mesmo tempo, essa polarização se torna frágil na medida em que muitos reconhecem a forte presença de não-brancos entre os policiais civis, militares e entre os seguranças dos *shoppings* e dos clubes. A visão de que a *cor* não determina o *status* do indivíduo passa pela percepção de que existem estratégias de atenuação dessas diferenças. Como já demonstravam muitos trabalhos sobre relações raciais no Brasil, a ascensão social via aumento do poder aquisitivo é uma delas. Contudo, é preciso estar atento para a não-linearidade dessa lógica. Ela é necessariamente complexa e rica em significados. Se individualizada, é exemplificada em termos de maior capacitação pessoal, educacional ou técnica, possíveis atributos físicos e estéticos (compensadores) ou mesmo da força, adquirida com o "tempo" ou *fé*, em ultrapassar tais adversidades.[63] Quando coletivizado, os sinais da cor são "culturalizados" e substantivados em categorias que incorporam ora o estigma ora a excelência. Se no processo de percepção da *cor* de tipo individualizado a excelência e o estigma são representados como exemplos necessariamente subjetivados, a coletivização implica a racialização do discurso da diferença. Todavia, tais processos não são excludentes e, sobretudo, estão intimamente ligados ao tipo de assunto que é tratado e às perguntas que são feitas. Por isso, em vários momentos, a referência aos estilos, modas e gostos no vestir do funkeiro e suas *minas* era uma espécie de caminho para que se contassem certas histórias e para a citação de exemplos da "valorização" e da "desvalorização" da *cor*.[64]

Foi *pegando o bonde* que, certa vez, Jane e uma amiga quase foram assaltadas dentro de um ônibus, ocasião em que percebeu que em situações especiais sua identidade de moradora de Vigário Geral podia ser utilizada: quando disse onde morava, o assaltante desistiu de assaltá-la. Em geral, sua "origem" é omitida. É por este motivo que atualmente não está andando tanto com a galera. Como André, Jane também gosta de ir ao Shopping Rio Sul. Quando tem dinheiro e "a maré tá boa". O que quer dizer, no máximo, uma vez por ano, "se bobear, só no Natal". Jane às vezes vai só para olhar: "só quando a gente tá a fim de zoar, a gente pega um *bonde sinistro*...". Jane gosta de se vestir bem. Não tem saído no *bonde* de Vigário. "Eu prefiro andar sozinha, porque a gente pensa que a pessoa é nossa amiga e quando a gente mais precisa aí começa a vir a falsidade. Aí eu pego e me afasto um pouco." Jane valoriza as amizades e é por causa delas que não se desliga da galera, mesmo tendo terminado o seu namoro. Todas as vezes em que tentou se afastar não conseguiu. Chegou a trabalhar durante quase um ano como empregada doméstica, mas não teve sucesso. Sua "patroa" a tratava de maneira diferente, não deixava que se sentasse à mesa junto com a família. Também trabalhou em uma fábrica de *lingerie*, mas foi demitida depois do terceiro mês. Naquela ocasião, Jane estava desempregada mas não pensava em voltar nem para a fábrica nem para o serviço doméstico. Parou de estudar na 5ª série e talvez volte. Jane pensa e diz que agora quer mudar.

OS CONTEXTOS DE LÚCIO: "NÓS COM OS ALEMÃO VAMO SE DIVERTIR"

O calendário dos bailes e a preferência de cada galera são diversificados. A Galera da Onze, na fala de Lúcio, é a mais unida. Todos os rapazes com quem conversamos mostraram sua preferência pelos "bailes de briga". Entre as meninas, as opiniões parecem mais individualizadas. Quem namora funkeiro deve estar sujeito a estas preferências, embora nem sempre seja esta uma escolha individual. Cada namorado novo pode pertencer a uma galera funkeira, o que pode refazer hábitos quanto à escolha de determinados bailes "de briga" ou não. O mesmo ocorre com relação à praia: é muito difícil sair sozinho de Vigário para ir à praia. Jane, embora preferisse como forma de evitar ser "pichada", reconhecia que era desestimulante. Praia e baile são lugares para se ir com namorados/as, de *bonde* ou de *mulão*: são atividades preferencialmente coletivas. Ao mesmo tempo, *bondes* e *mulões* não conduzem só amigos e colegas de uma certa "localidade", emprestam a essa atividade o emblema que faz com que certas galeras se diferenciem das outras. Tanto os *bondes* quanto os *mulões* "partem", são "formados" e "armados" em algum lugar: um lugar de prestígio.

Existem *amigos* e *alemães* e suas respectivas *minas*, que não são incluídas no rol das alianças ou das rivalidades. Provavelmente não saem de *bonde*. Ao mesmo tempo, nem todos os que pegam *bonde* são considerados *alemães* de *galeras* rivais: as *minas dos* funkeiros, por exemplo. Não ouvi nenhuma referência a uma "funkeira" ou uma "mina funkeira". Com Lúcio não foi diferente. Falou dos bailes, das músicas, das brigas, das mortes e do perigo sem citar os namoros ou as mulheres.

> Tem uns [rapazes] aqui na favela que você sabe qual é o bonde. Nosso fim de semana começa aqui na quinta-feira num baile que tem lá no Jardim América na quadra da Vila Esperança. Mas sendo que os moleques daqui já vão tudo pro Mesquita nos bailes de quarta-feira. Aí chega quinta tudo arrebentado aqui [dizendo] aí... bati em tudo quanto é alemão. E ficam perturbando os outros moleques que nem gostam de baile de briga para ir. Os moleques que não gostam de baile de briga, eles até andam separado da gente. É os moleques do Cruzeiro. Eles têm assim uma neurosezinha. Não curte os bailes funk assim de briga. Os moleques da Brasília tudo curte baile de briga. Só a gente do lado de cá da Onze Unidos. O pessoal da Onze Unidos que é mais atentado aqui na favela. Não adianta mesmo.

Assim como para outros rapazes da galera, a fama da Galera de Vigário foi conquistada graças à "disposição" para a briga demonstrada pelo pessoal da Onze Unidos. Algumas exceções, com relação aos integrantes da Galera do Cruzeiro, são estabelecidas de forma a garantir dentro da favela a existência, a honra, a "força" e a fama do pessoal da Onze.

Lúcio tem 16 anos e assume, de maneira bem franca, uma dupla identidade de funkeiro. Por volta de meio-dia Lúcio, por entre as grades da varanda da casa onde mora, se espreguiça e diz: "Funkeiro é fogo, só acorda tarde." Aquela declaração não correspondia exatamente à realidade. Sabíamos que a maioria estava trabalhando aquela hora. O fato é que estávamos atrás de um amigo dele. Não o conhecíamos e essa foi a maneira de ele apresentar-se. A favela é pequena e nosso interesse pela Galera de Vigário, a essa altura, já era evidente. Talvez estivesse sinalizando algum interesse em ser ele também "entrevistado". Uma primeira reação de desconforto e desconfiança — uma vez que a grande maioria pensava que éramos jornalistas — foi seguida de muito interesse pelo "trabalho" que fazíamos. De alguma forma havia a preocupação em desfazer a imagem violenta do funkeiro, ainda que, paradoxalmente, ela viesse acompanhada da defesa da legitimidade da guerra. Como André, Lúcio também não se intimidou em demonstrar sua preferência por bailes de briga. Assim como outros rapazes da mesma galera, a "briga" era tão importante num baile quanto a música.

Lúcio estava na quinta série mas queria mudar de turno e arrumar um emprego. Gosta de programação e montagem de repertório funk.[65] Aprendeu o ofício de assistente de DJ durante o período em que a Prefeitura e outras instituições desenvolveram na favela o Projeto Rio Funk.[66] Lúcio queria ser DJ. Aprendeu a selecionar, fazer montagens e mixagens. Gostava de *charm* e funk e alternava os dois estilos na sua programação. Lúcio gostava de estudar, de baile e de briga. Achava possível ser funkeiro assim. Trabalhou com o pai em algumas funções ligadas à mecânica e pretendia morar com a namorada de 16 anos, que estava grávida, e trabalhar com transporte de carga, viajando. Por não ser um trabalho muito regular, acreditava que poderia continuar a freqüentar os bailes.

> Eu acho importante estudar. Se a gente não estudar, a gente não vai ser ninguém na vida [...] se a gente não estudar agora, amanhã ou depois vai sentir, ou não vai saber nada. Meu pai tinha oito anos de fábrica e foi mandado embora. Ele só não foi chefe da seção dele porque ele não tinha o primeiro grau. Ele estudou até a oitava série só e não tinha o diploma do primeiro grau.

Ele falou pra mim chorando: "Porra, mano... se eu ligasse pro estudo agora eu tava bem pra caramba. Até hoje eu estava recebendo muito bem." Meu pai, se ele quiser, ele não trabalha nunca mais. Os caras têm muito dinheiro no banco. Tá tranqüilão.

— Você fala do quê? Fundo de Garantia...

Ele juntou um montão de papel lá, de hora extra que ele fazia. Ele juntou tudo e deu um montão de dinheiro. Ainda mais que tem meu tio aí... que é dono de boca-de-fumo e fortalece a gente. Fortalece legal mesmo.

— Dono de boca-de-fumo aqui dentro mesmo?

Não, não... do lado de fora.

Silêncio.

— E o teu pai tá querendo descansar...

Ele já tem uns 40, problema de pressão... [...] Meu pai é maneirão. Meu pai me dá grana. Quando ele não pode dar, vai em cima do meu tio e ele me dá.

Silêncio.

— Você já pensou em trabalhar com o seu tio?

Aí... não. Tem muita gente que é mente fraca, revoltado com a vida, e vai e entra no crime mesmo... eu não, eu não sou assim não.

— Você não entra por medo ou por que não quer?

Resposta rápida.

Eu não entro porque não quero mesmo. Oportunidade eu tenho de montão. Até de gerente de boca-de-fumo, gerente geral... eu não quero. O destino desses caras é morrer ou ficar preso. Se eu sei que posso morrer mais cedo ou ir para a cadeia, eu vou entrar para uma vida dessa?... Eu prefiro levar minha vida assim, do jeito que eu levo mesmo, do que ficar entrando nessa vida aí, que não adianta de nada.

— Mas e o teu tio, já está nessa há muito tempo?

Ah! um tempão e já foi preso e tudo. Pegou cinco anos e sete meses e só cumpriu a metade porque era réu primário. Deu a maior sorte.

— Aí ele saiu e voltou para o mesmo lugar?

Voltou.

— E ele tem muitas bocas-de-fumo?

Pior que tem.

Silêncio.

O silêncio foi a expressão que pontuou todas as nossa conversas. Ninguém nos pediu, mandou ou exigiu. Simplesmente calávamos quando achávamos prudente. Duas imagens muito fortes ficaram gravadas como exemplos-limite de uma certa "ética" que move as ações tanto de moradores quanto de intrusos. Uma foi a dos "repórteres", "jornalistas" e similares, na sua ânsia de tudo registrar. Sua arma, a câmera fotográfica, era informal mas expressamente "proibida" na favela. Muitos, em dia de comemoração, protesto e "visitas" à Casa da Paz — momentos em que o tráfico é avisado da presença de estranhos —, tentavam mirar suas lentes para a *boca* e eram repreendidos. Outra imagem, que será descrita através das histórias contadas por José, é a presença virtual e constante de um personagem, o X-9, seja ele do funk ou do tráfico. Uma vez, ao chegar à casa de Lúcio, sua mãe, quase sussurrando, narrava o comportamento de um X-9, encapuzado, que entrava na favela todo disfarçado seguido por policiais. Apontando casas e distorcendo a voz ao falar, o X-9 fazia gestos rápidos e era protegido pelos policiais. Essas "batidas" geralmente eram feitas de madrugada, quando a maior parte dos moradores ainda dormia, e muitas vezes terminavam com a invasão de alguma casa e seqüestro de algum morador. Ambos, o jornalista e o X-9, trabalham com a informação. Assim, cada vez mais o silêncio era uma demonstração de desinteresse ou, quem sabe, um "respeito" pelos limites instituídos por alguém ou alguns com relação à natureza de certas informações. Não há meio-termo, posição intermediária, palavra indefinida. O campo é de guerra. A observação e o que dela resulta, a informação, deve servir a alguém. A identidade de produtora do *Jornal Afro Reggae* estendida e atribuída a mim foi uma forma de amenizar distâncias, na medida em que também nos aproximava da Casa da Paz, e "qualificar" diferencialmente nossa curiosidade. O jornal era visto como algo "interessante", um jornal de cultura e de música.[67]

As conversas, sobretudo quando se direcionavam para os temas tabus, como o consumo e o tráfico de drogas entre os componentes da galera, foram pontuadas sempre pelo silêncio. Com Lúcio foi assim. Entre o baile e a praia, e ao falar na primeira pessoa, suas histórias e opiniões sobre a vida no "asfalto" e na "favela" se transformavam em perguntas implícitas. O que teria a minha vida/história de tão diferente, a ponto de interessá-los? Mais uma vez, a *memória construída* respondia aos anseios do "entrevistador" tal qual visto pelo "entrevistado". Do mesmo modo, categorias de auto-representação e da representação do mundo do funk ganhavam ares de matéria sociológica ou jornalística. Lúcio, como André, articulava sobre sua própria vida como um comentarista especializado em violência urbana. "Eu não gosto de tumulto na praia. Eu vi que os moleques estavam zoando pra caramba, querendo roubar os outros, eu saí logo da praia cedo. Eu sempre chamava minha namorada e saía da praia cedo [...] voltando sozinho com ela eu passava batidão pelos *alemão*. Eles nem me olhava." Lúcio só vai à praia quando tem dinheiro. Prefere ir com a namorada, mas às vezes pega o *bonde* com o pessoal da Onze. Também freqüenta o Arpoador, mas ultimamente não tem ido. Na praia, os maiores problemas são os policiais e os *alemães*. Procura se afastar dos primeiros e, se for preciso, enfrentar os segundos. "Os alemão sabe que a gente é sinistro na porrada. Eles não vão vir para o nosso lado. Eles sabem. Eles peida, mané. Eles vê que a gente bate pra caramba e eles não vêm pro nosso lado não..."

MARIA JÁ NÃO VAI À PRAIA

Apesar do medo de chegar à Central, é para lá que se dirigem as linhas habitualmente escolhidas por Maria e seus amigos para irem à praia. Todas são uma só — conhecida por eles como "Viação Calote". "Sempre foi difícil ir à praia. Ia muito à Praia do Leme. Pegava o trem, saltava em Triagem. Lá pegava o 472 e ia. Tinha um colega meu que morava aqui e era cobrador desse ônibus e trabalhava aos domingos nessa linha. Aí eu passava por baixo e não pagava a passagem." Maria quase não vai mais à praia. Nunca gostou muito de praia.

Relembrando a chacina de 1993, meio sem jeito, diz que "há males que vêm para o bem". A tragédia mudou sua vida, perdeu amigos e um primo. Não gosta muito de falar no assunto. Quando fala, sua emoção é matizada por uma outra versão, "organizada", racionalizada e traduzida do assunto. Logo após o massacre, Maria se engajou em movimentos comunitários e investidas oficiais de ação na favela, como a associação de moradores local, o Projeto Rio Funk e a Casa da Paz. Por isso diz já não "ser mais a mesma". Tanto a chacina como a nova experiência de *agente comunitária* abriram-lhe as portas de novos mundos porque possibilitaram que conhecesse "pessoas de fora da favela". Maria tem 21 anos, mas seu modo de se vestir e arrumar os cabelos é idêntico ao de outras jovens mais novas que moram na favela. Foi na favela de Vigário Geral que nasceu, numa família grande, na qual irmãos e mãe ajudaram a criá-la. Seu pai foi assassinado junto à linha do trem quando Maria tinha 10 anos. "Ele não era santo", justifica. Ainda assim, ao relembrar o assassinato, se emociona e silencia.

Maria fala como se todas as histórias entrecortadas de muitos silêncios que conta fizessem parte de um passado longínquo. Os "meninos e as meninas daqui", como se refere aos seus amigos da Galera da Onze Unidos, "é que iam mais à praia". Mas ela ainda freqüenta os bailes funk realizados todos os sábados na quadra da favela ou no Clube União. Dois mundos interpenetráveis pelos quais ela transitou muito.

> Quando eu era criança eu estudava muito. Minha mãe nunca deixou a gente andar na favela não. Só saí mesmo quando eu terminei o meu primeiro grau. Eu era muito presa, minha mãe nunca deixou a gente sair. Ficava vendo televisão e estudava. Eu gostava muito daquele programa da TVE, aquele negócio que ficava dando aula... Aqui era mais tranqüilo. Eu lembro assim, quando eu era pequena, que a única vez que eu escutei um tiroteio mesmo para valer foi no dia que meu pai morreu. Logo que meu pai morreu eram 10 horas da noite, quando foi onze e pouca teve o maior tiroteio aqui na favela. Eu não sei se eu marquei esse dia porque foi o dia em que meu pai morreu e eu fiquei na lembrança... era difícil. O perigo não era como hoje. Hoje está brabo mesmo. Ele tinha 46 anos.

Todos os jovens com quem conversamos tiveram um contato bastante próximo com histórias envolvendo crimes e mortes. Não se tratava *apenas* de vizinhos, conhecidos ou amigos de infância, mas sim de pais, irmãos, maridos etc. Essa aparente "trivialidade" da violência no cotidiano dos moradores foi desde o início percebida como um aspecto importante a tecer, de maneira bastante distinta, uma certa "cultura do medo" e a sinalizar, mesmo que distante de uma guerra política explícita, uma espécie de "terror costumeiro". Esses sinais de uma violência singular — porque se difere daquela que é tema do "pânico" instalado pelos incidentes na praia — perpassam todos os espaços de sociabilidade dentro da comunidade. Observar tal singularidade nos ajuda a conceber a "violência" como fenômenos e experiências ubíquos, mas entrecortada por concepções diferentes em torno da "pessoa" que se concebe como "vítima".[68] No caso de Vigário Geral, a chacina de 1993 acabou com a crença de que condutas, "más" ou "boas", determinavam a punição ou a recompensa. O massacre vitimou aqueles que eram reconhecidos como *trabalhadores*. Essa socialização da violência vem se constituindo, pelo menos ao longo dos últimos vinte anos, de forma crescente.

Do mesmo modo, agora com novos sinais estigmatizantes — como é o caso do estilo adotado pelo funkeiro —, as mesmas práticas de criminalização de certos indivíduos resultando da ausência de comprovação de qualquer vínculo formal com o trabalho permanecem como critérios importantes na imputação de um outro rótulo: o do *suspeito*.[69]

Em Vigário, muitos jovens demonstravam ter um duplo interesse na escola, ainda que a maioria já não mais estudasse. Em primeiro lugar, a idéia de que "escola é pra zoar": espaço onde o prazer de estar com os amigos ou mesmo de aprender é conquistado pela constante transgressão da ordem. Desta maneira, seja pela falta de vagas, pela impossibilidade da adequação de horários diante da necessidade de trabalharem, ou pela repetência e pela má formação do professorado que atende a esse tipo de clientela, muitos já passaram por várias escolas do bairro e da favela. Em segundo lugar, a escola aparece como lugar do não-prazer e da obrigação, mas pelo qual devem passar para serem socialmente aceitos, "conseguirem um bom emprego", terem um diploma e atenderem aos desejos de seus familiares. Nesse sentido o vínculo com a escola é um "mal necessário". Com exceção de Lúcio, que efetivamente voltara a freqüentar a escola, todos os outros jovens com idades entre 17 e 21 anos com os quais conversamos em Vigário Geral deixaram a escola em torno da 5ª série do ensino fundamental. Além da ausência de vínculos com trabalho/emprego e com a escola, há outros sinais contundentes de um processo de "criminalização" desses jovens e adolescentes que se encontram em posição intermediária entre dois caminhos possíveis de "integração", seja à "cidade cidadã", seja à "cidade marginal".

Liminaridade. Dois caminhos se apresentam à medida que a disponibilidade e a proximidade de determinados "recursos" lhes são oferecidas. O negro, magro, corpo esguio e falante, José se diz moreno. Não é bandido, mas se vê numa situação semelhante. Vigário para ele é refúgio, lugar onde se sente protegido. José é o representante da Galera da Onze Unidos.

UM PERSONAGEM DE FOOTE-WHYTE

José sempre teve parentes em Vigário, mas nasceu e morou quando criança na Baixada Fluminense. O tempo da mudança foi também o da conversão:

por "causa do funk" veio morar na favela. Se diz "procurado" por causa dos *alemães* e na favela se sente protegido.

> Eu tô seguro aqui e não tô, porque eu dependo também do asfalto. Mas no asfalto de repente não acontece nada porque eu sei a hora que eles sai e a hora que eles não sai. Eu sei de tudo também. No entanto, a gente não é bandido, mas sendo que é pior do que bandido. Essa vida é sinistra mesmo... porque tem muitos inimigos. Aqui eu fico tranqüilo porque tô mais guardado. Mas a minha proteção é Deus mesmo, porque se não fosse Deus e se eu fosse alguém que fazia mal pra certos tipos de pessoa, minha mãe ou meus parentes, eu já tinha pagado por isso. Então, graças a Deus, a gente confia em Deus... certo?

A mãe de José freqüenta um terreiro de candomblé. Ele gosta das festas, mas não vai habitualmente ao terreiro. Seu principal problema é arranjar formas de defender-se dos *alemães*. Entre os mais "sinistros" inimigos cita as galeras de Gogó de Bom Pastor (Belford Roxo) e Gogó da Pavuna.

> Eu encontro eles assim... boiando... eu, que tô com um montão de gente, eu até libero eles e eles, quando pegam [pessoas] de Vigário, eles não liberam, eles quebra mesmo.
> — Você acha que a turma de Vigário é menos violenta?
> A gente... no entanto eu posso dizer... não porque é a nossa turma, é a nossa galera, que eu vou chegar e dizer que é menos violenta. A gente também tem nossas violências, mas sendo que... moderada, entendeu? Não covardia, tem os nossos limites. Se for no baile [...] acontece o tumulto se eles for alemão, gente que não tem nada a ver não acontece nada.
> — Se não houver uma rixa...
> Não tem nada a ver. Por exemplo: tu mora em Lucas e eu moro em Vigário. Se tu mora em Lucas, que que tem se você mora em Lucas? Tu não curte baile. Não tem nada a ver você morar na comunidade deles, que não prejudica a gente em nenhuma forma. Então, Lucas é Lucas e Vigário é Vigário. Então, se a gente se esbarrar com alguém de lá que é conhecido mesmo e que vai pra baile, a pancada estanca na rua. Três deles, dois nossos, três deles, um nosso... a gente tampa mesmo. Não tem caô. A gente gosta de aventura mesmo. Se tiver dez deles e cinco nossos, isso é ótimo pra gente. A gente gosta é assim. Se tiver um deles e cinco nosso, a gente até libera...

Um dia desses eu estava em Caxias com a minha mina. Me cercaram em Caxias na Rodoviária. De dia... meteram a mão em garrafa e tudo... "Aí, perdeu, José, a gente vai te quebrar. E aí eu falei: Tá, compadre, é com vocês mesmo, aqui é Vigário, não é bagunça... vocês tão de mulão e vão querer me esculachar, mas se deixar eu vivo... bonde do mal vai passar aqui..." "Que bonde do mal?" Eles não entenderam, então também eu não dei muito detalhe não. "Vocês têm que ficar aqui, vocês trabalham aqui, vocês são camelô. Se vocês tocar zaralho aqui, vocês que vão perder... vocês são tudo mendigo... eu tô com a minha mina mas ela é fora, ela não curte baile, então o assunto é comigo. Escala um ou dois que a gente vamo fazer na mão..." Aí, nisso pintou um que eu tinha liberado uma vez na Pavuna. Ele falou: "Qual é, José?" E eu falei: "Qual é, cumpadre, judiaria, vocês são sinistro mesmo..." Ele falou: "Libera o moleque, que o moleque tava de mulão uma vez... "

Tal qual André, José relaciona seus bailes preferidos estabelecendo critérios como bailes de maior confronto, bailes freqüentados por galeras *alemãs*, bailes realizados em clubes (considerados "neutros"), bailes onde as galeras com as quais têm maior animosidade estão presentes.

Sexta-feira, naturalmente... todos os caminhos te levam para o Pam de Pilar, ou Mesquita. Mas Mesquita a gente tá abandonando um pouco. Domingo aquele tradicional Bonsucesso ou Coleginho e dia de sábado a gente fica no lazer, namorando. Às vezes, dia de sábado, a gente vai pro Pavunense. Mas sendo que o Pavunense fica meio fraco, aí a gente fica no lazer em casa...
— E em termos de briga?
Em termos de briga eles não querem comparecer ao baile porque a gente tem mais gente... eles são peidão... no Bonsucesso eles manda.
— Eles quem?
Os alemão, Lucas, Nova Holanda... eu não gosto nem de divulgar muito porque eu não conheço eles como nada. Não é desfazendo deles, mas quem eu conheço é Vigário Geral. Quem eu conheço é só a gente mesmo. Então o baile é deles, eles mandam... é mil contra quinhentos nossos. A gente entra assim mesmo dentro do baile, expulsam a gente porque é muito e não dá pra agüentar a pressão. A comissão de frente cansa também...

Robocop, Schwarzenegger, Van Dame, entre outros, são as referências no cultivo do corpo e dos movimentos. José, reconhecido por todos como o líder da galera, tem um belo corpo. Tem plena consciência dos benefícios e perigos de ser muito conhecido. Esse reconhecimento, de forma nada modesta, afirma, ultrapassa as fronteiras de Vigário com as galeras *alemãs* mais visadas, como é o caso de Nova Holanda e Parada de Lucas. Nos bailes, nos refrãos diz escutar seu nome e o nome de Vigário. José desempenha o papel com as responsabilidades que lhes são conferidas. Pode ser chamado tanto pelo pessoal da Casa da Paz, do Projeto Rio Funk ou pelo tráfico. Nessas histórias intermináveis sobre as brigas e os encontros entre *alemães* e amigos, José se auto-representa como uma espécie de inimigo número um, imbatível, incansável e, é claro, esperto. Robocop é protegido por camadas de aço, que impedem que tiros atinjam seu corpo. Mas José diz ser necessário tomar a arma de seu pai emprestada para ir ao "asfalto" sozinho. É procurado e temido, embora afirme nunca ter roubado ou matado ninguém. A rivalidade do inimigo se deve ao fato de ele ser "cheio de disposição".

— Você é dos chefes da "comissão de frente" aqui?

Bom, assim dizem... os moleques tudo são de disposição também... mas de repente é sua atitude, sua agilidade. A fama, nesse bagulho de funk, não é você que faz, são os outros que fazem.

— A sua fama, você acha que veio por quê?

Certos tipo de baile e certos tipo de atitude tua. Assim, digamos... disposição no baile, no correr. Chegar no baile e [dizer]... pode vir geral na força, vamo tampar mesmo e mostrar pra ele que a gente é de Vigário e não é bagunça. E devido à área também. Se tu se pichou, tu mora em Vigário, se pichou... a tua própria área te picha também. De repente eles falam assim: "José, eles já sabe que é de Vigário Geral mesmo." Então a sua fama é os alemão que fazem, não é você não. Porque tu não vai chegar, não vai tá brigando com alguém e falar sou fulano de tal lugar. Porque tu não quer se pichar, ninguém quer se pichar e ficar conhecido por ninguém. ... eles... às vezes garotas que é da nossa área e que namora com eles. Tem X-9 também no nosso meio, entendeu. Como na vida do crime também tem X-9, na nossa também tem. Que dá a planta de onde a gente bóia, de onde a gente fica, quantas pessoas nossas vai pro baile, quantas não vão, se a gente vai ou não.

— Quando vocês pegam um X-9 o que que acontece?

A gente desenrola aqui e depois toma a nossa atitude, dá um pau. Geralmente, um X-9, a gente tem certeza quando começa a rolar certo tipo de comentário, aí eles param de ir pro baile e fica mais em casa. Aí a gente já se liga de que é eles mesmo... aí já caiu na pilha. Naturalmente eles já estão de judia-ria com a gente, mora na nossa comunidade e está de judiaria. Então, se a gente desenrolar com os contexto da favela, a gente pode resolver nossos problemas. Porque eles não se mete em negócio de baile. Mas, um exemplo: dizem que eu sou o chefe e isso e aquilo, então eu desenrolo aqui. Se liberar pra gente tomar uma certa atitude com aquela pessoa que tá dando a nossa planta, aí eu tomo minha atitude lá, amigo. O quê? Você tem que desenrolar com quem é mais do que a gente. A gente tem que chegar lá em cima. A gente só curte funk e isso é aqui embaixo. Se a gente chega lá em cima e eles fala, toma as atitudes de vocês lá, meu. Porque a mesma coisa de alemão de tráfico... a gente é de baile também. Então, eles pega um da gente e eles mata...

— Você acha que pode haver uma coincidência, como há uma rivalidade entre o tráfico, a rivalidade se estender para o funk?

A rivalidade do funk é através do tráfico.

— Você acha que é?

Tenho certeza, porque Lucas e Vigário, eles sempre foram considerado alemão da gente, porque eles são Terceiro e a gente é Comando. Então, até os menorzinhos lá fala: "os alemão..." Agora tá na paz e tudo certo, mas mesmo assim eles falam: "Vou lá nos alemão dá um rolé." E a gente aqui também. Porque isso já vem de sangue, já vem de gerações mesmo, já vem lá de baixo mesmo... E essas guerras já vêm por negócio de tráfico mesmo...

Contudo, foi justamente tentando desfazer esta vinculação que muitos outros jovens, e entre eles André, insistiam em dizer que o "funk era cultura", e que só vivia a violência quem queria. Na semana que se seguiu ao *Arrastão*, as manchetes e matérias de jornal refletiram de maneira negativa a imagem da favela. Como resultado, vários rapazes da galera que tinham ido à praia foram chamados em suas casas pelo então chefe do tráfico local — Flávio Negão.[70] Houve um "acerto de contas", ameaças e, há quem diga, punições físicas. O mesmo teria ocorrido na favela de Parada de Lucas, onde o então chefe do tráfico local — Robertinho de Lucas — teria batido em vários funkeiros. Essas histórias estão no rol dos temas proibidos e sussurrados. Vistas pelos funkeiros, essas histórias os enfraquecem, na demonstração de força e poder que resultam das brigas entre galeras. Para os demais moradores, representa o perigo de mais uma vez transgredir a lei do silêncio e "sujar" a imagem do "bandido bom" e "justo" com a *comunidade*.

COR, VIOLÊNCIA E TERRITÓRIO: SERÁ QUE ELES ESTÃO FALANDO DISSO?

"Carioca. 3. Diz-se de uma raça de porcos domésticos brasileiros"[71]

Fazendo a revisão final desse texto, percebi que há muitas e sorrateiras armadilhas no exercício da descrição. Estou certa de que me perdi em muitos dos atalhos que pretendi evitar. Por outro lado, também percorri alguns caminhos e fiz escolhas. Uma delas foi ter optado por um tipo de linguagem descritiva que explicitasse a própria dificuldade de produção de "perfis" que dessem conta de uma pseudo-"realidade" de "jovens", "negros" e "favelados". As histórias, memórias e cartografias de André, Jane, Maria, José e Lúcio apontam para a fragmentação desses rótulos. Assim seria impossível retirar deles um fio condutor que nos levasse a qualquer exercício de definição e tipologização.

Se a televisão oferece uma profusão de símbolos, imagens e informações incorporadas ao estilo e à imagem do funkeiro, o tráfico — a proximidade e a sociabilidade desenvolvida com muitos daqueles que dele participam — também oferece a sua parte com relação à sedução e à *contaminação da linguagem* exercidas pelo tráfico, de maneira alguma devem ser reduzidas ao fascínio do poder, da cocaína e da arma. Suponho que, em lugar de dádivas, o tráfico lhes proporcione dons, virtudes e poder.[72] Estes são utilizados muito mais como referenciais simbólicos (ligações perigosas com um poder que engloba todas as galeras) e estratégias de tornar mais perigosa, mais *sinistra* e mais poderosa a galera e seus integrantes. Cria-se, desta maneira, uma relação territorial e política do mesmo tipo da que é estabelecida entre as galeras e suas comunidades e bairros de origem. Todavia, é preciso se ater à especificidade da situação aqui narrada. O caso de Vigário Geral de forma alguma deve ser tomado como paradigma do que sejam as galeras compostas de jovens funkeiros, e, ao mesmo tempo o desenho que os jovens aqui focalizados fazem da cidade é produzido a partir de critérios fortemente subjetivos. Talvez devêssemos compará-los a jovens que compõem outros grupos de amigos oriundos de outras favelas também estigmatizadas. Ou, ao contrário, entender que o circuito de perambulação e lazer privilegiados pelas galeras é um campo entrecortado de tendências variadas em torno da incorporação de símbolos — sejam eles *criminais, religiosos* (ver a forte penetração de grupos evangélicos, entre eles a Igreja Universal do Reino de Deus, entre equipes e MCs do *mundo* funk) ou *musicais*.

135

É possível acreditarmos na existência de uma simetria entre uma lógica de organização e territorialização do tráfico dentro de uma *comunidade* e as "leis" que envolvem a aliança e a guerra entre as galeras funkeiras? Prefiro pensar que esse questionamento já demonstra a eficácia que se pretende nessas estratégias não-uniformes de filiação: implantar, sugerir e representar numa "escala juvenil", o que imaginam representar o que chamam *terror*. São muitas noções de território que estão em jogo e, em todos os sentidos, muitas ambigüidades perpassam qualquer tentativa de definição mais formal. A disputa de território, no caso do tráfico, estaria regida por estratégias de fixação de pontos ou bocas destinados ao comércio da droga. O território, nesse caso, constitui a anexação de mais uma fortaleza, inexpugnável ao acesso de outros grupos e da polícia, mas franqueada e acessível a um morador, seus familiares/amigos ou virtual ao comprador. Evidentemente, o *território comunitário* não se limita ao espaço da boca. Nem mesmo está circunscrito aos seus moradores/trabalhadores locais. Muitas vezes tem suas dimensões ampliadas para fora dos espaços físicos da favela/bairro/morro. É quando a comunidade reafirma suas redes de alianças políticas com outros setores da sociedade. Se, para o *movimento*,[73] estar na comunidade pode representar se fazer presente como "força" e "autoridade" únicas, para as *galeras*, a referência da *comunidade* traduz-se num emblema de reconhecimento. No caso da Galera de Vigário, e mais especificamente da Galera da Onze, embora internamente a representação do espaço seja fragmentada no sentido de fortalecer e distinguir determinados indivíduos que a compõem, é na referência-comunidade e na referência-favela que reside sua força e que se inscreve um certo emblema da sua presença. Ao contrário das estratégias que parecem ser perseguidas pelo tráfico, na conquista e fixação do comércio de drogas em algumas localidades, as galeras realizam essas "conquistas" na força física, nos embates travados nos bailes, mas também nas alianças firmadas com os "amigos sangue-bom". A aliança estabelecida com as "galeras amigas" e o seu duplo, a rivalidade com as "galeras alemãs", prescinde da apropriação física de territórios, mas não dos seus registros simbólicos. Ou seja, favelas/morro/comunidades/bailes se perpetuam como emblemas cujo enunciado se revela eficaz na medida em que aparecem conjugados a determinadas imagens que os próprios funkeiros constroem sobre estes mesmos territórios.

O exemplo da Galera de Vigário Geral poderia nos servir como ponto de partida para formularmos algumas perguntas acerca das possíveis relações entre estes dois planos: o poder e a fama da galera funkeira e o poder e a força do tráfico local. Durante a pesquisa, pôde-se perceber que a interferência de ambas na vida da comunidade é muito presente, e a relação entre elas, vista por alguns jovens que compõem a Galera da Onze, por vezes é dissimulada. Falei, anteriormente, da impossibilidade de certas imagens, categorias e representações expressas em jornais e notícias deixarem de pairar sobre as nossas cabeças. No caso, não só os pesquisadores pareciam estar envolvidos com esses pedaços de história, lugares e *personagens violentos* da cidade reificados pela imprensa, mas também os "informantes". Observar-se-ia, então, um mesmo tipo de lógica que permeia as páginas de jornais que fazem do tema violência o carro-chefe das suas linhas editoriais. A ausência de paradigmas externos e o confronto constante com histórias de vida de parentes e amigos relacionados à violência sugerem que a leitura desses periódicos seja, ela própria, uma co-produtora contínua e silenciosa do mesmo cenário. É interessante notar que por vezes são as categorias veiculadas nos jornais e mesmo adjetivos estigmatizantes aqueles incorporados à linguagem/código dos funkeiros. Através dessa leitura, o próprio funk, definido como uma "brincadeira" ou como lazer, transformava-se, quando o contexto era mais uma história envolvendo disputa em bailes e revanches, num sinal de perigo. As categorias estigmatizantes como "terror" e "sinistro", por exemplo, uma vez reapropriadas, seriam algumas das mais utilizadas. A própria noção de tempo ganha uma dimensão sempre contemporânea, reatualizada a cada baile, a cada revide. Recontar e lembrar cada briga entre galeras em bailes em pontos da cidade é dispor, lado a lado e de forma sincrônica, de um elenco de grupos amigos e inimigos e seus respectivos territórios. Nesse sentido, as filiações são sobremaneira ressaltadas.

Visto através de uma outra perspectiva, a dos prováveis protagonistas, esse vínculo foi fortemente relativizado. Principalmente quando a abordagem desses assuntos aparecia relacionada aos bailes e às galeras funkeiras. As brigas entre *galeras*, as escolhas dos bailes e territórios seguros para o funkeiro de Vigário *boiar* eram descritas como uma microguerra, análoga à guerra do tráfico; outras vezes, a preferência pelos bailes de briga exemplificavam exatamente o inverso, as fronteiras da própria guerra. A disputa era setorizada,

relacionada a certas galeras, a certos *alemães*, a certos bailes, pontos e lugares. Falar da Galera da Onze, nesse sentido, era relacionar troféus, histórias
de brigas entre galeras amigas e *alemãs*. A narrativa analógica era construída
em meio a expressões tomadas de empréstimo do jargão policial. Ao mesmo
tempo, pode ser tomada como um discurso sobre o funk *sem violência*, quando as conversas giravam em torno de aspectos biográficos, do gosto, dos
hábitos de lazer relacionados a vínculos de vizinhança, de afinidades e de
namoros. Sobretudo quando se insistia que o funk não deveria ser percebido
como emblema, mas como estilo e gosto.

Dessa maneira nos foi possível desconstruir a imagem do funkeiro, tão
aliada a um quase-estigma criminal, ao retirar-lhe a proeminência no cenário. Evidentemente é impossível falar da guerra sem que se fale das alianças. E, talvez nesse ponto, no seu reverso, possamos encontrar pistas para
pensarmos algumas das conexões entre noções de território, sociabilidade,
cor e violência. Pistas que, no entanto, já foram sugeridas: a necessidade
de descriminalizar o olhar, de suspeitar das imagens produzidas pela mídia
aliada à constatação do seu poder de reprodução e as inúmeras inter-
penetrações discursivas encobertas pelo rótulo "violência". Mais ainda, a
uma subliminar contaminação das classificações sociais, e, entre elas, as que
são construídas a partir da descrição da cor e da aparência nas narrativas
referentes à violência e às suas causas. Se, por um lado, podemos encontrar, de maneira mais presente, referências à cor no que poderíamos chamar de "discurso de vitimização", o seu silêncio, em outros contextos
dialógicos, não denota necessariamente sua ausência ou inexpressividade.
Ela estará condicionada a outras interferências, personagens, contextos e
cenários nos quais seja importante sua enunciação, marcando e produzindo diferenças. Chamo a atenção para a freqüência com que histórias envolvendo tais "discursos de vitimização" são consideradas justamente nos
momentos em que referências à cor aparecem. Dito de outra forma, se "no
funk tem gente de toda cor", como procuraram realçar quase todos os
entrevistados, quando o funkeiro é vítima de algum tipo de perseguição,
os vitimizados são "quase tudo da cor".

Como uma outra "interferência" nessas formas de adscrição e representações sobre cor, violência e território, acrescentaria, como um recurso no
sentido de entender como se operam entre alguns jovens da galera funkeira
de Vigário Geral, que a noção de território, como código de reconhecimen-

to individual ou de um grupo de pessoas, poderia ser pensada como uma reelaboração do estigma espacial. A galera é o sinal de uma presença juvenil, que se autovaloriza através dos códigos de que dispõe. Ao contrário das visões mais "tradicionais" do favelado, que devem necessariamente romper com o estigma do local onde mora, o funkeiro reincorpora a marginalização e o estigma como linguagem no *rap*, nas gírias e códigos que evocam codinomes de guerra: sangue-bom, alemão, terror, sinistro, do mal, abalar etc.

Hermano Vianna não identificara entre seus informantes qualquer representação étnica, seja do funkeiro, seja do funk. Ao contrário, o funk era então visto com expressão desterritorializada e ausente de ideologias. De certa forma, ainda o é, embora muita coisa tenha mudado em termos das linguagens que passa a incorporar. De toda maneira, é preciso voltar às dimensões subjetivas, a partir das quais, de fato, emergem formas variadas de auto-representação. Só recentemente ouvem-se expressões (assim mesmo para designar grupos musicais) como "Movimento Funk". É de dispersão que se fala e, em vez da cor, é o território que aglutina, identifica e concede emblemas: *massa funkeira* e *mundo funk* são as expressões correntes. Especialmente nas músicas, esse "orgulho" e valorização do que externamente é visto como estigma pode ser observado. Nunca, nas rádios, a geografia da cidade conseguiu ser tão ampliada e lembrada como agora vem sendo feito através da entrada de jovens funkeiros, os MCs locais que, como o "puxador do samba-enredo", saúdam sua escola antes do desfile. A auto-imagem a partir de étnicas, por sua vez, permanece em planos mais subjetivos, mas que entre os entrevistados de Vigário Geral foi construída em situações de impasse e violência. Como hipótese poderíamos nos perguntar se essa relação, em parte, não seria um reflexo ou uma releitura da exclusão pelo discurso do "outro". Talvez. Porém, me parece ser um mecanismo cuja potencialidade "didática" é bastante perversa, na medida em que as vítimas — os amigos "sangue bom" — são adolescentes, cuja memória instiga à vingança, à consciência de que o contato com o crime/marginalidade é uma espécie de marca, essencialmente danosa e indelével. Todavia, a proximidade e a inversão da ordem, que fazem dos "contextos" protetores e heróis, que tudo vêem e que tudo sabem, só indicam uma saída, a saída da favela, do bairro ou do morro. Perambular, circular, passear, zoar são atividades que exigem escolhas e um realinhamento de novas afinidades.

Maria, André, Jane, Lúcio e José registraram de forma dessemelhante suas experiências em torno do baile, da dificuldade e do prazer do funk e, de forma menos incidente, dos lugares onde são desvalorizados por causa da sua cor. Jane falava em aventura; José, em "vida sinistra"; e Maria (saudosa) se sentia velha para viver assim, tão perigosamente. Lúcio queria se profissionalizar. André, no seu barco imaginário, remava. Quando nos falava das dificuldades de não ser visto como um "bicho", forma pela qual achava que era olhado pelos seguranças de *shoppings* e "alguns pessoal da Zona Sul", ficava pensativo. André tinha dúvidas, às vezes, suspeitas. André duvidava, por exemplo, que pudesse haver bichos dentro da favela.

> Às vezes a gente ficava de madrugada assim. Não tinha nada pra fazer; aí, acendia a fogueira e ficava assim de madrugada falando esses bagulhos sinistros. Aí, um contava uma história mais sacana do que a outra. Um dia a gente tava lá e um moleque contou a história de um porco, aqueles javalis, aqueles porcos que têm um dentão assim. Ele disse que tinha um porco desse aqui na favela. Eu disse é mentira, como é que ia ter um javali aqui...

André, talvez sem saber, pontuou de modo muito elucidativo nossa conversa. O seu barco imaginário, onde é imperativo remar, capitaneia por águas nada calmas. Não é à toa que, de vez em quando, pega um bonde e vai à praia.

Notas

1. Este texto é parte do relatório final da pesquisa "Juventude, Território e Etnicidade", desenvolvida durante 1994 e 1995 como pesquisadora-visitante do Programa Raça e Etnicidade — Rockefeller Foundation/IFCS-UFRJ. Gostaria de agradecer a Claudia B. Rezende, Peter Fry, Yvonne Maggie, Guy Massart e Verena Stolcke, pelas críticas e sugestões à primeira versão deste texto.

2. Verbete "Carioca", in Ferreira, p. 283, 1975.

3. Durante o trabalho de campo no qual coletei grande parte do material aqui analisado, contei com a ajuda de dois auxiliares de pesquisa: Sérgio Duarte e José Renato P. Fontes. A realização de entrevistas e a observação e descrição de eventos, que foi com eles repartida, resultaram na etnografia de duas regiões distintas: a Praia do Arpoador e a favela de Vigário Geral. Os integrantes do Grupo Cultural Afro Reggae foram fundamentais em todo o contexto da pesquisa. Sem a presença, a amizade e a paciência de Vera Lúcia da Silva, da Casa da Paz, este trabalho não teria sido possível. A eles, o meu agradecimento. Sem desempenhar nenhum papel específico na estória que resolvi rascunhar, mas certamente um dos personagens mais importantes não apenas de Vigário Geral como também de mídia naquele momento, Caio Ferraz foi um interlocutor amigo e fundamental durante toda a pesquisa. Agradeço a Caio e sua família, na ocasião já "banida" das terras de Vigário, a generosidade, a paciência e o desejo de partilhar um mesmo olhar.

4. "Marés da Violência". *Jornal do Brasil*, p. 7, 27/11/1984.

5. A palavra "galera" é usada de formas variadas por grupos de jovens de diferentes classes sociais, segmentos etários e de gênero para se referirem à formação dos grupos de afinidade. Mobilizado por diferentes formas de afinidades, muitas vezes eventuais, as "galeras" são formadas, desfeitas, desmobilizadas e seccionadas resultando em outras "galeras virtuais", nem sempre opostas. Não há prescrições rígidas para pertencer a uma "galera". Ao contrário, "estar junto" equivale a "fazer parte". Um dos sentidos principais de seu uso indica deslocamento e movimento: a "galera" vai, encontra-se, foge, volta, junta-se, forma-se etc. Embora existam diferenças e marcadores locais que distingam a formação desses grupos de afinidade, seu uso neste texto refere-se à sua apropriação por parte de grupos de jovens que freqüentam os

chamados "bailes funk". Para uma visão mais ampla sobre espaços de afinidade e sociabilidade entre grupos juvenis na cidade do Rio de Janeiro, ver Herschmann, 1997 (org.); Vianna Jr., 1988 e 1997.

6. Esses termos, embora "nativos", são insuficientes para dar conta da diversidade de identidades sociais relacionadas aos locais de moradia. Todavia, são os mais comumente usados para sinalizar supostas diferenças entre aqueles que habitam as várias regiões da cidade.

7. Contando com recursos próprios, o comerciário João Melo publicaria seu *Memórias de um farofeiro* (1993), no qual conta suas "aventuras" nas areias da Praia de Ipanema. Sobre o "ato de repúdio", que contou com a participação de estudantes da Universidade Federal do Rio de Janeiro e grupos de teatro popular da Baixada Fluminense, ver "Farofeiro faz festa-protesto". *Jornal do Brasil*, p. 8, 11/11/1984.

8. Palavra depreciativa utilizada para referir-se às pessoas que, por morarem longe ou serem "de fora", precisam levar alimentos para a praia. A alusão à "farofa" — comida feita de "farinha de mandioca" e muito popular na culinária da região Nordeste do país — implica uma diferenciação não só cultural mas também de classe desse tipo de consumo.

9. Inaugurada no dia 4 de agosto, a linha 460, São Cristóvão-Leblon, "ultrapassou a expectativa dos técnicos, elevando o movimento dos passageiros de 1 mil, no primeiro dia, para 18 mil duas semanas depois". *Jornal do Brasil*, 15/10/1984, p. 5. Na mesma página encontramos a primeira referência, não menos preconceituosa, às alterações ocorridas na praia por causa do aumento do número de banhistas: "No posto 9, ontem, muitos grupos fizeram piqueniques com galinha assada, macarrão e muita farofa. Os ambulantes reclamavam dos 'farofeiros', que não dão lucro a ninguém." "Ligação pelo túnel facilita o acesso à praia." *Ibidem*, p. 5.

10. "Nuvens suburbanas sob o sol de Ipanema." *Jornal do Brasil*, Caderno B, p. 1, 4/11/1984.

11. A propósito, ver "Polícia prevê verão violento" e "PM espera conflitos em praias lotadas". *Jornal do Brasil*, p. 8 e 1, 11/11/1984. A relação entre as condições do tempo, o aumento do número de banhistas nas praias e a possibilidade de ocorrência de "problemas" foi também reproduzida em matérias do *Jornal do Brasil* num tom pretensamente irônico. De um lado, o 19º BPM previa que "neste verão o problema mais sério, nas praias, será o confronto de grupos e que crescerão os conflitos na disputa pelo espaço na areia [...]"; de outro, a meteorologia agradava aos banhistas com falhas na previsão do tempo: "O sol de primavera, escondido há dois fins de semana, pegou de surpresa muita gente e as praias não chegaram a lotar. Em tom de brincadeira, muitos banhistas torciam para a meteorologia continuar prevendo tempo nublado com chuvas.", in "Previsão falha e praia anima". *Ibidem*, p. 19.

12. Sobre a noção de território e as práticas de territorialização, ver Guattari & Rolnik (1987).

13. "Rio de Janeiro, 1993: a tríplice ferida simbólica e a desordem como espetáculo", in Soares, p. 246, 1996.

14. O estudo de Vincent Crapanzano inspira este e outros recentes trabalhos sobre as representações em torno das noções de "diferença" e "mistura" no Rio de Janeiro. Seguindo algumas trilhas e "atalhos" dessa discussão, faço coro às indagações (e provocações) de Hélio R. S. Silva: "Quem fará a sociologia da categoria 'morador' na Cidade de São Sebastião do Rio de Janeiro? Quem fará a etnografia do branco carioca classe média Zona Sul, praiano, cinéfilo e freqüentador do McDonald's? We are waiting." Ver "O Menino, o medo e o professor Saarbrucken", in: Velho & Alvito (orgs.), p. 37, 1996; Crapanzano, 1986 e neste volume. Para uma outra "resposta" a questionamentos semelhantes, ver o texto de John Norvell nesta coletânea: "A brancura incômoda da classe média carioca...".

15. "Uma nova forma de agir dos chamados 'ratos de praia' já ganhou até um apelido da repressão: é o *Arrastão*. São grupos de seis a oito pivetes (segundo a Polícia Civil) ou oito a dez (segundo a Polícia Militar) que de três semanas para cá vêm agindo no calçadão da Praia do Arpoador ao Leblon. Eles caminham juntos e rápido e vão furtando os valores dos banhistas, passando de um para o outro e desaparecendo em seguida, infiltrados na multidão." Ver "*Arrastão* é nova forma de roubo". *Jornal do Brasil*, p. 8, 11/11/1984.

16. Vale a pena notar que regiões de praia situadas em áreas desvalorizadas da cidade e que a cada verão recebem uma enormidade de banhistas oriundos de bairros do "subúrbio" ou da Baixada Fluminense não foram arroladas nas páginas jornalísticas como palco para virtuais arrastões. O que me sugere pensar a praia como palco simbolicamente relevante, devido às várias representações que tem no imaginário social da cidade, dentro de um contexto/cenário mais amplo de fragmentação e valorização de determinados "territórios urbanos".

17. *Jornal do Brasil*, p. 8, 11/11/1984.

18. Ver Melo, p. 44, 1993.

19. Para uma crítica à visão dualista da cidade, ver Carvalho, 1994.

20. Ver Champagne, Patrick, 1992, e Bourdieu, 1992.

21. Grande parte das entrevistas nas quais se pretende pôr em destaque expressões de "preconceito" e a "intolerância" mantém seus supostos autores incógnitos. Sobre a figura do "denunciador" e o papel da mídia, ver Boltanski, 1990.

22. Uma interessante análise que aloca o "*Arrastão*" ao lado das chacinas da Candelária e de Vigário Geral como "feridas simbólicas" da cidade é feita por Soares, p. 243-250, 1996.

23. Soares, 1993.

24. Essa unilateralidade do discurso também foi percebida por L. E. Soares (1993), com relação à criminalidade comparada a temas como inflação e as medidas econômicas.

25. O enfoque das desigualdades sociais e raciais através de um discurso patológico e criminalizante não é uma "invenção" brasileira. Löic Wacquant chamou a atenção para como o debate em torno dos "excluídos" e da *underclass* ganhou força nos cenários americano e europeu no início dos anos 90. Wacquant, 1978, 1993 e 1994. Verena Stolcke (1995) fez uma importante análise acerca da ubiqüidade das categorias "raça" e "diferença cultural" nas análises sobre pobreza e exclusão social no cenário europeu.

26. Neiva, 1991.

27. "O verão do Arrastão está chegando". *Jornal do Brasil*, 3/11/1991, p. 26. Outros registros dos suburbanos podem ser encontrados no mesmo lugar: "Só o IPTU continua chique", "O mar cada vez mais longe", "Era dos gatunos deixa saudades" (p. 26); "Arrastão, a hora do medo", "Para PM, culpa é de suburbano" e "Lições de um suburbano escaldado" (p. 27).

28. Como fato agravante a alterar os ânimos, em março do mesmo ano foi assassinada a jovem mãe Ângela Lopes Machado, ao proteger com o corpo a sua pequena filha durante um tiroteio em pleno Posto 9, em Ipanema. O assassino era um *menor*, preso algum tempo depois do crime.

29. "Confronto entre rivais". *Jornal do Brasil*, p. 12, 21/10/1992.

30. Entre estas destacamos as seguintes, todas publicadas no *Jornal do Brasil*: "Arrastões invadem orla da Zona Sul", "Arrastões fazem da orla praça de guerra", "Camelô compara a um maremoto" (19/10/92); "Prefeito controlará acesso à praia", "Hotéis prevêem queda", "Exército contra arrastões", "Pânico no paraíso", "Galeras funks criaram pânico nas praias", "Quadrilhas no comando", "Delegado quer pai com filho", "Medo esvazia praias no feriado" (20/10/92); "Moradores culpam linhas", "Ações de gangues vira manchete em Portugal", "Motoristas de ônibus ameaçam paralisação" (22/10/92); "Hospital faz esquema de emergência", "Apreensão entre os freqüentadores" (24/10/92); "Cartaz pede uso de porretes", "Arpoador vira QG da polícia" (25/10/92). Todas publicadas no *Jornal do Brasil*.

31. Na ocasião estavam disputando o segundo turno das eleições municipais Benedita da Silva e César Maia. Curiosamente, enquanto o Centro de Articulação das Populações Marginalizadas (Ceap) organizou protestos nos locais onde *blitzes* eram realizadas (*Jornal do Brasil*, 2/11/1992), a Secretaria Extraordinária de Defesa e Promoção das Populações Negras (Sedepron), através de uma carta assinada pela secretária Wanda Reis, isentava da classificação "racista" o procedimento da Polícia Militar do Estado, conforme fora denunciado pela imprensa: "[...] consideramos mal informada, na melhor das hipóteses, e muitas vezes hipócrita a atitude daqueles, que tendo estimulado na sociedade uma reação desproporcional à real magnitu-

de dos acontecimentos do dia 18 último, reduzindo o problema a um caso de polícia — na pior tradição do nosso conservadorismo —, posam agora de bons-moços, defensores dos pretos e dos suburbanos. Ora, como diz o coronel Jorge da Silva, subcomandante da Polícia e negro assumido, quem ensina o policial a ser racista não é a corporação, mas a sociedade". "Negros reclamam de discriminação". *O Dia*, 2/ 11/1992.

32. Yúdice, 1994.

33. Maia, p. 9, 1995.

34. O governador faz acusações a partir de um boato que então correu a cidade: os arrastões teriam sido produzidos pelas "forças contrárias" ao seu governo e à candidatura da vereadora Benedita da Silva. Os *slogans* de campanha da vereadora do PT caracterizavam-se pelo uso de fortes emblemas de "raça", classe e gênero. "Mulher, negra e favelada". Brizola, p. 11, 1992.

35. Tais imagens foram veiculadas sob o impacto do Massacre do Carandiru (episódio que resultou em 111 presos assassinados por policiais militares na Casa de Detenção de São Paulo, após uma rebelião). Entre outros, ver, por exemplo, Vianna, Luiz Werneck. "Caras-pintadas da periferia" *(JB*, 23/10/1992, p. 11.); Gonçalves, Marcos A. "A voz dos excluídos" *(Folha de S. Paulo*, 1/11/1992, caderno 6, p. 4.); Jabor, Arnaldo. "Brasil choca o 'ovo da jibóia'" *(Folha de S. Paulo*, 1/11/1992, caderno 6, p. 4.); e Zaluar, Alba. "Arrastão e cultura jovem". *(JB*, 30/10/1992, p. 11).

36. "Sob o impacto do Arrastão". *Jornal do Brasil*, 21/10/1992.

37. Hermano Vianna faz uma análise sobre o assédio da imprensa após o *Arrastão* e a curiosidade que se instaura acerca do funk. Ver "O funk como símbolo da violência carioca", in Velho e Alvito (orgs.), 1996.

38. Verbete "Carioca", in Ferreira, 1975.

39. "Cena Carioca". *Jornal do Brasil*, Caderno Cidade, p. 2, 2/11/1991.

40. A pesquisa realizada em Vigário Geral foi precedida por uma etnografia realizada no trecho da Praia de Ipanema conhecido como Arpoador, onde a observação e a freqüência em dias diferenciados da semana — no verão de 1995 — foram complementadas com entrevistas com diversos tipos de freqüentadores. As observações e entrevistas foram realizadas com o auxílio de Sérgio Duarte, então aluno do curso de ciências sociais do IFCS/UFRJ.

41. Grande parte dos prédios da orla de Ipanema, a avenida Vieira Souto, e entre eles principalmente os hotéis, contrata uma espécie de guarda privada — pequenos contingentes de homens armados não-uniformizados — para vigiar as imediações do quarteirão ou da calçada próxima aos edifícios. No caso dos hotéis, a "segurança" se estende até o trecho da praia em frente ao estabelecimento, de modo a garantir a "tranqüilidade" dos hóspedes e turistas. Não tenho como afirmar que essa prática tenha passado a ser freqüente ou tenha se iniciado após os eventos de 1992, contu-

do, nas entrevistas, era explícita a preocupação com a presença incomum da *praia dos fins de semana* ao lado de "medo de seqüestro" de moradores ricos e ilustres.

42. O uso da expressão "diferença" alude à sua utilização por grande parte dos entrevistados: a idéia de que a praia nos fins de semana era diferente da praia em dias de semana. Pensar minha própria inserção como "personagem" e "observadora" desse cenário não se reduziu a um recurso estilístico. Foi necessário fazê-lo para que pudesse repensar minhas próprias formas de "freqüência" nas praias como "moradora da cidade". Para uma análise interessante da necessidade de se empreender uma "depuração" de quaisquer referências à subjetividade no texto, ver Pratt (1986).

43. Velho, 1982 e 1986.

44. Sahlins, 1979, "La Pensée bourgeoise".

45. Como um recurso metodológico, resolvemos dividir o conjunto de pessoas entrevistadas na praia em dois grandes grupos, utilizando "categorias nativas". O primeiro é composto de *moradores*, categoria que engloba moradores do local e adjacências, desportistas e banhistas de freqüência habitual. O segundo grupo compõe-se de *trabalhadores*: porteiros, serventes, empregados domésticos e de condomínios, seguranças, motoristas particulares, policiais civis, policiais militares, camelôs, donos de quiosques e vendedores ambulantes. Estes, embora muitas vezes sejam moradores de áreas adjacentes à praia, lá estão na qualidade de *trabalhadores*. Sobre processos de segmentação espacial a partir de recortes como "classe" e "cor", ver Telles, 1992, e Oliveira, 1996.

46. A este respeito, ver Cross & Keith, 1993, e Feagin, 1991.

47. Barraqueiros são vendedores ambulantes que mantêm "pontos" em certas partes da areia da praia: lugares onde guardam mercadorias, vendem e alugam utensílios etc. Essa prática, embora formalmente proibida através de posturas municipais, ocorre abertamente em quase todas as praias da cidade. Em geral os "barraqueiros" são moradores de regiões mais pobres da Zona Sul, quase sempre perto das praias — como é o caso de algumas "favelas" —, os quais trabalham com a ajuda da família, pagando auxiliares e "vigias" (pessoas que pernoitam na praia) para "guardar" o ponto e a mercadoria.

48. Cunha, p. 38, 1995.

49. Ver McRobbie & Thornton (1995), Sanchez-Jankowski (1978) e Hagerdon (1991).

50. Fruto de um processo de reurbanização da orla marítima no fim dos anos 70, a construção de "postos" acabou se tornando uma espécie de *monumentalização* desses marcadores simbólicos. Anterior à construção de postos de Salvamar numerados em direção a determinadas ruas transversais da orla da cidade que vai da Praia do Leme à Praia do Leblon, a nomeação dos trechos da praia, embora já se referindo à "jurisdição" da atuação dos postos de salva-vidas, estava relacionada à proximidade a determinadas ruas mais valorizadas dos bairros. Assim, existiam determinados tre-

chos, nomeados e numerados como "posto x", mais conhecidos. Após a construção de tais *monumentos à diferença*, não só tais praias, mas também processos de reurbanização mais recentes acabaram por estender e consagrar a mesma nomenclatura. Este é o caso da Praia da Barra da Tijuca, já nos anos 90.

51. *Bocas* ou *bocas de fumo*: pontos de venda de drogas.

52. Não acredito na neutralidade desta posição, para muitos cômoda, de ser identificada exclusivamente como "pesquisadora" ou "antropóloga". Estava ali também com outras possíveis identidades: a de integrante do Grupo Cultural Afro Reggae, uma "mina amiga de fulano", ou mesmo "alguém da Casa da Paz". Cada uma dessas possíveis identidades implicou formas diferenciadas de relacionamento e visões sobre a favela e seus moradores.

53. Com o auxílio de integrantes do Grupo Cultural Afro Reggae (GCAR), que ali realizavam oficinas de dança e música com crianças e adolescentes, consegui meus primeiros contatos com jovens da comunidade. Esses contatos foram acompanhados por um assistente de pesquisa/mestrando em ciências sociais/integrante do GCAR, que ali era conhecido como um misto de jornalista e fotógrafo. Sempre que chegávamos a Vigário, um bando de (quase sempre) meninas vinha assediá-lo à procura de fotos que ele tirava nas apresentações dos integrantes das oficinas em eventos diversificados. A partir daí uma frágil rede de contatos e "indicações" foi se formando até que nós pudéssemos ter acesso a alguns integrantes de uma "galera de funkeiros": a Galera da Onze Unidos. Sobre o surgimento da Casa da Paz e o massacre de 21 trabalhadores moradores da favela em 1993, ver Ventura, 1984.

54. Sobre a distinção e apropriação do *rap* por parte de funkeiros e *rappers*, ver Herchsmann, 1997, e Souto, 1997. Embora já àquela época tenha se tornado uma categoria demonizada por parte da mídia e organismos de segurança pública, a palavra "funkeiro" como referência aos freqüentadores de baile funk foi utilizada por muitos dos jovens com quem conversei em Vigário Geral. Para uma história do funk como um estilo de sociabilidade e lazer na cidade, ver Vianna, 1988 e 1997.

55. Ver "Policiais são suspeitos do massacre de Olaria". *Jornal do Brasil*, p. 10, 5/7/1993,

56. Em outros textos, faço uma análise sobre o lugar da violência no cotidiano de jovens freqüentadores de bailes funk, fazendo referência ao personagem *Jack o Matador*. Ver Cunha, 1996 e 1997.

57. Auler, 1993.

58. A bibliografia e as interpretações sobre a questão são vastas. Gostaria de citar apenas alguns trabalhos mais recentes, que, têm chamado a atenção para a pluralidade de significados atribuídos à *cor* no Brasil: Sheriff, 2000, Pacheco, 1987; Maggie, 1991; Fry, 1996, Goldstein 1999, Telles 1995.

59. Os chamados "bailes de comunidade" são aqueles, em geral gratuitos, realizados em

quadras, clubes e terrenos dentro das favelas ou bairros populares. Distinguem-se, portanto, dos "bailes de clube", pagos, realizados em clubes ou lugares privativos e, quase sempre, distantes do local de moradia.

60. A promoção de bailes e os concursos envolvem muita gente, dinheiro e organização. Sobre a produção dos bailes, ver Vianna, 1988 e 1997; Ribeiro, 1996.

61. A bibliografia antropológica sobre os usos e significados atribuídos à idéia de *honra* atrelada a códigos de masculinidade é extensa. Gostaria de ressaltar sua utilização em estudos recentes, que têm analisado as redes de sociabilidade e clientelismo que conectam tráfico de drogas e as favelas no Rio de Janeiro. Além dos trabalhos pioneiros de Alba Zaluar — entre eles *A máquina e a revolta*, 1985, e *Condomínio do Diabo*, 1994 —, temos as excelentes etnografias de Marcos Alvito: "A honra de Acari" (1996), e "Um bicho-de-sete-cabeças" (1998); e de Clara Mafra, "Drogas e símbolos: redes de solidariedade em contextos de violência"(1998).

62. Embora nenhuma dessas categorias tenha qualquer significado "racial" — referem-se a *status*, "aparência", local de moradia e poder aquisitivo —, foram as mais citadas quando se tratou de descrever o tratamento dispensado aos "pobres" e "moradores das favelas". Penso aqui nas formulações de Peter Wade quanto às filiações da idéia de *fenótipo*, as quais, em vez de se oporem à raça, são seu corolário. Ver Wade, 1991. Quanto à idéia de "aparência", penso na possibilidade de o seu significado estar ligado a uma estratégia particular de descrição e referência. A respeito, ver os artigos de Robin Sherrif nesta coletânea; Fry, 1996; e Seyferth, 1995.

63. Burdick. 1998.

64. Sobre a produção de "estilos juvenis" e sua interface com recortes geracionais e étnicos, ver Rose, 1996.

65. Seja nas instituições policiais e judiciárias, na escola ou no mercado de trabalho formal, há muito ceticismo em relação ao "futuro" e à possibilidade de conjugar "lazer" e "trabalho". A plenitude significaria poder trabalhar e continuar mantendo suas escolhas em torno de um "estilo funkeiro". Como tal conjugação é impossível na grande maioria dos empregos disponíveis para o baixíssimo nível de formação profissional que têm, optam inevitavelmente por alternativas de remuneração de tipo informal. Muitos já trabalharam como entregadores de panfleto, ajudantes em oficinas mecânicas, empregadas domésticas e camelôs. Desta forma, como num círculo vicioso, a marginalização na exclusão do mercado de trabalho formal é o primeiro passo em direção à extrema vulnerabilidade destes jovens frente a formas de repressão legais ou ilegais. Nota-se que, se comparados a grupos geracionais semelhantes mas oriundos das camadas médias, essa premência do vínculo com o "trabalho" não se mostra de forma imperativa. Outrossim, é a permanência dos segundos dentro das escolas e a extensão da formação educacional a outras áreas que são os sinais de "integração", "autovalorização" e distância do ócio e da marginalidade. Para uma

comparação com o universo juvenil das camadas médias no Rio de Janeiro, ver Rezende (1989), Fiúza (1989) e Heilborn (1990).

66. Segundo um dos coordenadores do Projeto, seu principal objetivo foi o de dispersar a presença maciça e conflituosa de "galeras rivais" em bailes de clube (por ele chamados de "bailes de embate") e estimular a produção dos "bailes de comunidade". Sua principal estratégia era dotar de recursos bailes comunitários (muitas vezes financiados pelo tráfico local), através do estímulo da autoprodução — pelos próprios funkeiros em contato direto com as equipes. O Projeto foi interrompido sem ter cumprido em muitas comunidades etapas importantes que foram parcialmente desenvolvidas em Vigário Geral, como por exemplo, as "Oficinas de DJ". Ao reforçar os bailes comunitários, a coordenação do Rio Funk imaginava interromper o poder do tráfico e a "periculosidade" do baile, e ao mesmo tempo "neutralizar" a violência nos clubes.

67. Meu companheiro de pesquisa, José Renato, à época, era um dos integrantes do Grupo Cultural Afro Reggae, que na ocasião iniciava uma série de projetos em Vigário Geral. O trabalho de campo e a convivência diária com militantes do Grupo Cultural Afro Reggae me permitiram produzir um texto distinto, no qual trato das relações entre o grupo e outros segmentos dos movimentos negros. Ver Cunha (1998).

68. Ver, respectivamente, Taussig, 1989 e 1993, e Coronil e Skurski, 1991.

69. Sobre as representações do "ócio" e o "não fazer nada" entre a juventude, ver o pioneiro trabalho de Corrigan, 1976.

70. Essa "história", evidentemente, comportou várias versões, entre elas a descrita pelo jornalista Zuenir Ventura em seu *Cidade partida*, 1994.

71. Verbete "Carioca", in Ferreira, 1975.

72. Ver, entre os vários trabalhos de Alba Zaluar, *Condomínio do Diabo*.

73. Um dos vários termos que aludem à presença do tráfico de drogas em algumas regiões da cidade.

Referências bibliográficas

ALVITO, Marcos. "A honra de Acari". In VELHO, Gilberto; ALVITO, Marcos (orgs.). *Cidadania e Violência*. Rio de Janeiro: Editora UFRJ/Editora FGV, 1996.

————. "Um bicho-de-sete-cabeças". In ALVITO, M.; ZALUAR. A. *Um Século de Favela*. Rio de Janeiro: Fundação Getúlio Vargas, p. 181-208, 1998.

AULER, Marcelo. "O sangue dos inocentes". *Veja*, São Paulo, 14 de julho, p. 40-42, 1993.

BOLTANSKI, Luc. *L'Amour et la Justice Comme Compétences*. Paris: Éditions Métaillé, 1990.

BOURDIEU, Pierre. "L'Emprise du Jornalisme". *Actes de La Recherche en Sciences Sociales*, n. 21, 1992.

BRIZOLA, Leonel. "Arrastão: os ovos da serpente". *Jornal do Brasil*, p. 11, 22/10/1992.

BURDICK, John. *Blessed Anastácia*: women, race, and popular Nova York: Routledge, 1998.

CARVALHO, Maria Alice Rezende. *Quatro Vezes Cidade*. Rio de Janeiro: Sette Letras, 1994.

CHAMPAGNE, Patrick. "La construction médiatique des 'malaises sociaux'". *Actes de La Recherche en Sciences Sociales*, n. 21, 1992.

CORONIL, Fernando; SKURSKI, Julie. "Dismembering and remembering the nation: the semantics of political violence". *Comparative Studies in Society and History*, n. 2, p. 288-337, 1991.

CORRIGAN, P. "Doing nothing". In Hall, S. et al. (eds.) *Resistance Through Rituals*. Youth subcultures in Post-War Britain. Londres: Hutchinson, p. 103-5, 1976.

CRAPANZANO, V. *Waiting*: the white of South Africa. Nova York: Vintage Books, 1986.

————. "Estilos de Interpretação e Retórica das Categorias Sociais. Neste volume.

CROSS, Malcom; KEITH, Michael (eds.). *Racism, the City and the State*. Londres e Nova York: Routledge, 1993.

CUNHA, Olívia M. G. "Black movements and identity politics". In ESCOBAR, A; DANIGNO, E.; ALVAREZ, S. (eds.). *Culture of Politics/Politics of Cultures*: revisioning Latin American Social Movements. Westview, p. 220-251, 1998.

————. *Bonde do Mal* — relatório de pesquisa. Rio de Janeiro, maio, p. 38. Mimeografado, 1995.

————. "Cinco vezes favela — uma reflexão". In Velho, Gilberto; Alvito, Marcos (orgs.). *Cidadania e Violência*. Rio de Janeiro: Editora UFRJ/Editora FGV, 1996.

————. "Conversando com Ice-T: violência e criminalização do funk." In HERSCHMANN, Micael (org.). *Abalando os Anos 90 — funk e hip hop*: globalização, violência e estilo cultural. Rio de Janeiro: Rocco, 1997.

FEAGIN, Joe R. "The continuing significance of race: antiblack discrimination in public places". *American Sociological Review*, ano 56, 1, p.101-116, 1991.

FERREIRA, Aurélio Buarque de Hollanda. *Novo Dicionário da Língua Portuguesa*. 1. ed. Rio de Janeiro: Nova Fronteira, 1975.

FIÚZA, Silvia R. de A. "Moralidade e sociabilidade: contribuição para uma antropologia da juventude". Tese de doutorado. Rio de Janeiro: PPGAS/UFRJ, 1989.

FRY, Peter. "O que a cinderela negra tem a dizer sobre a 'política racial' no Brasil". *Revista da USP*, p.122-134, 1996.

GOLDSTEIN, Donna. "'Interracial' Sex and Racial Democracy Brazil: Twin Concepts?" *American Antropologist* 101, n.º 3, p. 563-78, 1999.

GONÇALVES, Marcos A. "A voz dos excluídos". *Folha de São Paulo*, 1 de novembro, cad. 6 p. 4, 1992.

GUATTARI, Félix & ROLNIK, Sneli. *Micropolítica: cartografias do desejo*. 2.ª ed. Petrópolis, Vozes, 1987.

HAGERDON, John. "Gangs neighborthoods, and public policy". *Social Problems*, 38(4), p. 529-540, 1991.

HEILBORN, M. L. *Conversa de Portão:* juventude e sociabilidade num subúrbio carioca. Dissertação de Mestrado. Rio de Janeiro, PPGAS/Museu Nacional/UFRJ, 1987.

HERSCHMANN, Micael (org.) *Abalando os Anos 90 — funk e hip hop*: globalização, violência e estilo cultural. Rio de Janeiro: Rocco, 1997.

JABOR, Arnaldo. "Brasil choca o 'ovo da jibóia'". *Folha de São Paulo*, 1 de novembro, cad. 6, p. 4, 1992.

MAFRA, Clara. "Drogas e símbolos: redes de solidariedade em contextos de violência". In ALVITO, M.; ZALUAR, A. *Um Século de Favela*. Rio de Janeiro: Fundação Getúlio Vargas, p. 277-298, 1998.

MAGGIE, Yvonne. "A ilusão do concreto: análise do sistema de classificação racial no Brasil". Rio de Janeiro, Tese para o concurso de titular. IFCS/UFRJ, 1991.

MAIA, César. "Os dois Rios". *Jornal do Brasil*, p. 9, 28/4/1995.

MCROBBIE, A & THORNTON, Sarah. "Rethinking moral panics for multidimediated social worlds. *The British Journal of Sociology*, 46(4), p. 559-74, 1995.

MELO, João Batista de. *As Memórias de um João Ninguém — o farofeiro de Ipanema* Rio de Janeiro: Edição do Autor, 1993.

NEIVA, Graça. "A divisão do bolo que Delfim não fez". *Jornal do Brasil*, p. 26, 3/11/1991.

OLIVEIRA, Santos. "Favelas and guettos: race and class in Rio de Janeiro and New York City". *Latin American Perspectives*, ano 23, n. 4, p. 71-90, 1996.

PACHECO, Moema de Poli Teixeira. "A questão da cor nas relações de um grupo de baixa renda". *Estudos Afro-Asiáticos*, n. 14, p. 85-98, 1987.

PERLONGHER, Nestor. Territórios Marginais. Rio de Janeiro, CIEC (Papéis Avulsos, 6), 1989.

PRATT, Mary Louise. "Fieldwork in Common Places". in: James Clifford e George Marcus (orgs.) *Writing Culture*: the poetics and politics of Etnography. Berkeley: University of California Press, p. 27-50, 1986.

REZENDE, Claudia Barcellos. "Nos embalos de sábado à noite; juventude e sociabilidade em camadas médias cariocas". Rio de Janeiro: PPGAS/Museu Nacional, Dissertação de Mestrado, 1989.

RIBEIRO, Manoel. "FunkRio: vilão ou big business". *Revista do Patrimônio Histórico e Artístico Nacional*, n. 24, 1996.

ROSE, Tricia. "A style nobody can deal with: politics, style, and the post industrial city in hip hop". In GORDON, A. F.; NEWFIELD, C. (eds.). *Mapping Multiculturalism*. Minneapolis: University of Minnesota Press, 1996.

SAHLINS, Marshall. *Cultura e Razão Prática*. Rio de Janeiro: Zahar, 1979.

SANCHEZ-JANKOWSKI, Martin. "Les gangs et la Presse: la production d'un mythe national". *Actes de la Recherche en Sciences Sociales*, 19, p. 101-117, 1978.

SANSONE, Lívio. *Cor, Classe e Modernidade em Duas Áreas da Bahia*. Salvador: CRH/ UFBA (Séries Toques, 6), 1992.

————. "Pai preto, filho negro. Trabalho, cor e diferenças de geração". *Estudos Afro-Asiáticos*, n. 25, p. 73-98, 1993.

SEYFERTH, G. "A invenção da raça e o poder discricionário dos estereótipos". *Anuário Antropológico*, n. 93, p. 175-203, 1995.

SHERIFF, Robin. "Como os senhores chamavam os escravos: discursos sobre cor, raça e racismo num morro carioca." Nesta Coletânea.

————. "Exposing Silence as Cultural Censoship: a Brazilian Case". *American Anthropologist*, 102, n.º 1, p. 114-32, 2000.

SILVA, Hélio R. S. "O menino, o medo e o professor Soarbrucken". in: Gilberto Velho e Marcos Alvito (orgs.). *Cidadania e Violência*. Rio de Janeiro, Editora da UFRJ/ Editora da FGV, p. 25-47, 1996.

SOARES, Luiz Eduardo *et al*. *Violência e Política no Rio de Janeiro*. Rio de Janeiro: Relume Dumará/ISER, 1996.

————. *Criminalidade Urbana e Violência*: o Rio de Janeiro no contexto internacional. Rio de Janeiro: Núcleo de Pesquisa/Iser, 1993.

SOUTO, Jane. 1997. "Os outros lados do funk carioca". In VIANNA, Hermano. *Galeras Cariocas*: território de conflitos e encontros culturais. Rio de Janeiro: Editora UFRJ, p. 59-94, 1997.

STOLCKE, Verena. "Talking culture; new boundaries, new rhetorics of exclusion in Europe". *Current Anthropology*, ano 36, n. 1, p. 1-24, 1995.

TAUSSIG, Michael. "Terror as usual". *Social Text*, outono-inverno, 1989, p. 3-20.

—————. *Xamanismo, Colonialismo e o Homem Selvagem*: um estudo sobre o terror e a cura. São Paulo: Paz e Terra, 1993.

TELLES, E. "Residential segregation by skin color in Brazil". *American Sociological Review*, n. 57, p. 186-197, 1992.

—————. "Who are the morenas?" *Social Forces*, n. 14, 1995, p. 1.611-1.615.

VELHO, Gilberto. *A Utopia Urbana*: um estudo de antropologia social. Rio de Janeiro: Zahar, 1982.

—————. *Subjetividade e Sociedade*: uma experiência de geração. Rio de Janeiro: Zahar, 1986.

VELHO, Gilberto; ALVITO, Marcos (orgs.). *Cidadania e Violência*. Rio de Janeiro: Editora UFRJ/Editora FGV, 1996.

VENTURA, Zuenir. *A Cidade Partida*. São Paulo: Companhia das Letras, 1984.

VIANNA, Luiz Werneck. "Caras-pintadas da periferia". *Jornal do Brasil*, p. 11, 23 de outubro de 1992.

VIANNA JR., Hermano. "O funk como símbolo da violência carioca". in: Gilberto Velho & Marcos Alvito (ors.) *Cidadania e Violência*. Rio de Janeiro, Editora da UFRJ/ Editora da FGV, p. 178-187, 1996.

—————. *O Mundo Funk Carioca*. Rio de Janeiro: Jorge Zahar Editor, 1988.

—————. *Galeras Cariocas*: território de conflitos e encontros culturais. Rio de Janeiro: Editora UFRJ, 1997.

WACQUANT, Loïc J. "Le Gang comme predacteur collectif". *Actes de La Recherche en Sciences Sociales*, n. 19, p. 88-100, 1978.

—————. "Désordre dans la ville". *Actes de La Recherche en Sciences Sociales*, n. 99, p. 79-82, sept. 1993.

—————. "O retorno do recalcado. Violência urbana, 'raça' e dualização em três sociedades avançadas". *Revista Brasileira de Ciências Sociais*, ano 9, n. 24, p. 16-29, 1994.

WADE, Peter. "Race, nature and culture". *Man*, n. 28, p. 17-34, 1991.

YÚDICE, George. "The funkification of Rio". In Ross, A.; Rose, T. (eds). *Microphone Friends*: youth music and youth culture. Londres e Nova York: Routledge, 1994.

ZALUAR, Alba. *A Máquina e a Revolta*. São Paulo: Brasiliense, 1985.

—————. "Arrastão e cultura jovem". *Jornal do Brasil*, 30 de outubro, p. 11, 1992.

—————. *Condomínio do Diabo*. Rio de Janeiro: Editora UFRJ/Revan, 1994.

Não-trabalho, consumo e identidade negra: uma comparação entre Rio e Salvador[1]

Livio Sansone

O cenário da realidade metropolitana no Brasil de hoje caracteriza-se por dois macrofenômenos interligados, que representam tanto novas tendências quanto novos olhares: uma ulterior flexibilidade do mercado de trabalho, com a criação de nova segmentação entre trabalhadores "garantidos" e um crescente número de trabalhadores "não-garantidos", e a globalização dos mercados e das culturas. Como conseqüência surgem novas diferenciações, novos excluídos, novas alteridades e novas formas de capital simbólico, que se refletem no tecido da cidade, modificando tanto o quadro de sua interpretação da cidade quanto os marcos dentro dos quais se articula a procura de soluções individuais e coletivas. Na realidade, muitas grandes cidades da América Latina, como Rio e Salvador, sempre possuíram características que vários autores consideram típicas da cidade "pós-moderna" (polivalente, pouco planejada, personalizada, anárquica, com pouco Estado e muito mercado). Estas metrópoles são o fruto do processo conjunto de hetero e homogeneização, e acabam produzindo mais homo e heterogeneização. Se estas grandes cidades funcionam como *transponder* (emissor e repetidor) da globalização dentro da própria região, os adolescentes e os jovens, entre 13 e 30 anos de idade, se enquadram na faixa etária mais sensível, curiosa e disposta a deixar-se globalizar e a tornar-se agente deste processo.

Os discursos, as formas culturais e os estilos de vida que esses jovens estão criando requerem esquemas de interpretação sutis; contudo, a interpretação oferecida pela mídia tende a ser sensacionalista e faz dos jovens, de forma preocupante, parte do seu "fazer notícia" sobre a cidade. Chega-se a uma situação que, sobretudo a respeito dos fenômenos espetaculares, relacionados à cor, à juventude, ao lazer, à música, à favela e, mais ainda, ao crime, é a mídia que "faz antropologia". Os pesquisadores confrontam-se com um universo de opiniões já quase saturado e acabam tendo a tarefa — edificante

— de descrever os fatos de forma mais sutil, mais atenta aos detalhes daqueles que falam mais baixo.

No presente trabalho proponho simplesmente um pequeno recorte desses fenômenos na cidade, registrando a variedade existente, a partir do estudo comparativo do cotidiano dos jovens negros-mestiços de classe baixa no Rio e em Salvador. Enfoco, prioritariamente, o processo de hetero e homogeneização no meio urbano contemporâneo, acelerado pela globalização que influencia a vivência da pobreza e as estratégias de sobrevivência dos grupos de baixa renda, nesses pedaços do Terceiro Mundo. A questão básica seria: de que maneira aqueles que recebem os novos símbolos globais os reinterpretam e manipulam a partir da condição de subalternidade potencial.

Primeiro, apresentarei o material coletado durante dois meses de pesquisa na favela carioca do Cantagalo (ou, simplesmente, Galo). Deixando-me inspirar pela tipologia proposta por Merton (1968, p. 203-230) para a descrição da adaptação individual ao desemprego e à pobreza relativa, criei, por motivos analíticos, alguns tipos ideais: conformista, inovador, ritualista, retraído e rebelde. Na descrição destes tipos, utilizei alguns temas-chave: trabalho e consumo, lazer e música, namoro e identidade negra. É oportuno salientar que, embora a maneira pela qual o narcotráfico influencie o dia-a-dia da comunidade tenha chamado minha atenção mais do que a violência como tal (até por ser menos visível e por ser, para mim, uma nova visão), é evidente que a vida da comunidade absolutamente não se reduz ao narcotráfico ou à violência. Afinal, de forma ainda impressionista, comparei os dados da pesquisa no Cantagalo com os resultados das minhas pesquisas mais aprofundadas em duas comunidades da Região Metropolitana de Salvador (uma rua na Cidade Baixa e duas pequenas comunidades na cidade-satélite de Camaçari) (Sansone, 1992, 1993 e 1995).

DOIS MESES PESQUISANDO NUMA FAVELA CARIOCA

Há bastante tempo eu desejava realizar uma pesquisa no Rio de Janeiro pois, em muitas de minhas palestras, vários ouvintes questionavam minha tendência a generalizar conclusões sobre o cotidiano da cor em Salvador para o Brasil inteiro. Sobretudo, diziam esses interlocutores, o Recôncavo era por demais cordial, espontâneo, lúdico e até macio. No Rio a realidade era outra: mais dura e racialmente polarizada. Veremos...

Meu conhecimento sobre o Rio é limitado, tanto no tempo quanto no espaço. Antes de iniciar a pesquisa, conhecia apenas a Zona Sul, a parte "fina" da cidade; depois, durante dois meses, fui conhecendo a sua outra face, começando a me inteirar de alguns dos seus segredos. Toda comunidade tem os seus.

A Favela do Cantagalo localiza-se em Ipanema, como uma cárie entre dentes bonitos, entre a natureza (os morros) e os prédios. Como as demais favelas da Zona Sul expande-se por um espaço íngreme, pouco generoso, quase tocado pelos edifícios que a cercam. Como nas outras favelas dos morros cariocas, não se transita pelo Galo por acaso. Quem aí vai, procura alguém ou algo específico. São três os acessos à Favela do Cantagalo: a ladeira, a escada e o elevador do CIEP,[2] pelo qual qualquer pessoa, por necessidade ou simplesmente curiosidade (desde que esteja vestindo camisa), pode subir ou descer entre duas comunidades tão diferentes, porém em simbiose. O Galo confina com a comunidade do Pavão, com a qual divide alguns serviços: as creches, o CIEP, o Centro de Defesa da Cidadania, a quadra na qual se alternam bailes funk e ensaios da Escola de Samba Alegria da Zona Sul. O Cantagalo se distingue do Pavão e da famosa Favela da Rocinha por ser, segundo seus próprios moradores, uma comunidade mais velha e tipicamente "carioca". Os pais e avós da maioria dos entrevistados vieram do interior do Estado do Rio de Janeiro e de Minas Gerais, sendo, pois, menos habitada por "paraíbas".[3]

Difícil é dizer quantas pessoas moram no Cantagalo. Somente na parte chamada de Quebra contamos 150 famílias, 46 das quais moram em barracos de tábuas e/ou pau-a-pique. Para o presidente e o ex-presidente da Associação de Moradores deve haver em toda a comunidade de 1,5 mil a 2 mil residências, num total de 15 mil a 20 mil pessoas. A minha estimativa é de cerca de 10 mil moradores.

O Cantagalo se divide em subáreas, necessárias para se conhecer o endereço dos moradores: Quebra, Buraco Quente, Barranceira, Inferninho, Terreirão, Fundação, Igrejinha, Caixa e Nova Brasília. A comunidade já sofreu profundas divisões por causa do "movimento";[4] dois donos dividiam o controle do morro, um controlava Nova Brasília (a parte de cima) e o outro o resto. Naquela época não era permitido aos moradores de uma parte circularem na outra. Há algum tempo, porém, existe apenas um dono, que diz estar sob a égide do Comando Vermelho, e em conseqüência disso o morro voltou a ser um só, sem rivalidades internas e até sem rivalidade com o Pavão, como em épocas anteriores.[5] Uma prova desta peculiar harmonia entre as duas comunidades é que, embora o Pavão tenha sua própria boca-de-fumo, os "olheiros", que ficam o dia todo na entrada do Galo, fiscalizam também as pessoas que se dirigem ao Pavão. Hoje a rivalidade é entre a Galera do Cantagalo e as do Morro do Fubá, Guadalupe e Curica, onde tem muito "alemão".

No Cantagalo, a boca-de-fumo tem basicamente dois pontos de venda: um mais próximo ao asfalto e outro, mais sossegado, no coração do morro. Se o ponto de baixo é conhecido porém pouco saliente, no ponto de cima a venda e as atividades colaterais acontecem abertamente. O pó é pesado, dividido, enrolado em papelotes de cinco ou dez reais[6] e, finalmente, vendido de forma quase pública. A única coisa que não se tende a fazer abertamente ao ar livre é cheirar. Cheirar é considerado como uma atividade mais "de casal", privada, do que fumar maconha, por isso as pessoas se fecham em casa ou se retiram nos telhados das casas — lugar lindo para fumar maconha em grupo e, de vez em quando cheirar, olhar para o lindo panorama, empinar pipa e, ao mesmo tempo, ficar de olho. Nos dois meses de duração da pesquisa a polícia entrou no morro pelo menos três vezes. Em duas delas o Cantagalo apareceu na televisão e na imprensa.

Cheguei à Favela do Cantagalo através do CIEP. Alguns alunos, professores e funcionários do CIEP me abriram as portas da comunidade. O Centro, ademais, representa uma fantástica ligação, através de seu elevador, entre o asfalto e o morro de Ipanema.

Durante as semanas da pesquisa eu mudei de *status* pelo menos três vezes. No primeiro dia da pesquisa de campo, tentava integrar-me a uma 5ª série no CIEP; um rapaz chamado de Abobrinha, irmão de um soldado do "movimento", começou a chamar-me de X-9 (informante da polícia), apelido pouco recomendável. Nas semanas sucessivas, passei a ser visto por alguns como um "garotão da polícia civil". Com um visual caracterizado por calça *jeans*, casaco preto folgado, tênis, cabelo curto e costas largas, a minha pinta era a de um do policial. Finalmente, depois de muitos esforços em mostrar, de forma conspícua, os atributos do etnógrafo — exatamente aqueles que em outros contextos tendem a ser ocultados (caderneta, gravador, máquina fotográfica) — e ter resolvido tomar algumas entrevistas na rua, em público, consegui ser visto pelo que sou: pesquisador. Fui então promovido ao grau de "professor", conquistando um pouco de respeito e autoridade. Num belo momento, depois ter sido investigado por algumas semanas, consegui o que, obviamente, era essencial: a autorização do dono do morro para "pesquisar como quisesse". O que segue são, realmente, minhas primeiras impressões e o que mais me chamou a atenção.

O Cantagalo não é igual a qualquer outro lugar, em particular para quem ali mora: distingue-se tanto do asfalto, onde há "bacanas", "*playboys*" e "meninas *playboy*" (enquanto no morro há "gente fraca" e funkeiros) como do subúrbio, onde há "matutos", e do limítrofe Pavão, onde consta que moram mais "paraíbas". O conjunto das diferenças e os limites não são nítidos. Um elemento de distinção é a postura perante a moda e o consumo conspícuo:

> Os jovens da comunidade não se conformam com a sua condição de classe baixa, opostamente aos jovens do subúrbio e dos paraíbas do Pavão. Eles querem, muito, tudo aquilo que eles vêem na Zona Sul (Jailson, 23 anos, cabeleireiro, travesti).

O Cantagalo é descrito como uma comunidade combativa ou aconchegante, dependendo de quem fala e do contexto. Assim, para definir o bairro, diferentes termos são empregados. Geralmente da forma seguinte: o termo "morro" é utilizado quando se quer sublinhar a dureza compacta; "comunidade", quando se deseja salientar a solidariedade e o contexto político, e "favela", quando o discurso é o da vítima (cf. Leeds 1996, p. 58).

As ações, tanto da polícia como do "movimento", criam problemas para a grande maioria dos moradores e limitam suas liberdades individuais. Mas as críticas mais duras são contra a polícia.

> Os policiais são piores do que os bandidos porque eles não assumem, roubam quem prendem, do tênis ao relógio. [...] Não é que goste do Comando Vermelho, mas desde que eles tomaram conta do morro a gente pode dormir de porta aberta; não há mais estupros e arrombamentos. Eles fazem o deles e se você não mexer com eles, eles não mexem com você... O dono [do morro] não obriga ninguém a ser soldado para ele, somente quem quer se junta; ele até fala que é bom você estudar... Só dá briga nos bailes [funk] de clube porque aí [fora da comunidade] não há lei. Aqui o dono do morro não permite

que haja briga. Se você perturbar, primeiro é avisado para ficar quieto; se continuar, botam para fora e, se insistir, aí tem que morrer (Joel, branco, DJ do baile do Galo).

Vista pela comunidade, a ação policial é, realmente, algo difícil de ser entendida: os "caras" são mal pagos, tomam a mercadoria roubada para revender, tomam dinheiro para soltar presos, fazem tratos com o "movimento", batem e dão tiros, às vezes, à toa. A única coisa que confere a eles alguma autoridade é a farda e, na maioria dos casos, o maior poder de fogo.

Evidentemente, há algo do estado de direito que não funciona na prática: tanto para mim como para os entrevistados, não fica claro quem possui o monopólio da violência, quem é honesto e quem é torto perante a lei, e, em conseqüência, qual é o sentido da lei e do Estado.

Para muitos moradores, completamente honestos e trabalhadores, a presença do dono do morro, da criminalidade organizada, representa garantia de segurança, bem maior do que a da polícia: se você não se envolve com o "movimento", eles te deixam em paz e garantem certa ordem na comunidade: ninguém é assaltado e pode-se dormir com a porta aberta. Esta é, até, a opinião de muitos dos moradores crentes ou, pelo menos, a forma com que falam sobre o "movimento".

Por um lado, afirma-se uma nova ordem sociocultural-econômica. O dono do morro se apresenta como bandido social ou como Estado dentro do Estado — embora nem sempre cumpra suas promessas neste sentido. Por outro lado, a cocaína divide e polariza os moradores de forma nova e cria problemas na estrutura do *status* da comunidade e nas lideranças.

Para um grupo importante de jovens, sobretudo rapazes, envolver-se com o "movimento" permite sonhar em reduzir a distância entre expectativas de consumo, *status* e realidade. Cria novas oportunidades, até para os rapazes "sem jeito". Ao contrário da malandragem de antigamente, que necessitava de habilidade, como no jogo de ronda, mais do que de poder de fogo.

O trabalhador de antigamente subia o morro, depois de uma jornada de trabalho, com a calça de linho na prega, trazendo, todo dia, um pão e um quilo de carne. Era respeitado. O herói da favela. Orgulhoso e autoritário com os filhos. O oposto dele era o malandro, que vivia de jogar ronda, geralmente desarmado ou de navalha. Bem-vestido, cabelo esticado. Pegava de vez em quando um biscate, um serviço de dois ou três dias. Trabalho mesmo, não. Também se gastava pouco no morro na época... A paquera era mais controlada — em parte pelo fato de se viver em um tempo de liberdade vigiada. As meninas eram superprotegidas. Desflorar era equivalente a casar. Mas os malandros tinham um jeito. Preparavam a menina até ela ficar bem "madura". Aí, "glub", o malandro comia, rápido como um peixe. E os amigos se perguntavam: "Como é que ele fez?" (Silas, 46 anos, nascido e criado na comunidade, de pai "paraíba").

A respeito do crime, a comunidade vivencia mais cortes do que continuidade em relação ao passado. Passou-se da malandragem ao "movimento", do malandro ao bandido, da navalha à metralhadora e da maconha à "brizola" (cocaína). Se o herói do malandro era o cantor Bezerra da Silva,[7] hoje os bandidos têm modelos menos definidos. Até que ponto o "movimento" recebeu alguma herança da cultura da malandragem? A malandragem nunca controlou e intimidou tanto a comunidade como hoje consegue fazer o "movimento". Não é por acaso que se chama o chefe do "movimento" de "dono do morro". Dentro da malandragem era preciso, para afirmar-se, destreza, jeito, um bom papo e charme. Dentro do "movimento", é sobretudo a capacidade de utilizar a violência, de forma simbolicamente repressiva e preventiva, que permite a ascensão social. Por isso a participação no "movimento" é de duração mais curta e mais associada à juventude.

Não obstante os limites dados pela presença do "movimento" e da repressão policial, a comunidade vive e fala de si com certa tranqüilidade. As pessoas têm aprendido a coexistir com "os problemas". Além disso, em muitos aspectos, prioridades e preocupações, a comunidade é parecida não apenas com outras favelas, mas também com o asfalto. O Cantagalo pode ser visto como um gueto por quem mora no asfalto, mas não tende a se ver desta forma.

O bom do Galo é a vista para o mar, a proximidade da praia e a localização na Zona Sul. Morando aqui, você fica a par da moda, porque toda moda do Brasil, dizem os informantes, vem da Zona Sul e aqui embaixo, no asfalto, estão as melhores lojas. Ademais morar perto de bairros de classe média oferece mais oportunidades de encontrar pessoas interessantes, fazer amizade com gente diferente e "mais fina". Ao contrário, morar no subúrbio significa viver numa favela no meio de outras ou ao lado de comunidades de baixa renda. Este discurso inverte as preocupações de muitos pesquisadores da nova pobreza no meio urbano, segundo os quais a possibilidade de comparar constantemente a própria posição de classe baixa com a de classe alta — uma possibilidade que se torna mais fácil com o desenvolvimento da mídia — seria fonte de frustração, de privação relativa. Para todos os informantes do Galo, esta proximidade (geográfica e simbólica) entre classes é um "pré" — algo que os diferencia dos pobres do subúrbio, que seriam mais "tabaréus". Morando no Galo, onde os prédios de "gente fina" são observados de cima, quase podendo ser alcançados com a mão, pode-se sonhar como a classe média.

> Aqui é uma comunidade melhor. O pessoal anda por outro lugar e compara. Temos ginga e andar diferentes do pessoal do subúrbio. Aqui o pessoal é mais cortês, porque você mora perto da classe média alta, e está acostumado a receber pessoas de fora. Eu, por exemplo, no meio do surfe, tenho amigos que viajam e contam sobre o exterior. A gente olha para a moda e o estilo dos moradores do asfalto. Nas outras comunidades tem um clima de subúrbio, aqui tem um clima de Zona Sul (Pretão).

Se a unidade e a vida social da comunidade são centrais na vida de parte dos moradores, para outros, a comunidade é vista simplesmente como um lugar onde dormir. Talvez, para a maioria, a comunidade seja uma fonte tanto de recursos como de problemas, algo que é preciso ser utilizado de forma moderada e que precisa combinar com as "amizades" com gente de fora. Alguns fazem em torno destas "amizades" um verdadeiro culto.

O esporte é o ponto de contato que pode propiciar "amizades" e ajudar a dar um bom nome à comunidade. Um caso interessante é a Academia Arte, dirigida por Claudinho, que organiza diversas atividades culturais e esportivas — curso de dança clássica, capoeira e artes marciais — no prédio do CIEP. A atividade mais famosa, que há quatro anos consegue juntar moradores do asfalto com meninos da comunidade, é a academia de boxe clássico e tailandês de mestre Claudinho. Nascido e criado no Galo, sempre desejou montar uma academia de boxe de escola cubana. Hoje é a única deste tipo no Rio e já formou campeões de boxe clássico e tailandês. Alguns dos campeões de boxe tailandês são meninos da comunidade. Realmente, as únicas pessoas da comunidade que se tornaram famosas, sem serem bandidos, são os desportistas, que ganharam alguma competição de surfe, boxe, boxe tailandês e futebol.

> Até a Academia Arte surgir os meninos da comunidade não tinham acesso ao boxe. Embaixo, as academias têm mais tecnologia; aqui é na força da raça, aquela verdadeira... Os meninos da comunidade têm mais dedicação e tempo livre, vivem mais para o esporte. Aqui me esforço para juntar pessoas do asfalto e do morro, e funciona bem. O esporte permite um ótimo diálogo. Desta forma os meninos da comunidade que treinam comigo adquirem respeito entre as pessoas do asfalto (Claudinho).

Assistindo aos severos treinamentos, a impressão é de camaradagem espartana entre pessoas do asfalto (brancas) e da comunidade (negras mestiças). A competência e o carisma de Claudinho, que impõe disciplina sem levantar a voz, são essenciais. E as pessoas do asfalto, normalmente menos jovens e com bom nível educacional e trabalho, parecem admirar os boxistas da comunidade, utilizando praticamente o mesmo discurso. "Gostei da cara da academia, do aspecto humilde..." (Ricardo, 20 anos, estudante de arquitetura). "Para a gente é um esporte, para eles é um futuro... Aqui não tem perfumaria... na rua tem muito *playboy*, aqui encontra lutador mesmo" (Tracy, 33 anos, supervisora de loja de moda e campeã brasileira de boxe clássico). Como diz João (16 anos), que quer ser campeão de boxe tailandês, "os meninos do asfalto são cheio de não-me-toque e aqui a gente treina sem recurso, na raça".

O baile funk constitui outro momento importante de encontro com alguns jovens do asfalto e de outras favelas, embora isto não aconteça com um número significativo de pessoas, segundo os depoimentos dos organizadores do baile e de muitas pessoas da comunidade. Uma das poucas vozes críticas a esse respeito é a dos "alternativos" (ver adiante), que consideram o fenômeno funk "pobre". Na fala da maioria dos moradores celebra-se, e exagera-se, a função liminar e de mistura sociorracial do baile e tende-se a silenciar o fato de que o "movimento" subsidiaria o baile e/ou o utilizaria para aumentar o volume de venda na boca-de-fumo:[8]

> O bom do funk é que o público é misturado: vê-se uma loura incrível com um preto sem dentes. Tudo é possível. Não é como nas discotecas, onde você vê 500 mulheres e nenhuma te dá bola porque você não tem o carro do ano.

Aqui você pode ser preto e, se tiver bom papo, e a menina gostar de você, ela vai. A maioria do público nesse baile é do asfalto; para as meninas a novidade é subir o morro (Alex, DJ do baile do Galo, branco do asfalto, 22 anos "dos quais 10 de funk").

Durante as entrevistas no Rio, o tema cor surgiu com a mesma freqüência que tinha surgido na minha pesquisa na Bahia. E, como na Bahia, a cor é tão onipresente quanto raramente encarada como tal, como um problema real para quem fala. Há momentos e temas nos quais, embora não se pergunte explicitamente, a cor se afirma como um dos pontos centrais da fala. Falar do parceiro ideal e de sexo é, muitas vezes, falar de cor. Também o esporte presta-se para comentários no qual a cor é determinante. A cor preta pode ser, assim, fator de exclusão da propaganda de equipamento para surfista e acaba obstaculizando os esforços de alguns jovens da comunidade na procura de patrocínio oferecido por fábricas ou grandes lojas de material esportivo. Ser negro, porém, pode significar ter "raça", força física e garra de vencer, como comentam muitos negros e não-negros entrevistados (ver o parágrafo sobre a Academia Arte). Tanto na fala dos entrevistados como na realidade por mim observada durante o trabalho de campo, ser negro é claramente uma desvantagem no relacionamento com a polícia e com muitos professores na escola: ambos descarregam sua agressividade e abusam do seu poder, sobretudo contra os mais fracos, aqueles em cima dos quais se pode dar duro sabendo que não se terá que responder a ninguém. Na procura de trabalho, ser negro também é mencionado como possível obstáculo por alguns, sobretudo nos âmbitos do mercado de trabalho nos quais ainda pesa o critério da "boa aparência", como, por exemplo, nas grandes lojas de moda da Zona Sul. Algumas meninas negras particularmente bonitas, porém, argumentam que, no seu caso, "ser negra, elegante e bonita" até ajudou na obtenção de trabalho em lojas de moda. Podemos concluir, de forma provisória, que a cor representa no mercado de trabalho, principalmente, mas não exclusivamente, um obstáculo nas trajetórias individuais. A cor negra ou branca é também associada a certos espaços: o morro tende ao negro enquanto o asfalto tende ao branco. No morro, o branco tem de se "explicar", enquanto no asfalto é o negro que tem que dar conta aos outros do porquê da sua presença. Segundo os entrevistados, a cor é também associada ao jovem típico — que no asfalto é o *playboy* (em geral branco) e no morro é o "funkeiro" (na maioria das vezes negro mestiço). Desta forma, os momentos conflituosos se exprimem em polaridades que contêm, e ao mesmo tempo superam, a polaridade branco/não-branco: morro/rua, subúrbio/zona sul, paraíba/carioca, bandido/direito e *playboy*/"funkeiro".

Entre os jovens há, evidentemente, formas diferentes de falar da cor. Substancialmente, os discursos sobre a cor podem ser agrupados em torno de três posições principais. Na maioria dos casos, a cor é apresentada como um fator secundário na categorização das pessoas. Este é o discurso que chamaremos de popular-universalista: somos (ou deveríamos ser) todos iguais e a pigmentação da pele não faz (ou não deveria fazer) diferença alguma. O segundo discurso, presente sobretudo entre a minoria de jovens mais "cultos" e, de forma menos articulada, entre alguns "revoltados", é aquele de quem se diz negro: se preto é a cor biológica, negro é a "raça" ou a cor política. Assim, o secretário do grêmio estudantil do CIEP declarou ser "negro, mas biologicamente não... moreno ou mestiço". Encontra-se, afinal, um outro grupo, também minoria, segundo o qual a cor deve ser relativizada e até exorcizada, brincando-se a respeito dela. Entre esses jovens se ouvem referências ao ser "marrom bombom" — um termo tomado de empréstimo a uma famosa canção que o grupo Os Morenos acabava de lançar.

Ter consciência da cor não quer dizer agir de forma diacrítica. Nas famílias mais assumidas encontram-se as que têm mais contatos com o asfalto e até com o exterior. Marcela (25 anos, solteira, um filho, 7ª série, trabalha na creche da comunidade por um salário mínimo e meio) faz parte de uma turma de jovens adultos considerados inteligentes, trabalhadores e íntegros. Ela se diz negra e, em toda a sua turma, é uma das poucas pessoas que freqüenta as noites da beleza negra e que se interessa por atividades de promoção do orgulho negro. Gosta de participar de associações carnavalescas, como o bloco Secos e Molhados, no qual existem tipos de pessoas diferentes ("inclusive gringos"). Como a maioria da sua turma, gosta sobretudo de rock internacional: The Smiths e Simple Minds. Já namorou brancos e o único homem negro que teve foi o pai da sua filha. Não quer generalizar sobre brancos ou negros. Na opinião dela há brancos que discriminam e outros que não; nem todo negro se veste de forma saliente: "Depende da pessoa. Em termos de ser, todo mundo é igual, ser humano sempre foi ser humano, independente da cor."

TIPOS

Entre os jovens do Galo há muitos subgrupos, tanto na opinião deles como na minha. Num só dia, perguntando a respeito dos tipos de jovens existentes na comunidade, ouvi as seguintes categorias: os funkeiros; os (três) grupos de jovens de Igreja (Católica, Assembléia de Deus — 60 adeptos declarados, 25 dos quais do grupo jovem Deus e Amor); o grupo que faz teatro (dos quais encontrei 10 jovens entre 11 de 18 anos de idade); os freqüentadores do projeto Surfavela; "quem só gosta de jogar futebol"; e os que freqüentam a Academia de Claudinho.

Realmente, como diz Luciana, "Deus e o mundo gostam de funk" e "só os crentes não vão para o baile". O funk é tão popular que o baile é freqüentado por vários tipos de jovem. Entre os funkeiros, a maioria estuda ou trabalha ("porque para ir ao baile precisa de dinheiro") e, às vezes, curte também outro tipo de música; há uma minoria que "só escuta funk o tempo todo". Este último grupo é formado por cerca de 30 pessoas. Além disso, para a maioria, o funk é mais uma música, que não exclui outros tipos de música. Lúcia (19 anos, uma filha de 18 meses) gosta de funk (não perde um baile), mas também gosta de pagode, "música nacional, como Fábio Júnior", e Bob Marley. E acrescenta que, longe de ser sempre uma coisa dura, o baile funk também pode ter algo romântico: "Para namorar, o baile funk é bom, quando bota música lenta." Menos numeroso é o grupo que só curte futebol: cerca de 50 a 60 pessoas. Quando se pediu aos entrevistados para que classificassem os moradores, quase ninguém incluiu a categoria "bandidos". Estes simplesmente existem, mas são outra categoria, um grupo à parte, que apenas é lembrado quando absolutamente preciso. Quando se fala, sonhando de olhos abertos, de como deveria ser a comunidade de forma ideal, não há lugar para os bandidos. Eles fazem parte da realidade, não dos sonhos ou desejos. Os preconceitos do asfalto relativos à favela e ao tráfico não deixam de influenciar as opiniões de quem mora na comunidade, mas são expostos à mídia e à "opinião pública". Luciana acha que o problema são as armas e a visibilidade do tráfico, não a venda da droga como tal.

A diferença entre os jovens direitos e os outros, dizem os que se identificam no primeiro grupo, está na educação (familiar) e no "compromisso em casa". Para os jovens "direitos", as prioridades são menos ligadas ao consumo conspícuo e mais à acumulação de capital cultural da classe média. Para estes jovens o namorado ideal é aquele que tem personalidade e caráter, mais do que aquele que leva marca. Porque o segundo "pode estar bem vestido, mas ser somente frágil". O aspecto físico não é considerado como a característica mais importante. Assim, "não vale a pena ser loiro de olhos azuis (LS, olhando para mim, quase loiro de olhos bem azuis)... e ter cabeça de ameba".

Formas de lazer e identidade negra perpassam os diferentes tipos, embora entre os alternativos se encontrem posturas étnicas mais cristalizadas e formas de lazer mais "construtivas" (cinema, teatro, associações).

Em relação ao lazer, as diferenças entre tipos de jovens da comunidade são muito menores do que nas perspectivas de vida de trabalho. Todos os jovens da comunidade, pelo menos até cerca de 20 anos de idade, saem da comunidade para curtir a cidade durante o lazer em grupo: saem em grupo e voltam em grupo. A forma de se vestir e a noção de o que é a moda certa são quase indistinguíveis — mais do que a marca, é a maneira de andar, de falar e de se mostrar que distingue um jovem bandido dos outros. Praia e funk unem quase todos, com a exclusão parcial dos participantes dos dois grupos jovens das igrejas pentecostais. Com já foi mencionado antes, existem muitas "pontes" para o asfalto: escola, trabalho, serviço militar, academia, associações carnavalescas, surfe, praia e até o baile funk e a venda de drogas. Os contatos são intensos, embora a freqüência e a qualidade destes variem por faixa etária, nível de instrução e aspecto físico — os mais bonitos mantêm mais contatos com os *playboys* do asfalto.

OS CONFORMISTAS

Entre os moradores acima de 50 anos de idade, por exemplo, entre os pais dos "alternativos", é freqüente uma postura em relação ao trabalho e à vida social que chamamos de conformista tradicional.

> Hoje as pessoas não querem pegar serviço pesado em casa, preferem trabalhar com carteira assinada. Os meus filhos foram criados aprendendo que têm de ter força de vontade e têm de lutar Todos eles tiveram que trabalhar cedo e estudar. Nunca tiveram sapato de R$ 120,00, até para não serem assaltados. Se um filho não é criado assim, depois de grande só quer mordomia. Hoje não tem mais serviço para menor; depois que o menor passou a ter o

mesmo salário do maior, mudou tudo... Eu, meu marido e os meus filhos nunca convivemos com o lado de fora. Eles foram criados ficando em casa... Eu sou brasileira, sei que tem racismo, antigamente não entendia muito destas coisas, porque não tinha filhos na faculdade como agora. Sendo pontual e trabalhando direito, a pessoa se defende melhor da discriminação... Trabalhei muitos anos como lavadeira para uma família lá embaixo, que sempre me tratou muito bem e me ajudou muito. Tem muita gente boa lá embaixo (Dona Marcinha, 14 filhos, mãe de alguns dos jovens considerados alternativos na comunidade, moradora do Galo há 55 anos).

Entre os jovens esta postura não é tão freqüente. "Viver direito" e ser respeitado na comunidade corresponde a escolher um estilo de vida e um dos possíveis comportamentos "juvenis" na comunidade. Uma outra forma de "viver a própria vida", trabalhando ou querendo se distanciar dos meninos do "movimento", pelo menos durante um tempo, além das maneiras dos "alternativos" e dos crentes, é praticar esporte no tempo livre.

OS ALTERNATIVOS

Os jovens que querem se distinguir dos outros por meio de um estilo contracultural, inspirados no que é considerado como intelectual, politicamente engajado ou anticonsumista, se autodefinem como "alternativos".

Alexandra se diz tanto negra como mulata, dependendo da ênfase dada à "raça" (negra) ou à "cor" (mulata). Foi criada o maior tempo possível fora do morro, lugar que sua mãe sempre considerou perigoso para educar os filhos. Sempre se deu bem com pessoas do asfalto; dentro do morro ela tem contato com outro grupo de moradores que se definiria como alternativo-xenófilo — orientado para fora do morro, da própria classe e até do Brasil. Trabalhou no asfalto, em lugares onde pôde aproveitar o seu charme de mulata elegante. Conheceu pessoas de outra classe com as quais manteve relações de amizade. Casou com um bancário, negro e charmeiro (freqüentador habitual de bailes *charm*), "o tipo de negro que é ambicioso, quer subir na vida, e que todo mundo acha um bom partido para mim". Na Igreja e no civil. Tem dois filhos.

Estuda inglês, quando tem dinheiro, porque "sem esta língua, hoje, você não alcança nada". Quer fazer um curso universitário, se possível, arquitetura. Namorou quase sempre com negros. O primeiro grande amor foi o menino mais bonito do morro, mestre de capoeira. Pena que se tornou bandido aos 25 anos e foi morto numa briga com outro bandido, há alguns anos. Ele não soube aproveitar sua beleza, preferiu encarar a vida com um revólver na mão. Mais tarde namorou um menino branco do asfalto, "mauricinho", com moto e carro. A mãe dela teria gostado muito que tivesse casado com este menino, pois sempre incentivou suas filhas a conhecerem pessoas do asfalto.

Veste roupa diferente das outras meninas do morro. Roupa larga e comprida, salto alto, muito preto. Gosta de ser diferente, não quer vestir roupa justa ou shortinho. Prefere distinção. Passa pouco tempo no morro. Quando pode, vai a um baile *charm* ou freqüenta barezinhos no asfalto. Gosta de praia, mas não do Arpoador. "Aí rola muita bagunça. O Rio inteiro fica aí num domingo ensolarado. Muita gente do subúrbio, muita água-oxigenada" (meninas cujas pernas são descoloridas com água oxigenada). Freqüenta a Praia de Ipanema, mais perto do Leblon, onde é mais tranqüilo. Por este estilo de vida diferente, ela e a sua irmã tiveram problemas no morro. Na escola queriam bater nelas e no morro são consideradas por muitas meninas como "as metidas das metidas". Na realidade, muitas destas meninas que as criticam têm inveja dela e da irmã, que conseguiram se casar com caras legais, na Igreja e tudo. Estas meninas "se perderam cedo" e não conseguem arrumar um namorado decente. Passam de um homem para outro, sem ter um verdadeiro relacionamento.

Aprender línguas estrangeiras, para achar um trabalho melhor ou, mais freqüentemente, para tentar a vida no exterior, está se tornando uma alternativa real para um grupo de jovens, quase todas mulheres relativamente bem escolarizadas e com trabalho. Uma alternativa ao casamento com um brasileiro, da mesma cor que ela e pertencente à mesma camada social. Este é o caso de Mauricéia, filha de um cabo da PM, mãe solteira "por escolha" — "de repente não pintou o grande amor" —, que trabalha como secretária e há anos estuda francês na UERJ aos sábados, pela manhã. Já esteve na Suíça, para visitar uma amiga, nativa do Galo, e sua irmã, que foram trabalhar numa casa de *shows* ("faziam a roupa e as fantasias"), casaram com europeus e contam para todo mundo que estão se dando bem — uma delas até deixou de trabalhar para ficar "do ladinho do seu Pierre".

OS CRENTES: UM TIPO DE RETRAIMENTO?

Os participantes dos grupos de jovens das duas igrejas pentecostais se conhecem bem e são reconhecidos como pertencentes a este grupo pelos outros moradores. Representam, talvez, o estilo de vida mais definido entre os jovens da comunidade, depois daquele dos bandidos.

Quase todos, embora nascidos e criados na comunidade, a metade no seio de famílias crentes (trata-se da segunda geração), formam um grupo à parte: no morro mantêm contatos assíduos apenas com outros crentes, têm muitas relações fora da comunidade e boa parte deles deseja se mudar. Desenvolveram um *modus vivendi* muito peculiar ante as tensões e os problemas da comunidade, mantendo-se em silêncio sobre alguns assuntos e tendo um comportamento isento em relação ao "movimento": conhecem e cumprimentam gentilmente quem dele participa, mas não param para conversar com os "bandidos", a não ser que algum deles peça algum tipo de conforto. Também não condenam ou fazem proselitismo abertamente contra o "movimento".

> A gente não freqüenta a casa de quem não freqüenta a Igreja. Só o necessário. Mas a gente comprimenta todo mundo. Porque na casa dos outros se bebe, se fuma e se curte baile. Aos jovens da Igreja se ensina a ficar em casa, a curtir a coisa do lar. A gente se reúne, faz um retiro, dá um passeio na praia... O baile funk (LS, localizado literalmente a dez metros da casa da entrevistada) não incomoda, a família toda dorme bem, acostumou (Mariza, 20 anos).

Embora sintam-se diferentes em algum sentido, os participantes dos dois grupos de jovens tendem a salientar a própria normalidade, ou seja, o fato de serem jovens como os outros.

> Muitos jovens do mundo têm vontade de ir à Igreja, mas têm vergonha ou acham cafona, porque pensam que a gente não tem liberdade. Meu irmão quis sair, achou as regras estreitas demais, quis dar uma voltinha no mundo... mas voltará. Realmente, têm muitos jovens da Igreja que também gostam de roupa de marca. Eu não me importo, mas gosto de andar arrumadinha. Não quero ser cafona... Geralmente a gente veste social, nada de tênis. Eu adoro homem de *blazer*, acho bonito. É roupa fina. Tenho amigos que não acredi-

tam que eu moro no morro; não sabem que quem mora no morro também se arruma. Eu acho que muitos jovens aqui na comunidade gostariam de ser como nós: virgens e com roupa arrumadinha. Mas é que não entendem o que acontece na Igreja, o que é ser cristão.

Nos últimos anos, segundo a opinião tanto dos crentes quanto de outros moradores, está aumentando o número dos "crentes novos", os quais, como dizem os crentes, "descobriram a palavra de Deus" depois ter ficado muito à toa. Este é o caso de Jairo (25 anos), que entrou na Deus é Amor dois meses antes de ser entrevistado e que agora só anda na rua com a Bíblia na mão. Segundo seu compadre, Jairo já foi surfista e muito farrista, e, desde que ele se converteu à Igreja, junto com sua esposa, sua vida em família melhorou muito. Antes havia muita briga devido à vadiagem. Pena, diz o compadre, que Jairo se tornou tão arrogante, insistindo em dizer para todo mundo como viver, enquanto ele mesmo, até há pouco tempo, fazia muita besteira.

OS REVOLTADOS

Na maioria das vezes são rapazes que provêm de famílias "mais fracas" (desestruturadas), mas também se incluem nesta categoria filhos de casais trabalhadores, de família "direita" — autêntico desafio para aqueles que, como eu, acreditam que a condição de classe diga muito sobre a trajetória criminal.

Ser bandido não é propriamente a mesma coisa que ser revoltado. Mas, segundo a maior parte dos entrevistados, na grande maioria dos casos, a "bandidagem" começa com alguma revolta: pode ser uma injustiça ou uma forte dor pela morte de uma pessoa querida.

> Quando minha mãe morreu, alguém falou que eu ia me revoltar e que ia acabar entrando na boca [de fumo], mas consegui me controlar. Agora, conheço eles. Não me meto com a vida deles e eles também não se metem com a minha (Alex, 16 anos, trabalha durante meio expediente como assistente de escritório na FEEM, canta *rap* sob o pseudônimo de MC Porção).

Para outros a revolta amadurece no aborrecimento do dia-a-dia. Na opinião de muitos moradores, os que mais facilmente se envolvem com o "movimento" são os que não têm ocupação durante o dia. Normalmente, isso quer dizer aceitar trabalhar como "vigia", recebendo de R$ 50,00 a R$ 100,00 por semana.

Segundo outros informantes, a revolta seria conseqüência e não causa da entrada no "movimento". Alguns professores do CIEP declararam que o tráfico está interessado nos alunos da escola, como (futuros) soldados. Estes alunos acham que ninguém, além dos traficantes, "dá bola" para eles. Uma professora do CIEP, boa conhecedora da comunidade, relatou que quando "um cara deu uma metralhada na pedra aqui na frente da escola, como oferenda a Ogum, os professores ficaram com medo, mas os alunos aplaudiram". Assim, muitos alunos, identificados pelos professores e, às vezes, pelos próprios coetâneos como revoltados, como Cenourinha, ficam com receio de pessoas de fora da comunidade — como são dois dos três integrantes da nossa equipe de pesquisa.

COMPARANDO O RIO E A REGIÃO METROPOLITANA DE SALVADOR

É surpreendente a semelhança da atmosfera do Galo com a de qualquer favela soteropolitana. Os mesmos materiais de construção (domina o tijolo, pois, há anos, nas duas cidades, com o desaparecer da mata, a casa de adobe acaba sendo mais cara, embora em Salvador ainda sejam encontradas em maior número), visual e cheiro. A mesma forma de arrumar as casas, com a sala centrada em torno da televisão, e as mesmas imagens na parede — embora no Rio sejam menos comuns as imagens e os altares ligados aos cultos afro-brasileiros ou ao catolicismo popular. Até a fala e a dinâmica das famílias são muito parecidas. Porém, atrás destas semelhanças existe uma série de diferenças importantes.

Em primeiro lugar, é preciso salientar que as comunidades pesquisadas fazem parte de cidades diferentes. O Rio de Janeiro é muito maior e está situado no centro econômico-político do Brasil; nesta cidade o crime é mais militarizado e a violência é maior. Muito mais do que em Salvador, a cocaína tem penetrado no cotidiano e no lazer das camadas média baixa e baixa. É por este motivo que a problemática urbana carioca recebe mais atenção da mídia do que no caso soteropolitano — Salvador tende a aparecer na mídia nacional por outros motivos, em geral associados à sua imagem lúdica e negra. Outra importante diferença reside na melhor infra-estrutura das comunidades de baixa renda do Rio. Isso é facilmente constatável andando pelas ruazinhas e ladeiras do Galo e pesquisando a renda dentro de algumas famílias. Com relação aos bairros pesquisados na Região Metropolitana de Salvador (ou RMS), o Cantagalo possui melhor infra-estrutura: CIEP, quadra coberta, melhor calçamento, sistema de esgoto e saneamento básico, orelhões e um hospital perto. As casas são mais bem equipadas. Há muito mais telefones, vídeos e microondas. Na RMS estes itens de conforto levariam a classificar como classe média baixa uma parte dos núcleos habitacionais. Também há barracos muito pobres, de tábuas, na parte baixa e mais pobre do Galo, onde predominam os núcleos familiares chefiados por mulheres e as famílias menos estruturadas (por exemplo, nas quais o chefe de família é alcoólatra e desempregado há muitos anos).

No Rio são melhores também as oportunidades de trabalho para as pessoas com pouca instrução, o desemprego é um pouco menor e os salários são mais altos. Existe maior interesse e presença do Estado na comunidade. No Galo há mais filtros entre o cidadão e o mundo do trabalho. Tanto o Estado como o sindicato são entidades mais presentes. Isto leva ao maior número de projetos estaduais de formação profissional remunerada para jovens (no caso do Galo, trata-se, sobretudo, de trabalho dentro da FEEM) e, de forma menos direta, a condições de trabalho mais modernas (menos pessoas trabalhando como lavadeiras e mais empregos com carteira assinada).[9] Entretanto, o tráfico de drogas é mais organizado, oferecendo aos moradores uma alternativa ao emprego convencional. À figura do vagabundo em Salvador, o criminoso ocasional (Tapparelli, 1996), a figura do bandido no Rio — aquele que desenvolve uma carreira criminal, embora de breve duração — faz de contraponto. Tudo isso tem conseqüências: nos bairros populares da Grande Salvador, onde fiz e faço pesquisa, os moradores têm medo tanto dos bandidos como da polícia; no Cantagalo, os moradores têm mais medo da polícia por causa da violência, arbítrio e corrupção desta.

Com relação ao não-trabalho, não disponho de dados precisos sobre o Cantagalo. O desemprego parece ser bem menor do que nas áreas pesquisadas na RMS,[10] mas o sentido de privação relativa (ou pobreza relativa) é, pelo menos, igual, talvez pela proximidade simbólica e geográfica com um bairro de classe média. A comunidade é geograficamente mais isolada e a diferença social com os bairros vizinhos é menos gradual. Esta proximidade simbólica entre pobres e menos pobres representa uma das especificidades da pobreza moderna.[11]

Desta forma, a postura perante o trabalho entre os jovens das comunidades pesquisadas é parecida, não obstante o sistema de oportunidades, a estrutura do crime, a história da violência e a relação entre criminalidade e instituições serem diferentes. Em ambas as cidades existe, entre os jovens, um grande contingente de "massa cinzenta", que fica sem saber como e por que optar entre a "vida direita" e o "caminho errado".

Nas duas situações, entre os jovens, o consumo é o meio para alcançar a cidadania, "para ser gente". Como na RMS, no Rio existe entre as gerações uma forte diferença na forma de se posicionar e utilizar as oportunidades, e consumir. Para a grande maioria dos pais o centro gravitacional em torno do qual é construída a personalidade e o *status* é o lugar na produção, ou, para muitas mulheres, na reprodução — na família. Entre os jovens (abaixo de 25 anos de idade) o centro gravitacional da construção da personalidade não é o lugar na produção, mas sim em relação ao consumo. E, em geral, os jovens conseguem satisfazer os sonhos e as expectativas criadas pelos mecanismos da democracia política e pelas promessas de consumo menos do que os pais.

As escalas de preferência são parecidas nas duas cidades. Na maioria das turmas, a pergunta central, o imperativo moral, é "quanto dinheiro você tem?" mais do que "como você ganha o seu dinheiro?". O ponto de partida, porém, é diferente. Na RMS o sapato padrão, pelo qual se pode chegar a roubar, é a sandália Opanka, que custa em torno de R$ 30,00 a R$ 40,00; no Rio o sapato pelo qual se pode chegar a fazer uma loucura é o tênis Mizuno, que custa em torno de R$ 100,00.

Em termos de estilo, os bandidos e a maioria que definimos de "massa cinzenta", muitas vezes, se imitam. Os dois grupos que se destacam são os que praticam esporte de forma semiprofissional e os jovens crentes. De qualquer forma, para eles, a moda é uma área de diálogo com a classe média (o asfalto), a cultura juvenil, a *popular culture* internacional negra e a cultura negra tradicional.

O forte desejo de se distinguir, de ser diferente dos outros, é mais um aspecto em comum entre os jovens entrevistados nas duas cidades. É por isso que os jovens do Galo tendem a não se identificar com a imagem que a mídia faz e divulga dos jovens nas favelas, caraterizando-os por buscarem o lazer sempre em grupo, em turma ou até em galera.[12] O grupo de amigos e a galera podem ser instrumentos de defesa, algo que ajuda o jovem a se locomover e a conhecer lugares diferentes da própria comunidade, mas não representam um ideal de comportamento. É por isso que quase ninguém diz que faz parte de uma galera. Todo mundo admite participar de uma turma, mas fazer parte de uma galera é considerado algo que pode acarretar problemas, algo que, além de carregar um estigma, tira qualquer individualidade.

A postura hegemônica entre os jovens perante o trabalho/consumo se reflete nas práticas e nas preferências em torno do namoro.

> As garotas daqui reparam a marca. Até a roupa de andar no morro é de marca... A maioria das meninas quer ser amante de bandido, de quem tem revólver e carro (Carla, negra, 17 anos, integrante do grupo teatral).

Existe uma queda do *status* da esposa e mãe pobre: é melhor ser "menina que [só] quer curtir", mesmo se mãe solteira, do que [estar] mal acompanhada. Algumas alternativas à condição de jovem esposa e mãe pobre se tornam mais populares, mas não são por isso automaticamente colocadas em prática, em virtude também do crescimento dos intercâmbios internacionais e da indústria do lazer: dançar, tocar música, ser manequim, casar com um gringo, viajar etc.

Realmente, para um rapaz que ganha um salário mínimo, paquerar "decentemente" é difícil: no plano do consumo conspícuo ele não pode competir com a ânsia dos bandidos em se mostrar e conquistar garotas. Desta forma, mudam radicalmente as regras do namoro e entra em crise a trajetória tradicional à idade adulta, que passa pelo casamento ou, pelo menos, por "montar uma família".[13]

A identidade negra se desenvolve dentro do movimento rumo a uma nova cidadania e, em particular, nas suas formas mais populares ou de massa, não pode ser vista de forma separada do desejo de consumo e protagonismo civil. Pois, se as relações raciais mudam, isso acontece como parte do processo que, para simplificar, chamamos de modernização do país: (des)hierarquizam-se, mostram o surgimento de outros porta-vozes e elites. Com outras palavras, as novidades na cultura e na identidade negras são somente algumas das novidades desta fase histórica para estes jovens negros mestiços.

Nas duas cidades, consciência de cor e identidade negra são parecidas:

combinam um novo orgulho racial, centrado em um uso diferente e geralmente mais conspícuo do corpo e do visual tido como negro, com uma postura cordial e não conflitiva perante os não-brancos. Substancialmente, falta uma postura de autoguetização, de auto-exclusão do *mainstream* em termos de valores, mitos e símbolos de *status* — falta uma associação entre cultura negra e *ghetto culture*.

No Rio, a cultura negra tradicional é menos predominante do que na RMS. A identidade negra é mais secular, centrada em torno da manipulação do visual negro, do corpo. Na construção do conjunto que chamaremos de cultura negra, o sincretismo é mais presente ainda. Ademais, se o termo "afro-baiano" é rico de conotações positivas, e está associado a um certo reconhecimento por parte das instituições, não há no Rio um termo equivalente — o termo "afro-carioca" me parece pouquíssimo utilizado.

Em termos da cultura negra mais oficial, diria que o Rio olha para a Bahia e a reinterpreta, enquanto a Bahia olha para a África e a reinterpreta. Talvez esta diferente orientação cultural possa ser resumida na frase de um informante: "Candomblé é África, umbanda é Brasil." No Rio, pelo menos na comunidade pesquisada, a umbanda é bem mais importante do que o candomblé e as pessoas que freqüentam a umbanda tendem a assumir este fato menos publicamente do que as que freqüentam o candomblé em Salvador; quando admitem que freqüentam, dizem, mais do que em Salvador, preferir uma "casa" longe, em outro bairro.

A diferença do sincretismo carioca se vê claramente no caso da música. Em Salvador, a noção de "música negra" é usada e abusada. Segundo a maioria dos músicos, quase todos os gêneros de música popular na Bahia têm algum laço com os ritmos "africanos". No Rio, esta preocupação com as raízes africanas é menos presente: em lugar do samba-*reggae*, a música predominante entre os jovens é sem dúvida o funk; entre os jovens adultos, o *charm* e, em menor medida, o pagode. Na Bahia, o pagode é inspirado pelo samba-de-roda ou o samba duro (o de grupos como Gangue do Samba e Gera Samba) (Sansone, 1997).

É oportuno salientar que a polaridade pureza/manipulação consiste, mais do que uma dicotomia, em parte integrante e constitutiva de muitas formas culturais associada com a cultura negra em diferentes países. Dentro das culturas negras sempre existe tensão entre as formas mais puras, quer dizer, fiéis às raízes "africanas", e as formas mais sincréticas e manipuladas, que exprimem o desejo de serem presentes, de forma perfilada e como negros, tanto em alguns âmbitos da "cultura branca" como em aspectos da modernidade.

CONCLUSÕES

O quadro que aparece nas duas cidades, embora o sistema de oportunidades seja diferente, é o de uma "nova pobreza", alimentada por uma postura "amoral", perante as estratégias de sobrevivência que se desenvolvem junto ao desejo de cidadania, de lograr, através dos meios, símbolos e direitos que, hoje, são associados com o *status* de plena cidadania. Há aspectos desta "nova pobreza" no Terceiro Mundo que nos lembram a *modern poverty* em alguns países do Primeiro Mundo.

Ora, a questão é: mudou a forma de vivenciar a pobreza ou o nosso olhar antropológico? Talvez a pobreza e as identidades coletivas entre os pobres, inclusive no Terceiro Mundo, tenham sido menos românticas e lineares do que foram descritas em muitos estudos e de como estavam presentes nos discursos (neo)marxistas.

Embora existam diferenças, geradas por contextos particulares, tradições de luta ou de resistência silenciosa, em cidades diferentes, as respostas a situações comuns, como o não-trabalho, o desejo frustrado de consumo conspícuo, a discriminação racial e o estar-se sujeito a solicitações culturais internacionais, mostram como há tendências de comportamento uniforme, "de classe", em grupos sociais parecidos. A impressão é de que as estratégias dos pobres, ou dos "pobres modernos", apontam para relativa uniformidade de pontos de vista e estratégias na classe baixa de cidades diferentes. Surge a hipótese de que uma das conseqüências da globalização talvez seja a de que as expectativas a respeito do trabalho e da qualidade de vida dos pobres — outro elemento que diferenciaria a "pobreza moderna" das formas precedentes — tendem a se tornar mais parecidas (Sposito, 1994). Será que nesta época está se tornando realidade a hipótese de Oscar Lewis, de uma cultura da pobreza relativamente uniforme em lugares diferentes, de uma cultura da pobreza global?

Notas

1. A pesquisa para este artigo foi realizada nos meses de julho e agosto de 1995, quando me encontrava no Rio a convite do Programa Rockefeller/UFRJ Raça e Etnicidade. Enfocando o cotidiano das relações raciais, baseou-se em cerca de 40 entrevistas com jovens na faixa etária de 15 a 25 anos, e na observação participante no Morro do Cantagalo em Ipanema. Foi desenvolvida com a colaboração de Olívia Gomes da Cunha e a valiosa assistência de Pretão, respeitado morador da comunidade. Agradeço ao CNPq, que naquela data me honrava com uma bolsa de pesquisador visitante estrangeiro.

2. Quando se começou a construir o prédio no qual funciona o CIEP, um dos maiores Brizolões, houve muitos abaixo-assinados contrários entre os moradores de Ipanema.

3. Uma particularidade do Galo, dizem os entrevistados, é que a grande maioria dos moradores é "carioca", enquanto em outras comunidades carentes, como no limítrofe Pavão, grande parte dos moradores é formada por "paraíbas". Substancialmente, trata-se de uma diferença em termos de estilo de vida — postura ante o trabalho e o consumo — que reproduz a diferença celebrada na famosa fábula da cigarra e da formiga reproposta por La Fontaine.

> Paraíba pega peso; no Galo, o pessoal paga para não carregar peso. Paraíba usa os dez reais que ganha para melhorar a casa, aqui são utilizados para tomar refrigerante e dar balas aos meninos. Carioca é preguiçoso. É isso mesmo. Não liga para dinheiro. É por isso que aqui não tem nem mercado, nem padaria. Paraíba trabalha duro. Ele tem a cultura dele, mais de roça, leva tudo a sério... sim, é matuto.

A maioria dos cariocas é de negros, enquanto a maioria dos paraíbas é de brancos ou mestiços claros. Para alguns informantes, como para certos pesquisadores da realidade carioca, a cor está associada aos diferentes estilos de vida. Para outros informantes, inclusive para alguns "paraíbas" (entre os quais se encontram inúmeras pessoas negras ou mestiças escuras), a diferença está muito mais relacionada com a origem nordestina e a estrutura familiar mais coesa de muitos "paraíbas" da primeira geração do que com a cor. Entre os jovens bandidos já se encontram muitos filhos de "paraíbas".

4. Por "movimento" se entende o narcotráfico, sobretudo local, de bairro. Na comunidade pesquisada, os integrantes deste tráfico, e os moradores que preferem manter um clima de diálogo com o tráfico local, tendem a usar termos com conotação menos negativa do que os utilizados na mídia. Tráfico torna-se "movimento", traficante torna-se — dependendo da função — "menino", "soldado", "gerente" e "dono (do morro)".

5. Na segunda metade de 1996, o atrito entre os donos do Cantagalo e do Pavão resultou em mais uma sangrenta guerra local.

6. No Brasil, a cocaína não se vende em saquinhos de plástico bem transparente, como na Europa, onde o comprador quer ver o que compra.

7. Diz-se que, há décadas, o cantor foi cafetão na comunidade.

8. É preciso lembrar que parte importante do intercâmbio entre asfalto e morro que acontece no baile funk e seus arredores gira em torno do consumo de cocaína e, em medida menor, de maconha. Os jovens "do asfalto" sobem o morro em turmas de cerca de cinco a dez pessoas para comprar droga e/ou para fumar maconha ao ar livre — o que não podem fazer "no asfalto". Uma parte da paquera entre meninos do morro e meninas do asfalto também utiliza a cessão de um pouco de coca como, digamos assim, fator de convencimento. As vezes em que presenciei o baile, nunca encontrei mais do que algumas dezenas de jovens "do asfalto", muito aquém das centenas de pessoas do asfalto que, segundo muitos entrevistados, subiriam o morro na ocasião. Estes dados são um convite à reflexão sobre algumas estimativas com relação aos lucros das bocas-de-fumo, que, a meu ver, são exageradas tanto nos relatos da imprensa quanto, e talvez em conseqüência disso, nas falas dos entrevistados, inclusive daqueles envolvidos com o "movimento". Na minha opinião, no Rio existem pontos de venda de coca demais para que todos sejam tão lucrativos como na fala de quem vive deles. Como muitos antropólogos urbanos sabem, jornalistas, policiais e delinqüentes estão entre os informantes menos acreditáveis: todos exageram números (Weppner 1977).

9. Por exemplo, normalmente, no Rio, um garçom de lanchonete ganha dois salários mínimos e tem carteira assinada. Em Salvador, ganha um salário mínimo e não tem carteira assinada. Bem mais do que em Salvador, as empregadas domésticas trabalham por hora. No Rio, há mais lavanderias automáticas e menos lavadeiras. Na Bahia, nas famílias de (pequena) classe média, é muito mais comum do que no Rio "criar-se" uma moça do interior, cobrando dela o trabalho de empregada doméstica. Em 1981, segundo os dados do Censo, cerca de 10% dos núcleos habitacionais de Salvador compreendiam uma empregada doméstica residente.

10. Segundo os dados da Pesquisa Nacional por Amostragem de Domicílio de 1990, a RMS tem o mais alto índice de desemprego do Brasil.

11. Nos países do Primeiro Mundo, onde existe um sistema de *welfare* público, os debates sobre a pobreza e a definição dos critérios que definem a pobreza são mais acesos; as ciências sociais usam o termo *modern poverty* para determinar um novo tipo de pobreza, mais relativo do que absoluto, mais anômico e menos romântico e puro do que a "tradicional" pobreza da época industrial.

12. Embora no dicionário de Aurélio Buarque de Holanda (1986) os termos turma e galera sejam equivalentes, eu, de acordo com meus informantes, entendo por turma o grupo de pares, de coetâneos, o *peer group* e, por galera, um grupo mais numeroso, que pode ter o aspecto de uma gangue ou de um bando, embora raramente chegue a ser tão ameaçador.

13. Precisaria ser pesquisado se na classe baixa brasileira esta trajetória já foi tão linear como nas descrições da *working-class community* britânica até a década de 1960 (Willmott 1966; Willis 1977).

Referências Bibliográficas

LEEDS, Elisabeth. "Cocaine and parallel polities in the Brazilian urban periphery". *Latin American Research Review*, 31, 3, p. 47-83, 1996.

MERTON, Robert. *Sociologia*: Teoria e Estrutura. São Paulo: Centrais Impressoras Brasileiras, 1968.

SANSONE, Livio. "Cor, classe e modernidade em duas áreas da Bahia. Algumas primeiras impressões" *Estudos AfroAsiáticos*, 22, p. 143-174, 1992.

————. "Pai preto, filho negro. Trabalho, cor e diferenças geracionais". *Estudos Afro-Asiáticos*, 25, p. 73-98, 1993.

————. "O local e o global na AfroBahia contemporânea". *Revista Brasileira de Ciências Sociais*, 29, p. 65-84, 1995.

————. "Funk baiano e funk carioca. Dois versos locais de um fenômeno global?". In M. Herchmann (org.) *Abalando os Anos Noventa:* funk e hip hop. Rio de Janeiro: Rocco, 1997.

SPOSITO, M. "A sociabilidade juvenil na rua: novos conflitos e ação coletiva na cidade". *Revista da USP*, 5,12, p. 161-178, 1993.

TAPARELLI, Gino. *Os Donos do Pedaço*: Delinqüência juvenil num bairro popular da cidade de Salvador. Tese de Mestrado em Sociologia, UFBA, Salvador, 1996.

WEPPNER, Robert S. "Street ethnography: problems and prospects". In WEPPNER, Robert. S. (org.). *Street Ethnography:* Selected studies of crime and drug use in natural settings. Londres: Sage, p. 21-54, 1977.

WILLIS, Paul. *Learning to Labour*: Why workinclass kids get workinclass jobs. Londres: Saxon House, 1977.

WILLMOTT, Peter. *Adolescent Boys of East London*. Harmondsworth: Penguin, 1966.

Pentecostalismo e identidade negra no Brasil: mistura impossível?

John Burdick

No início de 1996, houve uma reunião memorável em Brasília. A convite do Movimento para a Liberdade Religiosa e a Cidadania dos Africanos, representantes de uma ampla gama de organizações do movimento negro encontraram-se para debater a questão de como reagir aos crescentes ataques das igrejas evangélicas contra as religiões afro-brasileiras — candomblé e umbanda. O documento final revela algo da grande emoção que imperou durante a reunião. A violência das igrejas nazi-pentecostais contra a visão de mundo africana, afirma o documento, "é uma agressão contra todas as pessoas negras". E prossegue: "Na medida em que as religiões afro-brasileiras são responsabilizadas por todos os males sociais que afligem este país, um enorme contingente de negros marginalizados está começando a ser instigado a agir contra seus iguais etno-raciais." A reunião decidiu solicitar ao ministro da Justiça a aplicação da lei contra o racismo às igrejas pentecostais que praticam o racismo através de suas publicações e de outros meios de comunicação" (Movimento Terreiro e Cidadanias, 1996, p. 3-4).

Embora ainda não tenha obtido uma resposta do Ministério da Justiça, esse apelo à ação legal aponta para o profundo antagonismo que existe entre o movimento de consciência negra e o pentecostalismo, religião que mais cresce no Brasil.[1] Do ponto de vista do movimento negro, esse antagonismo tem várias fontes, quatro das quais se destacam como mais importantes. Em primeiro lugar, muitos militantes negros rejeitam o cristianismo de maneira geral, por causa de seus laços históricos com a escravidão (Hoornaert, 1978; Moura, 1994). Esforços recentes de setores das igrejas Católica e Metodista (Damasceno, 1990; Valente, 1994) em tratar abertamente essa história suavizaram as idéias de alguns, mas feridas seculares não cicatrizam tão depressa. Um líder negro me disse: "Nunca esqueceremos que o cristianismo era a religião dos senhores, impingida aos africanos para transformá-los em escravos dóceis." Em segundo lugar, o protestantismo, em particular, com suas influências americanas, é visto por muitos integrantes do movimento negro como a religião por excelência da assimilação étnica. Desse ponto de vista, a principal marca da conversão religiosa é a adoção de uma série de traços culturais brancos, incluindo vestuário, gestos e música. Assim, o negro que se converte ao protestantismo passa por "um processo de auto-rejeição, de branqueamento, autonegação e alienação" (Passos, 1995, p. 5). Em terceiro lugar, a fervorosa mescla pentecostalista de individualismo e universalismo é vista como oposta ao crescimento da identidade étnica. Um militante negro explicitou:

> Eles [os pentecostais] são totalmente fechados à questão étnica, à questão racial. Só se importam com o indivíduo, não com o grupo. Ou então dizem que não há racismo entre eles, porque são todos irmãos. Tudo isso é muito bonito; assim eles negam a dinâmica do grupo étnico, negam até a existência do problema.

Por fim, a identificação do movimento negro com as religiões de origem africana, como fonte essencial de identidade e orgulho negro, é diretamente atingida pelos ataques do pentecostalismo a essas religiões, que as qualifica de bruxaria e de obra do demônio (Dolhinikoff et al., 1995, p. 23). "Os crentes", afirmou um militante, "estão tentando eliminar a própria base de nossa identidade negra: nossa religião." A avaliação geral do movimento foi implacável. Várias pessoas declararam, de diversas maneiras, que "infelizmente, quando o negro vira crente, esquece sua identidade de negro".

Esses aspectos são, sem dúvida, válidos, mas o antagonismo que eles defendem contra o pentecostalismo é, no melhor dos casos, inoportuno. Afinal, o pentecostalismo é o movimento religioso demograficamente mais importante no Brasil (Freston, 1993; ISER, 1996), e uma grande parcela desse movimento é composta de pessoas pertencentes ao extremo escuro do *continuum* de cores do país. Um estudo recente entre 1.332 evangélicos do Grande Rio revelou que 20% a 25% dos que se identificaram como pentecostais eram negros e apenas 10% deles pertenciam às igrejas protestantes históricas, como a Metodista e a Presbiteriana (ISER, 1996, p. 10). Uma pesquisa nacional baseada em um universo de mais de 5 mil adultos de todas as religiões constatou que 10% dos entrevistados que se diziam "negros" eram pentecostais, ao passo que só 3% estavam em igrejas evangélicas históricas (Datafolha,

1995, p. 92). Portanto, seria justo afirmar que, de cada quatro pessoas que se identificam como situadas no extremo escuro do *continuum* de cores e estão se convertendo ao protestantismo, três vão para as igrejas pentecostais e uma para as igrejas tradicionais. Esses números parecem indicar que o movimento negro deveria investigar que atração especial o pentecostalismo exerce sobre seu próprio público alvo, e qual é o potencial da religião no que diz respeito à consciência étnica desse público. Seria igualmente proveitoso indagar até que ponto a imagem que o próprio movimento negro traça do pentecostalismo — irremediavelmente corrosiva para a identidade negra — é correta ou completa. O presente trabalho visa a contribuir para esse aprofundamento.

É verdade que a opinião acadêmica tendia a reforçar a visão negativa defendida pelo movimento negro. Pierre Verger caracterizou a conversão dos escravos ao protestantismo como "alienação" aos valores africanos (Verger, 1992, p. 19-26), enquanto Roger Bastide afirmou que boa parte da motivação dos negros brasileiros para se tornarem protestantes é assimilarem-se à sociedade branca (Bastide, 1989 [1960], p. 512). Regina Novaes e Maria Floriano escreveram que os negros protestantes "não se identificam mais como negros. Quando desenvolvem a identidade de crentes, separam-se definitivamente dos outros negros, dos traços culturais africanos e de seu passado histórico comum" (Novaes e Floriano, 1985, p. 58). Recentemente, Márcia Contins apontou que, no pentecostalismo brasileiro, a questão da identidade étnica negra simplesmente não existe (Contins, 1992, 1994). Em um plano mais geral, a língua universal do Espírito Santo foi caracterizada como aquela que expressa a cultura homogeneizadora, desparticularizando as forças do capitalismo global e do Estado (Csordas,1992; Sanchis, 1994; Johannesen, 1988; Mariz e Machado, 1994).

Essa postura acadêmica sem dúvida corresponde à visão e aos sentimentos de muitos protestantes negros, mas não nos ajuda a compreender a série de paradoxos que ainda subsistem. Para começar, o que pensar da resoluta identidade, como membro da Igreja Pentecostal Assembléia de Deus, da líder negra Benedita da Silva? O movimento negro tende a encarar a identidade religiosa de Benedita como uma idiossincrasia embaraçosa (ao entrevistá-la, por exemplo, tendem a evitar propositalmente os assuntos religiosos [p.ex., *Black People*, 3/96]), ao passo que ela vê sua própria religiosidade como central para sua consciência étnica. "Não sou menos negra", declarou Benedita recentemente, "nem menos consciente, por ser pentecostal! A meu ver, sou mais consciente, sou mais negra, porque sou pentecostal!" (Dolhnikoff et al., 1995, p. 23-24).

Há outros paradoxos. O que pensar do fato de que, em 1996, o jornal da Igreja Universal do Reino de Deus (a maior publicação evangélica da América Latina) publicou não uma, nem duas, mas três matérias de primeira página a respeito do racismo no Brasil (*Folha Universal* 13/5; 27/5; 21/6)? O que pensar sobre os vários esforços, reconhecidamente recentes, de pentecostais negros para organizar a reflexão e a ação a respeito da questão raça/cor? Como interpretar, por exemplo, iniciativas como a Missão Quilombo, da Igreja Pentecostal Brasil por Cristo, de São Paulo, ou a Comunidade Martin Luther King Jr., da Igreja Pentecostal Cristo em Deus (também de São Paulo), ou de Pentecostais Negros do Rio de Janeiro, grupo recém-fundado? Como entender as palavras do pastor Paulo, da Igreja Pentecostal Metodista Wesleyana do Paraná, quando, em carta recente, insistiu em que "numerosos recém-convertidos têm certeza de que é necessário criar uma Igreja que seja negra, pentecostal e afro-brasileira"? Como, por fim, entender a clara preferência de pessoas situadas no extremo escuro do *continuum* de cores por igrejas pentecostais? Do ponto de vista comparativo, certamente não há contradição insolúvel entre crença pentecostal e identidade étnica. De fato, na América Latina, como no resto do mundo, as identidades étnicas muitas vezes se sustentam na fé pentecostal (Wedenoja, 1978; Muratorio, 1980; Scotchmer, 1991; Burnett, 1986; Rappaport, 1984; Roswith, 1975; Comaroff, 1985). Por que o Brasil seria tão diferente?

O propósito não é tirar rápidas conclusões dessas perguntas tão capitais, e ainda menos a conclusão incorreta de que, no Brasil, o pentecostalismo é um bastião da consciência racial/étnica. Longe disso. A questão é, de preferência, tomar-se essas perguntas como provocação, deixar que elas estimulem a investigação mais aprofundada da relação complexa e contraditória existente no Brasil entre a identidade e o pensamento pentecostais de um lado e, de outro, a identidade e o pensamento racial/étnico (cf. Cunha, 1993). Quero sugerir que a imagem que deriva desse aprofundamento está longe de ser simples. O letreiro colocado à porta do pentecostalismo nem diz "a etnicidade não é bem-vinda aqui", nem "solidariedade racial eterna". Creio que não há nenhum letreiro claro e definitivo à porta. A indagação mais profunda que sugiro significa, acredito, que as pessoas preocupadas com a consciência racial e o racismo no Brasil precisam bater àquela porta, passar por ela e iniciar um diálogo mais intenso com o que é, afinal de contas, uma das forças sociais mais importantes do Brasil de hoje. Sugiro que devemos descobrir que, na verdade, há mais espaço para diálogo sobre essa questão do que até hoje se pensava ser desejável ou possível. Não pode haver dúvida de que a hostilidade à etnicidade seja uma forte tendência dentro do pente-costalismo. No entanto, quando prestarmos atenção e ouvirmos com cuida-do, começaremos a detectar discursos e práticas que vão contra essa tendência. É importante identificá-los, pois são espaços de possibilidades que, depen-dendo do desenvolvimento das circunstâncias e dos interlocutores políticos, são capazes de expandir-se, retrair-se e influenciar o pentecostalismo como movimento.

As evidências em que o presente artigo se baseia são o resultado de 65 entrevistas etnográficas, com a duração de uma a três horas cada, realizadas entre fevereiro e setembro de 1996. Os entrevistados eram cristãos pente-costais de todas as cores de pele (auto-identificação), de ambos os sexos, de 15 a 70 anos de idade, pobres e de classe operária. Em conseqüência da nos-sa suposição de que seria difícil tratar exclusivamente de cor e raça, nossas perguntas sobre esses assuntos foram incluídas em uma vasta série de ques-tões a respeito de namoro, juventude e relações de gênero. As entrevistas foram feitas por uma equipe de pesquisa composta da minha própria pessoa (branco e americano) e de duas estudantes de pós-graduação, brasileiras, que se identificavam como mulheres negras.

TENSÕES ENTRE O PENTECOSTALISMO E A IDENTIDADE NEGRA

Explorar o potencial de diálogo entre as perspectivas do pentecostalismo e as dos movimentos étnicos negros requer, primeiro, reconhecer as fortes tensões que existem entre elas. Praticamente todos os nossos entrevistados, mesmo os que estavam mais perto de abraçar um discurso étnico explícito, articularam uma ou mais das seguintes tensões.

Primeiro, existe uma tensão entre o pentecostalismo — na verdade, en-tre qualquer tipo de cristianismo evangélico — e o desenvolvimento de iden-tidades sociais fortes como intermediárias entre o universal e o individual. Conforme Sanchis (1994) e Csordas (1992) mostraram, o pentecostalismo incentiva os crentes a se verem como pertencentes a uma irmandade mundial transcendente dos que foram salvos. Esta idéia está em desacordo com o projeto étnico, pois a insistência universalizante de que todo ser humano é igual diante de Cristo está em tensão com a focalização em um discurso centrado no grupo. De fato, quando se levanta explicitamente a questão da etnicidade em conversas com pentecostais, o resultado muitas vezes é um silêncio constrangido, pois a questão supõe que no mundo há identidades tão merecedoras de atenção quanto a identidade do cristão universal. Em uma declaração típica, disse-me um dos entrevistados:

> Você acha que a mensagem de Cristo precisa desses grupos? Precisa ser enfeitada para esses grupos, de um modo ou de outro? Não! A mensagem de Cristo é muito simples, não precisa ser vinculada a grupo algum. É universal.

A identidade de grupo também está em tensão com a poderosa visão pentecostal da transformação total do indivíduo. Jesus encontra-se com cada alma, não como representante de um grupo, mas como um ser moral irredutivelmente individual. "Jesus", frisou um entrevistado, "não veio para salvar nenhum grupo em particular. Veio para se encontrar com *você*, como ser humano particular, distinto." Enquanto ser distinto, a nova criatura em Cristo abandona sua bagagem emocional anterior, incluindo suas angústias e preocupações sociais e culturais. Até a referência a alguma dimensão da vida social e cultural como algo importante, que não seja o novo nascimento da alma por meio de Jesus, pode criar mal-estar. "Não aceito iniciativa alguma", declarou um dos entrevistados, "que vise isolar uma parte do ser humano, de sua alma. Cristo salva a alma por inteiro, não aos pedaços. Tudo recomeça."

O discurso étnico também está em conflito com a perspectiva do pentecostalismo fortemente voltada para o outro mundo. Falar de identidade étnica significa falar de uma preocupação com este mundo como se ele fosse realmente importante. Mas, se a única coisa realmente importante no universo é a salvação, falar de etnicidade é uma expressão de imaturidade espiritual. Um entrevistado observou:

> Sim, há pessoas preocupadas com isso. Elas pensam muito: quero valorizar isto ou aquilo em minha vida material. Mas é só isso: a vida material. Quan-

do alguém é realmente completo em Cristo, quando está realmente converti-do, começa a ver que nada daquilo é importante. Raça e etnicidade: nada disso salva. Só Jesus salva.

A crença pentecostal está em tensão com o discurso étnico em geral e também com o discurso do movimento de consciência negra em particular. Os pentecostais com certeza rejeitam fortemente toda crença religiosa ligada a espíritos africanos, conhecidos como orixás. Muitas igrejas pentecostais mantêm uma imagem da África como um continente mergulhado na idolatria, que está sendo lentamente tirado da lama por heróicos missionários evangélicos. Algumas igrejas até defendem uma doutrina, conhecida como "doutrina do pecado hereditário", segundo a qual todos os convertidos devem pedir perdão pelos pecados de seus ancestrais, incluindo a idolatria de cada um dos seus antepassados africanos. É óbvio que essa doutrina ofende frontalmente o empenho do movimento negro em valorizar a espiritualidade africana.

As tensões entre o pentecostalismo e a identidade negra são, pois, bastante patentes. Ao mesmo tempo, como alegarei, o pentecostalismo abrange uma série de crenças e práticas que incentivam os crentes a concentrarem sua atenção na cor, a refletirem a respeito do significado espiritual e social da identidade racial e da moralidade do racismo. Longe de serem dominantes, essas crenças e práticas existem em tensa interação com os discursos antagonistas à identidade negra. Elas abrem espaços de possibilidades, cheios de tensões e contradições internas, é bem verdade, mas, ainda assim, possibilidades.

VINCULAÇÃO ENTRE IDENTIDADES NEGRA E PENTECOSTAL NO COTIDIANO

Superando a vergonha

Um dos maiores atrativos do pentecostalismo, não só para os negros como para todos os convertidos, é sua habilidade em criar auto-estima, de muitas maneiras. Uma delas, e não a menos importante, é insistir em que, mesmo antes da conversão, todo ser humano, por mais indigno que se ache, é objeto da preocupação e do amor constantes de Jesus. Uma vez convertida, a auto-estima aumenta muito à medida que a pessoa adquire certeza crescente da própria salvação e se torna receptáculo físico do Espírito Santo. A autovalorização pentecostal atinge todos os aspectos da identidade social. A mulher com pouco auto-respeito descobre uma voz fortalecida pelo Espírito Santo e assim pode enfrentar o marido agressivo (Gill, 1993; Brusco, 1995; Cucchiari, 1988; Burdick, 1990). O homem pobre não se sente mais constrangido por sua pobreza (Ireland, 1993; Stoll e Burnett eds. 1993; Novaes, 1985). O colonizado não mais aceita a colonização calado (Comaroff, 1985). Um conhecido hino pentecostal resume essa experiência: "Você também tem valor! Deixe de lado o complexo de inferioridade. Você também tem valor!"

Portanto, não deveria constituir nenhuma surpresa a autovalorização espiritual estar também relacionada com a experiência de alguém ter sido estigmatizado pela própria cor. Mais da metade dos 30 pentecostais que se identificaram como pretos, escuros ou negros — ou seja, como pertencentes ao extremo negro do *continuum* de cores — informou ter um dia sentido sua cor como um fardo, causa de vergonha e auto-exclusão. A conversão a Cristo fez essa vergonha desaparecer. Um jovem negro explicou:

> Antes de conhecer o Evangelho, eu não me amava pelo que sou. Ficava constrangido por ser escuro. Queria sumir. Mas, quando li esta frase na Bíblia, "ama ao teu próximo como a ti mesmo", pensei: puxa, não posso fazer isso enquanto não me amar a mim mesmo. E Jesus está me dizendo para me amar a mim mesmo. Então perdi aquele sentimento de vergonha.

Uma negra relatou o mesmo, desta forma:

> Antes, eu não ia a certos lugares onde achava que pessoas da minha cor não seriam aceitas. Então, de um casamento ou festa, com todas aquelas pessoas bonitas, louras e de olhos azuis, eu ficava longe. Mas, quando conheci Cristo, aquilo acabou: agora vou aonde quero, no meio de brancos, de negros, de qualquer um. Falo com você, que é branco, com a mesma facilidade com que falo com um negro. Antes, eu teria ficado com vergonha de falar com você.

Das mentiras à verdade

Para cinco desses entrevistados, a chave para vencer a vergonha foi aceitar-se como preto, escuro ou negro. Essa experiência foi moldada pela noção de conversão como passagem de uma vida de falsidade a uma vida de verdade. Esses entrevistados relatam que, antes da conversão, sentiam uma ambivalência considerável em relação à sua identidade de cor, ambivalência resolvida apenas através do conhecimento do Evangelho. Observem a explicação deste jovem da Assembléia de Deus:

> Antes de me tornar crente, eu estava dividido dentro de mim mesmo. Um pedaço de mim queria ser branco, o outro queria ser negro. Era como se eu estivesse partido em dois. Quando aceitei Jesus, a divisão acabou, as duas partes se juntaram, unificando-me. Agora sei que sou negro, não tento nem quero ser outra coisa. Foi assim que Deus me criou.

Ou pensemos sobre o que diz uma negra da rigorosa igreja Deus é Amor:

> Antes de aceitar Jesus, eu olhava a televisão, via aquelas mulatas e pensava: quero ser assim, quero ser morena, mulata, marrom bombom. Qualquer coisa, menos o que eu realmente era. Eu estava vivendo uma mentira, era incapaz de viver a verdade. Foi só quando entrei para a Igreja que vi a mentira e comecei a me render. Comecei a me aceitar como realmente era: preta.

Nesse sentido, pode ser pertinente frisar que, em recente pesquisa com 248 homens evangélicos, 11% identificaram-se com os termos *escuro*, *preto* ou *negro* (contra 6% no plano nacional), sendo que dois terços desses homens usaram o termo *negro*. Em comparável amostra de 277 mulheres evangélicas, 15% identificaram-se como pertencentes ao extremo escuro do *continuum* de cores, sendo que três quartos delas usaram o termo negra.[2] O uso desse termo já é antigo, o que nos é sugerido pelo fato de que as mulheres evangélicas negras de mais de 46 anos de idade usaram-no duas vezes mais do que as mais jovens. Assim, de maneira geral, esses números reforçam a impressão de que o pentecostalismo está positivamente associado à apropriação da identidade negra por alguém.

Complicando as normas de beleza feminina

No pentecostalismo, as imagens predominantes sobre mulheres negras estão sendo complicadas. Tomem nota: não transformadas, subvertidas; só complicadas. A conversão ao pentecostalismo sem dúvida não erradica totalmente os estereótipos, imagens e valores estéticos. Embora a mulher negra encontre "no mundo" estereótipos negativos muito fortes, no pentecostalismo ela vê sua própria imagem representada de maneiras novas: como participante da beleza natural que Deus lhe deu, desfrutando de uma beleza interior maior do que qualquer beleza exterior, até (como analisarei no devido momento) tendo acesso especial a matérias do espírito.

No Brasil, o modelo mais incensado de beleza tem pele branquíssima, olhos azuis, cabelos lisos e traços faciais europeus, como Xuxa (Silva Bento, 1992, 1994; Gilliam e Gilliam, 1995; Giacomini, 1995). Em um nível abaixo, podemos encontrar a mulher branca de cabelos escuros, como Glória Pires. Em terceiro lugar vêm as *morenas* e mulatas, como Isabel Fillardis. Estão excluídas da classificação as mulheres de cabelo duro, crespo, pele muito escura e traços faciais "africanos", como nariz largo e achatado (Almada, 1995; Figueiredo, 1994; Dandara, 1992; Theodoro, 1996; Twine, 1995). Essas normas certamente continuam a influenciar a atitude das pessoas, em especial dos jovens, dentro das igrejas pentecostais. A conversão com certeza não abala esses padrões de maneira automática ou irreversível. Em particular, numerosas igrejas pentecostais "liberais", como a Renascer e a Igreja Universal, permitem que as mulheres usem maquiagem, jóias, penteados e roupas características do "mundo". Afinal, é importante lembrar que as mulheres pentecostais querem ser vistas pelos não evangélicos como pessoas decentes e que se autorespeitam, desejo que dificulta a rejeição intransigente da estética do mundo.

Ao mesmo tempo, permanece um padrão significativo. As congregações pentecostais mais "tradicionais", aquelas que rejeitam mais sistematicamente os costumes do "mundo", proporcionam uma arena social importante em que os padrões de beleza são desafiados e remodelados. Aqui, a "beleza do mundo" — codificada em maquiagem, penteados e roupas caras — é trocada pela "beleza que Deus me deu". As mulheres dessas congregações continuam querendo ser bonitas, tanto para si mesmas como para atrair os homens. Mas a "beleza" que elas exaltam é a que a natureza lhes concedeu, de fora para dentro, e a que o Espírito Santo lhes conferiu, de dentro para fora. As crentes são incentivadas a não dissimularem nem tentarem transformar radicalmente a beleza que Deus lhes deu. Essa releitura da beleza teve efeitos importantes para algumas de nossas entrevistadas. Entre outras coisas, significou a eliminação gradual do uso de produtos para alisar o cabelo, como henê, conforme explicou uma delas:

> Logo depois da minha conversão, eu ainda usava henê. Mas pouco a pouco fui parando, quando comecei a sentir dentro de mim algo diferente: por que vou mudar o que Deus me deu? Esta é a minha cor, este é o meu cabelo. Eu costumava achar feio, mas depois vi que Deus criou todos nós à sua imagem, não só os louros de olhos azuis. Então eu também sou bonita; não preciso mudar a minha aparência.

Nesse contexto, não nos surpreende que muitas de nossas entrevistadas negras tenham declarado que a conversão, entre outras coisas, teve como efeito a passagem para um mercado diferente do que tinham vivenciado no mundo:

> Lá fora, nos bailes, no mundo, os rapazes brancos procuram você porque você é "fácil", mas não é a sério. E, se você levar a sério, ninguém aceita. Eles dizem: o que você está fazendo com essa nega? Na igreja é diferente. Aqui não fico constrangida por estar com um rapaz branco. Eles respeitam isto. Alguns criticam, mas não como no mundo. Aqui os rapazes brancos respeitam as moças negras.

Essa percepção corresponde a uma realidade importante. Encontramos vários orientadores espirituais evangélicos que nos informaram que, em suas conversas com os jovens convertidos, explicitam a questão da cor:

> Sempre peço à moça ou ao rapaz para pensar sobre isto: você está escolhendo essa pessoa só porque ela é bonita, loura, de olhos azuis? Não é por aí, digo. Um casamento cristão não pode ser só uma questão de aparência. Então, digo, se você pensar bem sobre o assunto e chegar à conclusão de que a beleza da pessoa, a cor da pessoa, não estão pesando na sua decisão, então é vontade de Deus que vocês continuem. Mas, se você chegar à conclusão de que só sente atração pela aparência da pessoa, então não é vontade de Deus.

Este tipo de pregação parece ter impacto, conforme declarou um rapaz evangélico:

Eu me apaixonei por Jacqueline, não porque estivesse olhando para o seu exterior. Se fosse só isso, talvez não tivesse procurado conquistá-la. Mas nós, que entendemos o Evangelho, sabemos que devemos olhar mais fundo. Ela é muito devota. Ajudou-me a me conhecer mais. Para mim, é isso que vai fazer um casamento cristão dar certo. Não a cor dela.

O endosso desse padrão espiritual de beleza pelo pentecostalismo reflete-se parcialmente na estatística dos casamentos intercores. Elza Berquó argumentou que, no conjunto da população brasileira, as mulheres negras têm menos escolha no mercado do casamento porque se casam mais tarde que as mulheres mais claras, permanecem solteiras com maior freqüência, do ponto de vista da cor a maioria de seus casamentos é endógama e, nos exógamos, o mais comum é que de 10% a 15% deles o homem seja mais escuro do que a mulher (Berquó, 1987, 1988, 1990; cf. Silva, 1992; Scalon, 1992). O mercado brasileiro do afeto e do casamento é, pois, altamente restrito pelo padrão segundo o qual a mulher negra que quer uma relação séria com um homem branco costuma ter de lutar para subir uma ladeira social mais íngreme do que o homem negro que deseja ter uma relação séria com uma mulher branca. Sem entrar aqui na complexa história e no simbolismo envolvidos nessa situação, é justo dizer que, no Brasil, existe uma noção que expressa a mescla predominante de sexismo e racismo: homens negros são companheiros mais apropriados para mulheres brancas do que mulheres negras para homens brancos (Dandara, 1992; Giacomini, 1992, 1995; cf. Garcia Castro, 1991; Abreu et al., 1994; Silva, 1995). Se o resultado estatístico dessa norma é tangível, seu impacto sobre a percepção é muito forte. Quando perguntamos aos entrevistados a respeito de casamentos intercores, eles quase sempre se referiram a uniões entre mulheres brancas e homens negros. Quando lhes perguntamos se conheciam casamentos de mulheres negras com homens brancos, tiveram de procurar exemplos no fundo da memória, muitas vezes sem sucesso em achar algum.

Devido a essa percepção da raridade, começamos a achar significativo que essa norma e essa percepção parecessem mais qualificadas e complicadas entre os pentecostais do que em outros lugares. Os entrevistados pentecostais podiam citar prontamente casos de mulheres negras escuras que estão com homens de pele clara. Nossas próprias observações etnográficas sugeriram a possibilidade de que exista um número mais elevado desses pares entre os pentecostais do que em outros contextos.

Para testar essas impressões, analisamos dados de uma recente pesquisa com mais de 1.300 evangélicos da área do Grande Rio (ISER, 1996). Entre os entrevistados, pudemos identificar 535 evangélicos casados com evangélicas. Em contraste com a média nacional — em que o casamento de um homem negro com uma mulher mais clara é ao menos 10% mais freqüente do que o inverso —, em nossa amostra as mulheres evangélicas negras casavam-se com homens mais claros com freqüência quase 17% superior à dos casamentos de homens evangélicos negros com mulheres mais claras. Além disso, as mulheres evangélicas negras tinham probabilidade duas vezes e meia superior (26,8%) de se casarem com um branco do que as mulheres negras em geral (10,9%). A influência da participação na Igreja nesse sentido foi sugerida pelo fato de que uma mulher evangélica negra criada na Igreja tinha mais do que o dobro da probabilidade de casar com um branco do que uma mulher evangélica negra criada fora da Igreja (50% *versus* 17%). Estes números sugerem pelo menos que uma mulher brasileira negra tende a encontrar nas igrejas evangélicas um terreno mais livre, por assim dizer, para procurar atrair as atenções dos homens em todo o espectro de cor.[3]

A religiosidade diferente dos negros

Costuma-se pressupor que os evangélicos com tendência à interpretação literal da Bíblia adotam a leitura do Gênesis feita pelos batistas brancos do Sul dos EUA no século XIX, segundo a qual a marca de traição que Deus pôs em Caim era escura e que a pele negra e a escravidão estavam, pois, ineludivelmente associadas no plano divino (cf. Genovese, 1969). Apesar de ouvirmos esta interpretação de vez em quando, a maioria de nossos entrevistados não conhecia esta leitura, ou considerou-a incorreta e superficial. Em vez de relatos bíblicos primorosamente embalados, nossos entrevistados articularam uma gama difusa e muitas vezes contraditória de opiniões e imagens a respeito da identidade espiritual dos negros. Vários entrevistados expressaram a opinião de que os crentes de pele escura não possuíam absolutamente qualquer identidade espiritual característica: uma vez convertidos a Cristo, relacionavam-se com Ele de maneira idêntica aos demais, independentemente da cor. Outros, contudo, haviam observado na Igreja uma preponderância de fiéis de pele mais escura em determinados papéis e haviam-se permitido refletir sobre esse fenômeno. Alguns afirmaram ter notado que os negros predominavam ou se destacavam entre os cantores e músicos da Igreja. As explicações dadas ao fato baseavam-se no estereótipo de que os negros têm ritmo natural e são mais emotivos do que os brancos. "Olhe", disse um entrevistado negro, "está no nosso sangue aquele suingue, aquele ritmo. Apenas temos mais musicalidade." Logo retomarei este ponto.

Numerosos entrevistados observaram que os membros de pele escura de sua congregação tendiam, com maior freqüência do que outros, a possuir dons espirituais, da cura a falar em línguas, da profecia à visão. Não havia nenhuma dúvida aqui de que Deus, de alguma maneira, favorecia os negros, como se fossem um povo escolhido. A lógica era simples: os negros dedicavam-se mais e procuravam com mais fervor os dons do Espírito do que os brancos. Encontramos diversas versões dessa observação. Primeiro, alguns entrevistados eram abertamente céticos, acusando os negros de exibicionismo. Neste caso, o teor dos dons espirituais não eram absolutamente vistos como dons, mas como meras simulações de sensualidade. Segundo, alguns entrevistados ressaltaram a emocionalidade natural dos negros, sua tendência à intensidade em todas as coisas, incluindo a religião. Terceiro, alguns entrevistados viam os negros como especialmente dedicados à oração, ao jejum e à autopurificação porque estavam fugindo e procurando proteção contra as forças diabólicas da umbanda que os haviam escravizado em sua vida anterior à conversão. Quarto, a imagem do negro como pobre e humilde torna-o mais capaz do que o branco orgulhoso, a adotar a postura do servo obediente, manso, tão agradável a Deus. Por fim, alguns dos entrevistados viam o fervor do negro na busca dos dons do Espírito Santo como resultado de seu sofrimento especial no mundo. Como disse um entrevistado: "Nós, como povo, somos muito pisados na sociedade. Mas por Deus não somos pisados. Assim, corremos naturalmente para as coisas de Deus."

Seja qual for a causa — estereótipo de emocionalidade ou reconhecimento do sofrimento social —, o resultado é a criação de uma importante arena simbólica na cultura brasileira, na qual ter antepassados africanos torna-se fonte de prestígio, autoridade e valor.

Música e identidade étnica incipiente

Uma arena importante para a interseção de valor espiritual e cor é a música. Indiquei acima que alguns entrevistados afirmaram que os melhores cantores e músicos da igreja tendiam a ser os mais escuros. Um pastor da Igreja da Nova Vida chegou ao ponto de dizer que a musicalidade negra tinha um papel especial no plano de Deus. "Eles são bons assim na música porque Deus os está usando para evangelizar. Faz parte do plano de Deus usar a música para atrair os jovens para Ele." Em que medida nossos entrevistados tinham essas idéias? Sem dúvida, muitos evangélicos cantam em coros e tocam instrumentos sem pensar nestas atividades em termos étnicos. Mas encontramos alguns entrevistados que pensavam nesses termos; para eles, o grande valor que suas igrejas davam à música combinado à sua própria proximidade especial com as coisas do espírito compunham uma inebriante mescla etnoespiritual. "Nós, negros, temos mais naturalidade com a música", explicou um cantor. "Gostamos de cantar, abrimos a boca e realmente soltamos a voz. Naturalmente nos abrimos mais para que o Espírito Santo trabalhe através de nós."

A música a que esse cantor se referia era o conjunto de hinos de inspiração européia, derivados da *Christian harp*, antiga coletânea evangélica. Mas o mundo musical das igrejas evangélicas e pentecostais está em rápida mutação. A partir de meados da década de 1980, muitas igrejas pentecostais abriram suas portas a várias músicas não-tradicionais, inclusive muitas consideradas tipicamente "negras", como *reggae*, samba, pagode, *rap* e *hiphop*. Do ponto de vista da liderança da Igreja, o objetivo costuma ser desavergonhadamente instrumental: conquistar mais almas para Cristo. Assim como o apóstolo Paulo declarou que os ministros da Palavra devem pregar a todas as nações em suas próprias línguas, assim também esses líderes agora proclamam que os missionários modernos devem pregar aos jovens na língua que eles entendem: a música. Nenhuma música pertence por natureza ao diabo, dizem eles; a música só é distorcida quando excessivamente erotizada. "Lutar contra o demônio não significa desistir dessas músicas", explicou um pastor, "e sim trazê-las de volta, fazê-las nossas outra vez, purificá-las das influências do mal." Desta forma, novas bandas, como Banda e Voz, Yerushalem e Kadoshi, surgem e invadem o mundo pentecostal.

Foi nesse contexto que alguns jovens negros evangélicos começaram a tocar samba, pagode e *reggae* e a descobrir, através dessas músicas, novas fontes de orgulho e identidade. Em uma igreja da Assembléia de Deus do subúrbio da Abolição, os negros cantam música *soul* americana com muito entusiasmo e dizem que esta os atrai "porque está em nosso sangue, nosso sangue negro". Em Niterói, outra igreja pentecostal gerou o grupo A Raça Eleita, que toca *reggae*, samba e pagode. Vários membros da banda acham que tocar essas músicas "não tem nada a ver com ser negro; o grupo não tem o objetivo de fazer nenhuma declaração a esse respeito". No entanto, dois dos integrantes da banda tinham outra opinião. "Claro, querer tocar essa música vem do nosso sangue. É de nascença. Como podemos negar?" Em uma igreja semelhante, situada na favela do Jacarezinho, um grupo de rapazes denominado Thanks to Soul canta na batida da Motown; pelo menos dois dos integrantes atribuem essa atração ao fato de "fazer parte da raça negra".

Maior consciência do preconceito de cor

As congregações pentecostais são lugares em que os negros podem vivenciar a igualdade, e de fato o fazem, tanto na maneira como são tratados cotidianamente quanto no que diz respeito ao acesso a cargos de autoridade. Quando a atmosfera de igualdade é contrariada, essa contradição favorece a consciência do preconceito de cor e do racismo.

A doutrina bíblica de igualdade entre todos os fiéis e a insistência de Cristo em que a regra do amor fraterno não conhece exceções têm conseqüências imediatas na maneira como as pessoas no extremo escuro do *continuum* de cor sentem que são tratadas nas congregações pentecostais. "Lá", disse um entrevistado negro, "você sente respeito, sente-se livre. As pessoas realmente olham para você como irmão em Cristo." Embora imperfeita, essa prática da igualdade racial, somada à presteza dessas igrejas em associar negritude a dons espirituais, muitas vezes resulta no número extraordinariamente elevado de líderes negros, dos que têm o dom da cura aos profetas, dos presbíteros e diáconos aos pastores. Em uma Igreja Universal, 30 dos 50 líderes de oração eram mulheres negras escuras. Em uma Assembléia de Deus, todos os presbíteros eram negros escuros. Esses exemplos são bastante fáceis de encontrar. O que é preciso frisar é que a experiência de ver líderes negros à frente de uma Igreja muitas vezes é um divisor de águas para os convertidos negros. "Quando entrei na Assembléia de Deus, a primeira coisa que notei", registrou uma entrevistada negra, "foi a quantidade de pessoas da minha cor lá presentes."

É precisamente essa experiência de igualdade que torna difícil de sustentar o mito de que a sociedade brasileira fora da Igreja é uma democracia racial. Se antes da conversão é possível minimizar ou negar o preconceito de cor encontrado no mundo, depois que o convertido prova a igualdade na Igreja ocorre o que disse um entrevistado:

> Não pude mais fingir que a discriminação não acontece fora da Igreja. Durante todo o tempo em que você está na Igreja, você é tratado de outra maneira. Até entrar para a Igreja, eu não tinha visto como o preconceito era grave: o contraste é realmente incrível.

Esse contraste também faz aumentar a consciência do preconceito de cor dentro da própria Igreja. Segundo relatos de vários de nossos entrevistados, um comportamento, ou discurso, discriminatório que no "mundo" seria tolerado, dentro da Igreja é sentido como descaradamente hipócrita. Isso não quer dizer que os embates dos negros pentecostais com o preconceito de cor dentro de suas igrejas sejam isentos das habituais táticas emocionais evasivas; porém os negros pentecostais que se enfurecem com esses choques parecem poder fortalecer sua raiva por meio da crença de que o preconceito de cor é pecado aos olhos de Deus. Um entrevistado explicou:

> Eu sempre soube que o preconceito existia, mas foi só depois de conhecer o Evangelho que vi como era ruim, como ia contra a vontade de Deus. E, na Igreja, quando vi meus próprios irmãos no Espírito agindo dessa maneira, pensei: Como pode um temente a Deus agir assim, ter esses pensamentos?

Os homens negros que estão se preparando para ser pastores podem tornar-se particularmente sensíveis ao racismo.

"Eu achava que na Igreja tudo era ótimo", contou um pastor negro, "até que chegou a minha vez de ser pastor. Então vi que o preconceito existe até na Igreja, que nem todo mundo está verdadeiramente convertido a Cristo. E na Igreja isto realmente não deveria existir. Foi isso que me fez perceber que nós, como cristãos, devemos estar comprometidos com a extirpação desse mal."

PENTECOSTALISMO E POLÍTICA ÉTNICA?

A esta altura já deve estar claro que, longe de ser um simples corrosivo da identidade, o pentecostalismo no Brasil pode articular elementos de etnicidade negra de vários maneiras, e de fato o faz. É claro que esses elementos não constituem uma identidade étnica coerente, constante e autoconsciente. De fato, no pentecostalismo a identidade negra articulada permanece, na prática, no sentimento difuso, na consciência relativamente não-reflexiva (cf. Gramsci, 1971, p. 373). Tais práticas e sentimentos são a própria essência da vida cotidiana e, com todas as suas contradições, estão no cerne dos mais íntimos sentimentos de auto-estima e autodúvida. Seria o cúmulo da arrogância exigir ou esperar que essas práticas e sentimentos formassem pacotes bem arrumadinhos de consciência política. No entanto, permanece uma pergunta empírica plenamente legítima: até que ponto esse sentimento não-reflexivo, esporádico e fragmentado de negritude serviu, na prática, como base para a construção de um sentimento coletivo de etnicidade, bem como para a ação coletiva a serviço dessa etnicidade? Será que a etnicidade negra pentecostal "cotidiana" algum dia se traduziu em etnicidade politizada "não-cotidiana"?

A resposta breve a essa pergunta é "sim". Identificamos um número surpreendente de iniciativas da parte de pentecostais negros para fazer da defesa da identidade étnica negra e da luta contra o racismo projetos permanentes de suas igrejas.

Em 1985, um certo pastor Rubens, de regresso de uma viagem aos EUA, fundou, em um subúrbio de São Paulo, uma congregação da Igreja de Deus em Cristo, que é uma igreja pentecostal negra do Sul dos EUA. Ao mesmo tempo, o pastor Rubens também iniciou a Comunidade Martin Luther King Jr., que realizava um seminário semanal sobre questões negras. O seminário, espaço para a leitura da Bíblia com o enfoque das preocupações negras, tornou-se praticamente uma escola para líderes pentecostais negros que depois partiam para influenciar outras congregações.

Um dos rapazes influenciados por esses líderes foi Ernani da Silva, que, em 1991, fundou a Associação Cultural da Missão Quilombo em sua igreja pentecostal Brasil para Cristo (Quilombo era uma comunidade para escravos fugidos). Segundo sua ata de fundação, o principal objetivo da Associação era, "por meio de seminários, palestras e conferências, levar a Igreja brasileira a refletir sobre os males do racismo de maneira direta e indireta na sociedade e mesmo dentro das igrejas". A Associação promove discussões e debates mensais sobre o tema do racismo, produz uma série de folhetos a respeito do "negro na Bíblia", mantém contatos com o movimento negro de São Paulo e empenha-se em formar líderes negros nas congregações pentecostais. A Missão Quilombo não só influenciou as atitudes de membros da congregação Brasil para Cristo, onde nasceu, como também gerou vários líderes carismáticos que estão elaborando um discurso pentecostal afro-brasileiro em suas congregações respectivas.

Encontramos até algumas vozes que defendem uma proposta mais radical: a fundação de uma igreja evangélica exclusivamente negra. Em 1992, houve uma iniciativa nesse sentido em São Paulo, mas teve vida breve (Passos, 1995). Em Londrina, no Paraná, um certo pastor Paulo fundou uma congregação da Igreja Metodista Wesleyana na esperança de criar uma congregação só de negros. Ele constituiu a Comunidade de Estudos da Vida do Negro, que alimenta o desejo de "fundar uma igreja que seja negra, bíblica, pentecostal e com consciência afro-brasileira". Embora ainda não seja exclusivamente negra, essa congregação pode vir a sê-lo um dia. É significativo que o pastor Paulo atue no Sul, região onde a segregação residencial dos negros é tangível. Se algum dia for formada no Brasil uma Igreja só de negros, talvez isso ocorra na região Sul.

O que significa, para essas igrejas, aprofundar a questão do negro do ponto de vista pentecostal? A porta de entrada desses líderes pentecostais negros foi criar o argumento segundo o qual trazer os negros para Cristo requer enfrentar as questões que mais preocupam os próprios negros. Isso significa encarar o racismo na Igreja, no cristianismo e na sociedade brasileira. O alicerce bíblico para essa confrontação pode ser encontrado na passagem de Isaías que diz que Deus "não faz distinção de pessoas" e a injunção de amor ao próximo do Novo Testamento. Como diz Ernani, da Missão Quilombo: "Se nós, como evangélicos, achamos que é apropriado denunciar os vários males do mundo, das drogas à violência e à miséria, também devemos estar dispostos a denunciar o pecado de racismo."

Denunciar esse pecado significa pelo menos duas questões. Primeiro, discutir a versão de cristianismo desenvolvida nas igrejas européias, a qual codificou uma leitura racista da Bíblia. O mito que associa Caim à cor negra deve ser rejeitado, ao passo que deve ser enfatizada a origem africana de muitas das grandes figuras da Bíblia, como Simeon (Atos, 13-1) ou Simão (Mateus, 27-32). A imagem do próprio Jesus como branco de olhos azuis deve ser questionada e substituída por um Cristo de pele escura, ou então, no mínimo, a questão da cor de Jesus deve permanecer em aberto. A associação entre negro e mal, branco e bem precisa ser contestada. Por exemplo: uma leitura atenta de "Números, 12", em que Moisés retorna para sua família depois de casar-se com Zipora, a etíope, mostra Aarão e Miriam rejeitando Moisés por causa desse casamento. Deus se enfurece e lança uma doença sobre Miriam, que a deixa "branca como a neve". Aqui, argumenta Ernani, Deus está demonstrando que "não se pode associar negro com mal e branco com bem; aqui, as cores simbolizam exatamente o oposto".

A segunda maneira de enfrentar o racismo na Igreja é mais complicada e geralmente tem granjeado menos simpatia: estudar a possibilidade de valorizar tradições religiosas africanas, encontrando nelas afinidades temáticas e simbólicas com o protestantismo evangélico. Assim, por exemplo, a Missão Quilombo tenta argumentar que (em especial na tradição banta) os valores de comunidade, família, respeito pelos idosos e ancestrais e a crença em um Deus maior são reminiscências do judaísmo do Antigo Testamento. Por isso, afirmou Ernani, "nós, pentecostais, deveríamos parar de atacar as religiões afros. Devemos tender para uma relação de respeito mútuo e diálogo".

Não surpreende o fato de que essas idéias sejam pouco acolhidas pelos pentecostais. Entre eles é muito forte a rejeição da "religião afro", considerada obra do demônio, e a imagem da África tradicional como bastião de idolatria. Os críticos evangélicos mais sofisticados da tendência da "volta à África" enfatizam argumentos similares aos apontados pelo africanismo romântico de segmentos do movimento negro secular: a África de hoje não é a África que gerou os escravos; os negros brasileiros deveriam valorizar sua identidade e raízes brasileiras, em vez de romantizar um passado africano remoto e vago, e assim por diante. Muitos evangélicos também sabem que o continente africano está num rápido processo de conversão às religiões evangélicas, de tal maneira que esses esforços em reviver sua religiosidade ancestral parecem particularmente anacrônicos. No entanto, líderes como Ernani e o pastor Paulo acreditam com firmeza que a formação de uma identidade pentecostal negra deve necessariamente implicar a revalorização da África, por meio da associação entre a religiosidade africana e o judaísmo do Antigo Testamento. Claro que ainda é cedo demais para saber aonde essa associação levará.

CONCLUSÃO: UM ESPAÇO PARA O DIÁLOGO?

Atualmente, há no Brasil um profundo antagonismo, sem praticamente nenhum canal de comunicação, entre o movimento negro organizado e o movimento pentecostal. Do lado do movimento negro, o pentecostalismo é visto como inimigo porque está impregnado da tradição religiosa européia e porque declarou guerra à religiosidade afro. Enquanto isso, os pentecostais solidários com a luta contra o racismo sentem-se alienados do movimento negro por causa, entre outras razões, do compromisso deste último com as religiões afro. Trata-se, sem dúvida, de gigantescas barreiras ideológicas à colaboração entre os dois movimentos.

Ao mesmo tempo, os contatos entre a Missão Quilombo e os movimentos negros de São Paulo mostram que a agenda comum de luta contra o racismo pode constituir um incentivo ao diálogo. O modelo da Missão Quilombo, com sua abertura para as religiões afro, pode não ser generalizável. Talvez tenha maior aplicabilidade geral o possível ponto de contato entre pentecostais interessados e as pessoas do movimento negro que, em anos recentes, começaram a enfatizar menos a religiosidade afro e mais a brasilidade e a cidadania. Penso, em particular, no Grupo Cultural Afro-Reggae (GCAR), do Rio de Janeiro. Esse grupo dedica-se a ajudar jovens das favelas do Rio a encontrarem na música e na cultura popular negra e brasileira uma alternativa ao narcotráfico (Cunha, 1996). Uma vez que não está fortemente ligado às religiões afro, o GCAR pode servir de ponte entre o movimento negro do Rio e ao menos alguns movimentos pentecostais negros.

Aqui, o ponto de contato mais promissor pode ser a própria música. Até há pouco tempo, o GCAR manteve distância das incursões evangélicas no *reggae*, no *rap* e no *soul*, em grande medida por causa da suposição de que essas iniciativas eram pouco mais do que uma estratégia de *marketing* para ganhar adeptos. Assim, o GCAR permaneceu desinformado a respeito de grupos como Raça Eleita ou Thanks to Soul, nos quais, como sugeri acima, jovens evangélicos negros estão fazendo ligações interessantes entre música e identidade negra. O atual diretor do GCAR manifestou interesse em informar-se mais a respeito desses novos grupos e em abrir espaço na publicação mensal do *GCAR* (jornal de circulação nacional com tiragem de 12 mil exemplares) para artigos que tratem de música evangélica negra.

Ainda é cedo demais para dizer aonde essa etapa pode levar. Restam numerosos obstáculos práticos e ideológicos no caminho de uma colaboração mais estreita entre pentecostais negros e movimento negro. Ainda assim, talvez seja possível ao menos formular a questão: será que pontos de conexão como Thanks to Soul/GCAR encarnam suficiente convergência ideológica — identidade negra, brasilidade, cidadania, hostilidade ao narcotráfico, compromisso com a juventude, amor à música — para escrever um novo capítulo na história ainda em curso do movimento de consciência negra no Brasil?

Notas

1. Apesar de seu porte relativamente pequeno, o movimento de consciência negra no Brasil desempenhou, nos últimos vinte anos, um papel de destaque na legitimação da discussão pública do racismo e no aumento do respeito pelo patrimônio cultural dos afro-brasileiros (Berriel, 1988; Borges Pereira, 1983; Fontaine et al., 1985; Gonçalves da Silva, 1994; Winant, 1994; Rufino, 1993; Hasenbalg, 1992; Guimarães, 1995. Sobre o racismo no Brasil, ver Silva, 1985; Hasenbalg, 1979; Telles, 1992; Rosenberg et al., 1995). Enquanto isso, o pentecostalismo — versão do cristianismo que considera o encontro direto com os dons do Espírito Santo como essencial para a experiência cristã — vem influenciando, na última geração, muitas esferas da sociedade brasileira, inclusive a política eleitoral e as relações de gênero (Ireland, 1993; Stoll e Brunett, 1993; Freston, 1993; Rolim, 1985; Mariz, 1993; Machado, 1994; Willems, 1967).

2. Essas cifras foram calculadas com base nos dados brutos do projeto de pesquisa Novo Nascimento, ISER, 1996. Agradeço a Eneas Silveira pela ajuda na análise desses dados.

3. O estudo também sugere que, nas igrejas evangélicas, o mercado do casamento tende a ser menos endógamo, mais exógamo, em relação à cor, do que no Brasil de maneira geral. O número de casamentos entre mulheres evangélicas brancas e homens mais escuros é mais do que o dobro do de mulheres brancas em geral, e o número de homens evangélicos negros casados com mulheres brancas é 10% superior ao de homens negros casados com mulheres brancas na população em geral (Berquó, 1987; ISER, 1996).

Referências Bibliográficas

ABREU, Alice Rangel de Paiva, JORGE, Angela Filgueiras e SORJ, Bila. "Desigualdade de gênero e raça: o informal no Brasil em 1990". *Estudos Feministas* 2/2, p. 153-178, 1994.

ADORNO, Sergio. "Discriminação Racial e Justiça Criminal em São Paulo". *Novos Estudos CEBRAP* 43, p. 45-63, 1995.

ALMADA, Sandra. *Damas negras:* Sucesso, lutas, discriminação. Rio de Janeiro: Mauad, 1995.

ANDREWS, George Reed. *Blacks and Whites in São Paulo, 1888-1988.* Madison: University of Wisconsin Press, 1991.

BENTO, Maria Aparecida Silva. "Resgatando a minha bisavó: Discriminação Racial e Resistência nas Vozes dos Trabalhadores Negros". Tese de doutorado em psicologia, PUC-SP, 1992.

————. 1995. "A mulher negra no mercado de trabalho". *Estudos Feministas* 3/2: 479-488, 1995.

BERRIEL, Maria M. de Oliveira. "A identidade fragmentada: as muitas maneiras de ser negro". Tese de doutorado, DCS-FFLCH-USP, 1988.

BERQUO, Elsa. *Nupcialidade da população negra no Brasil.* Campinas: Unicamp/NEPO, 1987.

Black People (orgs.). *Black People* 1/4 (abril), 1996.

BORGES PEREIRA. "Negro e Cultura Negra no Brasil Atual". *Revista de Antropologia* 6, p. 93-105, 1983.

CONEN (Coordenação Nacional das Entidades Negras). Proposta de Trabalho. Mimeo, 1996.

CRIOLA. Toques. 3/2 (junho), 1996.

DAMASCENO, Caetana. "Cantando para subir". Dissertação de mestrado, PPGAS/UFRJ, 1990.

DANDARA, Casa. *O triunfo da ideologia do embranquecimento: o homem negro e a rejeição da mulher negra.* Belo Horizonte: Projeto Cidadania do Povo, 1992.

DA SILVA, Benedita. *Dia internacional para a eliminação da discriminação racial.* Brasília: Senado Federal, 1995.

DATAFOLHA. *Racismo cordial*. São Paulo: Editora Ática, 1995.

FIGUEIREDO, Angela. "O mercado da boa aparência: as cabeleireiras negras." *Bahia Análise e Dados* 3/4 (março), p. 33-36, 1994.

FONTAINE, Pierre-Michel (org.). *Race, Class and Power in Brazil*. Los Angeles: UCLA, 1985.

GARCIA CASTRO, Mary. "A alquimia das categorias sociais — gênero, raça e geração — na produção de sujeitos políticos: o caso de líderes do sindicato de trabalhadores domésticos em Salvador". Trabalho apresentado na XV reunião da ANPOCS, Caxambu, outubro, 1991.

GUIMARÃES, Antonio Sergio Alfredo. "O recente anti-racismo brasileiro: o que dizem os jornais diários". *Revista USP* 28 (dezembro-fevereiro), p. 85-95, 1996.

HARRIS, Marvin. "Race Relations in Minas Velhas". In Charles Wagley (org.). *Race and Class in Rural Brazil: a UNESCO Country Study*. Nova York: Columbia University Press, 1952.

——. *Patterns of Race in the Americas*. Nova York: Norton, 1964.

——. "Referential Ambiguity in the Calculus of Brazilian Racial Identity". *Southwestern Journal of Anthropology* 26/1, p. 1-14, 1970.

——. et al. "Who are the Whites? Imposed Census Categories and Racial Demography of Brazil". *Social Forces* 72/2 (dezembro), p. 451-462, 1985.

HASENBALG, Carlos. *Discriminações e desigualdades raciais no Brasil*. Rio de Janeiro: Graal, 1979.

——. "Race and Socioeconomic Inequalities in Brazil". In Pierre-Michel Fontaine (org.). *Race, Class and Power in Brazil*. Los Angeles: UCLA, p. 25-41, 1985.

HASENBALG, Carlos e SILVA, Nelson do Valle. *Relações raciais no Brasil contemporâneo*. Rio de Janeiro: Rio Fundo Editora, 1992.

LIMA, Marcia. "Trajetória educacional e realização socioeconômica das mulheres negras". *Estudos Feministas* 3/2, p. 489-505, 1995.

LOVELL, Peggy (org.). *Desigualdade racial no Brasil contemporâneo*. Belo Horizonte, 1991.

MARX, Anthony W. "A construção da raça e o Estado-Nação". *Estudos Afro-Asiáticos* 29, p. 9-36, 1996.

MOURA, Clovis. *Dialética radical do Brasil negro*. São Paulo: Editora Anita, 1994.

ROSENBERG, Fulvia et al. "A classificação de cor no Brasil". Trabalho apresentado na XIX reunião da ANPOCS, Caxambu, 1995.

RUFINO DOS SANTOS, Joel. "A luta organizada contra o racismo". In *Atrás do muro da noite*. Brasília: Fundação Cultural Palmares, p. 89-146, 1993.

SILVA, Nelson do Valle. "Updating the High Cost of Not Being White in Brazil". In Pierre Michel-Fontaine (org.). *Race, Class and Power in Brazil*. Los Angeles: UCLA, 1985.

SKIDMORE, Thomas. "Affirmative Action in the United States and Brazil". Trabalho apresentado na reunião da Comissão Brasileira de Direitos Humanos, Brasília, junho, 1996.

SODRE, Muniz. *O Terreiro e a Cidade*. Petrópolis: Vozes, 1988.

SOUZA, Juliana Beatriz Almeida de. "Mãe negra de um povo mestiço: devoção a Nossa Senhora Aparecida e identidade nacional". *Estudos Afro-Asiáticos* 29, p. 85-102, 1996.

TELLES, Edward. "Residential Segregation by Skin Color in Brazil". *American Sociological Review* 57, p. 186-197, 1992.

THEODORO, Helena. *Mito e espiritualidade: mulheres negras*. Rio de Janeiro: Pallas, 1996.

TWINE, Francine Winddance. "O hiato de gênero nas percepções de racismo: o caso dos afro-brasileiros socialmente ascendentes". *Estudos Afro-Asiaticos* 29, p. 37-54, 1996.

VALENTE, Ana Lucia E. F. *Política e relações raciais: os negros e as eleições paulistas de 1982*. São Paulo: Editora FFLCH, 1983.

————. "O negro e a igreja católica: o espaço concedido, um espaco reivindicado". Tese de doutorado, FLCCH-USP, 1989.

WEBSTER, Peggy Lovell. "The Myth of Racial Equality: a Study of Race and Mortality in Northeast Brazil". *Latinamericanist* 22, p. 1-6, 1987.

WINANT, Howard. *Racial Conditions*. Minneapolis: University of Minnesota Press, 1994.

Como os senhores chamavam os escravos: discursos sobre cor, raça e racismo num morro carioca

Robin E. Sheriff

Enquanto morava na comunidade que chamarei de "Morro do Sangue Bom",[1] visitei muitas vezes minha amiga e senhoria, dona Janete, uma mulher robusta, na casa dos 60 anos. Aposentara-se de sua profissão de auxiliar de enfermagem e empregada doméstica havia alguns anos, após um derrame, que limitou sua mobilidade, mas deixou sua lucidez totalmente intacta. Dona Janete não era uma pessoa formal; no entanto, como era da geração de minha mãe, eu a chamava de "senhora" quando conversava com ela e não usava os palavrões que meus jovens amigos do morro[2] tinham-me ensinado. Na verdade, nossa amizade cresceu lentamente. Nas primeiras semanas em que morei nos dois quartinhos escuros debaixo de sua casa, ela fazia apenas uma vaga idéia da natureza de minha pesquisa e eu, por minha vez, também só tinha uma vaga idéia da profundidade de sua sutileza.

Um dia, quando passei para visitá-la, dona Janete estava conversando com uma velha amiga — dona Neuza —, que também estava de visita. Trocavam histórias sobre os patrões para quem tinham trabalhado como empregadas domésticas. Dona Neuza falava do patrão de quem menos gostara, um homem aparentemente muito autoritário, diplomata de um país africano. "Ele era muito escuro, preto, como nós", disse ela, esfregando o indicador no antebraço como muitas vezes fazem as pessoas do morro quando se referem à cor. "Você pode ser preta, mas eu sou parda!", disse dona Janete e deu uma gargalhada.

Nem preciso dizer que me senti constrangida. Pareceu-me que dona Neuza, cujo senso de humor era muito menor do que o de dona Janete e que, na verdade, era a mais escura das duas, também havia ficado embaraçada. Para minimizar o que considerei uma gafe, dirigi rapidamente a dona Neuza uma pergunta educada a respeito de suas experiências e a conversa continuou.

Algum tempo depois, fui "descoberta" pela imprensa do Rio, por intermédio de um conhecido meu, militante do movimento negro.[3] As reportagens descreviam-me como uma "Xuxa no morro", mas eu podia, em doses muito breves e firmes, referir-me às histórias sobre racismo que ouvira no morro. Depois da radiodifusão de uma dessas reportagens, fui visitar dona Janete. "Aperta a mão duma preta velha", disse ela, ao me ver entrar. Sentamonos e, com dona Janete dirigindo o rumo de nossa conversa, iniciamos o primeiro de muitos diálogos nos quais ela se referiu a si mesma como negra e falou sobre racismo e preconceito de cor.

Ao tentar entender o que nós, antropólogos, chamamos de "identidade racial" no Morro do Sangue Bom, senti que a chave para muito do que eu queria saber era manifestada nas brincadeiras de dona Janete e na maneira como se referia a si mesma, em certos contextos, como preta e negra. Cheguei a entender que dona Janete era, na verdade, parda, assim como preta e negra, mas essa conclusão parecia suscitar mais indagações do que respostas. Qual era, por exemplo, o significado de seu riso e do riso de outros, que ouvi com tanta freqüência após ter sido pronunciado um termo relativo à raça ou à cor? Eu tinha ido ao morro com a finalidade de estudar discursos sobre raça e racismo entre pessoas que lá moravam, mas muitas vezes também ouvi risos e silêncios.

Há muito tempo que o significado da terminologia relativa à raça/cor no Brasil está no cerne de debates acalorados a respeito da natureza das relações de raça neste país, tanto dentro como fora da academia. Na década de 1990, os termos explícitos desse debate muitas vezes se voltam para a definição do que pode ser chamado de "afro-brasilidade". Uso esta expressão por falta de outra melhor; parece que chegamos a um ponto em que se tornou impossível encontrar uma linguagem "neutra" ou "objetiva" para discutir cultura, política, economia e, especialmente, as identidades de raça e cor no Brasil. O movimento negro insiste em que negra é qualquer pessoa de cor, com exceção dos indígenas. Alguns brasileiros de classe média, incluindo acadêmicos, hoje atendem ao apelo do movimento e não falam de pretos, mulatos e morenos, mas de negros. Os censos governamentais e outros documentos oficiais continuam a evitar o termo negro, preferindo "preto" e "pardo", o que, por sua vez, levou setores do movimento negro a insistirem no *slogan*: "Não deixe sua cor passar em branco." Alguns cientistas sociais também se referem a pretos e pardos, ao passo que outros adotaram a expressão "afro-brasileiros". Outros, ainda, concentrando-se não na cultura, mas na estrutura social, usam o termo "não-brancos". Brizola e seus partidários referem-se ao "povo moreno", seguindo, ao que parece, o que chamamos de "uso coloquial". E esse assim chamado "povo moreno" usa um imenso número de termos, e de maneira inconsistente.

Essa discussão em torno de palavras certamente tem um significado mais complicado do que aquilo que nos Estados Unidos chamamos de "discurso politicamente correto", embora a correção política com certeza esteja envolvida. As palavras que usamos para falar de afro-brasilidade não são apenas sinais claros micropolíticos que dizem aos nossos interlocutores qual é a nossa posição no labirinto de discursos sobre raça e seus significados, mas indicam também um fato incontestável: o português falado no Brasil sempre teve um vocabulário rico, ambíguo e politicamente eloqüente para referir-se à cor e à raça.

Sabemos, por exemplo, que, no português do Brasil, o peso da palavra negro sempre foi mais do que descritivo ou "taxonômico". Mesmo na época colonial, a palavra era tão forte que a Coroa portuguesa, em 1775, procurou restringir seu uso. Ao referir-se aos ameríndios do Grão Pará e do Maranhão, o texto da lei dizia:

> Entre as muitas práticas lamentáveis [...] que resultaram no descrédito dos índios, um abuso fundamental é a prática injustificável e escandalosa de chamá-los de negros. Ao fazê-lo, a finalidade talvez não tenha sido outra a não ser induzir neles a crença de que, por suas origens, haviam sido destinados a serem escravos dos brancos, como geralmente se pensa ser o caso dos negros do litoral da África [...] De agora em diante, os administradores não permitirão que ninguém se refira a um índio como negro, nem que eles mesmos usem esse epíteto entre si, como atualmente ocorre (*Apud* Forbes, 1988, p. 72).

Esta passagem nos ensina que o termo "negro" podia ser usado para descrever não só uma determinada cor mas também para referir-se, de forma mais geral, aos não-brancos com *status* servil. Além disso, a palavra podia representar diversas ações. Podia, segundo o redator da lei, "induzir crenças" a respeito da "origem" e do "destino" e, como epíteto, podia desafiar, atacar e ferir. Podia, também, ser adotada e usada como cognome pelas próprias pessoas a quem pretendia ferir.

Apesar das múltiplas associações e capacidade de ação dos termos relativos à raça/cor, nós, como antropólogos, estamos acostumados a referir-nos, de maneira bastante descuidada, ao que chamamos de "sistema brasileiro de classificação racial". Afirmo que boa parte da linguagem usada para descrever raça e cor no Brasil provém não só de modelos norte-americanos de classificação racial mas também das preocupações teóricas peculiares a um momento particular da história da antropologia norte-americana.

Nos meios acadêmicos brasileiros, o trabalho mais citado sobre classificação racial no Brasil é o artigo seminal de Marvin Harris, "Referential ambiguity in the calculus of Brazilian racial identity", publicado em 1970. Ao levantar os dados para esse artigo, Harris mostrou a seus entrevistados uma série de desenhos em preto-e-branco — que podemos descrever como charge — e pediu-lhes que descrevessem a "qualidade" ou "tipo" dos traços descritos nos desenhos. Por meio desse método, inferiu o que chamou de 492 "categorizações diferentes" (Ibid., p. 5). Como se sabe, Harris também concluiu que a característica definidora dos termos de raça/cor era sua ambigüidade referencial. A respeito de dois desses termos, o autor escreveu: "No momento, parece que os brasileiros denominam quase qualquer combinação de traços faciais por meio dos termos moreno ou mulato, com uma freqüência elevada, porém que não obedece a um padrão" (Ibid., p. 12).

O trabalho de Harris foi logo seguido pelo artigo de Sanjek, "Brazilian racial terms: some aspects of meaning and learning".[4] Como se fosse uma disputa para ver quem conseguia coletar o maior número de termos referentes à raça/cor, Sanjek escreveu que levantara 116 termos, "o maior *corpus* de termos coletados em um único local" (1971, p. 1.127).

Contudo, o que mais me interessou nesses e em outros estudos a respeito de termos relativos à raça/cor foi a linguagem usada para descrever os dados. Harris e Sanjek referiram-se às palavras que os entrevistados usaram para descrever as características representadas nos desenhos em preto-e-branco como "categorias raciais" e "tipos raciais", afirmando que esses termos, reunidos, constituíam um "sistema de classificação racial" e/ou "taxonomias raciais". É claro que essa terminologia não é decorrente da observação participante em comunidades brasileiras, mas da preocupação com a análise componencial e com as críticas a ela dirigidas, polêmica abordagem metodológica e teórica comum nos Estados Unidos nas décadas de 1960 e 1970.[5] Embora tenha cunhado os termos *etic* e *emic* para distinguir os constructos teóricos das categorias "nativas" de pensamento, Harris não analisa até que ponto os próprios brasileiros concebem os termos relativos à raça/cor que usam como constitutivos de noções de identidade realmente raciais. Também não podemos ter a certeza de que as palavras que Harris, Sanjek e outros levantaram constituíam um sistema taxonômico como se costuma conceber.

Afirmo que temos poucos motivos para supor que os dados gerados pelos métodos usados por Harris e Sanjek têm uma relação direta com a maneira como os termos relativos à raça/cor são usados, de fato, coloquialmente. Se retrocedermos uma etapa na discussão sobre classificação racial no Brasil, torna-se claro que é preciso levantar questões não só para a semântica do que *a priori* se supõe constituir categorias raciais, mas também as maneiras como os significados raciais e de cor são construídos nos contextos múltiplos e mutáveis de discurso. Como dona Janete deixa claro, os termos relativos à raça/cor podem fazer muito mais do que classificar e, se sua ambigüidade nunca pode ser totalmente explicada, pode, contudo, ser descrita de maneira mais completa.

Minha pesquisa sugere que as pessoas do Morro do Sangue Bom recorrem a vários discursos sobre raça e cor, os quais encarnam estilos e visões retóricas bastante distintos quanto à identidade de raça e de cor. Em primeiro lugar, refiro-me brevemente a um estilo cotidiano de discurso com o qual as pessoas do Morro do Sangue Bom descrevem suas próprias características físicas, bem como as de outras de suas relações pessoais. A seguir, refiro-me a um estilo pragmático ou indicial de discurso cotidiano por meio do qual as pessoas manipulam conscientemente o vocabulário sobre raça/cor. Por fim, descrevo o que chamo de estilo racial de discurso, que não enfatiza nem a cor nem a aparência, mas um ponto de vista tripartite e/ou bipolar de identidade racial.

O que Harris, Sanjek e outros chamaram de "categorias raciais" eu contextualizo e redefino como "discurso de descrição". Esse discurso é, obviamente, conhecido de todos nós. Os brasileiros de fato identificam e descrevem variações sutis na cor da pele, textura do cabelo e traços faciais.

Palavras como preto, mulato, sarará, branco e, é claro, moreno podem ser usadas para descrever a aparência das pessoas. A pele dos que não são considerados nem pretos nem brancos pode ser descrita como achocolatada, avermelhada, cor de canela, jambo, cor de índio ou simplesmente morena. As pessoas mais escuras são descritas como bem pretas, de cor fechada ou simplesmente escuras. As pessoas mais claras podem ser descritas como brancas, brancas de branco ou puxadas para o branco. O cabelo é descrito com palavras como crespo, ruim, duro, cacheado, razoável, liso ou bom. Os traços são descritos como grossos, chatos, finos e bem-feitos.[6] As pessoas do Morro do Sangue Bom conhecem um número imenso de termos para descrever a *cor* de alguém no que chamaríamos de contextos cotidianos "não-humorísticos", mas apenas um pequeno número delas é usado com alguma freqüência. Na maioria das vezes, em conversas, a pessoa pode ser designada como "aquele escuro", "aquele preto", "aquele moreno" ou "aquele de cabelo cacheado". Com a mesma freqüência, a pessoa é descrita por meio de comparações, em expressões como "ele é um pouco mais escuro do que eu".

Quando usadas assim, essas palavras não categorizam nem classificam. Antes *descrevem* o que se considera como características físicas mais ou menos singulares da pessoa. Em outras palavras, são usadas de maneira essencialmente adjetiva, e não substantiva. Todas essas palavras contêm associações raciais, mas as palavras não transmitem intencionalmente uma noção concreta de identidade racial, e sim uma descrição provisória de aparência. O que chamo de "discurso de descrição" não é tão diferente de outras maneiras não-raciais de descrever uma pessoa, como gordo, magro, alto etc. Todas estas palavras podem estar embutidas em hierarquias culturais de valor (muitos de nós acreditamos, por exemplo, que uma pessoa alta é, de certo modo, mais atraente do que uma pessoa baixa), mas muitas vezes temos a intensão de usar nossas palavras como observadores neutros. De maneira geral, temos a intenção de usar nossas palavras para transmitir informação de modo direto. Ao fazê-lo, baseamo-nos no que antropólogos como Vincent Crapanzano (1994) chamam de dimensão semântico-referencial da linguagem.

Contudo, por mais que tentemos, nunca podemos evitar ou escapar do emaranhado da semântica cultural das palavras que usamos. Enquanto eu morava no Morro do Sangue Bom, não apenas ouvi e participei de conversas cotidianas comuns como também pedi aos informantes que definissem explicitamente o significado de termos relativos à raça/cor. A simples pergunta "o que significa esta ou aquela palavra?" muitas vezes dava margem a uma descrição de traços físicos, mas, com a mesma freqüência, suscitava comentários metadiscursivos nos quais as pessoas falavam sobre as maneiras como interpretavam, usavam e manipulavam a linguagem da cor e da raça.[7] Aprendi rapidamente o que todo brasileiro sabe: muitos termos relativos à raça/cor são considerados pejorativos. Significativamente, contudo, muitos informantes, ao comentar diretamente essa questão, disseram-me que depende do "jeito de falar". Assim, o significado de uma determinada palavra não é totalmente definido pela dimensão semântico-referencial, mas pode ser estrategicamente manipulado nas conversas.

Durante meu estudo na comunidade, também aprendi que alguns faziam distinção entre o que pareciam perceber como a "verdadeira cor" da pessoa e as palavras convencionalmente usadas para falar da cor de uma determinada pessoa. Quando perguntei a uma moça qual era sua cor, ela riu e disse: "As pessoas me chamam de branca, mas eu não sou mesmo. Eu sou, não sei, morena?" De maneira semelhante, um homem disse-me que sua mulher era branca. Então riu e acrescentou: "Ela não é, mas a gente fala assim." Uma mulher na casa dos 40 anos me disse: "Eu sou preta. As pessoas me chamam de morena, mas eu acho que sou preta mesmo."

Ao referir-se a esse "jeito de falar" e estabelecer uma distinção entre um conceito de "verdadeira cor" e "o que as pessoas dizem", meus informantes do Morro do Sangue Bom indicavam, metadiscursivamente, a dimensão indicial ou pragmática do discurso. O riso que acompanhava seus comentários não só marcava uma consciência da função não-referencial das palavras que usavam, mas também assinalava uma postura sarcástica em relação a essas convenções discursivas. Como me disse um adolescente, "a palavra 'neguinho' é uma maneira de tratar uma pessoa" (nesse caso, com "carinho"). Eu sugeriria que esta é uma boa definição de trabalho da dimensão indiciária ou pragmática dos termos relativos à raça/cor. Quando as pessoas do Morro do Sangue Bom confiam nesta dimensão, não se referem de maneira "neutra", "objetiva" ou meramente informativa à cor de uma pessoa, mas escolhem entre uma variedade de termos, com a intenção de "tratar uma pessoa" de uma determinada maneira. Essa dimensão é indiciária ou pragmática, pois constrói o contexto no qual ocorre. Para esclarecer ainda mais o que quero dizer, eu observaria que o uso, no Brasil, de "senhor" e "você" encaixa-se nessa dimensão pragmática. Ambas as palavras referem-se a um interlocutor, mas, quando uso "senhor", comunico uma postura respeitosa ou distante em relação ao meu interlocutor, ao passo que, ao usar "você", comunico uma postura familiar. Por extensão, essas palavras marcam a posição relativa dos participantes em uma conversa. Assim, ao escolher um desses dois termos, marco, construo e/ou negocio ativamente os termos de minha relação com meu interlocutor.[8]

Ao tentar entender os dois, ou até três, aspectos da força dos termos relativos à raça/cor e compreender também o significado desses dois estilos muito diferentes de discurso, concluí que a palavra mais forte do léxico de raça/cor era *negro*. Esta e outras palavras a ela estreitamente relacionadas encarnam e articulam muitas das associações que definem significados raciais e de cor. Falando abstratamente por um momento, eu sugeriria que muitos estilos de discurso giram em torno de (ou comentam) tentativas de evitar ou dominar, de apropriar-se ou reapropriar-se do poder profundo e difuso dessa palavra. Descreverei brevemente a maneira como a palavra *negro* é usada em um discurso racista no Morro do Sangue Bom. No discurso cotidiano, essa palavra (e outras associadas a ela) era usada com maior freqüência no contexto de um tipo abstrato de comentário social e em situação de brincadeira.

Um exemplo do primeiro ocorreu quando uma amiga — que se referia a si mesma, em diferentes contextos, tanto como negra quanto como morena — e eu estávamos discutindo o problema da criminalidade no Rio de Janeiro. Ela disse: "É nego. Nego rouba relógio, rouba sapato, nego rouba tudo." Neste sentido, "nego" é quase uma figura de linguagem. Ao que parece, este *negro* é um outro abstrato, imaginário, racializado, que existe à margem da sociedade e é tanto causa como sintoma, como insinuava minha amiga, do que muito gente de todas as cores e classes do início da década de 1990 percebia como colapso moral da sociedade carioca.[9]

Quando solicitados a definir o termo negro, muitas pessoas do morro referiam-se menos à cor do que às qualidades morais negativas e dimensões indiciais associadas à palavra. Dona Janete, por exemplo, disse-me que negro "é uma palavra suja" e repetiu o ditado conhecido: "Sempre se diz que 'O negro faz sujeira. Quando não faz na entrada, faz na saída'." Outros disseram-me que a palavra negro é usada "pra humilhar" ou para "criticar as pessoas". Também disseram que a palavra é preconceituosa e geralmente é usada por pessoas racistas.

A palavra negro também é associada, como na época colonial, à escravidão. Uma mulher, de meia-idade, disse-me que "a palavra negro ofende porque os senhores chamavam os escravos assim". Quando perguntei a Tiago, de 9 anos, qual a diferença entre as palavras preto e negro, ele respondeu:

> Não tem diferença, só que negro é um apelido que os brancos deram aos pretos. Uma vez eu vi um filme, no qual um branco batia num preto e falava assim: "Qual é seu nome, negro? Qual é seu nome, negro?" Chamava ele de negro toda hora.

E a respeito da palavra que preferia usar para si mesmo, ele disse:

> Eu sou preto. Acho que a palava negro é ofensiva. Eu me chamo de preto, eu sou preto mesmo. Agora, eu vou me chamar de negro?

Como me disse a mãe de Tiago em outra ocasião, a palavra preto, se dita de determinada maneira, também pode ser ofensiva, mas geralmente "dói menos do que negro". Ao usar a cena do filme para ilustrar o que queria dizer, Tiago estava sugerindo, acredito, não só que os brancos chamam uma pessoa de negro quando não sabem seu nome, mas também, o que é mais crucial, que o uso da palavra negro, em certos contextos, é o equivalente lingüístico do ato de espancar alguém.

Quando pedi a dona Janete que definisse os termos relativos à raça/cor que citara, ela falou longamente sobre o termo negro. Como se estivesse desenvolvendo os comentários de Tiago, declarou:

> Acho que a gente deve evitar de chamar o outro de negro. Eu me ofendo quando me chamam "essa nega aí". Eu não quero que me chamem assim. Eu tenho nome. Pode me chamar de "Janete, dona Janete"... Pode chamar "Ô minha senhora", "ô minha tia", "ô minha avó", mas chamar de "essa nega aí", o que que há!? Eu não me batizei por esse nome, nunca me batizei por negra. Minha consciência... sabe que eu sou negra, mas assim ninguém fala. Assim, é como ter coragem de chegar perto de você e "Ô branco

azedo, tem que esperar aí"! A não ser que seja brincadeira... nem de brincadeira! Eu não gosto.

Dona Janete atenuou um pouco seus comentários, pois continuou:

Então, negra, na brincadeira, "minha nega", tudo bem. É uma palavra amigável... Agora, "ô essa negra, essa negra aí fez isso, essa negra fez aquilo, essa negra". E ainda quando a pessoa que faz isso é mais clara, a gente se sente ofendida. É grave, então. Eu sinto, né? Agora, não sei se todo mundo sente. Eu acho que sim. Acho que aqui geralmente ninguém gosta. Tem muito modo de maltratar a gente.

Como dona Janete sugere em seu último comentário, negro e preto não são, é claro, as únicas palavras que ofendem e magoam. Há outras palavras que funcionam principalmente como epítetos, tais como crioulo, macaco e preto palhaço. Na boca de crianças zangadas brigando entre si, as variações são infinitas, e me disseram que às vezes são também usadas pela polícia.[10]

Tais palavras também são usadas com freqüência *de brincadeira*. Contudo, é preciso observar que a graça da brincadeira está num tipo de inversão. Por um lado, o uso dessas palavras tem humor precisamente porque sugere uma espécie de transgressão social. Por outro, sua utilização na brincadeira é (habitualmente) aceitável porque, ao cometer o que normalmente seria interpretado como transgressão social, o interlocutor marca e demonstra sua intimidade com o ouvinte. Claro que não se pode chamar um estranho na rua de crioulo (a menos que a intenção seja de xingar), mas só aqueles com os quais se tem uma relação chegada de carinho e confiança. Tal como no caso de epítetos, o uso de um termo desses em tal contexto seria basicamente indiciativo.

Esses comentários sugerem que a força dessas palavras reside mais em sua dimensão indicial do que na semântico-referencial, mas é claro que essa força estende-se em um sentido, distorce o uso referencial. Além disso, *qualquer* palavra que supõe cor escura *relativa* tende a ser usada com certo cuidado. Por exemplo: ao referir-se à cor de seu vizinho, uma mulher primeiro olhou pela janela para ter a certeza de que ele não estava por perto e então sussurrou: "Ele é muito escuro." Como sugeri anteriormente, parece que não podemos escapar da semântica cultural das palavras que usamos. Esses significados e associações estão ancorados dentro das próprias palavras e, até certo ponto, independem do contexto. Além disso, embora eu tenha escolhido a palavra negro para demonstrar sua capacidade de magoar, particularmente quando usado de maneira indicial, é claro que a maioria dos termos relativos à raça/cor, senão todos eles, está inserida numa hierarquia cultural de valor. Assim, como sugerem meus entrevistados nos exemplos que citei acima, uma pessoa que é "morena mesmo" é chamada, de modo indicial, de "branca", ao passo que uma "preta mesmo" é chamada de "morena" por seus companheiros. De maneira mais geral, as pessoas escuras do Morro do Sangue Bom quase sempre são chamadas ou mencionadas por meio de diminutivos suavizados, como pretinho, escurinho e neguinho. Estes diminutivos são associados a carinho e, assim, usados de modo basicamente indiciativo, e não referencial. As pessoas escuras também são chamadas e chamam a si mesmas de morenas e pardas, palavras das quais, como me disseram, "as pessoas gostam". Quando pedi a dona Janete que me fornecesse termos relativos à raça/cor para uma lista de pessoas que ambos conhecíamos, ela usou palavras como mulato, moreninho e escurinho. Quando terminou, disse: "Bom. Eu não chamei ninguém de negro." Alguns de meus entrevistados definiram a palavra moreno em termos puramente alusivos, como alguém que não é "nem preto nem branco", mas, na verdade, as mesmas pessoas, em conversas, referiam-se a amigos e parentes muito escuros como *morenos*. Outros definiram a palavra não em termos referenciais, mas indiciativos. Como disse uma mulher: "Moreno é para não chamar de negro."

Darei mais alguns exemplos das maneiras como as pessoas do Morro do Sangue Bom descreveram o uso adequado e inadequado de termos relativos à raça/cor. No momento, contudo, quero destacar as distinções e semelhanças entre o que chamei de "discurso da descrição" e a manipulação consciente de termos concernentes à raça/cor no que chamo de "discurso pragmático".

Na verdade, esse discurso pragmático constitui uma formalidade conscientemente mantida que estipula dever-se evitar referências diretas à negritude e seus complexos, basicamente associações pejorativas. Enquanto no descritivo, no estilo referencial de discurso que discuti acima, o termo moreno pode referir-se a uma pessoa de cor intermediária, talvez com "cabelo mais ou menos", no estilo pragmático de discurso esse termo é freqüentemente usado como maneira educada de referir-se a alguém que é muito escuro. Nesses casos, trata-se de um eufemismo cuja finalidade não é só evitar palavras potencialmente ofensivas, mas também demonstrar respeito. Falei da *brincadeira* como um tipo de transgressão social, mas, na verdade, ela é uma *evocação* de transgressão em contextos de intimidade que têm sua própria etiqueta especial regida por normas.[11]

Essas etiquetas discursivas, movidas pelo uso indicial, desempenham papel significativo na construção e negociação de relações sociais. A dimensão indicial depende do significado referencial no sentido de que os eufemismos, por exemplo, precisam ter um referente original, mas no Morro do Sangue Bom é comum ouvir termos relativos à raça/cor usados não de maneira estritamente referencial, e sim indiciativos.

Eu sugeriria, embora de modo especulativo, que boa parte da ambigüidade que rodeia palavras como moreno é resultado do fato de que a cor é discursivamente constituída tanto em termos referenciais quanto pragmáticos. Para fins de análise, tratei essas duas dimensões em separado, mas os contextos em que ocorrem freqüentemente se superpõem e, de fato, uma afirmação única pode, e com freqüência acontece, fazer parte de ambas as dimensões ao mesmo tempo. Como insistiram muitos de meus informantes, o significado de um termo depende do *jeito de falar*. O que pode parecer uma ambigüidade puramente semântica pode ser, em parte, o que eu posso chamar de ambigüidade multifuncional, ou seja, palavras como moreno *funcionam* de formas diferentes em diferentes contextos.

Afirmo que nenhum desses discursos cotidianos é verdadeiramente taxonômico. Quase todas, se não todas, as palavras do léxico para raça/cor estão inseridas em uma hierarquia de valor, mas não são usadas nesses discursos para classificar ou categorizar, no sentido em que pesquisadores como Harris e Sanjek dão a esses termos. Na verdade, o discurso pragmático subverte a classificação em sua tendência a nivelar diferenças e a sugerir, de maneira retórica, uma "cegueira à cor" por parte do interlocutor. A chamada "verdadeira cor" de uma pessoa é oculta e noções de uma identidade racial estática ou essencializada são retoricamente indeterminadas ou negadas.[12] Esses discursos não são, propriamente falando, raciais, mas referem-se, antes, a conceitos de *cor* e *aparência*.[13]

Contudo, isso não sugere que as pessoas do Morro do Sangue Bom não mantenham um discurso de identidade e classificação racial. O que afirmo, antes, é que há um terceiro discurso que enfatiza tanto a raça como a noção de categorias raciais distintas. É significativo o fato de que esse discurso não envolva as complexas, ambíguas e múltiplas "categorias" que Harris e Sanjek mencionam mas tende a referir-se às categorias de branco e preto (ou branco e negro) ou, no máximo, branco, mulato e negro.

Quando pedi a pessoas do morro que definissem termos concernentes à raça/cor — que eles mesmos haviam citado —, muitos fizeram comentários semelhantes ao de dona Janete, ao falar do termo negro:

> Negro é aquele que mata e rouba e anda fazendo besteira por aí, esses é que são os negros. No mais só tem o branco, o preto e o mulato. O resto não existe, não. Isso é invenção do povo.

Quando pedi a uma moça com pele amarelada e cabelo cacheado que me dissesse a cor das pessoas de sua casa, ela primeiro apresentou a questão como muito complicada e depois como muito simples: "Eu sou branca mas não sou branca mesmo. Sou uma mistura. Minha mãe é mulata." "E sua irmã?", perguntei. "Olha, só tem duas cores. Branco e preto. Ela é preta e os filhos dela são pretos também."

Em outra ocasião, perguntei a Helena, mulher de quase 50 anos, de que maneira ela se referia à sua própria cor e à de seu marido, José. Ambos, cada um a seu modo, são exemplos clássicos, fenotipicamente falando, de miscigenação ou *mistura*. A pele de Helena é bem escura, seus traços são o que ela mesma chama de "finos, feições de branco" e ela tem "cabelo bom". A pele de José é mais ou menos clara e sardenta e seu cabelo é avermelhado e crespo. Eu teria chamado Helena de "morena mesmo" e José de "sarará". Quando perguntei a Helena sobre si mesma, ela respondeu: "Sou preta." "E José?", indaguei. "Preto também", respondeu, "só existe branco e preto, o resto não existe."

Suzana, mulher escura na casa dos 30 anos, fornece outro exemplo interessante dessa noção de que só há duas "raças". Um dia, quando eu estava em sua casa, sua vizinha Lúcia e a filha passaram para visitá-la. Perguntei a Lúcia se podia entrevistá-la para minha pesquisa e ela concordou. Quando perguntei sua cor, ela respondeu "preta", e sua filha disse "negra". Lúcia então disse "Sou negra preta" e olhou para Suzana esperando confirmação. Com ar de autoridade, Suzana disse: "Parda." Suzana também disse que sua cor era "parda". No entanto, quando a entrevistei, referiu-se continuamente a si mesma como negra e usou expressões como sangue negro e nossa raça. Quando lhe pedi que citasse todos os termos referentes à raça/cor que lembrasse, e que os definisse, nossa conversa foi a seguinte:

> S: Preto, negro. Que mais? Preto, negro e... [pausa]... moreno. Eles falam assim, tem um rapaz aqui, ele é mulato da Paraíba, ele me chama de morena; ele não me chama de preta ou pretinha, ele fala assim: "Ô morena! Ô morena!"
>
> R: Então, você falou mulato também.
>
> S: É.
>
> R: Que mais? Pode ser gíria também.
>
> S: Neguinho. Acho que só isso.
>
> R: Mas, antes, você falou pardo também.
>
> S: É, pardo, isso, tem pardo também.
>
> R: Então, que significa preto?
>
> S: Negro.
>
> R: E o que quer dizer negro?
>
> S: Preto. [riso].
>
> R: Tem diferença ou não?
>
> S: Não. Acho que é a mesma coisa.
>
> R: Que significa moreno?
>
> S: Preto.
>
> R: Que significa mulato?
>
> S: Bota negro.
>
> R: Mulato é negro também?
>
> S: É.
>
> R: Que quer dizer neguinho?
>
> S: Preto.
>
> R: Que significa pardo?
>
> S: Preto.
>
> R: Tá legal. Tá lembrando outra palavra?
>
> S: Não.

A referência feita por Suzana ao uso indicial do termo morena pelo paraibano, ao chamá-la, é particularmente interessante. Podemos supor que sua referência a ele como mulato também não está descrevendo sua cor, nem classificando-o de maneira exata, mas seguindo um uso educado convencional — pois ela insiste em que, pelo menos para ela, mulato significa negro. No entanto, ao mesmo tempo, parece que Suzana não faz distinção alguma; todas as palavras que ela lista significam preto ou negro.

Rosa, mulher na casa dos 40 anos, respondeu a minhas perguntas de modo semelhante:

> Ro: Preto, moreno, mulato, pardo, russo. Se o cabelo não é liso, é negro, né?[14]
> R: E que mais?
> Ro: Tem japonês, por exemplo, mas eles são brancos.
> R: Sim, então, que significa preto?
> Ro: Preto é preto, né? [riso]
> R: Que significa moreno?
> Ro: É preto também, né? É a mesma coisa.
> R: Que significa mulato?
> Ro: Pra mim é preto também.
> R: Que significa pardo?
> Ro: Pessoas claras com cabelo duro, acho que é preto.

Enquanto Rosa e eu conversávamos, uma amiga dela entrou e começou a fazer café no fogão a uma boa distância de nós. A amiga de Rosa é uma mulher na casa dos 20 anos, de pele muito clara, o que eu teria chamado de "puxada para branca". Estava com um lenço na cabeça, cobrindo o cabelo.

Rosa continuou: "Como ela, como a cor dela. Mas o cabelo... mostra seu cabelo, é duro, o cabelo é duro." A amiga de Rosa tirou o lenço da cabeça e me mostrou seu cabelo, depois colocou-o de volta. Perguntei: "Então, uma pessoa clara com cabelo duro é..." "É negra", disse Rosa, terminando minha frase. Falando com a amiga, Rosa perguntou: "Não é? Você é branca?" "Não", respondeu a amiga. Depois de ter aprendido tanto o discurso referencial como o pragmático, achei os comentários de Rosa confusos e, devo dizer, mal-educados. No entanto, sua amiga não rejeitara as duas escolhas radicalmente simplificadas que lhe haviam sido apresentadas. Depois que lhe disse que eu estava fazendo uma pesquisa sobre cor, raça *e* racismo, falou-me imediatamente sobre uma mulher para quem havia trabalhado como empregada doméstica. "Ela não gostou da minha cor", disse-me. Além disso, é interessante observar que, quando pedi a essas mulheres que me dissessem todas as palavras que conheciam para nomear cor ou raça, nenhuma das duas mencionou branco. Normalmente, alguns começam a lista por preto e outros por branco, mas Suzana e Rosa listaram apenas as palavras que convencionalmente se referem a pessoas de cor.

Em uma conversa semelhante, porém mais breve, pedi a outra mulher na casa dos 30 anos que definisse os termos que listara. Começou por preto:

> R: Como é uma pessoa preta?
> Y: Uma pessoa preta? Ah, pra mim, preto é aquele que não passou de branco. Passou de branco, pra mim, é preto.
> R: O quê? Não entendi.
> Y: Não é branco, é preto.

Mais adiante eu ouviria outras variações dessa expressão, aparentemente bastante conhecida no Morro do Sangue Bom, bem como no resto do país.

Outra mulher, Ana Lúcia, de quase 40 anos, fez vários comentários interessantes durante a entrevista. Ao perguntar-lhe como chamava sua própria cor, esperava que ela dissesse branca, pois, embora tivesse o *cabelo meio duro*, sua pele era muito clara. No entanto, tive uma surpresa, pois ela disse: "Eu sou parda, mas sou da raça negra." Nossa conversa continuou e depois retomei à maneira como ela se identificara:

> R: Você falou que é da raça negra. Mas você não é muito escura e pode ser parda. Que quer dizer isso? Pardo é da raça negra também?
> A: É, porque é uma mistura de negro com a raça branca. Eu sou quase negra, mas minha pele não é tão negra porque minha mãe era branca. Meu pai era mulato. Assim nasceu uma geração nem branca, nem preta, uma cor parda. Então, existe essa cor parda, só que não é uma cor definida. Então nem somos brancos e nem somos pretos.
> R: Mas você se identifica mais com o lado da raça negra?
> A: Sim, com a raça negra. Porque nós, ou eu, me considero da raça negra porque minha família tem negro. Meu pai era mulato, mas minha mãe era branca. Mas eu me considero da raça negra. Meus filhos são todos negros, meu marido é negro, então eu me considero negra também.

Quando pedi a Ana Lúcia que me falasse mais sobre sua família de origem, ela continuou:

Quando a gente se reúne e você olha bem, tem mistura do negro no meio. Sabe que tem negro na família. Pode ser longe, mas tem negro na família.

Nesses comentários, Ana Lúcia refere-se a si mesma tanto em termos de *mistura* como de raça negra. Ela refuta, ao menos parcialmente, a noção de que, no Brasil, ao contrário dos Estados Unidos, a identidade racial é determinada não pela família ou pelo parentesco, mas pela cor da pessoa.[15] Ao falar sobre sua família de origem, parece basear-se em uma concepção mais ou menos genética de raça, ao passo que, quando se refere a seu marido e filhos, parece adotar uma noção de solidariedade racial. Acho que seus comentários não podem ser vistos como um tipo de epifenômeno do contexto da entrevista, pois me contou a seguinte história: uma vez, quando estava visitanto uma amiga no hospital, ela andou num elevador com um homem negro e várias mulheres brancas. Quando o homem negro saiu do elevador, as mulheres fizeram comentários racistas. "Elas acharam que eu era branca também", disse Ana Lúcia. Contudo, ela as corrigiu dizendo: "Olha, eu sou negra também e vocês não devem falar assim!"

Em entrevista com dona Janete, perguntei-lhe como definia a cor de seus filhos. Sobre Jacinto, o mais velho, ela disse: "Ele tem cabelo duro pra caramba, é negro, né?" Depois, voltei a esse comentário:

R: Tenho ainda uma dúvida. No início, quando eu perguntei sobre a cor dos seus filhos, a senhora falou que o Jacinto é negro porque tem cabelo duro.
J: Sim.
R: Mas, ainda assim, ele nem é muito claro, nem é...
J: Muito escuro. Nenhum dos dois, né?
R: Mas, então, ele é negro? É preto? É da raça negra?
J: Ele é da raça negra porque eu sou negra. Eles são mestiços. O pai tá muito escuro porque trabalha no sol, essa coisa toda, mas não é negro. Então, eles são mestiços. O Jacinto, quando era pequeno, tinha o cabelo lisinho. E o outro tem pele mais clara e cabelo mais duro.
R: Mas eles se consideram da raça negra ou não?
J: É, da raça negra.

R: Então, mulato, moreno, jambo, todas essas pessoas podem ser da raça negra?

J: Da raça negra, sim. Eu não sou negra? Eu sou negra. Eu acho.

R: Mas se alguém chamasse Jacinto de negro, não de uma maneira pra xingar, mas...

J: Ah, isso chama. Aqui chamamos ele assim: "Ô neguinho, ô nego!" Aqui é assim. Ninguém esquenta, não.

Seus últimos comentários acrescentam uma inflexão interessante a suas observações anteriores a respeito do uso indicial da palavra negro e suas variantes. Aparentemente, quando seus amigos e familiares do morro chamam-no de "neguinho" ou "nego", Jacinto não se sente ofendido. Como já sugeri, usar essas palavras desse modo é marca de intimidade e afeto. Por outro lado, dona Janete parece sugerir que Jacinto é realmente negro. Ana Lúcia sugerira a mesma coisa, mas também dissera que ele é mestiço. Para pessoas como Ana Lúcia e dona Janete, uma "pessoa misturada" ou "um mestiço" e "um negro" ou da "raça negra" não são categorias mutuamente excludentes, como muitas vezes temos tendência a supor.

Além disso, há outros discursos em que as pessoas articulam visões racistas de identidade. Afirmei acima que o conceito de *cor* é, em diversos sentidos, diferente do de raça, ao passo que a palavra *cor* também pode articular conceitos mais "absolutos" ou "essenciais" que equivalentes ao de *raça*. A expressão "pessoa de cor" ou, mais coloquialmente, "de cor", é usada no Morro do Sangue Bom como palavra educada, ou seja, indicial para designar pessoas mais ou menos escuras, mas, em termos referenciais, também é usada para designar os que não são brancos.

É precisamente no contexto da descrição de relações com os chamados brancos que a expressão *de cor* tende a ser usada.[16] Ao referir-se a patrões que estimam, por exemplo, as pessoas do Morro do Sangue Bom, muitas vezes dizem: "Ela respeita minha cor". Em narrativas de racismo, é mais freqüente ouvir o contrário: "Ela não gostou da minha cor." Ao descrever o racismo de maneira geral, as pessoas muitas vezes dizem que eram "maltratadas por causa da cor". O conceito de racismo em si, às vezes chamado de "racismo", é mais freqüentemente designado pela expressão "preconceito de cor". Como explicitou a amiga de Rosa, tanto no discurso descritivo como no pragmático, essas expressões não eram usadas apenas por pessoas que convencionalmente se identificariam como pretas ou negras, ou por aquelas que a elas lhes fariam referência. Muitos dos que eu chamaria de "moreno mesmo" referiam-se a si mesmos como *de cor* (ou até *preto* ou *negro*) ao discutir relações com determinados brancos ou descrever experiências *no asfalto*.[17]

A palavra cor é usada com maior freqüência em discursos que articulam a divisão entre brancos e pessoas de cor, embora a palavra raça também seja usada. Talvez pelo fato de a palavra cor poder significar tanto cor como algo semelhante à raça, algumas pessoas do Morro do Sangue Bom disseram-me que as palavras cor e raça são sinônimos, ao passo que outros afirmaram que têm significados diferentes. A distinção semântica entre cor e raça ficou particularmente clara quando perguntei a essas pessoas qual era a diferença entre as palavras preto e negro. Algumas disseram que era a mesma coisa; outras, que os negros são ligeiramente mais escuros que os pretos, mas a maioria disse que "preto é cor, negro é raça". Isso ajuda, é evidente, a esclarecer a noção de que não é preciso ser preto para ser negro.

Embora agora talvez seja óbvio, é preciso indicar explicitamente que a palavra negro tem outros significados e associações além dos pejorativos — ou, ao contrário, afetuosos — que descrevi. Devemos lembrar que, após a radiodifusão da reportagem sobre mim, dona Janete referiu-se a si mesma como negra. Nesse contexto, e em muitos outros semelhantes, ela nem se referia à sua cor, nem estava falando de maneira autodepreciativa, nem brincando. Referia-se, antes, a uma noção de raça. Em outra ocasião, durante a visita de Nelson Mandela ao Brasil, ela disse: "Eu gosto dele porque é da minha raça. Ele luta pela minha raça." Suzana usou expressões como "sangue negro", que ela disse ser "mais forte do que o branco" e, assim como dona Janete e outros, usou também locuções como "minha raça" e "nossa raça". Quando as palavras raça e negro são usadas nesse sentido — bem como, às vezes, a palavra cor —, as pessoas do Morro do Sangue Bom não se diferenciam dos chamados brancos apenas retoricamente; muitas vezes também exprimem solidariedade e orgulho. Como me disse um homem na casa dos 30 anos: "Adoro minha cor. Adoro minha raça." Raramente ouvi comentários assim explícitos no morro, mas acredito que essa sensação de orgulho — por mais atenuada e ocasional que seja (ocasional tanto no sentido de pouco freqüente quanto de contextualmente construído) — é transmitida nas observações que citei acima.[18]

Para concluir minha citação de comentários dos informantes, eu também gostaria de observar que outras pessoas do morro estabeleceram conexões bastante explícitas entre o discurso pragmático e essas noções raciais de identidade. Neuza, mulher de quase 30 anos, disse-me que "a cor morena não existe". Mais adiante na entrevista, perguntei-lhe quais eram os termos relativos à raça/cor que tendiam a ofender as pessoas. Nossa conversa foi assim:

R: Negro ofende?
N: Depende do sentido com que a pessoa fala, entendeu? Algumas vezes a palavra negro é para discriminar. Não está valorizando, está discriminando. Mas depende da maneira em que você usa.
R: E mulato, pode ofender?
N: Não. Existem tantas coisas... quando não é totalmente a cor negra, usa-se a cor mulata, a cor parda, a cor morena, para tratar a pessoa um pouco mais clara, um pouco assim menos discriminada. Essas coisas não existem: é branco ou é negro. Mas as pessoas se sentem tão humilhadas de ser negro! O negro era escravo, o negro sofreu, o negro foi tratado como animal, essas coisas todas. Mas o correto mesmo é todo mundo ser branco ou ser preto. Ninguém pode ser outra coisa.

Pode parecer que Neuza adota o discurso do movimento negro, mas não é o caso, embora, em sua função de intermediária autonomeada entre a comunidade e os não-residentes, estivesse mais familiarizada com esse discurso do que a maioria das pessoas com quem falei. Quando comentou sobre o movimento negro, disse que era contra, porque este criaria uma situação em que "os brancos e os negros seriam completamente separados, como nos Estados Unidos". Também é preciso observar que Neuza não se referia a si mesma como negra, porém convencionalmente como mulata.

José (cuja esposa Helena citei acima) comentou a relação entre o que chamo de discurso de descrição, que enfatiza a cor, e essa noção de raça. Referindo-se à sua enteada, Jóia, disse:

[Ela] é preta também. As pessoas falam mulatinha pra não falar "A Jóia é preta". Mas as pessoas chamam de morena. Não é uma preta assim, tição, como a cor da sua roupa. Então ela é morena. Mas no documento dela não é morena. É filha de preta, de preta mesmo. Então, ela poder ser, porque a mãe era preta, o pai também era preto. Eu só criei ela. Aí, ela pode ser... [pausa] ...morena. Morena por causa da cor. Porque todo mundo no fundo é preto... Porque todo mundo que foi criado no morro é mestiço, tudo é preto, preto não, todo mundo é crioulo!

Uma vez mais, mestiço é usado como se fosse quase sinônimo de preto, que José pareceu usar, na última parte de seus comentários, mais no sentido de raça do que no de cor. José também se referiu ao discurso pragmático quando comentou sobre uma conhecida nossa:

Ela é preta também. As pessoas falam mulatinha pra não falar preta, não é certo? Mas tudo isso é preto. Tudo é macaco. Mas ninguém vai falar isso, né?

Creio que, nesse comentário, José estava fazendo uma espécie de brincadeira metadiscursiva, semelhante à de dona Janete, que descrevi na primeira parte deste trabalho. Estava chamando a atenção para as ironias do discurso pragmático e, embora ele mesmo costumasse usá-lo, estava zombando desse tipo de discurso. No sentido que já mencionei, o discurso pragmático tem o efeito retórico de nivelar diferenças entre oradores e interlocutores. Em outro sentido, contudo (sentido transmitido nas brincadeiras de dona Janete e de José), também uma tendência a estabelecer distinções entre pessoas de cor. Quando José diz que "todo mundo é macaco", está não só fazendo uma espécie de discurso racista. Também está violando e zombando da delicadeza com que as pessoas costumam evitar fazer referência à negritude. Talvez, paradoxalmente, essa fuga e o excesso de palavras usadas tanto no discurso pragmático como no descritivo chamem atenção para as diferenças de cor e despertem a hierarquia de valores ligada a essas diferenças. Quando se refere ao fato de que "todo mundo foi criado no morro", José sugere que, independentemente da maneira como a cor é constituída — referencial ou pragmaticamente —, todo mundo é igual. Igual, quer dizer, tanto na pobreza como no fato de ser *de cor*.

Quando dona Janete disse a dona Neuza, sua amiga mais escura do que ela, "você pode ser preta mas eu sou parda", a brincadeira tinha uma finalidade semelhante. Referia-se não tanto à sua cor e à de dona Neuza, mas à tendência do discurso pragmático de chamar atenção tanto para a cor em si como para um tipo de distinção invejosa entre ela e sua amiga. Sua observação espirituosa não se dirigia a dona Neuza, mas à linguagem.

Para concluir, vou complicar ainda mais essa imagem. Ana Lúcia, depois de fazer declarações "radicais", que citei anteriormente, a respeito de que a existência de *negro na família* torna a pessoa *negra*, disse o seguinte:

> Por que tem racismo, eu não sei, o brasileiro não é branco. É o racismo que as pessoas têm: "Ah, é porque aquele fulano é negro, fulano é escuro." Se a gente pensar bem, todos os brasileiros não têm cor definida. Nós somos mestiços. Você vê que alguém tem pele branca com cabelo totalmente cacheado, e encontra gente preta com cabelo totalmente liso. Então, é uma mistura assim... é preconceito bobo porque não tem o verdadeiro branco, nem tem o verdadeiro negro. Então o preconceito é assim, preconceito não tem nada a ver. Aquele que tem cabelo mais liso, branquinho, um pouco mais claro, acha que é branco. Mas ele não é branco, porque, ao contrário, todos têm sangue negro nas veias. Nossa geração brasileira é fundada na mistura com índio, misturado com português e africano. Então, não tem branco legítimo no Brasil. A grande maioria é de cor.

Como sugere o comentário de Ana Lúcia, o discurso racista a que me refiro obviamente não é totalizador, nem sequer dominante. Para roubar outra expressão de Crapanzano (1994) (que, por sua vez, a atribui a um poeta), o discurso racialista constitui uma espécie de "subterrâneo": é onipresente e ressonante, mas não totalmente elaborado nem articulado em voz alta. Quando minha amiga Jóia disse a seu padrasto, José, e a outros membros da família "Eu sei que sou negra, mas eu sou morena, né?", estava revelando uma certa espécie de dor subjacente a todos esses discursos. Embora muitos tenham sugerido que os brasileiros desfrutam de imensa liberdade nas maneiras como se definem e descrevem a si mesmos, o aprisionamento cultural, social e o significado político tanto de raça como de cor é poderosamente articulado em todos os discursos que tentei descrever.

Em certo sentido, os comentários de Ana Lúcia, que abrilhantaram o fecho de nossa entrevista, colocaram Gilberto Freire de cabeça para baixo. Ela evoca o discurso da mestiçagem brasileira não para argumentar que os brasileiros não são ou não podem ser racistas, mas para afirmar que essa mestiçagem é precisamente a razão pela qual não *deveriam* ser racistas.

Quero acrescentar que as palavras de Ana Lúcia parecem fazer eco às conclusões da ciência: não há raças puras em lugar algum nem, sob este aspecto, raças impuras. Ou, como disse um amigo do morro de maneira mais sucinta: "Só tem uma raça: é a raça humana." Há momentos em que sinto que essas palavras e suas implicações revolucionárias continuam a oferecer esperança num mundo que parece cada vez mais violento e brutalmente dividido. Em outros momentos, devo confessar que me pergunto se algum de nós — seja qual for o nome que decidimos dar a nós mesmos e aos outros — está realmente ouvindo.

Notas

1. O presente texto baseia-se em vinte meses (1990-1992) de trabalho de campo em uma favela do Rio de Janeiro, realizado com o apoio do subsídio de pré-doutoramento da Fundação Wenner-Gren. O trabalho foi redigido enquanto eu era pesquisadora visitante do Programa Raça e Etnicidade, IFCS/UFRJ, e foi financiado pela Fundação Rockefeller.

2. Os moradores do Morro do Sangue Bom preferem a palavra "morro" à "favela", termo considerado duro ou até depreciativo, usado por gente de fora. O Morro do Sangue Bom tem uma população de aproximadamente 5 mil habitantes. Tem sua própria associação de moradores, com diretoria eleita e uma creche. Datando da década de 1940, o morro foi relativamente estável até 1993, quando a guerra entre gangues rivais de traficantes de drogas e a polícia forçou muitos moradores a abandonarem suas casas. Atualmente a polícia militar ocupa o local 24 horas por dia.

3. Ver Hanchard, 1994, para a discussão sobre movimento negro em São Paulo e no Rio de Janeiro.

4. Havia outros estudos tratando da classificação racial no Brasil, muitos dos quais apoiados pela UNESCO. Ver, por exemplo, Harris e Kottak, 1963; Hutchinson, 1952; Kottak, 1967; Wagley, 1952; Zimmerman, 1952. Para discussões mais recentes, ver Harris et al., 1993; Kottak, 1992. Concentrei-me no presente texto em Harris (1970) e Sanjek (1971) porque continuam sendo os estudos sobre classificação racial citados com maior freqüência e, assim, os mais influentes.

5. Não quero sugerir aqui que Harris, Sanjek e outros não tenham sido observadores sensíveis da cultura brasileira. Na verdade, Harris e outros (ver Wagley [org.], 1952) comentaram o uso discursivo dos termos referentes à raça/cor. Entretanto, estou sugerindo que, ao tratar o discurso de maneira fundamentalmente mais anedótica do que interpretativa, esses pesquisadores subestimaram o significado das convenções discursivas em suas análises sobre raça e cor no Brasil. Além disso, nenhum dos comentários de Harris sobre o discurso (palavra e unidade de análise que ele mesmo não usou) aparece em "Referential Ambiguity in the Calculus of Brazilian Racial Identity" (1970).

6. É preciso observar que o valor está inscrito em muitas dessas palavras. A implicação no uso de palavras como "ruim" e "bom" para descrever o cabelo é óbvia. Além disso, palaras como "grosso", "chato" e "fino" têm mais de um significado e, em alguns contextos — fora do discurso de descrição —, seu uso implica uma espécie de duplo sentido.

7. Claro que meus informantes entenderam que minhas perguntas não eram "meramente antropológicas", mas também motivadas pela necessidade que tem o estrangeiro de entender a semântica e o uso apropriado de um vocabulário essencialmente coloquial e desconhecido. Assim, suas respostas muitas vezes eram generosamente didáticas. Se eu fosse brasileira, minhas perguntas talvez não tivessem suscitado respostas tão elaboradas. Também gostaria de ressaltar que alguns de meus entrevistados expressaram incerteza quanto ao significado preciso de termos relativos à raça/cor. Por exemplo, quando pedi a um adolescente que listasse e definisse todos os termos referentes à raça/cor que lhe vinham à mente, ele começou dizendo: "Vou tentar mas, para dizer a verdade, para mim, é como português de Portugal." Depois de fazer uma análise metadiscursiva magistral sobre termos concernentes à raça/cor (coerente com o que outros me disseram), José, que é citado mais adiante neste trabalho, disse: "Olhe, nem eu sei com certeza. É só o que eu penso." É preciso lembrar que a terminologia sobre raça/cor é vista como emaranhada e espinhosa tanto pelos brasileiros comuns quanto pelos estudiosos da cultura brasileira.

8. Ver Brown e Gilman, 1972.

9. Esse uso não era desconhecido dos sociólogos e antropólogos que estudaram as relações raciais no Brasil nas décadas de 1950 e 1960. Ao referir-se a São Paulo, por exemplo, Fernandes escreveu: "A palavra negra torna-se equivalente à prostituta" (p. 176, 1969). Referindo-se a uma pequena cidade do Nordeste do Brasil, Harris escreveu: "O verdadeiro baixo-baixo no sistema de classificação racial em Minas Velhas não é o preto, mas o odioso *negro*." Ele citou um entrevistado: "Negro é alguém que pratica atos negros, que não tem moral, não tem educação. Preto é alguém que tem pele escura e cabelo duro mas que não é pior do que ninguém" (p. 61, 1952). Entretanto, esses autores usaram principalmente esses relatos como exemplos de "estereótipos raciais" e "preconceito racial", e não analisaram as maneiras pelas quais discursos sobre o negro desempenham papel construtor no que foi chamado de "sistema de classificação racial" do Brasil (p. 61, 1952).

10. Muitos de meus entrevistados, em particular os homens jovens, contaram histórias de perseguição por parte da polícia, especialmente nas viagens de ônibus de ida e volta do trabalho. Essas perseguições poderiam ser chamadas de "arbitrárias", não fosse o fato de que parecem restritas com grande freqüência aos jovens negros e motivadas por preconceito de cor.

11. A análise que Roger Lancaster (1991) faz da etnografia da raça, da cor e do racismo na Nicarágua e em outros países da América Latina é semelhante à minha. Referin-

do-se ao uso de termos relativos à raça/cor, Lancaster observa: "são usados não um, mas três sistemas diferentes, em perpétuo deslizamento" (1991, p. 342). O autor chama um deles de "sistema fenotípico", que é equivalente ao que chamei de "discurso de descrição" — embora Lancaster refira-se a este como "sistema de classificação". O segundo, Lancaster chama de "sistema educado", equivalente à minha descrição de uma etiqueta movida pelo indicial, em que se evita qualquer referência à negritude. O autor chama o terceiro sistema de "uso pejorativo e/ou afetivo", análogo à minha discussão do uso de termos como negro nos estilos de discurso indicial ou pragmático. Assim como as pessoas do Morro do Sangue Bom, as que Lancaster entrevistou faziam um metadiscurso no qual "descreviam... essas várias normas de interação" (Ibid., p. 344). Além da minha ênfase na existência e significação do discurso de oposição, nossa análise difere na ênfase que dou à distinção entre estilos de discurso semântico-referencial e indicial, e em seu papel do ponto de vista da construção do discurso.

12. Yvonne Maggie (1992) frisa um aspecto semelhante. Referindo-se ao discurso cotidiano, escreve: "O diminutivo e a gradação de cor, de claro a escuro, enchem as frases e aquilo que é dito encobre ou 'escurece' termos para nós quase indizíveis: preto e branco" (p. 3, 1992). Esses termos são "indizíveis" porque espelham e constroem discursivamente a oposição e esclarecem a realidade social do racismo. A autora também observa que tanto o "sistema de classificação" do Brasil quanto o discurso cotidiano (ambos utilizam termos intermediários como moreno) enfatizam a hierarquia, mais do que a oposição — conceitos que não devem ser fundidos.

13. A distinção entre cor e raça certamente foi observada por Harris e outros (ver, especialmente, Harris e Kottak, 1963). Nogueira (1985) analisa-a extensamente em sua comparação entre as bases ideológicas do preconceito de raça/cor no Brasil e nos Estados Unidos. Apesar de conhecerem essa distinção crítica, os acadêmicos brasilianistas continuam a referir-se à "classificação racial" mesmo quando discutem ostensivamente discursos de descrição que enfatizam mais a aparência do que a "raça".

14. Muitos outros com quem falei no morro sugeriram que, na definição de raça, a forma do cabelo tem precedência em relação à cor da pele. Outros pesquisadores observaram a mesma tendência em outros lugares do Brasil; ver, por exemplo, Hutchinson, p. 95, 1952.

15. Zimmerman também contradiz a noção convencional segundo a qual a identidade racial no Brasil baseia-se na aparência, mais que na ancestralidade ou parentesco. Eis o que escreve sobre seus informantes do Nordeste: "Em numerosos casos, as pessoas entrevistadas disseram que não podiam indicar a qualidade de algumas das pessoas da lista 'porque não conheciam suas famílias'..." (p. 103, 1952).

16. Moema Pacheco argumenta que os termos preto e branco eram raramente utilizados por seus informantes em Niterói. Ela afirma: "Branco e preto são termos abso-

lutos, categorias definidas por oposição, enquanto claro e escuro, por serem categorias relativizadoras, atenuam a possibilidade de conflito..." (30, 1986). Entretanto, ela descreve a comunidade pesquisada como se esta fosse uma ilha, sem aparentemente ter indagado a seus informantes sobre suas relações com pessoas de fora. Eu diria que outros contextos sociais (em particular, os de trabalho assalariado fora da comunidade) são fundamentais no processo de construção de discursos marcadamente de oposição sobre raça e identidade racial.

17. Alguns pesquisadores, trabalhando com perspectivas disciplinares e analíticas muito diferentes das minhas, alegaram que a estrutura social do Brasil é essencialmente bipolar. Baseando-se em dados do censo, Hasenbalg (1979; 1985) e Silva (1985; 1988) afirmaram que os que foram classificados como pardos ou mulatos não apresentavam resultados melhores em aspectos como educação e renda do que os classificados como pretos (cf. Degler, 1971). Assim, alegaram que as categorias "branco" e "não-branco" representam com mais precisão a estrutura social racializada do Brasil do que as múltiplas categorias utilizadas nos censos governamentais e outros documentos oficiais. Dois historiadores das relações raciais no Brasil, Skidmore (1993) e Andrews (1991), também insistem em que é preciso repensar as categorias "raciais" brasileiras. Ambos sugerem que a sociedade brasileira pode estar muito mais próxima de um modelo "birracial" do que antes se supunha.

18. Sansone (1993; 1994) também discute a terminologia de raça/cor. Ele mostra como seus informantes em Salvador apresentam diferenças geracionais na forma de usar os termos de raça/cor. Como Sansone enfatiza, este padrão é determinado parcialmente pela revalorização de uma "cultura negra" no contexto de influências transnacionais, muitas vezes dirigidas aos jovens. Ainda que presentes, estas influências são menos acentuadas no Rio de Janeiro, ou pelo menos eram assim no início dos anos 90.

Referências Bibliográficas

ANDREWS, George Reid. *Blacks and Whites in São Paulo, Brazil: 1888:1988*. Madison: University of Wisconsin Press, 1991.

BROWN, R. e GILMAN, A. "The pronouns of power and solidarity". In Pier Paolo Giglioli, (org.), Harmondsworth: Penguin, 1972.

CRAPANZANO, Vincent. *Hermes' Dilemma and Hamlet's Desire*: Essays on the Epistemology of Interpretation. Cambridge: Harvard University Press, 1992.

DEGLER, Carl. *Neither Black nor White: Slavery and Race Relations in Brazil and the United States*. Austin: University of Texas Press, 1971.

FERNANDES, Florestan. *The Negro in Brazilian Society*. Nova York: Columbia University Press, 1969.

FORBES, Jack. *Black Africans and Native Americans*: Color, Race and Caste in the Evolution of Red-Black Peoples. Oxford: Basil Blackwell, 1988.

HANCHARD, Michael George. *Orpheus and Power*: the 'Movimento Negro' of Rio de Janeiro and São Paulo — 1945-1988. Princeton: Princeton University Press, 1994.

HARRIS, Marvin. *Town and Country in Brazil*. Nova York: Columbia University Press, 1956.

———. "Referential ambiguity in the Calculus of Brazilian racial identity". *Southwestern Journal of Anthropology* 14 (4), p. 1-14, 1970.

HARRIS, Marvin e KOTTAK, Conrad. "The structural significance of Brazilian racial categories". *Sociologia* 25, p. 203-208, 1963.

HARRIS, Marvin, CONSORTES, Josildeth Gomes, LANG, Joseph e BYRNE, Bryan. "Who are the whites? imposed census categories and the racial demography of Brazil". *Social Forces* 72 (2), p. 451-462, 1993.

HASENBALG, Carlos. *Discriminação e Desigualdades Raciais no Brasil*. Rio de Janeiro: Graal, 1979.

———. "Race and socioeconomic inequalities in Brazil". In Pierre-Michel Fontaine (org.), *Race, Class, and Power in Brazil*. Los Angeles: University of California, p. 25-41, 1985.

HUTCHINSON, Harry. "Race relations in a rural community of the Bahian Reconcavo". In Charles Wagley (org.). *Race and class in rural Brazil*. Nova York: Columbia University Press/UNESCO, p. 16-46, 1952.

KOTTAK, Conrad. "Race relations in a Bahian fishing village". *Luso-Brazilian Review* 4 (2), p. 35-52, 1967.

————. "Emics and etics of racial classification in Brazil, based on a recent national survey". Trabalho apresentado na seção "Race, class, and ethnicity in comparative perspective: the legacy of Charles Wagley", reunião anual da American Anthropological Association, San Francisco, 1992.

LANCASTER, Roger. "Skin color, race, and racism in Nicaragua". *Ethnology* 30 (4), p. 339-353, 1991.

MAGGIE, Yvonne. "Aqueles a quem foi negada a cor do dia: as categorias de cor e raça na cultura brasileira". Trabalho apresentado no Seminário Internacional Sobre Racismo e Relações Raciais nos Países da Diáspora Africana. Centro de Estudos Afro-Asiáticos, Rio de Janeiro, 1992.

NOGUEIRA, Oracy. "Preconceito racial de marca e preconceito racial de origem". In: ————. *Tanto Preto Quanto Branco: estudos de relações raciais*. São Paulo: T. A. Quieroz, p. 67-93, 1985.

PACHECO, Moema de Poli Teixeira. "Família e identidade racial: os limites da cor nas relações e representações de um grupo de baixa renda". Dissertação de Mestrado, PPGAS/UFRJ, 1986.

SANJEK, Roger. "Brazilian racial terms: some aspects of meaning and learning". *American Anthropologist* 73, p. 1126-43, 1971.

SANSONE, Livio. "Pai preto, filho negro: trabalho, cor e diferenças geracionais". *Estudos Afro-Asiáticos* 22, p. 143-74, 1993.

————. "The local and the global in today's Afro-Bahia". Trabalho apresentado no XVIII Encontro Anual do ANPOCS, Caxambu, MG, 1994.

SILVA, Nelson do Valle. "Updating the cost of not being white in Brazil". In Pierre-Michel Fontaine (org.). *Race, Class and Power in Brazil*. Los Angeles: University of California Press, p. 42-55, 1985.

————. "Cor e processo de realização sócio-econômica". In Carlos Hasenbalg and Nelson do Valle Silva (orgs.). *Estrutura social, mobilidade e raça*. Editora Revista dos Tribunais, p. 144-63, 1988.

SKIDMORE, Thomas. "Bi-racial U.S. vs. multi-racial Brazil: is the contrast still valid?" *Latin American Studies*, 25, p. 373-386, 1993.

WAGLEY, Charles (org.). *Race and Class in Rural Brazil*. Nova York: Columbia University Press/UNESCO, 1952.

ZIMMERMAN, Bejamin. "Race relations in the arid Sertão". In Charles Wagley (org.). *Race and Class in Rural Brazil*. Nova York: Columbia University Press/UNESCO, p. 82-115, 1952.

A brancura desconfortável das camadas médias brasileiras

John M. Norvell

Ao receber, em 1984, o prêmio concedido pela Câmara Municipal de Salvador, Bahia, o respeitável romancista Jorge Amado disse o seguinte a respeito de suas influências intelectuais:

> Nesta cidade aprendi muito do que sei, mamei nas tetas do saber popular, mergulhei nas fontes da cultura mestiça que é nossa cultura brasileira, nela alimentei minha criação.

Salvador não satisfez apenas sua própria necessidade de autenticidade cultural, mas também a da nação brasileira. Continua Jorge Amado:

> Aqui, nesta cidade da Bahia, como chamamos, começou a se formar a nacionalidade brasileira. Nossa cidade foi o imenso leito de amor onde as raças, os sangues, as culturas se misturaram para que nascesse e crescesse nossa raça mestiça, nossa cultura mulata, se afirmasse nossa originalidade de povo. Aqui se estabeleceram os grandes princípios. [...]
> É necessário que se repita que existe uma única solução para o problema racial: a mistura de raças. Tudo o mais, seja o que for, conduz irremediavelmente ao racismo.[1]

Há muito que comentar sobre esta breve citação: o gênero atribuído à autenticidade cultural é o feminino; a declaração inequívoca de que a cultura propriamente brasileira é mestiça; a equivalência estabelecida entre os termos "mestiça" e "mulata", "raça" e "cultura"; a afirmação de que os "grandes princípios" da civilização brasileira têm raízes racial-culturais e mescladas. O que me causa maior impacto é o fato de que, neste discurso — e claro que não apenas ali —, o lugar da produção de tudo isso é a cama do amor. Ao que parece, o encontro que ocorria nesse leito não era entre pessoas, mas entre raças, sangues, culturas em suas formas brutas, mediadas pelo ato sexual. O Brasil é, desta perspectiva, uma nação de raças, nação literalmente *feita na cama*.

Neste trabalho eu gostaria de destacar, em primeiro lugar, as formas notavelmente semelhantes e paradoxais que essa idéia reveste em narrativas acadêmicas da história da civilização brasileira publicadas a partir de 1928, data do ensaio que há razões para considerar como o primeiro trabalho acadêmico publicado que fugia do paradigma do racismo científico. Em segundo lugar, sugerirei que o paradoxo da mistura de raças perceptível nessa produção intelectual levou à coexistência de duas narrativas conflitantes sobre nacionalidade e raça nos discursos cotidianos dos *cariocas* de classe média da Zona Sul do Rio de Janeiro, entre os quais realizei trabalho etnográfico de campo.[2] As lógicas de classificação racial que essas narrativas acarretam apontam para a instabilidade inerente a qualquer noção de brancura, e portanto de negritude, no Brasil. Por fim, indicarei que essas narrativas duais e a brancura desconfortável da qual derivam podem estar assumindo a função antes desempenhada pelo branqueamento, ou seja, a de ser um meio para resolver o dilema da diferença racial em uma nação retoricamente mestiça.

No desenrolar de minha pesquisa, observei uma curiosa contradição na maneira como o termo "raça" era usado e voltei aos clássicos da historiografia e da sociologia brasileiras com essa contradição em mente. Em primeiro lugar, o termo raça tem um amplo leque de significados, normalmente mais culturais do que biológicos, e tende a ser evitado como palavra para referir-se a diferenças raciais, em cujo caso "cor" é o termo preferido. Em segundo lugar, é extremamente comum um entrevistado dizer de imediato que não há raças no Brasil, apenas uma raça brasileira. Essa raça brasileira surgiu através do sexo inter-racial ao longo da história do país. Mas tal formulação não responde à pergunta: se não há raças, como pode haver mistura de raças, ou sexo inter-racial? Ou seja, até onde é preciso remontar no tempo para encontrar as raças que se misturaram — como raças — para produzir o atual estado de coisas?

A questão das influências é sempre espinhosa, em particular neste caso, entre, de um lado, a produção acadêmica e literária da elite intelectual e, de outro, o discurso de uma classe média que surgiu e cresceu basicamente durante o século XX. Assim, farei o possível para evitar esse tema. Poucos de meus entrevistados leram algumas das obras que mencionarei aqui. Suas preocupações sociais não são, majoritariamente, as que informam o pensamento desses escritores. No entanto, as noções de raça e mistura racial não elaboradas pela elite sem dúvida constituíram uma tela de fundo importante para essas especulações acadêmicas sobre o Brasil e a cultura brasileira. Simetricamente, versões de várias das preocupações da elite chegaram aos livros escolares, aos discursos políticos, ao jornalismo e às formas mais populares de escrita ao longo do século XX, como, por exemplo, os romances de Jorge Amado. Roberto DaMatta diz que é a "fábula das três raças" (DaMatta, 1981, p. 59) que une as versões erudita e popular da história do Brasil. Argumentarei que, em ambos os ambientes discursivos, e independentemente do conteúdo da discussão em pauta, a mescla de raças funciona como pivô no discurso a respeito da sociedade e que esta noção de mistura de raças aponta para uma origem situada impossível e assintoticamente no passado, porém eternamente presente na condição brasileira.

Em uma faixa de oito anos, de 1928 a 1936, intelectuais brasileiros publicaram três ensaios que tratavam do futuro do Brasil através de uma evocação do passado. Embora diferissem entre si no estilo, no método e nas conclusões, esses três trabalhos parecem ter criado um molde para as visões sociológicas e históricas da nação brasileira que influenciou os textos intelectuais dessa área até os dias de hoje. Os três livros são *Retrato do Brasil* (1928), do aristocrata e crítico Paulo Prado, *Casa-grande & senzala* (1933), do sociólogo Gilberto Freyre, e *Raízes do Brasil* (1936), do historiador Sérgio Buarque de Holanda. Os três estudam uma extensa faixa de tempo e uma ampla unidade de análise: a "civilização" brasileira. Os três tratam, de uma forma ou de outra, do dilema brasileiro, como diz o antropólogo Roberto DaMatta (1979): o que explica o nível de desenvolvimento do Brasil e as peculiaridades de sua sociedade em um momento de modernização acelerada? Os três preocuparam-se com a alma brasileira, podemos dizer, e procuraram algo no fundo da brasilidade que explicasse o dilema brasileiro, conforme a visão diversa de cada um deles. Em algum momento de sua busca, os três encontraram a mistura de raças. Na tradição da interpretação histórica em grande escala — "história da civilização brasileira" — que persiste até hoje, o papel retórico básico da mistura de raças permanece notavelmente o mesmo.

Paulo Prado era um aristocrata de São Paulo. Seu ensaio a respeito da situação brasileira foi publicado em 1928, durante a onda de produção literária e artística nacionalista e modernista associada à Semana de Arte Moderna de 1922, de que Prado foi um dos organizadores. Em seu livro *Retrato do Brasil*, o autor explica o fracasso do desenvolvimento do país: "O Brasil, de fato, não progride; vive e cresce, como cresce e vive uma criança doente no lento desenvolvimento de um corpo mal organizado" (p. 200). Atribui essa falta de florescimento a valores embutidos na cultura brasileira, desde o descobrimento e início da colonização do Brasil, especificamente lascívia e cobiça. Os trópicos luxuriantes e a exuberância sexual das mulheres nativas e escravas, combinados com a falta de mulheres européias na colônia e a desistência de exercer controle moral sobre a avidez sensorial dos colonialistas, incentivaram uma tolerância total em relação à sensualidade e ao excesso sexual que resultou em tristeza e melancolia pós-coito permanentes e, pior, amaldiçoou o Brasil com uma incapacidade debilitante de se organizar e progredir como nação.

Um dos efeitos desse excesso sexual foi a mistura de raças. Autor que escreveu em meio aos acirrados debates sobre racismo científico e eugenia, bem como às discussões anti-racistas da antropologia e sociologia norte-americanas, Prado é um exemplo claro do problema intelectual descrito por Skidmore (1974): como conciliar a mistura óbvia de raças do Brasil com as lúgubres previsões de racistas científicos para essas sociedades, mantendo, assim, alguma esperança no futuro? Skidmore observa que, embora Prado declare com segurança que as contribuições do africano, do indígena e do mestiço para o Brasil sejam positivas e afirme sua convicção de que há uma igualdade essencial entre as raças, sua solução manifesta uma crença no branqueamento ou arianização.

Prado de fato parece acreditar na predominância do elemento europeu na mistura brasileira de raças, mas se trata de um tipo curiosamente contraditório de branqueamento. Ao tentar estabelecer uma distinção entre o problema racial do Brasil e o dos Estados Unidos, Prado diz que o elemento racial negro "desaparece aos poucos, dissolvendo-se até a falsa aparência de ariano puro" (Prado, 1928, p. 191). No mesmo texto, tendo se referido "ao que se chama de arianização", Prado observa que, no Brasil, o negro "viveu, e vive, em completa intimidade com os brancos e com os mestiços que já parecem brancos" (p. 189). Diz que "a arianização aparente eliminou as diferenças somáticas e psíquicas: já não se sabe mais quem é branco e quem é preto" (p. 192). Observa que, embora o mestiço brasileiro tenha enriquecido o Brasil "de inteligência, de cultura, de valor moral" (Ibid.), resta a possibilidade de que o repetido cruzamento racial resulte em vulnerabilidade genética à doença e ao vício. O tempo dirá, afirma Prado, por que bastam cinco ou seis gerações para que o experimento se conclua.

Com sua tentativa biológica, parece diferenciar o caso sul-africano, em que a mistura de raças criou uma raça mista — isto é, uma raça resultante da mistura de outras raças supostamente puras —, do caso brasileiro, em que a totalidade do país parece encaminhar-se para uma situação de raça mista, o que mais tarde seria popularmente chamado de "raça brasileira". Sem contestar a afirmação de Skidmore de que Prado acredita no branqueamento, minha leitura da ambivalência de Prado neste ponto deixa margem para uma noção de brancura como já substancialmente miscigenada. A frase "falsa aparência de ariano puro" talvez possa ser lida como um comentário cético à crença na pureza racial e também como uma observação a respeito da mescla enganadora que incorporaria o negro à brancura, que é como Skidmore a interpreta.

Ataco este ponto porque é útil para destacar outro momento interessante do mesmo texto de Prado, alguns parágrafos antes. Prado explica que a mulher africana assumiu com facilidade o papel da mulher indígena como "gineceu do colono" (p. 188), expressão que prenuncia Jorge Amado na citação do início do presente texto, em sua construção feminizada e sexualizada da fonte da brasilidade. Para defender essa idéia, Prado aponta a lendária "sedução que a negra e a mulata exerciam sobre o colono português" (Ibid.). Em outro trecho do ensaio, o autor fala, ao mesmo tempo, da intensa sexualidade das indígenas e das mamelucas (mestiças de branco e indígena).

Podemos ver que aqui a mistura de raças já faz parte do quadro. Logicamente, havia relações sexuais, das quais nasciam filhos, entre colonos portugueses e mulheres indígenas "puras" ou escravas "puras". Ao recontar-se esse processo, no entanto, sob forma de relato histórico, a prole de raça mista oriunda dessas uniões também assume o papel de sedutora. As mulatas e mamelucas também são incorporadas ao gineceu, indistinguíveis em seu papel histórico das indígenas e africanas racialmente puras de que descendem. Os mestiços de sexo masculino desaparecem aqui. São invisíveis nesta história.

Não apenas os não-brancos estão se tornando mais mesclados — branqueamento, talvez — como os brancos também estão mais misturados, pois um número crescente de mestiços começa a "passar" por branco e o caráter geral da colônia é cada vez mais influenciado pela miscigenação, pelo menos cultural e moral, quando não biológica. Ninguém diria que os portugueses estão "enegrecendo" ou "escurecendo", é claro, mas esta é uma forma de encarar a situação. Em algum momento — bem no início — a terra e o povo do território brasileiro tornam-se Brasil; formam o local da emergência da nação brasileira. Segundo Prado, essa nação é fundamentalmente marcada pelos efeitos da miscigenação. É um lugar feminino, cada vez mais definido pela indígena, pela escrava africana e pela mestiça e a mulata que mantêm a mistura de raças como processo permanente.

Se dermos uma rápida olhada na obra de Gilberto Freyre, encontraremos a mesma situação. Freyre — antimodernista e regionalista — afirma que é possível o Brasil dar certo, desde que permaneça próximo de suas raízes e valores culturais mais profundos, que são os da casa-grande e da senzala. Segundo Freyre, as relações entre as raças e os gêneros são positivas, pois se trata de aspectos orgânicos de um sistema social patriarcal equilibrado e feliz (Needell, 1995). Suas conclusões estão quase no pólo oposto às de Prado. No entanto, a visão que ambos têm da mescla racial é bastante semelhante. São as mulheres de cor que a propiciam — a indígena vaidosa e sensual e a passiva e amorosa escrava ou criada negra. As características dessas mulheres e desse tipo de sexualidade representam o Brasil, formam o Brasil, *são* o Brasil, assim como no gineceu de Prado. Em uma passagem citada por Needell (1995), Freyre compara as mulatas e negras com animais, meninos negros e frutas pegajosas e carnudas, pois todos eles estimulam e satisfazem a sexualidade dos rapazes da plantação.

Em ambas estas histórias do Brasil, os homens europeus estão povoando o Brasil com sua prole, concebida por mulheres de pele escura. Essa prole é incorporada à matriz materna que é o Brasil. Ambos os autores vêem a mistura de raças como algo absolutamente fundamental para o que o Brasil é, caso contrário nenhum dos dois se preocuparia com o tema, sequer como explicação para o atraso do Brasil ou contribuição positiva para o futuro do país. Assim sendo, por que, nos textos sobre esse Brasil, a posição privilegiada ainda é a dos homens brancos? No momento em que Prado e Freyre escreveram, o momento fundador do Brasil, por assim dizer, repetia-se constantemente há quatro séculos. Como o sujeito ativo de sexo masculino acaba fora do processo de *brasilização* durante todo esse tempo? Para Prado, a resposta está na maneira como o gineceu corrompe os que fazem e movimentam a Colônia, e depois o Império, bem como sem dúvida a República. Eles são contaminados pela melancolia decorrente da lascívia e da cobiça. São repetidamente, e até obsessivamente, seduzidos pelo Brasil, pelos trópicos e suas mulheres de pele escura.

Essa lógica é óbvia no *lusotropicalismo* de Freyre, segundo o qual o colonizador português — que o texto de Freyre representa nos dois Albuquerques, Afonso "O Terrível" de Albuquerque, na Índia, e Jerônimo de Albuquerque, de Pernambuco — fazia do casamento, por vários meios e diversos níveis de força, de mulheres de pele escura do ultramar português com homens brancos (Freyre, 1953, p. 27 e s.) um método sistemático de colonização e assimilação. Apesar da linguagem neutra em relação ao gênero ao referir-se a "corpos", usada nos momentos mais abstratos da argumentação ("Era preciso que aos corpos brancos e morenos, assim vigorosos, se juntassem, em Portugal, os pardos e pretos trazidos da África para que, abrigando todos almas de cristãos, se unissem naquele serviço, ao mesmo tempo de Cristo e d'ElRei" [p. 31-37]), todas as explicações detalhadas que Freyre fornece referem-se a homens portugueses e mulheres nativas: "meninas-moças de cor" criadas e protegidas como membros das melhores famílias para se casarem com homens brancos (p. 32-33), aventuras sexuais de homens portugueses em terras tropicais (p. 35) etc.

No contexto do Brasil contemporâneo, vemos claramente a mesma situação nas narrativas do agrado de Freyre a respeito de como "nós" brasileiros somos cultural ou fisicamente marcados pelos traços benéficos da mistura de raças. Diz ele:

> Todo brasileiro, mesmo o alvo, de cabelo louro, traz na alma, quando não na alma e no corpo — há muita gente de jenipapo ou mancha mongólica pelo Brasil —, a sombra, ou pelo menos a pinta, do indígena ou do negro. [...] A influência direta, ou vaga e remota, do africano. [...] Da escrava ou sinhama que nos embalou. Que nos deu de mamar. Que nos deu de comer, ela própria amolengando na mão o bolão de comida. Da negra velha que nos contou as primeiras histórias de bicho e de mal-assombrado. Da mulata que nos tirou o primeiro bicho-de-pé de uma coceira tão boa. Da que nos iniciou no amor físico e nos transmitiu, ao ranger da cama-de-vento, a primeira sensação completa de homem. Do muleque que foi o nosso primeiro companheiro de brinquedo. (Freyre, 1977 [1933], p.283)

Obviamente, o que Freyre tem em mente, mesmo quando tenta apontar as contribuições indígena e africana para a nação brasileira, é uma alma branca, curiosamente "marcada" por uma espécie de persistente passividade da parte do outro de pele escura, não-europeu. Os pecados do pai continuam sendo uma possibilidade sempre em aberto para os filhos, cujas almas permanecem brancas, a não ser pela sombra que é tanto herdada quanto adquirida por meio de um obsessivo retorno à cena dos crimes do pai.

Podemos ver o mesmo fenômeno na história da civilização brasileira escrita por Sérgio Buarque de Holanda, em *Raízes do Brasil* (Holanda, 1995 [1936]). A mistura de raças em si não ocupa muito espaço nessa obra e, quando aparece, Holanda diminui sua importância para a tese que apresenta, mesmo reconhecendo implicitamente sua centralidade sociológica. "Nem o contato e a mistura com raças indígenas ou adventícias fizeram-nos tão diferentes dos nossos avôs de além-mar como às vezes gostaríamos de sê-lo", afirma o autor (p. 40). Seu interesse pela mistura de raças está, portanto, mais voltado para a raça que foi a predadora na conquista do Novo Mundo. O autor observa que os portugueses há muito se distinguem dos espanhóis por sua maior proporção de mistura no sangue. Até os suaíles da África, diz ele, diferenciavam os europeus dos portugueses com base nesse aspecto (Ibid.).[3] "A mistura com gente de cor tinha começado amplamente na própria metrópole" (p. 22). O autor se refere à mistura com escravos africanos e invasores norte-africanos. Mas observemos a construção gramatical da frase: "A mistura *com* gente de cor", não "*de* raças diferentes", não "*de* pessoas de cor", mas "*com* gente de cor". Na mesma passagem em que aponta a impureza racial e cultural dos próprios portugueses, Holanda usa um sujeito branco indeterminado, discursivamente privilegiado, que se mistura *com* pessoas de cor. E, é claro, o tempo verbal utilizado, o mais-que-perfeito — "a mistura [já] tinha começado" —, projeta claramente para o futuro, presumivelmente até nossos dias, esse processo contínuo de mistura de brancos (primeiro portugueses, depois brasileiros) com pessoas de cor.

Os livros sobre história e sociologia publicados nas décadas subseqüentes a esses três autores seminais mostram a mesma lógica contraditória infundida em discussões a respeito de mistura de raças. Parece que sempre chega uma hora em que a mescla de raças, como momento fundador, originário, é forçada a coexistir com uma visão de mistura de raças como fato permanente da sociedade brasileira e em que a centralidade da mistura racial para a nação brasileira é substituída por um sujeito branco, não-miscigenado, até em textos que tratam explicitamente da desigualdade ou do racismo, e mesmo nos que supõem uma miscigenação quase total, deixando no Brasil apenas pessoas mais claras ou mais escuras, sem brancos, negros ou indígenas puros.

Caio Prado Júnior, por exemplo, foi contemporâneo de Holanda e Freyre, embora tenha começado a escrever muitos anos depois. Em sua história do Brasil de 1942 (Prado Júnior, 1942), assinala que as "três raças formadoras" deveriam ser sempre consideradas juntas: "juntas e mesclando-se sem limite, numa orgia de sexualismo desenfreado que faria da população brasileira um dos mais variegados conjuntos étnicos que a humanidade jamais conheceu" (p. 102). Essa passagem é uma hipérbole impressionante, em um livro de resto sóbrio e cuidadosamente ponderado. O autor alega que os mestiços há muito constituem a grande maioria da população e que apenas os imigrantes recentes poderiam ser considerados realmente brancos. A exemplo de Prado e Freyre, atribui ao colono português — no Brasil sem mulheres européias e já predisposto para as relações com mulheres mais escuras por causa da experiência de Portugal sob domínio mouro e no contexto do início da escravidão africana — o papel de força indutora da miscigenação, "signo sob o qual se formou a etnia brasileira, resultado da excepcional capacidade do português em se cruzar com outras raças" (p.102), capacidade que seria decorrente de sua "plasticidade... em presença de raças exóticas" (p. 103). Então vem o tropeço: "Difundida por toda a população, ela ['mestiçagem do branco... com o negro'] se atenua na medida que ascendemos a escala social. Passamos nesta ascensão, desde os primeiros degraus, onde encontramos o negro escravo e o índio de posição social muito semelhante, apesar das leis, à daquele, por um alvejamento sucessivo que nas classes superiores se torna quase completo" (p. 105). A última parte desta observação é perfeitamente verdadeira, mas não tem nada a ver com a freqüência da miscigenação, no sentido sexual puro em que o autor a definiu, e sim, antes, com a distribuição da riqueza e do privilégio.

O que Prado Júnior pretende aqui — que haja menos miscigenação entre as classes altas, brancas — opõe-se diametralmente ao pressuposto que está por trás tanto da idéia de Paulo Prado a respeito dos colonos dissolutos e desvigorados como da imagem que Freyre apresenta do aristocrata rural e suas visitas aos aposentos da criadagem, mas o efeito é surpreendentemente o mesmo: o mestiço suporta o peso da definição da mistura racial. Uma vez que os brancos tendem a não transmitir sua riqueza e seu nome à prole gerada nos atos sexuais inter-raciais (ou desses atos não nascem filhos, como no caso de homossexualismo, prostituição e consumo de pornografia, por exemplo), Prado Júnior situa esses atos de lado e acima da "orgia" de sexo inter-racial que reproduz o Brasil. E o faz na mesma passagem de um texto que atribui à sua "flexibilidade", tolerância e necessidade sexual o início e a manutenção do processo que reúne as "três raças formadoras".

Por fim, Darcy Ribeiro, antropólogo e político, escreve em sua *Teoria do Brasil* (*Theory of Brazil*, Ribeiro, 1972), de 1972, que o Brasil é um "povo-novo" (dentro de uma tipologia global que também inclui "povos-testemunho", "povos-transplantados", "povos-emergentes"). Esses povos novos provêm, como nova "espécie"[4], de matrizes multiétnicas, habitualmente impostas pelo colonialismo ou pela escravidão. Assim, o Brasil perdeu todas as suas características étnicas originais nesse cadinho do qual saiu uma população "já não indígena, nem africana, nem européia, mas inteiramente diferente de todas elas" (p. 31). Vinte e quatro anos depois, em 1996, o autor afirma que "assim [na base de preconceito de classe] é que mais facilmente se admite [observe o sujeito indeterminado] o casamento e o convívio com negros que ascendam socialmente e assumam as posturas, os maneirismos e os hábitos da classe dominante" (Ribeiro, 1995, p. 236). Uma vez mais, creio que a observação é bastante correta, mas a estrutura da frase, em especial quando cotejada com seu texto anterior, mostra a mesma visão contraditória dos brancos e de sua relação com a mistura de raças. Um comentário feito por Ribeiro em 1995 durante uma entrevista coletiva revela de maneira ainda mais clara o paradoxo de seu pensamento: "Nós somos melhores, porque lavados em sangue negro, em sangue índio, melhorado, tropical" (Ribeiro, 1997, p. 105). A sintaxe da oração não deixa dúvida a respeito do "nós" a que se refere: o europeu branco supostamente perdido no cadinho/gineceu.

Para resumir a primeira parte de minha análise, direi que todos esses textos têm em comum duas afirmações contraditórias. Primeira: o Brasil, ou a nação brasileira, ou o povo brasileiro, ou mesmo a raça brasileira, é uma mescla de sangues e raças indígena, negra e européia. Segunda: os *brasileiros* se misturaram, e continuam a fazê-lo, *com* indígenas e negros. É possível dizer "brasileiros misturaram-se com negros e com índios", mas é impensável dizer "brasileiros misturaram-se com portugueses ou europeus". O "brasileiro" é, portanto, um paradoxo genealógico que, em uma construção lingüística, é uma mescla, um produto de três raças diferentes; como sujeito gramatical ativo, porém, mistura-se com duas dessas raças, mas não com a terceira, a européia, porque há, neste caso, uma suposta continuidade. O momento originário em que as raças fundadoras se unem para formar o Brasil mostra-se paradoxal, pois é um momento que nunca poderia ter ocorrido, por um lado, porque, pergunta-se: em que ponto do passado as raças existiram como entidades puras? Por outro lado, o momento originário não pode ter terminado, porque é a "mistura de raças" que define a identidade nacional brasileira no presente. Além do mais, esse momento paradoxal, nesses textos acadêmicos, ocorre na cama e ocorre entre raças e linhagens de sangue, não entre pessoas.

Vejamos então a maneira como a classe média, os cariocas da Zona Sul, fala sobre si mesma e sobre raça para mostrar os paralelos com esses textos acadêmicos. Em entrevistas e observações participantes de atividades cotidianas, observei referências discursivas a duas narrativas freqüentemente contraditórias a respeito do papel da mistura de raças na sociedade brasileira. Uma delas descreve uma civilização brasileira racialmente mesclada na qual o melhor da cultura brasileira é produto dessa mistura; na segunda, as classes média e alta estão fora do núcleo cultural e racial da vida nacional — e dele alienadas —, muitas vezes localizado geograficamente no morro, culturalmente na música e no jeito das classes mais baixas, mestiças e negras, e racialmente em uma mistura biológica da qual elas, pessoalmente, não fazem parte.

A classe média urbana da Zona Sul é composta de grupos provenientes de ao menos dois itinerários distintos: um segmento mais "tradicional" descendente, possivelmente em ambos os sentidos da palavra, de classes altas e médias pré1960, e um segmento com mobilidade ascendente, resultado da rápida expansão da classe média durante o "milagre econômico" da década de 1960 (Velho, 1989). No Rio, muitas famílias do primeiro grupo moram na Zona Sul há várias gerações, ou mudaram-se de outras cidades para lá, ao passo que os integrantes do grupo ascendente geralmente mudaram-se para a Zona Sul a partir da década de 1960, em particular durante o *boom* imobiliário do fim dessa década, início da seguinte, quando foram construídos numerosos prédios novos — de apartamentos muitas vezes bem pequenos e relativamente baratos — em Copacabana e Ipanema.

Quase todas as pessoas que entrevistei seriam classificadas como "brancas" no censo brasileiro, mas geralmente preferiam outros termos para descrever a si mesmas do ponto de vista racial. Os dois termos mais comuns são *claro* e *moreno*; este último pode referir-se a mulato, que aparentemente identifica uma mistura brasileira de raças entre antepassados europeus e africanos, ou pode referir-se a pessoas com cabelos castanhos ou pretos e pele bronzeada. Este último significado relaciona a mistura de raças a uma origem européia, pois a palavra "moreno" vem de "mouro" e é usada desde o século XVI para designar as características físicas que os africanos, principalmente do norte do continente, legaram aos portugueses. Como observou Marvin Harris (Harris et al., 1994), se substituirmos no censo este termo por *pardo*, o resultado será uma população "branca" acentuadamente mais reduzida que a porcentagem atualmente relatada, talvez em 50%.[5,6]

Como observaram muitos acadêmicos, os brasileiros tendem a evitar os extremos do contínuo da terminologia racial ao referir-se a uma pessoa específica, em especial na presença dessa pessoa. Assim, paralelamente à sua relutância em descrever a si mesmos como nitidamente "brancos", meus entrevistados de classe média também usam termos intermediários, que implicam mistura de raças, ao falar de outras pessoas de pele escura. *Preto* é raramente ouvido, e *negro*, que também é considerado ofensivo pela massa da população brasileira por remeter à escravidão, é um termo usado pela chamada classe média "intelectualizada" como rótulo étnico ou cultural, e não como termo de referência habitual (Maggie, 1991). Assim, os problemas sociais são debatidos em termos acadêmicos de "branco e negro", porém indivíduos específicos, conhecidos, raramente são incluídos nesta classificação.[7] Então, temos o caso um tanto curioso de categorias sociológicas populares sem ninguém dentro delas, da mesma maneira, como vimos, que havia parceiros sexuais que não eram pessoas, mas representantes abstratos de raças e sangues.

Ambas as narrativas que identifiquei têm suas raízes na tentativa, por parte da elite intelectual de décadas anteriores ao século XX, de conciliar a mistura racial óbvia do Brasil com as idéias racistas científicas, então muito difundidas, a respeito da degeneração (Skidmore, 1974; Borges, 1993), especialmente *Casa-grande & senzala*. Este livro é famoso por sua celebração da mescla de raças — tanto biológica como cultural — entre indígenas, africanos e europeus. Segundo essa visão, os três grupos contribuíram igual e positivamente para a sociedade brasileira. Todo brasileiro conhece as supostas contribuições de indígenas e africanos para sua cultura nacional: rede, hábito do banho freqüente, mandioca, lealdade e resistência foram legados pelos indígenas; força, exuberância sexual, alegria e samba vêm das raízes negras escravas. Meus entrevistados às vezes enumeravam esses elementos e freqüentemente apontavam o prato nacional, a feijoada, feita com ingredientes das culturas escrava e indígena, mas apreciado por todos os brasileiros, do mais rico e cosmopolita ao mais pobre e provinciano ou rural (ver Fry, 1982). Apontam com orgulho os compositores da bossa-nova, como Vinicius de Moraes, que freqüentava os barracos das favelas onde moravam sambistas famosos e ali passava a noite, fazendo amor com as mulatas e compondo MPB. É muito conhecido e aceito o argumento de Freyre a respeito das preferências sexuais dos portugueses, ou seja, o de que séculos de contato com o Norte da África deu aos colonizadores portugueses um gosto pelas indígenas e negras, fato que, conjugado com a ausência de mulheres européias nos primeiros séculos de colonização, levou a uma miscigenação precoce e intensa. Assim, meus entrevistados de classe média descrevem a si mesmos como felizes herdeiros desse legado, cujo resultado é a falta de preconceito e tensão raciais que aflige tantas outras sociedades. A expressão "democracia racial" nunca foi espontaneamente usada por nenhuma das pessoas com quem falei, embora às vezes a reconhecessem como denominação dessa visão das relações raciais.

É no contexto dessa narrativa de mistura, harmonia e hibridismo que a ambigüidade referencial brasileira (Harris, 1970) faz mais sentido. O brasileiro híbrido é um ser que, de acordo com essa visão, assimila, incorpora elementos culturais e biológicos das raças formadoras e, ao fazê-lo, eclipsa as origens não-brasileiras. Sem dúvida, os brasileiros são enfaticamente não-portugueses; para confirmá-lo, basta ouvir a série de piadas estereotipadas e pejorativas que Jô Soares conta à noite na televisão. Mas os indígenas também não são propriamente brasileiros porque, enquanto mantêm seus valores culturais distintamente indígenas, são vistos como algo fora da nação, de um modo que às vezes ameaça a segurança militar do país. Os produtos culturais dos descendentes de africanos — capoeira, candomblé, samba etc. — estão muito na moda atualmente, mas a ênfase que os movimentos políticos e culturais negros dão às supostas origens africanas dessas formas suscita raiva e ressentimento em muitos brasileiros, não apenas nos brancos de classe média, e os negros sofrem muitas formas de preconceito e discriminação.

Assim, uma vez que a brancura é entendida como européia e portuguesa, a classe média reluta em aceitar essa designação para si mesma. De forma coerente com a visão de que o Brasil é totalmente miscigenado, não se fala da brancura como característica valorizada, e meus entrevistados parecem evitar, sempre que é plausível, o uso do termo "branco" ao referir-se a si mesmos. Quando é inevitável, devido ao tom da pele ou à descendência de imigrantes recentes, costumam aceitar o rótulo com incômodo ou constrangimento.

Vemos a mesma brancura relutante, embora no plano ideológico, não-referencial, no trabalho de Ruth Frankenberg sobre os Estados Unidos. A autora atribuiu o fato aos "repertórios discursivos anti-racista e antiimperialista" das mulheres que entrevistou, repertórios que constituem uma crítica a um discurso em que ainda se encontram "enredadas" (1994, p. 64). Um certo discurso da classe média brasileira reflete uma consciência da crítica ao racismo no plano mundial. Espelha também a tendência pós-década de 1950 de cientistas sociais brasileiros a desmascarar o paraíso racial de Freyre. Esse conjunto de trabalhos e as mudanças resultantes nos âmbitos legal e de política governamental — embora mínimas — receberam ampla cobertura da mídia nos últimos anos e sem dúvida abalaram uma leitura totalmente igualitária da miscigenação na linha de Freyre, que implicava uma contribuição igual das três raças à nação brasileira.

O trabalho de Freyre dirigia-se ao público leitor de elite da época e visava a desenganá-lo de suas convicções racistas a respeito da degeneração do híbrido e do papel do caráter "vira-lata" do povo brasileiro em seu óbvio atraso. É claro que, em si, Freyre e os outros autores discutidos acima estão descrevendo uma fina camada de qualidades não-européias sobre um eu brasileiro essencialmente branco, ou indefinido (com o devido respeito a Skidmore e Borges, que enfatizam a crença de Freyre em uma mistura igualitária de raças). Essa visão de brancura como norma, a forma indefinida, é semelhante ao tipo de discurso racial comumente observado e comentado nas críticas pós-coloniais. Frankenberg (1994), por exemplo, encontra essa visão da brancura nas mulheres norte-americanas que entrevista. Os não-brancos são vistos como alguém que incorpora a diferença por sua mera presença. O multiculturalismo tempera uma brancura que, de resto, é amena, neutra.

Seria tentador afirmar simplesmente que esse privilégio discursivo branco caracteriza a sociedade brasileira em geral. A escassez de imagens não-estereotipadas de negros na mídia, as esferas bem delimitadas em que lhes é permitido destacar-se — esportes, artes cênicas e música, por exemplo — e as disparidades raciais óbvias no que diz respeito à renda, ao emprego e ao tratamento cotidiano parecem apontar para uma brancura brasileira normativa. Entretanto, a prevalência da segunda narrativa de pertença nacional impede que apliquemos essa formulação de maneira por demais apressada. Nesta segunda narrativa, os cariocas de classe média observam que não partilham os valores culturais que constituem o núcleo da nação. Em algum momento das entrevistas, começam a falar sobre o passado de imigrantes de sua família ou o dinheiro e relações sociais que os mantiveram afastados dos lugares em que a "cultura" estava acontecendo. Apontam, quase com melancolia, que não gostam particularmente do carnaval, festa tão brasileira e miscigenada de inversão, sexo e entrega. Muitas vezes saem da cidade nessa época, fugindo para locais elegantes de veraneio nas montanhas ou na praia. Confessam que não sabem dançar samba. Só as mulatas do morro sabem realmente sambar. Vinicius de Moraes é, portanto, excepcional, quase exótico, em seu comportamento transgressor. Falam sobre o *povão*, as massas racializadas, e seu jeito livre, solto, sua gíria, sua irreverência. Um advogado de classe média alta me disse: "Assim como você é um gringo aqui, eu também." Apontou para a rua e explicou: "Meu nome não é da Silva. Não uso gíria o tempo todo. Não sambo. Não tenho sangue negro."

Este último ponto, relativo à ausência de sangue negro, é uma parte crucial dessa narrativa que fala de si mesmo como alguém que está de fora. Embora se descrevam como produtos de uma sociedade de raça mista, essas origens tendem a desaparecer no plano concreto. Eles preferem fazer referências a parentes imigrantes específicos, e não a parentes negros, mulatos ou indígenas. Reconhecem que sua família de fato não é tão misturada quanto a norma brasileira, embora haja muito provavelmente um parente indígena ou negro "em algum lugar do passado". Às vezes admitem que haveria tensão na família se eles ou seus filhos tivessem uma relação sexual pública com uma pessoa de pele escura. Embora a maioria dos homens aponte a mulata como padrão de beleza e alvo do desejo sexual no Brasil, seus contatos sexuais reais com mulatas parecem limitar-se ou a representações, como nos desfiles carnavalescos ou em filmes, ou a ligações ilegítimas, prostituição e casos secretos, por exemplo.[8]

As exceções a essa não-mistura vêm, na prática, do grupo de classe média com mobilidade ascendente. Em alguns casos, os entrevistados passaram a infância e a adolescência em um bairro da Zona Norte, onde tinham contatos próximos com crianças de classes mais baixas e tons de pele mais escuros, embora a área imediatamente ao seu redor fosse de classe média. Tornaram-se colegas de brincadeiras, amigos, amantes. Mais tarde, suas famílias realizaram o sonho brasileiro de mudar para Copacabana, ou áreas nos limites da Zona Sul, como Botafogo, Flamengo ou Laranjeiras, de onde algumas famílias que já pertenciam às classes alta e média estavam-se mudando para praias mais distantes como Ipanema e Leblon. No mais das vezes, os recém-chegados trouxeram consigo uma tolerância racial e uma atração pelo carnaval e o samba que não existiam na classe média mais antiga à qual se somavam.

Um bom exemplo é Paulo, funcionário público federal bem remunerado, que nasceu na Zona Norte, educou-se contando tostão, conseguiu um bom emprego na burocracia federal em expansão, casou-se e mudou para a Zona Sul. Quarentão, divorciou-se e passou a fazer parte da diretoria de uma associação carnavalesca, comprou um apartamento/escritório para si mesmo na Zona Norte e começou a levar uma vida dupla, morando com a ex-mulher e a filha na Zona Sul, dirigindo uma associação carnavalesca na Zona Norte e ficando apenas com mulheres negras desta parte da cidade. Seu comportamento parece encaixar-se exatamente na narrativa de mistura racial de Freyre. No entanto, Paulo zomba da classe média tediosa, no meio da qual se encontrou ao chegar, criticando-lhe o racismo, o puritanismo e o horror ao carnaval; portanto, há um lado em que se distancia da classe média, uma vez que se legitima como brasileiro através do carnaval e da miscigenação.

Em ambas as versões dessa segunda narrativa de alienação em relação à brasilidade, a questão da origem é reinstaurada de maneira curiosa. A brancura — neste caso uma origem européia não suficientemente mesclada com outros elementos raciais/culturais do Brasil — é um obstáculo à plena participação na vida cultural nacional. Talvez seja essa a razão por que o carnaval do Rio e de São Paulo é, em grande medida, para espectadores, ao contrário do que ocorre no carnaval de rua e de salão do Nordeste, com classes médias muito menos numerosas e uma grande população mestiça e negra. Dado o domínio econômico das classes média e alta e, portanto, de pessoas de pele clara, podemos concluir que existe uma lógica racista por meio da qual o outro racial e culturalmente marcado é tratado como inferior em relação a uma brancura normativa de classe média e alta. Há provas claras em apoio a essa representação.

Por outro lado, é significativo o fato de que essas mesmas pessoas consideram-se excluídas da nação brasileira híbrida. Significa que a crença no branqueamento, que acompanhou a democracia racial como antídoto para a necessidade de imaginar um futuro mestiço, pode não estar mais em evidência, superada pela narrativa da exclusão. Pois, o que se considerava que estava se tornando mais branco, se não a nação brasileira? Ao que parece, o Brasil está se tornando mais escuro, mais mesclado,[9] mais firmemente baseado em uma autenticidade cultural da mistura de raças. Em vez disso, a classe média fala de si mesma como, ao mesmo tempo, suficientemente mesclada para não ser branca ou ficar completamente fora da história dominante da civilização brasileira, mas não mista a ponto de ser capaz de participar plenamente das formas culturais da nação. Ao definir-se como pessoas que estão fora da cultura nacional, a classe média contornou habilmente a necessidade de somar uma ideologia do branqueamento à narrativa dominante sobre mistura de raças. Essa narrativa tem o efeito adicional de criar uma distância entre a classe média e o que é percebido como fonte dos problemas sociais do país — criminalidade violência, atraso. Dentro da lógica dual que esbocei, a mesma brancura, ou quase-brancura, que parece legitimar sua posição de classe os deslegitima do domínio nacional-cultural, de acordo com sua própria visão de nação brasileira.

Em resumo: durante todo este século, vemos uma noção paradoxal de mistura de raças nos textos acadêmicos. O mesmo paradoxo reflete-se na brancura incômoda ou desconfortável das camadas médias. Sugiro que o branqueamento — que não tem sentido lógico e foi refutado empiricamente — recuou e pode estar sendo substituído por narrativas duais de pertença, essa maneira curiosa de estar ao mesmo tempo dentro e fora da identidade nacional brasileira.

Notas

1. "Jorge Amado ganha medalha da Câmara de Salvador e defende a mistura racial", *Jornal do Brasil*, p. 9. Rio de Janeiro, 1º de dezembro de 1984. No dia 30 de novembro, Jorge Amado foi premiado com a Medalha de Tomé de Souza por seu trabalho literário.

2. Desenvolvido de 1993 a 1995, com o apoio de uma verba FLAS do Programa de Estudos Latino-Americanos da Universidade de Cornell, de uma Bolsa Fullbright IIE e de uma Bolsa da Fundação MacArthur para Estudos sobre Paz e Segurança, através do Programa de Estudos sobre a Paz de Cornell, em conexão com o Centro de Estudos Afro-Asiáticos do Conjunto Universitário Cândido Mendes e o Programa Raça e Etnicidade do Instituto de Filosofia e Ciências Sociais da UFRJ. O apoio destinado à redação do trabalho foi oferecido por uma bolsa Rockefeller, concedida através do IFCS. Agradeço todo o apoio recebido.

3. Gilberto Freyre aponta o mesmo em seu livro *Um brasileiro em terras portuguesas* (1953), ao afirmar que um negro do Congo Belga confirmou que essa distinção ainda hoje é praticada na África (p. 25).

4. "especie-novæ"

5. No entanto, os resultados também poderiam ser interpretados como um aumento do número de brancos (por oposição a "não-brancos" ou negros), que é a posição de Hasenbalg (1988). A PNAD realizada em 1976 pelo IBGE aponta que "brancos" mais "morenos" daria um total de cerca de 76%.

6. De acordo com os dados do censo de 1990, a população brasileira é composta de 54,0% de brancos, 39,9% de pardos, 5,4% de pretos e 0,6% de outros (IBGE, 1995).

7. Em minha tese, argumento que o uso de termos raciais polares implica não um sistema de classificação, mas um discurso sobre a desigualdade. Ou seja, afirmo que falar de brancos e negros ou brancos e pretos *já* é uma referência à desigualdade racial ou sua aplicação.

8. Neste sentido, é interessante analisar os dados relativos a casamentos inter-raciais fornecidos pelo censo de 1980. Sua contribuição ao debate é limitada, em virtude da não-inclusão das relações sexuais menos formais, contando-se apenas os casamentos, e das ambigüidades preocupantes no que diz respeito à classificação de "par-

do". Mesmo assim, as análises demográficas de Berquó (1988) e Silva (1991) mostram que o número de mulheres brancas que se casam com homens mais escuros do que elas (de acordo com as categorias do censo) é superior ao número de homens brancos que se casam com mulheres mais escuras. Para o Brasil como um todo, 15,3% das mulheres brancas estão casadas com homens mais escuros, contra 11,9% dos homens brancos (Berquó, 1988, p. 79). Silva também sugere que os casamentos mistos são menos comuns entre pessoas das faixas de renda mais alta; esta também é a minha impressão, com base em observação mais informal e relatos anedóticos.

9. O auge da ideologia do branqueamento coincide com o período em que a população estava realmente se tornando mais branca em termos de censo. Desde então, as categorias de raça mista têm crescido lentamente em relação tanto aos "brancos" como aos "pretos" (Hasenbalg, 1988).

Referências Bibliográficas

BERQUÓ, Elza. "Demografia da desigualdade: algumas considerações sobre os negros no Brasil". *Novos Estudos CEBRAP* 21, p. 74-84, 1988.

BORGES, Dain. "'Puffy, ugly, slothful and inert': degeneration in Brazilian social thought, 1880-1940". *Journal of Latin American Studies* 25, p. 235-256, 1993.

DAMATTA, Roberto. *Carnavais, malandros e heróis:* para uma sociologia do dilema brasileiro. Rio de Janeiro: Zahar, 1979.

————. *Relativizando: uma introdução à antropologia social.* Rio de Janeiro: Editora Vozes, 1981.

FRANKENBERG, Ruth. "Whiteness and Americanness: examining constructions of race, culture, and nation in white women's life narratives". In Steven Gregory and Roger Sanjek, (orgs.). *Race.* New Brunswick, NJ: Rutgers University Press, 1994.

FREYRE, Gilberto. *Um brasileiro em terras portuguesas.* Rio de Janeiro: Livraria José Olympio Editora, 1953.

————. *Casa-grande & Senzala,* 18ª ed. Rio de Janeiro: José Olympio, 1977 [1933].

FRY, Peter. *Para inglês ver.* Rio de Janeiro: Zahar, 1982.

HARRIS, Marvin, et al. "Who are the whites: imposed census categories and the racial demography of Brazil". *Social Forces* 72(2), p. 451-462, 1993.

HARRIS, Marvin. "Referential ambiguity". *Southwestern Journal of Anthropology* 26(1), p. 1-14, 1970.

HASENBALG, Carlos A. "Racial admixture in Brazil". In *New Frontiers in Social Science Research, Conference Session 6, Ethnic Integration and Emancipation.* Center for Race and Ethnic Studies Publication Series, Occasional Paper No. 13, International Sociological Association, 1988.

HOLANDA, Sérgio Buarque de. *Raízes do Brasil,* 26ª ed. São Paulo: Companhia das Letras, 1995 [1936].

IBGE (Instituto Brasileiro de Geografia e Estatística). *Cor da População: síntese de indicadores 1982-1990.* Rio de Janeiro, 1995.

MAGGIE, Yvonne. *A Ilusão do Concreto: análise do sistema de classificação racial no Brasil.* Tese para o concurso de titular. IFCS/UFRJ, 1991.

NEEDELL, Jeffrey. "Identity, race, gender, and modernity in the origins of Gilberto Freyre's *oeuvre*". *American Historical Review* 100, p. 51-69, 1995.

PRADO, Paulo. *Retrato do Brasil: ensaio sobre a tristeza brasileira*. São Paulo: Duprat-Mayença, 1928.

PRADO JÚNIOR, Caio. *A Formação do Brasil Contemporâneo: Colônia*. São Paulo: Livraria Martins Editora, 1942.

RIBEIRO, Darcy. *Teoria do Brasil*. Rio de Janeiro: Editora Paz e Terra, 1972.

————. *O Povo Brasileiro: a formação e o sentido do Brasil*. São Paulo: Companhia das Letras, 1995.

————. *Mestiço É que É Bom*. Rio de Janeiro: Revan, 1997.

SILVA, Nelson do Valle. "Estabilidade temporal e diferenças regionais no casamento inter-racial". *Estudos Afro-Asiáticos* 21, p. 49-60, 1991.

SKIDMORE, Thomas E. *Black into White: race and nationality in Brazilian thought*. Nova York: Oxford University Press, 1974.

VELHO, Gilberto. *A Utopia Urbana: um estudo de antropologia social*. 5th edition. Rio de Janeiro: Zahar, 1989 [1973].

Viajantes profissionais e estrangeiros cabo-verdianos no Rio de Janeiro: experiências do "outro".

Guy Massart

Os viajantes são informadores privilegiados, ótimos contadores de histórias. Se, como acho, o papel do antropólogo consiste em abrir novos horizontes para quem tiver paciência ou obrigação de ler suas obras, quem é mais indicado do que um viajante para abrir novos horizontes?

> Estranhamento e familiaridade não estão limitados ao campo social, mas são também categorias gerais da forma como interpretamos o mundo. Se encontramos em nossa experiência algo previamente desconhecido e que, portanto, se destaca da ordem normal de nosso conhecimento, começamos um processo de questionamento (Schutz, 1971, p. 105).

A questão é saber de qual tipo de *process of inquiry* se trata, de qual maneira se contam as histórias de viagem, e para quem? Como começa a existir e se reproduzir o "outro"? A questão de como se cria, se informa o diferente, o "outro", tem sido alvo de muitas desconstruções, sobretudo através dos estudos literários dos trabalhos etnográficos e dos *travellers accounts*. Esses estudos nos ensinam primeiramente que a definição do "outro" exótico depende mais da posição particular do contador do que da essência do tal "outro".

Minha intenção neste artigo é convidar o leitor a um movimento contínuo entre a maneira dos antropólogos de falar do "outro" e a de estudantes cabo-verdianos morando no Rio de Janeiro. É bastante significativo que exista para os cabo-verdianos um "outro". É na base desta noção que o meu "outro exótico" será comparado ao "estrangeiro" cabo-verdiano. Essas *tropes* do viajante são uma maneira particular de falar, de escrever sobre a realidade que se assemelha à nossa antropologia, aos retratos reflexivos dos cabo-verdianos e aos meus; são portanto retratos particulares, situados. Como escreve Crapanzano:

Não existe, ao meu ver, um ponto de vista verdadeiramente exterior ou um ego transcendental, uma possibilidade real de redução transcendental ou epoché. Só pode haver a evocação destas transcendências, que devem ser vistas, ironicamente, como possibilidades das nossas linguagens mais encompassadoras. Estas possibilidades são facilitadas por nossa convenção narrativa peculiar (o narrador ou, então, o leitor onisciente), por nossas teologias (uma divindade onisciente, o que já é uma refração de nosso pressuposto narrativo) e através de figuras de linguagem duradouras como o viajante [...] O viajante, o antropólogo, o homem-de-Marte e tudo o que eles disseram produzem a ilusão de um ponto de vista transcendental para a auto-reflexão (Crapanzano, 1992, p. 92-93).

Portanto, se o viajante se constitui como um *"vantage point"*, uma perspectiva específica, ele o faz dentro de uma convenção, de um quadro de interpretação e de expressão, de uma determinada maneira de ver o mundo e de nele agir construída, permeada pela ideologia, pelos poderes e pelos valores partilhados por todos que utilizam essa convenções. Seguindo Hanks (1996), chamarei essas maneiras específicas de falar e agir de *genres*.

Recentemente apareceram muitas considerações críticas desses retratos reflexivos do "outro" exótico. O "outro exótico" ocidental foi particularmente escrutinizado. Gostaria apenas de citar dois autores cujas contribuições me parecem importantes para este trabalho: Pagden (1986) e Pratt (1982, 1992).

Pagden (1986), no seu *The fall of the natural man*, descreve como *"a wider anthropological and historical relativism"* foi produzido por teólogos espanhóis quando confrontados com o totalmente "outro". De fato, Pagden nos ensina como se constituiu um "outro" objeto diferente de "nós" mas também igual a "nós" na sua humanidade. A abordagem histórica conduz o autor a considerar diferentes fatores que levaram a essa produção da qual a antropologia é herdeira: fatores econômicos, fatores inscritos numa lógica de afirmação de poder político, e fatores ideológicos de ordem religiosa e intelectual, em particular, a inserção da nova antropologia desenvolvida por esses teólogos numa tradição intelectual, diríamos num discurso. Noutras palavras, Pagden nos leva a tomar consciência da especificidade histórica do nosso discurso do "outro", e da sua ligação com uma epistemologia e com o relativismo. Nas palavras de Crapanzano, o relativismo, fruto desse discurso, se baseia na constituição de objetos transcontextuais, objetos cuja função pragmática é negada. Portanto, baseia-se em categorias constitutivas da análise que atravessam os contextos. Como indica Latour (1992), o relativismo só é possível se um ponto exterior de referência for considerado dotado de critérios tidos como universais, isto é, uma concepção aceita e fixada da natureza (por exemplo, "as categorias constitutivas da mente"). Proponho neste texto que a análise da experiência do "outro" deve primeiro se concentrar na concepção do "outro"[1] e, a partir dessa construção lingüística, agregar os elementos aos quais a "estranheza" está relacionada. Deixando-me guiar pelas associações sugeridas pelos meus interlocutores e tentando perceber como experiências, identificações, discursos e ideologias se encontram relacionados, tento fazer isso na primeira parte etnográfica deste artigo.

A abordagem literária dos textos de antropólogos, romancistas e viajantes de Pratt (1992) nos ensina por sua vez como as convenções de representação informam as nossas construções do "outro" e como a linguagem estabelece e mantém as concepções que temos do "outro". A linguagem se torna um *locus* privilegiado de estudo das construções das categorias que ditam as relações sociais e a ideologia. Através do retrato, relações de poder são ativadas. Como mencionei, utilizarei a noção de *genre* desenvolvida por Hanks (1996) para definir maneiras específicas de perceber e falar, noção que ao mesmo tempo define essas práticas de linguagem como verdadeiras práticas, isto é, com efeitos concretos. Os *genres* que empregamos não são unicamente maneiras de falar mas também de agir através das nossas práticas comunicativas de linguagem.

> Analisados como formas de práticas, [os gêneros literários] estão entre os melhores exemplos de habitus enquanto um conjunto de disposições duradouras com o qual se percebe o mundo e age-se sobre ele de certos modos [...] Eles estão articulados aos campos sociais através de um centramento indexical, de uma orientação à recepção e às estruturas dominantes, e uma forma distinta de finalização (Hanks, 1996, p. 246).

É neste contexto mais amplo que analiso a construção do "outro" e de si mesmo, de estudantes cabo-verdianos morando no Rio de Janeiro. Defendo que, se pudermos entender melhor os *genres* destes estudantes, seremos mais capazes de refletir sobre nossas próprias produções da alteridade. Como os antropólogos, eles se encontram presos a categorias descontextualizadas e, ao mesmo tempo, levados a produzir, no quadro dessa pesquisa, um retrato coerente das suas experiências. Através deste artigo, pretendo, por um esforço comparativo, esclarecer os processos de construção do "outro" exótico sobre a base dos retratos reflexivos dos estudantes cabo-verdianos, os meus, no papel de viajante belga, e os dos antropólogos.

Se o antropólogo é um pesquisador profissional, os cabo-verdianos também não são amadores[2] na construção do "outro". Existem pois, para os cabo-verdianos, pelo menos dois tipos de discurso que dizem respeito à construção do "outro": um referente à construção de uma identidade cultural e nacional e outro relacionado às experiências de emigração. Esses dois tipos de discurso são encontrados nas falas dos estudantes no Rio de Janeiro.

Argumento no fim do artigo que considerar o viajante ou o antropólogo como um *vantage point* nos leva a construir interpretações das nossas experiências de viagem como experiências do "outro" centradas em culturas, conjuntos de símbolos, em *systems of meaning*, baseados geograficamente, e que essa maneira de proceder limita a nossa compreensão da constituição das identidades. Nessa perspectiva, a experiência do viajante seria a passagem de um mundo a outro. Mostrando como se constroem as nossas experiências de viagem, quero argumentar que considerar a viagem como a passagem de um corpo, de uma entidade humana, de um contexto cultural para outro não é a forma mais adequada de considerar as experiências e as construções dos viajantes. Proponho substituir esse tipo de abordagem por outra em termos de redes na qual o "contexto" se torna elemento constitutivo do que se considerava o objeto, e este converte-se, portanto, em um *genre* específico.

Na próxima seção, apresentarei com mais pormenores os instrumentos teóricos e o contexto etnográfico do trabalho. Na segunda parte, mostrarei elementos presentes no *genre*, utilizados pelos estudantes cabo-verdianos para retratar suas experiências de alteridade; na terceira, considerarei o *genre* como um esforço reflexivo dos estudantes sobre suas explicações. Na quarta parte, tecerei as conclusões.

O CONTEXTO ETNOGRÁFICO

Os viajantes que me ajudaram a escrever este texto são cabo-verdianos, austríacos, brasileiros, belgas, americanos, ingleses... A parte etnográfica originou-se dos meus encontros com estudantes cabo-verdianos e da minha própria experiência. Este texto se inscreve em uma pesquisa mais ampla sobre a qual estou trabalhando há alguns anos. Vivi e trabalhei em Cabo Verde durante quatro anos e meio. Minha pesquisa centrava-se nas categorias de identificação utilizadas por jovens (entre 25 e 30 anos) urbanos populares. No quadro da minha estada no Programa Raça e Etnicidade na Universidade Federal do Rio de Janeiro, tive a oportunidade de encontrar jovens cabo-verdianos majoritariamente oriundos da mesma cidade onde havia trabalhado. Essa foi, portanto, uma oportunidade de confrontar as descobertas feitas em Cabo Verde: como as identificações ali presentes se transformam, se redefinem ou se reproduzem quando o mesmo tipo de pessoa se encontra num outro contexto? Achei que a situação me permitiria afinar minhas categorias de análise e meu conhecimento sobre a realidade cabo-verdiana.

A base comum entre mim (belga) e os estudantes cabo-verdianos é nossa experiência de viajantes, no Rio de Janeiro, e a nossa experiência de ter vivido em Cabo Verde. Como é que se constrói um outro e um nós (ou um eu) a partir das experiências? Schutz (1979) argumenta que as experiências são um fluxo contínuo que se desenrola na *durée*. Nossas experiências são constituídas em episódios, unidades. Como fazem sentido os elementos constitutivos das experiências dos estudantes cabo-verdianos no Rio? Quais são as ligações que se estabelecem entre esses diferentes elementos para constituir experiências vividas,[3] narráveis? Nas experiências dos estudantes cabo-verdianos no Rio, qual o sentido da *cachupa*,[4] da mãe, das "raças", do Pão de Açúcar, do Galeão, do desenvolvimento, da cachaça, da Universidade, do avião, dos negros, do crioulo, do português, da Rede Globo, da favela, da violência, da África, da independência, da chuva, da *morna*, da Garota de Ipanema, da saudade? Como é que esses elementos coexistem para o viajante? Duvido que seja em dois mundos separados, em duas "culturas" distintas.

O meu objetivo aqui é tentar entender como a continuidade se transforma em unidade. Ora, além das minhas próprias experiências de viagem, e da minha capacidade empática, disponho como "dados" das experiências contadas pelos meus interlocutores. Apresentarei brevemente o quadro no qual analisarei essas experiências. Discutirei a constituição das diferenças através das categorias de linguagem utilizadas para construir essa realidade. Os estudantes utilizam o que se chama habitualmente de identidades[5] e definem através das suas narrativas diferentes atores. Para marcar o caráter pragmático das identidades, passarei a chamar essas categorias de identificações, pois não são apenas categorias que se referem a algo, a um objeto, mas sua função referencial é determinada pela situação na qual são utilizadas. É neste sentido que estão ligadas a outros elementos do *genre*, a outras palavras, tons, emoções. A identificação determina "quem eu sou" e "quem eles são", classifica e portanto hierarquiza, acarreta relações de poder. As categorias de identificação associam uma pessoa a outras, distinguem-na de outras e assim criam diferenças (Giraud, 1992; Bonniol, 1992). Em outras palavras, as identificações devem ser analisadas dentro de seus "contextos", isto é, além do texto das palavras pronunciadas. Ligar as identificações à situação na qual são utilizadas e a um *genre* nos convida a considerar seriamente a reflexividade dos utilizadores. Essas identificações só fazem sentido quando as relacionamos com seu contexto histórico de surgimento e de utilização. Se as identificações no mundo social fazem sentido através de um contexto (con-texto, Fabian, 1995) no qual aparecem, elas agem também sobre esse contexto, sendo esta a sua função pragmática.

Quando utilizadas referencialmente — sem considerar o contexto, negando que fazem sentido e que se aplicam a um contexto determinado —, são então óbvios instrumentos de poder, caracterizando-se como identidades essencializadas. Por exemplo, a identificação "africano" aplicada aos estudantes cabo-verdianos residentes no Rio refere-se a um "estrangeiro" preto, oriundo da zona geográfica africana, enquanto que em Cabo Verde o termo "africano" é alusivo a um outro do próprio continente, cuja diferença é determinada em função de uma ideologia nacionalista e do desenvolvimento. O ponto é que essas identificações são diferentes porque se referem a relações de poder diferentes. Além disso, deve-se reconhecer que a origem geográfica é um critério de classificação particular e que definir pessoas de acordo com esse critério é significativo em termos de relações de poder. A questão que ilustra essa função pragmática das palavras é o que faz essa palavra.

As palavras utilizadas pelos interlocutores se reportam a um contexto de comunicação lingüística mais amplo, que qualificarei de *genre*. Este *genre* veicula e cria uma série de conhecimentos ideológicos, de valores, que chamarei de *critérios de diferenciação* e que são os eixos, tal como o desenvolvimento, usados para distinguir diferentes atores que sustentam as identificações. Nas conclusões, comentarei alguns desses critérios de diferenciação encontrados nos discursos dos estudantes. Esses critérios de diferenciação nos indicam *loci* de poder na sociedade.

Portanto, a tarefa que se vem trabalhando com categorias de linguagem consiste em poder retraçar as redes e os *genres* nos quais elas estão inseridas. Como sublinha Bakhtin (1986), aprendemos palavras dentro de um contexto e evocar uma palavra é evocar todo um contexto, usar uma palavra é puxar uma série de outras palavras, uma maneira de as usar, e afinal uma ideologia do mundo que se caracteriza por valores que se reafirmam através das práticas lingüísticas das pessoas, da mesma maneira que Pratt mostra como convenções de representação informam a maneira de encarar, de falar, de escrever sobre o "outro" e de se comportar em relação a ele. Apresento como ilustração o texto "Hora di Bai", de Eugénio Tavares, de uma *morna* cabo-verdiana que fala da partida e que faz parte do discurso cabo-verdiano sobre a viagem.

As anotações a seguir têm por objetivo situar o trabalho que estou apresentando, bem como a mim mesmo, e mostrar como os limites das nossas pretensões estão no nosso próprio empirismo.[6]

O primeiro elemento é a consciência de que o material que recolhi é fruto da minha interação com estudantes cabo-verdianos. É uma interpretação minha de um intercâmbio em que um elemento do diálogo sou eu, o "antropólogo" participante.

Não importando a minha experiência, fui percebido pelos estudantes como mais integrado no Rio pela minha renda superior à deles, pelas minhas viagens, pela minha relativa mobilidade nesta cidade, pelo fato de ter ido "à favela", enfim, pela imagem que eu dava de ter uma rede social bem diversificada. Todavia, minha integração no Rio não teria sido tão relevante para eles se minha vivência em Cabo Verde e minha "competência" cabo-verdiana do ponto de vista da língua e da "cultura" não fizessem com que eu pudesse ser uma referência para eles.

Descobri, através das minhas próprias reações emocionais durante encontros nos quais se disputavam os *rapports* entre as cidades de Praia e

Mindelo (São Vicente),[7] a grande dicotomia regionalista cabo-verdiana. Achei-me na posição de advogado "defendendo" Praia contra os mindelenses. Em outras palavras, não sou neutro: ao longo das minhas estadas em Cabo Verde e das minhas interações com cabo-verdianos, desenvolvi uma imagem do objeto Cabo Verde à qual me identifico. Os diversos apelidos que recebi, cooperante,[8] *badiú-branku,*[9] *guy* preta e grande *guy,* indicam-me que sou também construído, identificado pessoalmente, pelos meus interlocutores, dentro de um discurso cabo-verdiano, mas de maneiras diversas.

Outro elemento importante é que meu interesse por viajantes vem da minha própria condição de viajante em contato regular com outros e diversos tipos de viajantes que informam as minhas questões. Esses contatos e experiências desenvolvem em mim um discurso e um interesse relativos a viajantes, viagens, encontros entre pessoas que se acham diferentes por essência; por fim, o interesse é certamente informado pelo prazer de se ver na realidade imagens diferentes do mundo.

Finalmente, os temas da exclusão, integração, assimilação e construção concomitante das diferenças me foram sugeridos por minha descoberta, em curso, do Rio e pela reflexão levada a cabo no quadro do Programa Raça e Etnicidade. Neste sentido, este trabalho trata também, inevitavelmente, do Rio e de relações entre grupos e indivíduos de identidades diferentes. De fato, é um trabalho sobre a relação entre as identidades como categorias de linguagem privilegiadas por indivíduos, grupos e instituições, enfim, entre os agentes e a experiência dos indivíduos.

Hora da partida
Hora de dor
É meu desejo
Que ela não amanheça [não chegue a hora]
De cada vez
Que a lembro
Prefiro
Ficar e morrer
Se a chegada é doce
A partida é amarga
Mas se não partir [mas quem não parte]
Não se regressa [não regressa]
Se morrermos

Na despedida
Deus no regresso
Dar-nos-á a vida.
"Hora di Bai", de Eugénio Tavares (Tradução tanto quanto possível
da letra de Arnaldo França). In Ferreira (s/d, 192).

ELEMENTOS NARRATIVOS DO *GENRE* DA INTERPRETAÇÃO DAS EXPERIÊNCIAS DOS ESTUDANTES NO RIO

A partir da minha convivência, das minhas observações e das entrevistas que realizei com os estudantes, apresento a seguir os resultados desse trabalho de campo sob duas formas. Na primeira, que intitulei "Elementos narrativos do *genre* da interpretação das experiências dos estudantes no Rio", destaco elementos das experiências dos estudantes; na segunda, intitulada "*Folk-sociology* ou as explicações do isolamento", as metanarrativas dos estudantes sobre seu isolamento no Rio. Isso se deve à atuação das identificações e da linguagem, em geral, pois as identificações agregam e diferenciam, produzindo, portanto, exclusão e inclusão. Como sublinha Nagel (1994), além desse caráter de desempenho das identificações, estas são ao mesmo tempo escolhidas e impostas. Por um lado, existe determinada amostra de identificações disponíveis no meio, em *genres* presentes na sociedade[10] na qual se vive. Por outro, os *genres* se articulam com poderes da sociedade que impõem identificações às pessoas. O Estado é o exemplo típico e mais imediato em que se constata o poder de imposição de identificações. Todavia, esse poder do Estado só tem sentido na medida de sua conexão com outros *genres* presentes na sociedade, ou seja, nessas relações se encontra o poder (os efeitos relacionais de poder, a partir das experiências narradas dos estudantes cabo-verdianos, são evidenciados). Existe uma interligação entre diferentes identificações, isto é, entre as que lhe são conferidas pelo Estado e pelas pessoas no meio das quais o viajante vive e as que este se atribui a si mesmo. Todavia, há que se sublinhar o caráter constrangedor das identificações tanto para mim quanto para os cabo-verdianos. É a partir dessa particularidade cultural de se considerar as identificações como algo essencial que se tem de criticar nossas narrativas antropológicas.

Algumas Identificações: estrangeiro/africano/homem/cabo-verdiano.

Estrangeiro

Quem é você? Eis a primeira questão que se tem de responder ao chegar-se ao aeroporto. Tem-se que ser alguém ou algo. Caso não se tenha passaporte não se entra, pois não se existe; tem-se que ser uma pessoa. Como todos os estrangeiros no Brasil, recebe-se uma "carteira de estrangeiro", cuja aquisição exige a ida à Polícia Federal. Tudo então fica mais tranqüilo: passa-se a existir segundo o Estado, que decide que você é estrangeiro. Tal identificação, da qual não se pode livrar tão cedo, define a pessoa (Nagel, 1994; Martiniello, 1995) de maneira parcial. É melhor ser um estrangeiro da Bélgica do que um estrangeiro vindo de Cabo Verde. As identificações possíveis de serem atribuídas ao estrangeiro são muito pouco escolhidas. Apesar disso, a capacidade de escolher e ditar identificações — poder desigualmente repartido na sociedade — é o poder de determinar como o mundo é e situa os identificados numa relação de poder entre si.

Assisti a um almoço organizado por Ana, uma estudante cabo-verdiana, que conseguiu, pela primeira vez, após três anos de estada no Brasil, convidar também três brasileiros. Os cabo-verdianos se comportavam como perfeitos anfitriões, explicando as variações entre os "crioulos"[11] das diferentes ilhas, o clima, e mostrando diferentes *folders* comerciais destinados a empreendedores e turistas que queriam investir em Cabo Verde. Neste episódio, assistimos a uma verdadeira inversão de papéis entre brasileiros e cabo-verdianos. O brasileiro se tornara o "estrangeiro": muitas vezes os estudantes falavam crioulo entre si e só se escutava música cabo-verdiana. De fato, os visitantes não estavam mais no Brasil mas em uma comunidade imigrada que se reconstruía em relação ao "outro". Tive o mesmo tipo de impressão em várias atividades coletivas organizadas por cabo-verdianos, nas quais, diga-se de passagem, os brasileiros eram sempre largamente minoritários ou mesmo ausentes.

Os estudantes cabo-verdianos utilizam o termo "estrangeiro" como não-brasileiro. Na verdade, essa identificação lhes é forçada pela lógica burocrática, é uma categoria que têm de adotar: são registrados como estrangeiros e são não-brasileiros, *ipso facto*, são estrangeiros.

Acho que por mais que estejas sentindo gozo em estar aqui, sempre tu sentes que não pertences a essa coisa ali; tu te sentes sempre como outro, tu nem és brasileiro; se eu estou lá, eu sou cabo-verdiana, eu acho que eu pertenço a isso.

Sabemos que o projeto, a sobrevivência e a reprodução do Estado-Nação se baseia sobre a adequação imaginária entre o Estado e a Nação. O Estado-Nação é concebido como um território adequado a uma cultura através da reconstrução de uma história comum à escala do território e da "cultura". Desenvolve-se um laço emocional entre o indivíduo membro do Estado-Nação e a idéia de Nação. Nessa ideologia, a reprodução do Estado passa pela identificação nacionalista (mecanismo de exclusão/inclusão). O Estado-Nação utiliza meios coercitivos para reafirmar esse laço, excluindo quem não é da Nação, diferenciando os deveres, mas sobretudo os direitos entre os que são e os que não são da Nação. Os atuais debates e a crescente rejeição dos imigrantes extra-comunitários nos Estados da União Européia chamam atenção para a realidade vivida desse poder, quase de estigmatização nesse caso. Mas, no caso dos cabo-verdianos no Brasil, "estrangeiro" se torna um termo utilizado na vida cotidiana para identificar e chamar as pessoas que são "de fora".

O termo "estrangeiro" conota a não-participação. Mas, para vários estudantes, essa identificação administrativa, correspondente à dimensão burocrática do nacionalismo brasileiro, tem suas vantagens, principalmente para os homens. Em situações de discriminação racial, eles advogam o fato de serem estrangeiros para não serem discriminados. Para ilustrar, cito Carlos:

Aqui no Brasil, a discriminação [racial] é grande. Talvez não para nós; logo que sabem que és estrangeiro, o relacionamento contigo muda.

Africano

Na Universidade, nos contatos com policiais, nos *shoppings*, nos ônibus, quando uma passageira agarra a bolsa, por medo, quando um cabo-verdiano passa perto, o importante é ele falar com seu sotaque. Assim as pessoas sabem que ele é estrangeiro, e não favelado, e o tratam de outra forma. Pelo fato de serem escuros eles são qualificados de africanos. O africano, segundo eles, é um estrangeiro mais bem definido, é um estrangeiro preto.

Se os cabo-verdianos são definidos aqui como africanos, em Cabo Verde, na Ilha de Santiago africano, é o símbolo em escala internacional do que se poderia adequar ao "fora".[12] Defendo que a utilização pragmática de "africano" para os cabo-verdianos relaciona-se com a ideologia do desenvolvimento e com a construção de uma identidade nacional. Cabo Verde, através do processo de definição da sua identidade cultural, foi definido como síntese cultural entre a África e a Europa (Ferreira, s/d). Embora a independência de Cabo Verde tenha sido conquistada na base de uma ideologia de unidade africana, o partido de Amílcar Cabral se chamava Partido Africano para a Independência de Guiné e Cabo Verde. Mas hoje, em Cabo Verde, os africanos do continente são definidos etnicamente pelo termo de *mandjacos*. Portanto, a "África", para o cabo-verdiano, é um termo utilizado para definir uma identificação nacional às avessas: Cabo Verde não é africano culturalmente e não é africano de acordo com o critério de diferenciação do desenvolvimento. O importante a sublinhar é que o cabo-verdiano, que não se vê como africano, aqui no Brasil é assim definido porque os "brasileiros não sabem onde se localiza Cabo Verde" e porque lhes é útil se definir como tal. Eles se acham caracterizados por uma identificação por eles desvalorizada, negativa, uma identificação contra a qual existe a sua identificação cultural importante:

> Acho que sou africana. Em Cabo Verde, além de não ter uma cultura que já consigo ver como africana, é difícil ver isso assim, pode ter umas coisas assim. Acontece o seguinte, lá a gente sabe que é africano, mas lá a gente tem consciência de diferente também em relação a essa cultura própria da África, mas a gente vem [para o Brasil e] a gente reafirma isso, quer procurar esses elementos assim, é uma forma de procurar uma identificação... Você é africana e você tem que falar alguma coisa sobre a sua cultura, vai revelando, revelando... Eu, os meus colegas falam assim, *ii, ouuu*, por exemplo, não tem macumba em Cabo Verde? Não, não tem... Enfim, assim, Cabo Verde tem uma cultura bem própria, tem característica que não se pode dizer África. Europa não é..

Encontrei essa ambiguidade em relação à "africanidade" ao longo das minhas conversas com os estudantes no Rio, longos e apaixonados debates entre os que dizem e acham que são africanos e os que acham que não são "cem por cento africanos" ou "geograficamente africanos". As conversas se estendiam sobre os critérios que definiam como africanos. Os "não-africanos" argumentavam que "culturalmente" não eram totalmente africanos. Essa ênfase sobre a cultura nos remete a um discurso literário desenvolvido nos anos 30 que produziu a noção de "cabo-verdianidade". Irremediavelmente, a ênfase sobre a cultura remete a um discurso nacionalista (Stolcke, 1995) e talvez a uma dimensão da "identidade nacional cabo-verdiana".

Homem

Em uma festa, em hora já bem avançada, fui conversar com um estudante de 23 anos. Já nos havíamos encontrado em várias ocasiões. Anteriormente, lembro-me de lhe ter perguntado se tinha namoradas brasileiras e ele me respondera que "sempre aparecem". Na festa, ele estava sozinho tomando um ar fresco numa janela quando perguntei-lhe: "Onde estão as namoradas brasileiras?" Ele contou-me uma história que lhe acontecera em Praia, a sua cidade.

A história era sobre uma aventura amorosa na qual ele tinha duas namoradas ao mesmo tempo. O ponto da história era que ele havia conseguido namorar as duas, embora ambas soubessem que ele estava namorando a outra ao mesmo tempo, fato que não é apreciado pelas mulheres cabo-verdianas. O homem era apresentado num *genre* que me era bastante familiar, como um ser bastante insensível mas muito estratégico nas suas relações amorosas, tentando maximizar o seu acesso aos favores das "mulheres" e as "mulheres" como seres prontos a se submeter a muita violência para poder ganhar atenção, proteção e carinho do homem. Casais estavam na pista dançando eroticamente, era tarde e tínhamos bebido muita cerveja. Entendi que a resposta à minha provocação consistiu em se reafirmar ante um outro homem (o antropólogo belga, *badiú-branku*, que estupidamente pela sua interrogação inferiu uma identificação essencializada dos sexos) como homem que consegue "pegar" e, mais, "dominar" mulheres. Por essa história, recebi também uma lição: fui lembrado da contextualização das identificações; recusar esses diferentes contextos seria para ele enfrentar uma discrepância, uma dor.

Cabo Verde como país

Esta conversa ocorreu num intercâmbio onde estavam quatro pessoas presentes: Felisberto, Ntony, Tcholo e eu. Estava-se discutindo a situação política de Cabo Verde:

> Tcholo — Vamos chegar lá, Cabo Verde é um modelo para, digamos assim, a África
> Felisberto — O quê? A população aumenta constantemente, nós somos coitados, nós não produzimos nada, porra, a realidade é essa, cara. Olhe Cabo Verde, a população está aumentando, um país pobre que não está produzindo nada, nem tem comida para se sustentar!

Os dois estão discordando um do outro, duas idéias sobre Cabo Verde se colidem: a primeira, a idéia de que Cabo Verde é um modelo de desenvolvimento, que circula tanto em Cabo Verde quanto fora, tanto por caboverdianos quanto por agências de desenvolvimento; a outra, de que Cabo Verde é um país pobre que não poderia sobreviver sem ajuda externa. Essa percepção me foi explicada por Fátima:

> F — Para mim, quando vim para cá, senti a fragilidade de Cabo Verde, porque eu vejo que aqui, o país [Brasil] pode possuir e Cabo Verde não tem isso. Aí, você fica pensando, e se acabar com toda essa coisa de ajuda externa, Cabo Verde não tem como suportar [...]
> G — Magoa você sentir essa fragilidade de Cabo Verde?
> F — Magoa. Sim, isso magoa. Acho que às vezes, não sei se muitos colegas têm esse tipo de sentimento intenso, isso é resultante de um... sei lá, de não parar para pensar sobre isso [...] É difícil de você ver o pessoal de Cabo Verde parar e conversar sobre as dificuldades, limitações do país...
> G — Por quê?
> F — Coisa afetiva. Você não quer ver o lado ruim. E tem essa coisa: os caboverdianos, uma vez que eles estão fora, não se vêem pertencendo ao lugar onde estão, então têm que preservar a imagem da terra como uma coisa boa...

Quero destacar os elementos apontados por Fátima: em confronto com a realidade brasileira, a fragilidade, as limitações de Cabo Verde se revelam porque os cabo-verdianos não se sentem bem no lugar onde estão; portanto, têm que criar para si mesmo uma idéia boa de Cabo Verde para evitar a dor que sentem.

Isolamento, não-integração

As atividades coletivas das quais os cabo-verdianos participam em grupo são numerosas. Festas, bailes organizados por um estudante da UFF, em Niterói. Aluga-se um espaço, o bar serve as bebidas, o DJ é cabo-verdiano, bem como a música. Noites africanas na boate Zoom, em Copacabana, onde o DJ é cabo-verdiano. Jogos de futebol em Mesquita, na quadra de uma associação de imigrantes cabo-verdianos, e inúmeros churrascos, *cachupas*, feijoadas, bacalhoadas, onde os estudantes se encontram. Rapidamente, tive a impressão de estar numa comunidade migrada, onde os não-cabo-verdianos são raros. Aliás, isso me foi confirmado por vários estudantes. Quando perguntei a Djibi se a convivência era principalmente entre cabo-verdianos, ele respondeu:

D — É muito verdade, muito verdade...
G — Mas como assim?
D — Eu cheguei dum meio diferente, uma sociedade diferente... Eu não me sinto à vontade para convidar brasileiros...

Fiquei com a impressão de que os estudantes estavam bem isolados do resto do mundo carioca ou, noutras palavras, que as interações com não-cabo-verdianos eram raras e superficiais. A partir dessas observações, surgiram duas questões: será que eles não gostam do Brasil, será que eles se sentem isolados, marginalizados ou não?

Quando perguntei a Ntony se ele gostava de viver no Brasil:

Eu não gosto de viver aqui. Não me sinto tranqüilo comigo mesmo. Por causa das desigualdades que existem aqui. Mesmo se eu conseguisse um emprego... Eu ficaria triste... Por exemplo, cada vez que eu vou para a escola, à entrada do túnel, encontro uma mulher, pode ser da idade da minha mãe, deitada no chão, quer dizer que é lá que é a sua casa [ela não tem outra]... É uma coisa que me choca, me choca bastante. Esse é só um exemplo, têm muitos.

A seguir ilustro o isolamento sentido pelos estudantes e a necessidade que sentem de reconstruir identificações significativas com Cabo Verde, evocando discursos típicos de lá, endereçados (*addressed*) para os que ficaram em Cabo Verde. Estes discursos são permeados por uma experiência de dor. A maioria dos estudantes tem uma sensação de não-participação, de não fazer parte, de não ter uma rede brasileira na qual sejam reconhecidos. Uma estudante de 21 anos, no Brasil há um ano e meio, declarou:

> Conheço poucas pessoas que são daqui, cheguei há pouco tempo. Acho que conheço poucas com quem eu tenha uma amizade. Aí, para me divertir, tenho de recorrer ao pessoal de Cabo Verde.

Ana, uma estudante de 25 anos, no Brasil há três anos, disse:

> Eles não me convidam, não sei por quê. Pensava que era uma questão de cor, mas há meninas da minha cor na escola e mesmo elas não me ligam. As pessoas com quem eu consigo entrar em contato são de Duque de Caxias... As que falam comigo são pessoas de fora. Quando eu estudava num curso de engenharia era pior ainda: nunca havia um grupo no qual eu pudesse entrar. Então o cara de Duque de Caxias sempre me falava: "Ana, vamos formar um grupo, os dois." Basta ser estrangeiro para que eles te tratem assim.

Referindo-se a sua vida sexual com brasileiros, revelou:

> As meninas de Praia falam que elas querem vir ao Brasil para arranjar um gato [pa ranja um gatu], mas eu arranjei só ratos aqui [*Mi, ki Nranja li*, é só ratu].

Os estudantes sentem-se isolados e excluídos dos círculos cariocas ou pelo menos de certos círculos. Quem gosta deles, ou as pessoas com quem eles conseguem se associar, são "de fora". Fora do centro. "Fora", substantivado em crioulo urbano de Santiago, é uma palavra muito carregada. "Fora" é utilizado nos discursos dos jovens urbanos para opor a cidade, centro de inovação e objeto de orgulho, ao meio rural que a palavra conota negativamente. Encontrei essa distinção como fundamental nos discursos. "Fora" é afastado, lá é menos desenvolvido, lá as crianças crescem mais devagar e são menos "espertas"...

Enquanto estávamos falando do lugar onde ele queria morar quando voltar para Cabo Verde, Tcholo disse:

Tem que estar no ponto onde alternativas, oportunidades, aparecem; se tu ficares no Rincão[13], tu ficas *out*, não dá, nem como.

Nesses extratos, vê-se pelo menos dois referentes coletivos que estruturam sua narração da experiência: os "verdadeiros cariocas", e as "meninas de Praia", as amigas que ficaram.

Discrepância entre identificações atribuídas e construídas

Os homens ouvem este discurso sem negá-lo, mas estão menos dispostos para falar de maneira tão expressa de suas experiências. Embora partilhem da valorização do centro em relação à periferia, num modelo hierárquico informado por uma idéia do desenvolvimento no qual a periferia é estigmatizada como "atrasada", e embora aquiesçam quando as mulheres falam que são isoladas e que não participam, não gostam de reconhecer o isolamento. Como se essa fraqueza os tornasse menos homens ou como se eles existissem menos por reconhecer isso, em frente de um outro homem que não parece partilhar das mesmas dificuldades que eles e sobretudo, creio, diante do que Bakhtin chama o "endereçado ausente", a identificação que um homem cabo-verdiano deve seguir.

Notei certa discrepância entre o que me falavam no início dos nossos encontros, quando evocavam a proximidade com os brasileiros, e o que eu percebia como isolamento. Os estudantes não estavam querendo reconhecer que é difícil ter amigos brasileiros. O fato de eles quererem esconder esse isolamento me lembrou das minhas próprias experiências, contadas a amigos ou conhecidos, quando volto de uma viagem, nas quais coloco energia para que o interlocutor perceba que sei do que estou falando, para que ele saiba que me integrei, e para que possa estabelecer minha autoridade de contador. Percebi que para esses cabo-verdianos a vontade de esconder o seu isolamento se relacionava com a vergonha de reconhecer sua incapacidade de integração. Se esta era importante para a imagem que queriam me dar sobre eles mesmos, ou melhor, para a imagem que queriam fazer deles mesmos para mim, não poderem se perceber integrados lhes aborrecia. Outro aspecto da questão a ser considerado é que a natureza das minhas perguntas, meu convite para que fizessem metanarrativas, lhes restringia a uma versão muito monolítica das suas experiências: ser isolado ou não ser isolado, gostar ou não gostar do Brasil. A resposta a essas questões era clara na medida em que eles falavam de saudade, portanto de dor, na medida em que afirmavam muito firmemente sua vontade de regressar. Todavia, convém ressaltar aqui que diferentes interpretações de experiências coexistem. Presenciei entre estudantes e emigrantes que haviam regressado atitude semelhante à minha, quando retorno de alguma viagem: o desejo de dar uma imagem positiva de integração para os que ficaram em casa. Assim os estudantes me contavam a história que lhes convinha para que resgatassem uma imagem de si mesmos valorizada. O tipo de interlocutor que eu era provocou um conflito entre diferentes narrativas, como se eu os forçasse a escolher entre uma interpretação e outra.

O fato de perceber que existe discrepância entre a maneira como alguém se vê e a maneira como se é considerado causa a maior "dor".[14] Acho que a "dor" é uma emoção brasileira. Em Cabo Verde, a "vergonha" é associada à "tristeza". Quer dizer que a "vergonha" traz consigo uma emoção, a "tristeza". Comentando essa associação entre "vergonha" e "tristeza", um interlocutor cabo-verdiano falava também da "raiva de ter vergonha" que leva gente do campo, e não só, a se matar. Essas informações elucidam melhor as pragmáticas da "vergonha" e da "tristeza". O que é posto em questão através das experiências vividas pelos cabo-verdianos é "o que eles são". "Não são o que pensam porque os outros não agem com eles como deveriam agir em relação à pessoa que eles pensam ser." Então impõe-se uma ruptura, um fosso entre o que eles pensam ser e o que eles são, e existem apenas através do olhar dos outros. É neste *clash* das identificações — que lhes são atribuídas pelos outros no Rio — e das identificações que fazem de si próprios, as quais usam comigo, produzidas em contextos que valorizam, que surge o conflito causador da "dor".

Para ilustrar essa afirmação, cito uma conversa minha com Ntony:

G — Aqui, tu és um preto; será que isso magoa?

N — Não, *porque eu sei quem eu sou.* Eu sei qual é minha posição, qual é o meu objetivo aqui no Brasil. Se tu me chamas de negro, tu não estás me ofendendo, porque eu sou negro. Eu não tenho como negar isso. [...] Em Cabo Verde, não há que me chamar de negro, nós somos uma sociedade negra (Grifo meu).

Ntony está dizendo, como outros, que não se sente ofendido por ser chamado de negro, ou de outros nomes que não se adaptam à sua realidade, porque sabe quem ele é; noutras palavras, porque essa categoria não cria discrepância com as suas identificações essenciais, pois "nós somos uma sociedade negra".

Noção coletiva de pessoa

O desafio do viajante é como ele vai não apenas sobreviver mas existir de fato aonde chega. Como vai ser? Quem ela/ele vai ser? Coloca-se o desafio aguçado à questão da existência. Ressalto que este desafio se impõe sempre a cada um de nós, embora de maneira diversa. A existência como questão é a integração, participação numa rede social que valoriza e reconhece o indivíduo de acordo com a imagem que ele tem dele mesmo, de acordo com o que pensa serem as suas identificações tanto coletivas como individuais. A chave da experiência do viajante é a sua participação no meio onde está. No meio de quê? No meio de idéias, pessoas, objetos e quase-objetos interligados numa rede que constitui sua realidade. Acredito que o que importa é o prazer e a dor que essas experiências lhe causam. Essa maneira de encarar a experiência da viagem é culturalmente específica. Em Cabo Verde, logo percebi que para ser, para existir lá, eu tinha que me integrar num grupo de "malta" (panelinha). Tinha que tecer uma rede densa e espalhada que me permitisse ser identificado e ligado a pessoas para poder ser conhecido e reconhecido. Até hoje, mesmo no decorrer deste trabalho no Rio, posso sentir o quanto era importante poder me referir a pessoas conhecidas por mim e pelos estudantes e assim ser bem acolhido e ter uma base de conversa que nos transformava em aliados, através desses conhecidos comuns. Observei também a importância da "raça"[15], dos laços de sangue, da família, da associação a uma rede de parentesco para situar, identificar uma pessoa. Quando pessoas se encontram, o "quem você é?" é uma questão habitual. Para definir uma pessoa ausente da qual um grupo está falando, faz-se referência à sua "raça". O indivíduo existe através das suas relações sociais e sobretudo familiares. As relações familiares ajudam a reduzir a estranheza de uma pessoa.

O que chamo de noção de pessoa cabo-verdiana posso caracterizar através das falas dos próprios cabo-verdianos. Mostrei que para eles a filiação é um elemento importante para a existência social e que o indivíduo torna-se alguém porque participa de redes mais amplas que o situam, que lhe permitem participar, fazer parte. Mas fazer parte requer do indivíduo que partilhe identificações coletivas às quais se conforma e reproduz (*perform*).

DaMatta (1978) chama atenção para a importância de se ser alguém no Brasil, de se existir através das relações sociais, das posições, da pertença a diferentes redes sociais simbólicas, de poder se referir a algo, a alguém valorizado, poder se situar num jogo complexo de escala de valores. Quando se é estrangeiro, é mais complicado ser alguém. Esta particularidade do Brasil, acredito, se encontra como valor e prática no contexto cabo-verdiano embora de forma um pouco diferente. Acredito que a melhor forma de apresentar esse elemento central da ideologia cabo-verdiana[16] seja através da intolerância ao "abuso". Como a expressão "Sabe com quem está falando?", o "abuso" é empregado em situações em que o indivíduo se sente ofendido por não ser reconhecido como espera, quer dizer, como uma pessoa (e não como indivíduo nos termos de DaMatta). A maior diferença é que o "abuso" é igualitário entre os homens, pois no seu uso por grupos populares não se refere a uma hierarquia implícita que legitima as expectativas do "superior" para com o "inferior", o que marcaria a recusa de um individualismo igualitário, mas assume que quem for homem não tolera o "abuso de ninguém". A questão não é de se hierarquizar num mundo de iguais, mas de fazer parte do mundo dos homens. O ponto é o de criar para inferiores um mundo de iguais. A necessidade do ofendido de evocar, através da intolerância ao abuso, uma forma de honra/vergonha implica o fato de se tentar inferiorizá-lo ao ponto de não considerá-lo mais homem e não ser homem, é não ser *tout court*.

Desejo sublinhar como essa ideologia igualitária se encontra ativada através das situações vividas. Tudo se passa como se uma situação lembrasse a alguém que foi socializado em determinada sociedade, ou a alguém que houvesse adquirido competência nessa sociedade, um conjunto de representações, uma linguagem apropriada à situação, discursos específicos. Nesse sentido pode-se ver que as experiências sugerem interpretações que são frutos de experiências próprias anteriores ou de outrem. As fontes que alimentam esse *genre* são as mais diversas.

Recurso ao genre da "emigração"

Genre assemelha-se ao que Pratt (1982) chama de convenção de representação. Utilizando o termo *genre*, quero enfatizar que as palavras, os estilos, os valores, os sons, as imagens e os tipos de relações sociais que o recurso a esse *genre* acarreta são reproduzidos a partir das experiências de migrantes cabo-verdianos e das produções cabo-verdianas sobre esse tipo de experiências (história, literatura — sobretudo a poesia — e música). Mais importante ainda, esse *genre* diz respeito a um certo tipo de viajante cabo-verdiano falando para cabo-verdianos não-emigrados, pois a emigração como é entendida em Cabo Verde é uma resposta a uma deficiência estrutural do meio cabo-verdiano, à sua incapacidade de criar condições de integração econômica para todos os seus habitantes. A emigração é, portanto, uma necessidade de sobrevivência; não é uma escolha de descobridor ou de romântico. Defendo que há uma circularidade entre as condições materiais e a linguagem: na medida em que o viajante identifica sua situação à dos "emigrantes", as emoções e interpretações do que ele encontra são informadas pelo *genre* cabo-verdiano produzido a respeito da emigração. Por outro lado, ao experimentar uma discrepância entre as identificações que pensava ter e as que lhe são atribuídas, o viajante recorre a esse *genre*. Através da apresentação de algumas identificações encontradas nas falas dos estudantes, sobressaíram contradições, discrepâncias entre as representações que tinham deles mesmos e as que lhes eram atribuídas. Penso que essas discrepâncias criam um vazio e uma contradição emocionalmente forte para os estudantes, induzindo-os a recorrerem ao *genre* da "emigração". As discrepâncias, por sua vez, não podem ser entendidas sem se levar em conta o seu isolamento. São as explicações deste isolamento que apresento na terceira parte do artigo: "O *genre* *folk-sociology* ou as explicações do isolamento".

As condições que favorecem esse recurso, em outras palavras, os elementos que os estudantes cabo-verdianos encontram em suas experiências e que são tratados no *genre* da emigração são os seguintes: o fato de sua estada ser um exílio necessário à sua formação e posterior integração como "quadros", "intelectuais" em Cabo Verde; a consciência de que essa estada é temporária — constante do *genre* — é a idéia do retorno à terra; o fato de eles estarem em grupo, de poderem formar uma comunidade — a noção de "comunidade" emigrada faz parte dos discursos que circulam em Cabo Verde e deve-se às formas históricas da emigração.

Assim, a forma de viagem por excelência para os cabo-verdianos é a emigração. Com a maior parte da população cabo-verdiana emigrada, o imaginário da emigração em Cabo Verde é muito forte. A viagem objetivando a procura de emprego fora do país é uma constante da história cabo-verdiana desde os "lançados" (Carreira, 1983), passando pelos funcionários do "Império" até os emigrantes da construção civil, dos portos. A ida e o mito da volta é um tema importantíssimo nas diversas formas de expressão cabo-verdianas. A familiaridade com a emigração é evidenciada não só nas histórias contadas por familiares que emigraram e estão de férias ou de volta, mas também na música e na literatura. É neste registro muito rico que os cabo-verdianos buscam material para evocar sua experiência. Não tenho espaço para desenvolver este complexo da emigração cabo-verdiana aqui, mas basta assinalar uma linha recorrente neste tipo de discurso: a fidelidade à terra, a identificação com a "terra" e a saudade cultivando o desejo de voltar.

Todas as pessoas que encontrei querem, sem dúvida, voltar para Cabo Verde. Nenhuma queria ficar no Brasil para viver. Uma conversa com Filó:

G — Como é? Gosta da vida aqui no Brasil?
F — Gosto muito, apesar de sentir muita saudade da minha família. Sabe, cabo-verdianos são muito ligados à sua terra, dá para chorar de vez em quando. O Rio é grande e a vida é completamente diferente, existe mais capacidade de comunicação em Cabo Verde, temos também o crioulo...

G — Poderia imaginar ficar no Brasil?
F — Não viver, eu quero viver é em Cabo Verde. Cabo Verde é pequeno, não tem problemas de morte, assalto, seqüestro, estresse...

Para entender melhor essas afirmações, acho importante ressaltar que as justificações utilizadas por Filó são meramente pragmáticas. Em outra parte da entrevista, relacionada a outro contexto, ela falou sobre a presença constante das injustiças no Brasil, das pessoas deitadas na rua... Perguntei se tinha medo. Ela parou um minuto, durante o qual pareceu surpresa, pensativa no seu silêncio, e disse em seguida que não tinha medo: "nunca fui assaltada, então não me passa pela cabeça". O ponto que eu queria marcar é que, qualquer que seja a justificativa, o importante é o forte desejo de regressar. Intimamente ligada a este forte desejo de regresso encontra-se a saudade. Não se pode entender o isolamento dos estudantes cabo-verdianos sem fazer alusão à saudade. A saudade, um processo duplo: de um lado, não há integração porque se está com muita saudade, fica-se sempre com os olhos em seu país. A saudade, neste sentido, paralisa. De outro lado, a saudade é a conseqüência do fato de se estar longe e não integrado; a saudade prova que se existe algures. "A saudade é boa."

Perguntei a Carlos o que ele pensava fazer quando acabasse seus estudos de jornalismo:

> C — Pensei em ir para Cabo Verde, mas não posso dar uma resposta hoje, nunca se sabe o que pode acontecer... Nunca vivi fora de Cabo Verde, sempre quis voltar para dar continuação à terra; é patriotismo, está a ver.
> G — E saudade, tem?
> C — Saudade? Eu sinto muita, sim, dos familiares, dos amigos, saudade deste meio, dessa convivência gostosa, saudade deste sentimento de ser salvo [safu], seguro, lá onde tu estás, entendeu?

Daniel juntou-se à conversa:

> D — Saudade, sentes dentro de ti, tu podes viver tudo de gostoso, por todas as partes, mas a tua terra é uma terra só.
> C — Tem esse algo que te liga àquela terra, àquelas dez ilhas no meio do mar. Quando tu estás em Cabo Verde, tu sentes essa vontade enorme de sair daquele círculo de água, mas quando tu sais, tu tens vontade de voltar... É uma coisa que tu sentes na tua alma.

A saudade é a expressão de uma ligação emocional forte entre uma identificação (ser cabo-verdiano), um território (as ilhas no meio do mar) e uma cultura (essa convivência). A saudade fala de dor, a dor de estar separado, a dor de existir sem o que nos constitui íntima e definitivamente. Associar uma experiência à saudade é evocar para o cabo-verdiano uma dor, é celebrar uma dor, é celebrar pela dor uma identificação a uma cultura, a pessoas, a um território. É neste sentido que nas explicações (apresentadas a seguir) da pouca "abertura" do cabo-verdiano aos outros, os estudantes evocam o fato de o cabo-verdiano ser "muito apegado à sua terra". A emoção da saudade, portanto, através da estetização que opera, fixa de maneira definitivamente referencial os elementos centrais do ser cabo-verdiano e alicerça uma identificação coletiva sempre celebrada, pois não é de surpreender que o meio de expressão privilegiado da saudade em Cabo Verde é a poesia escrita, oral ou cantada.

O *GENRE FOLK-SOCIOLOGY* OU AS EXPLICAÇÕES DO ISOLAMENTO

Nesta seção, pretendo apresentar e refletir sobre as razões encontradas pelos estudantes para explicar o seu estado de isolamento, o que eu chamo de sua *folk-sociology* (Crapanzano, 1992).

Durante nossas conversas em grupo, as pessoas raciocinavam em voz alta, tentando entender uma experiência que não esperavam e/ou de um modo que não costumavam fazer para si mesmas: a dificuldade de ser considerado estrangeiro. As explicações são o resultado de conversas entre cabo-verdianos e antropólogos, entre estudantes, entre Badiú Branku e Badiú.

Fátima, uma estudante, declarou que os cabo-verdianos não gostavam de discutir esses temas entre eles. Não obstante, uma vez induzidos pelos assuntos que discutíamos, entravam em um discurso sobre suas inserções no Rio. Contudo, era habitual comentarem o Brasil neste *genre* de *folk-sociology*, reproduzindo clichês quando tratavam de Cabo Verde, quer dizer, utilizando uma noção de Cabo Verde essencializada

Essa *folk-sociology* se encontra nas palavras, nos conceitos e se torna também um *genre* de interpretação que acompanha o indivíduo transcontextualmente. Experiências passadas são associadas à atual. Quem viaja sabe disso: constrói-se um *genre* de apreensão da realidade da nova viagem. Portanto, experiências passadas nos guiam nas nossas interpretações da presente e, inversamente, relemos as passadas à luz da presente. É o que me permite falar de *folk-sociology*, na medida em que é um modelo de interpretação que se produz e reproduz na confrontação com novas realidades. Isso me foi claramente indicado numa entrevista com Djibi, oriundo do interior da ilha de Santiago, de "fora".[17] Em uma época da sua vida escolar, teve que mudar de escola e ir estudar em Praia. Ele me contou que "não gostava muito de Praia" e, quando lhe perguntei por quê, explicou-me que a vida lá era bem diferente para alguém do interior, de "fora", e que não estava conseguindo "fazer amizades", não tinha "relacionamento próximo com os estudantes da turma". Segundo Djibi, integrar-se era difícil porque, por um lado, os alunos da sua turma eram "da elite, filhos de ministros e diretores" e, por outro, porque eles sempre tinham estudado juntos e por isso "a vivência e o relacionamento entre eles eram mais fortes". Ele concluiu, dizendo: "Hoje, já entendo isso [melhor]."

As explicações

A primeira particularidade do isolamento dos estudantes (e que também produz seu isolamento) é que eles criam uma sociologia e não uma psicologia. O que acontece com eles é interpretado em termos de identificação coletiva, e falam, constantemente, de maneira impessoal, utilizando a terceira pessoa: aos "cabo-verdianos", aos "brasileiros", a "Cabo Verde"... Esse fato, creio, deve ser relacionado a dois tipos de fatores. Por um lado, ao próprio contexto da pesquisa: seria difícil em tão pouco tempo criar as relações interpessoais propícias a um tipo de discurso mais pessoal. Minha imagem de antropólogo e minhas próprias preocupações disciplinares orientaram os discursos. Por outro lado, o fato de termos uma sociologia deve-se às características dos discursos em vigor em Cabo Verde, eles mesmos frutos da história das ilhas, mais particularmente, da necessidade de desenvolver uma identificação nacional forte.

Estou consciente da circularidade que se instala, mas persisto em afirmar que a utilização da identificação coletiva na construção da experiência da viagem é uma informação relevante por três razões: primeiro, por relacioná-la à noção de pessoa em Cabo Verde; segundo, por sentir, a partir da minha experiência de vida em Cabo Verde e da reflexão sobre a minha própria experiência de viajante/estrangeiro, uma diferença que atribuo a uma interpretação em termos muito mais individualistas. Em outras palavras, pela consciência de entrar num *genre* habitual a Cabo Verde; e, enfim, por ter encontrado outros cabo-verdianos mais idosos que tinham outras "experiências" de viagem e inserções profissionais em vários países. Um deles, entrevistado no quadro desta pesquisa, insistiu na determinação individual da experiência, o que me levou a pensar que os espaços de liberdade que eu tinha criado no quadro dos nossos encontros permitiam um tipo de interpretação em termos mais individualistas sob o prisma da "experiência pessoal". Esses elementos me fazem concluir que o recurso a identidades coletivas é pertinente ao discurso cabo-verdiano sobre a experiência da viagem.

As metanarrativas dos estudantes se organizam em torno de três questões, que distingo para tornar mais clara a exposição: O que se passa no Rio? O que acontece no Rio? O que são os brasileiros e o que são os cabo-verdianos?

O que é o Rio? "Territórios, violência e segurança"

O estrangeiro, antes mesmo de chegar ao Rio, quando chega, e nas primeiras semanas após a chegada, é submetido por parte dos "nativos" a uma educação sobre o Rio de Janeiro.

Os cariocas, e os brasileiros em geral, convidam o estrangeiro para ir a um clube e lhe ensinam um discurso sobre o Rio (Cunha, 1995). Assim aprende-se o discurso da "violência urbana", da "territorialização" e da "segurança". As famílias dos estudantes cabo-verdianos tremiam, bem como a minha, à idéia de que íamos nos meter em uma cidade grande e perigosa. As recomendações clássicas põem em dúvida a coerência dos brasileiros que falam do Rio como "a cidade maravilhosa": ficar junto de sua bagagem no aeroporto; não olhar para os taxistas; tomar cuidado com os "pivetes"; não andar na rua com relógio no pulso; mesmo que não se entenda português, andar com um jornal debaixo do braço etc. A esses conselhos são acrescidas as histórias do grupo de pivetes que roubou o último par de tênis, da pessoa com quem se está conversando e, a que não pode faltar, sobre o último arrastão nas praias. Depois da "violência" vêm os territórios. O estrangeiro aprende que não só a cidade se compõe de zonas (os funcionalistas nos tinham habituados a este tipo de fala), mas aqui elas se chamam zonas mesmo! E mais: dentro das zonas, onde os nossos interlocutores vivem, há o "asfalto" e o "morro". Se não fossem os meus colegas antropólogos, eu ainda estaria querendo ir à favela sem poder, como a maioria dos estudantes cabo-verdianos que encontrei. Em outras palavras, o estrangeiro é educado para detectar as fronteiras que limitam o espaço que ele pode freqüentar, aprende os estigmas que o caracterizam e, rapidamente, se familiariza com o discurso que Cunha (1995) descreve e que se mostra tão eficiente para estruturar as percepções que se tem do espaço.

Se este discurso de poder se mostra tão eficaz para ditar o uso que o estrangeiro faz do espaço, embora ele saiba que essas fronteiras sejam principalmente fronteiras entre pobres e ricos, e embora perceba que se trate de injustiças, é porque sua segurança e sua vida estão realmente ameaçadas no cotidiano, o que é reforçado e comprovado pela mídia que destaca o Rio das outras grandes cidades "zoneadas":

> Nunca pus os pés numa favela. Não vou porque talvez coloquem uma imagem na cabeça da gente de que na favela só tem bandidos, é muito perigoso se ir, talvez para a minha segurança não sou só eu, não há nenhum cabo-verdiano que vai à favela. Questão de segurança. Mas é verdade que na favela acontecem muitas coisas. [...] Umas das coisas de que tenho orgulho de Cabo Verde é que, pelo menos até agora, não criou ainda esse fosso que separa pobres e ricos tão grande como Brasil. Aqui você vê dois mundos dentro do país, o mundo do asfalto e o mundo favelado. Em Cabo Verde, há uma fraternidade entre as pessoas, sejam ricos, sejam pobres.

A força deste discurso da "violência" informa também o que os estudantes vêem: as injustiças e as desigualdades sociais. É como se a interpretação do Rio como cidade humana fosse vista prioritariamente através deste *genre*. Entenda-se portanto a insegurança como medo, embora os estudantes não gostem de falar assim. O medo de ir a um território proibido ou de encontrar "bandidos", agentes ameaçadores fora do seu território. A estigmatização e a ameaça que este discurso reproduz causam retraimento e levam os estudantes a recriarem um espaço seguro.

O que se passa no Rio? "Racismo, injustiça, corpo"

A questão a ser formulada para quem está sendo "educado" nesse discurso da "violência, territórios e segurança" é: qual a sua posição, quem ele é nessa realidade. Para mim, a questão foi rapidamente resolvida: não tenho cara de "gringo", não tenho cabelo loiro e olhos azuis, "cala a boca e passarás por um brasileiro". De fato, a pessoa neste quadro de interpretação é prioritariamente um corpo, uma série de códigos corporais no espaço da cidade: a cor, a maneira de se vestir, as feições, a ginga do corpo, o modo de utilizá-lo (pense, por exemplo, no olhar) e o sotaque distinguem e situam-na num jogo complexo de posições, de identificações essencializadas. Embora se reconheça que esses diferentes códigos corporais informam a identificação de um "outro", de fato, na vida cotidiana, nos discursos dos cariocas, nas metanarrativas, é a cor que recebe maior atenção. Tudo se passa nas metanarrativas (inclusive nas dos cientistas sociais) como se somente a cor permitisse distinguir e identificar uma pessoa.

Os cabo-verdianos que na sua maioria seriam qualificados no Rio de "pretos" dizem que existe racismo no Brasil ou que os brasileiros são racistas. Como é que os estudantes utilizam o racismo nos seus discursos?

Para esses estudantes, o racismo se vê: nas ruas, nas universidades, nas novelas, em que o "preto" é sempre o mais pobre, "sempre o que serve os outros, o que tem as tarefas mais duras"; o que está menos presente nas universidades e nos carros, e não aparece na televisão a não ser porque não pagou as suas contas ou porque matou. O preto "vive mal", dorme no chão. Daí os estudantes inferem o racismo. O racismo se faz conhecer através das "injustiças" que são para esses estudantes o produto de uma história de repartição desigual do dinheiro, do saber, os dois recursos centrais da estrutura social da *folk-sociology* cabo-verdiana.

Quando indaguei se já tinham sido pessoalmente discriminados, hesitaram, não estavam certos. Há uma constante nos exemplos que me foram dados, como se fosse uma narrativa muitas vezes contada como um conto: são as histórias dos ônibus e do bancos. Nos ônibus, embora tenha espaço livre ao lado dos cabo-verdianos, as pessoas não se sentam; não sabem por quê, mas quando passam ao lado de uma senhora no ônibus reparam que ela abraça mais a bolsa de mão. Quando vão ao banco, os agentes da segurança ficam olhando para eles de maneira suspeita; em uma das narrativas, os guardas torceram o braço de um dos estudantes, levantaram-lhe a camisa, que cobria a cintura, para ver se tinha armas. Também me foram contados contatos com policiais em que alguns estudantes tiveram de falar ou mostrar o passaporte para serem "deixados em paz". Nesse aspecto, pode-se ver que a integração das categorias locais é forte e os estudantes não querem ser associados ao grupo dos brasileiros pretos!

A percepção dos fatores econômicos e da cor se combina na fala dos estudantes e a melhor maneira de apresentá-la é recorrer à sua própria retórica: Ana, quando fala das suas colegas da universidade "da sua cor" que também não lhe dão atenção, conclui que não está sendo afastada por causa da cor, mas acrescenta que, se fosse loira, de olhos azuis, teria namorados com certeza, "pegaria" gatos, e não ratos! Felisberto, discutindo o "racismo" com seus companheiros e a dificuldade que têm em namorar brasileiras, diz que "tudo está no dinheiro"; se tivessem um Porsche, não importaria a sua cor, as meninas correriam atrás deles. Resta para eles serem "estrangeiros" e "africanos", duas identificações que lhes são atribuídas, que respeitam os seus códigos corporais no Rio e o passaporte deles, mas muito pouco a representação que têm deles mesmos.

O que são os cabo-verdianos e o que são os brasileiros?

Pelo fato de utilizarem identificações nacionais e raciais essencializadas, os estudantes atribuem aos brasileiros uma caracterização e depois outra, que contradiz a primeira. As atribuições, caracterizações que fazem dos brasileiros e dos cabo-verdianos, reproduzem a dinâmica da dor que apresentei acima. As identificações que atribuem a ambos, cabo-verdianos e brasileiros em Cabo Verde e no Brasil se chocam e a não-comunicação sentida no cotidiano parece projetar-se ou ter o seu equivalente na linguagem. Citei o exemplo de "africano" que tem duas funções pragmáticas distintas (que se referem a dois contextos bem diferentes para os cabo-verdianos). Um outro exemplo similar que funciona inversamente é a caracterização de "crioulo". Assisti, em um bar, entre um estudante cabo-verdiano e o *barman* brasileiro branco que o conhecia, a uma situação na qual o *barman* contava "piadas" sobre "crioulos". O estudante estava rindo e ao mesmo tempo dizendo para mim em língua crioula: "o filho da puta não sabe que para mim é um orgulho ser crioulo, um desses dias eu lhe mato". A palavra "crioulo", para um cabo-verdiano, refere-se a uma identificação cultural forte, embutida no debate sobre a "verdadeira" composição étnico-cultural de Cabo Verde, na qual o "crioulo" como língua ultrapassa o seu contexto lingüístico para ser símbolo do "sincretismo" entre a África e a Europa,[18] símbolo da especificidade nacional cabo-verdiana. No Brasil, o termo "crioulo" é utilizado em dois contextos diferentes: para contar piadas sobre pessoas de cor preta ou para designar à distância uma pessoa de cor preta. Defendo que essas contradições, mesmo que não articuladas antes num discurso tal como o de *folk-sociology*, estão presentes e ativas e deixam os estudantes confusos e feridos.

Nas suas relações cotidianas na universidade, "os brasileiros são metidos" ou "são fechados". Porém, quando os estudantes cabo-verdianos falam dos brasileiros num contexto menos pessoal, menos relacionado à sua experiência, embora empreguem a mesma palavra — "brasileiros", dizem que são "abertos", "gostam de festa", "têm uma cultura bem parecida", ou fazem suas as palavras do Bana, cantando: "Brasil, irmãos de coração, eu te amo [Nkrê bu tcheu]", o que caracteriza esse sentido de "brasileiros". Essa contradição origina-se na utilização referencial da palavra empregada em dois contextos diferentes e com duas funções pragmáticas diferentes: uma vez que não se reconhece a função pragmática das palavras, acontece um embate irreconciliável entre os "brasileiros" das representações culturalizadas, estetizadas, vistos de Cabo Verde, e os "brasileiros" cariocas, da Universidade. O que distingue os dois usos da palavra é que no primeiro a identidade "brasileiros" é extraída do seu contexto relacional e usada num discurso culturalista de cunho nacionalista (Stolcke, 1995), e, no segundo, os "brasileiros" são os que os estudantes encontram na realidade carioca, num contexto concreto de relações sociais.

A maneira como definem os brasileiros dita o tom que utilizam para caracterizar os cabo-verdianos. Essa dinâmica discursiva é uma característica própria de um discurso das identidades. Na lógica do complexo aberto/metido/fechado, eles são ora "muito ligados à sua terra", "acanhados", "fechados", mas podem também ser "metidos" (embora essa palavra brasileira seja integrada no léxico crioulo[19], os estudantes a aplicam só aos brasileiros): "eles têm mania de grandeza", "aonde vão, os cabo-verdianos querem ser sempre iguais ou superiores aos locais", "os cabo-verdianos são arrogantes, e isso afasta a gente deles". O que reproduz esse complexo aberto/metido/fechado é a sensação de não-comunicação e não-comunhão, oscilando entre a timidez, a arrogância e os complexos de superioridade e de inferioridade que não fazem nada senão reproduzir circularmente as frustrações. Neste sentido, essa *folk-sociology*, utilizando como "conceito" central de interpretação a "abertura", veicula, pelas maneiras que são empregadas as palavras, as suas próprias conclusões, a sua própria dinâmica interpretativa. Isso é o *genre*.

Convém realçar que encontrei entre os estudantes o que chamei de critérios de classificação similares aos que observei no seio de pessoas da mesma idade no meio urbano em Cabo Verde. "Desenvolvimento" é usado como critério de diferenciação de sociedades, regiões ou continentes, enfim, de unidades geográficas e culturais. O "desenvolvimento" é uma escala linear que ordena do mais atrasado ao mais desenvolvido (Europa, Estados Unidos).

Outro critério de classificação muito forte é a "cultura", que serve para caracterizar entidades sociais que formam conjuntos, meramente Estados-Nação. A questão da cultura é um elemento central para distinguir conjuntos, é a base, e se refere como critério não só a usos e costumes, mas principalmente a objetos materiais como a própria paisagem. Ideologicamente, há um elo muito forte entre a identidade cultural "cabo-verdianidade" forjada pelos Claridosos e a identidade nacional (o nacionalismo que utiliza a "cultura" como legitimação das separações que quer instituir é agora bem reconhecido). A "criolidade", o ser "crioulo", é menos comum, mas se inscreve numa distinção baseada na "cultura".

Esses critérios, presentes nos discursos dos estudantes contemporâneos, encontram-se na história cabo-verdiana do colonialismo e do nacionalismo. A essas matrizes ideológicas tem que se ligar a fragilidade de Cabo Verde como meio ecológico, a dificuldade de assegurar a reprodução material do país. Neste sentido, os discursos de poder ativos na sociedade cabo-verdiana parecem reproduzir se.

Nas relações sociais, queria apontar dois critérios de classificação. Primeiro, o complexo abuso/honra/vergonha, que informa de maneira muito forte as aspirações de reconhecimento e as noções de pessoa dos estudantes. Combinado à ideologia nacionalista, produz uma ética igualitária que se acomoda em um tom de masculinidade forte, mas muito mais fraco do que se encontra no contexto local cabo-verdiano. Convém realçar aqui a circularidade seguinte: na medida em que os estudantes estão vivendo em função do retorno, os estudos são como um rito de passagem, um exílio[20] momentâneo. A percepção da sua estada como exílio, como isolamento, requer por sua vez a construção de um *imagined home* da sua terra.

Segundo vários elementos externos (embora os constituam), os próprios estudantes concorrem para entreter essa circularidade: os discursos de territorialização alicerçados na "violência" vigente no Rio de Janeiro; a importância da identificação nacional para "estrangeiros", não-brasileiros; a identificação nacional dos estudantes, ou, em outras palavras, o discurso nacionalista que opera um conflito entre território, cultura e Estado; e, finalmente, a importância do que chamei o *genre* como *trope* para a viagem a Cabo Verde. Portanto, as fontes dinâmicas da construção do "outro" encontram-se em valores partilhados por indivíduos numa realidade internacional, numa realidade histórica e socioeconômica.

CONCLUSÕES

Gostaria de voltar ao início deste texto para uma reflexão crítica sobre as nossas próprias maneiras de pensar antropologicamente. A questão é mesmo saber qual é o objeto epistemologicamente relevante e, portanto, como o antropólogo deve construí-lo. Se eu, assim como os estudantes que encontrei, decidimos olhar o mundo através das culturas como sistemas de significação essencialmente caracterizados, estamos validando um modo particular de pensar o mundo e de organizá-lo, e certos poderes. Também dificultamos a nós mesmos a tarefa de compreender como e por que novas formas de ser se desenvolvem dentro do que chamamos "as nossas sociedades", caracterizadas por uma nova diversidade e não por um espaço mundial culturalmente globalizado. Quero lembrar Robertson (1992), para quem a relevância da globalização alicerça-se sobre dois fenômenos: a compressão do mundo, quer dizer, a expansão das redes, seletivamente, ligando diferentes objetos e pessoas, e a consciência da existência do mundo como um todo, o que não é nem mais nem menos do que a ideologia da globalização.

Através não só dos dados colhidos no Rio, mas também a partir do meu trabalho em Cabo Verde, tentei mostrar que existe uma relação íntima entre as experiências vividas e contadas pelas pessoas (através do que chamei de dor), as palavras utilizadas e, sobretudo, a maneira como essas palavras se relacionam a um contexto, a outro texto (Fabian, 1995), que lhes dá significação e ao qual ele dá significação, e a maneira determinada, através da história, de falar de si mesmo e dos outros (Crapanzano, 1992).

Tentei mostrar como diferentes objetos que constituem a realidade dos estudantes cabo-verdianos e de outros viajantes tinham diferentes relações com *genres*, agentes, palavras, emoções, situações, *plots* aos quais os indivíduos foram confrontados na sua vida. Uma rede de objetos, palavras e histórias é ativada a partir de uma só palavra, de uma emoção, de um som, de um cheiro... (de um contexto). Um pouco como se um elemento arrastasse uma série de objetos que lhe é associada através de experiências passadas mas também produzisse de maneira criativa novas associações e novos elementos. Esses objetos, quase objetos, têm assim diferentes redes às quais se associam. Eles são utilizados de maneira criativa pelos indivíduos, mas suas realidades pragmáticas restringem o uso que se pode fazer deles, criam um contexto. Tentei mostrar como essas diferentes redes de objetos de palavras, de histórias, de espaços se relacionam, compõem a vida das pessoas e são nós de poder.

Nessa medida, argumento que o que se conta sobre uma experiência tem mais a ver com o contexto no qual ela acontece do que com a experiência tal como ocorrida; a sua vida está na ação que participa como criação narrativa. O recurso aos *genres* já existentes, recriados, reinterpretados pelas pessoas trazem consigo uma emoção. Neste sentido há uma pragmática das emoções: as emoções são ligadas a um contexto que as produz e que elas produzem. Importa ressaltar de novo a circularidade existente entre "contextos" e "textos". Essa circularidade é propositadamente sublinhada aqui para insistir sobre o fato de que o que importa não é o objeto construído pelo antropólogo, que não tem na realidade mais autoridade do que os outros, a não ser em relação ao público ao qual é endereçada essa construção do objeto. O importante para mim são os trabalhos de construção dos objetos que inevitavelmente todos nós fazemos. O que importa é descrever como se elaboram as realidades e, neste sentido, a noção de redes ajuda e orienta esse trabalho.

Uma antropologia comparativa não deveria basear-se na visão pessoal sobre os objetos "científicos" que construímos para estudar a realidade, mas sobre a comparação das construções de diferentes objetos pelos grupos e indivíduos que estudamos, inclusive nós, belgas, antropólogos, mulheres, homens, ocidentais, brasileiros etc. Essa perspectiva foge a certa tendência de desenvolvimento do campo acadêmico que tende a se fragmentar mais e mais, a se constituir em áreas/objetos construídos por cientistas sociais que são exportados sem que se considere sua relevância nos contextos em que são implantados (será que "as relações raciais" são a área mais produtiva ou inibidora para estudar os códigos corporais e as desigualdades que lhes são associados no Brasil?). Não poderemos, abarcando essa perspectiva, fugir à necessidade de ter uma abordagem interdisciplinar. Nesse sentido, acho que a antropologia é uma disciplina privilegiada para proporcionar essa abertura. Esse desafio parece se impor de maneira mais aguda ainda aos estudos das nossas realidades[21] contemporâneas, como se a expansão das redes no espaço, o desaparecimento da ficção dos objetos "tradicionais" da antropologia, o "primitivo" limitado no espaço e no tempo (sem história) não tivesse alterado, ainda, nossos velhos reflexos de estabelecer marcas no espaço e na história, como se as sociedades e as culturas existissem *per se*. Eu disse que sou viajante e antropólogo. Talvez a tarefa do antropólogo não seja mais de abrir novos horizontes, tal um herói voando de mundo em mundo, inalterável e invencível, mas de duvidar, afinal, dos nossos sensos comuns para reafirmar que, tão diferentes, somos todos iguais.

Notas

1. Como é que se define, se fala nos discursos que analisamos o "outro"?
2. Devo ao Peter Fry essa expressão, comunicação oral.
3. Ver o artigo de introdução de Bruner para uma discussão dos diferentes níveis de apreensão das experiências em Bruner e Turner,1986.
4. A *cachupa* é um prato tipicamente cabo-verdiano à base de milho e de feijão.
5. Quero evitar a noção de identidade para me distanciar do uso que se faz das "identidades" hoje em dia. A mídia se refere às identidades como categorias essencializadas designando um grupo de pessoas. Por esse uso, essas categorias se encontram essencializadas ao ponto de parecerem imutáveis, tradicionais, naturais e discretas.
6. "We have to remember that whatever the resistance of those with whom we converse they are always a little our creation as we are a little their creation. That empirical fact may mark the limit of our empiricism" (Crapanzano, p. 215, 1992).
7. É interessante que o conflito na língua cotidiana se apresente sob a fórmula Praia/ São Vicente, opondo a capital situada na ilha maior do arquipélago Santiago à Ilha de São Vicente, sede do Porto Grande e da cidade de Mindelo. Essa diferença tem sentido no contexto deste conflito: Praia aproveitou o "jeito" centralizador dos governos pós-independência e se tornou o centro de inovação (no sentido lato, sob diversas formas e englobando diversos setores: cultural, político, econômico etc.) do Estado que se criou depois de 1975. São Vicente é uma ilha menor e fisicamente mais uniforme, economicamente menos diversificada, cuja economia centrava-se, desde a sua fundação, principalmente sobre o Porto Grande. Mindelo foi e é um centro de criação cultural diversificado e prolífero (evoca-se sempre os Claridosos — movimento literário cabo-verdiano da primeira parte deste século, mas pode se pensar na cerâmica, na pintura, na música, na dança contemporâneos), mas tem perdido prestígio nas representações dos cabo-verdianos pelas dificuldades que seu porto e sua população enfrentam. Ficou prejudicada pela centralização praiense que "custou" à ilha o escoamento importante de recursos humanos com grau de formação acadêmica elevado.

8. *Cooperante*, em Cabo Verde, se refere aos técnicos estrangeiros que trabalham em Cabo Verde em projetos de desenvolvimento. Já se tornou uma categoria étnica, um indivíduo de cor clara oriundo da Europa ou dos Estados Unidos ("Primeiro Mundo" brasileiro), bem como *mandjaku*, palavra oriunda da Guiné-Bissau, onde os *manjacos* são um grupo étnico, usada para designar estrangeiros africanos do continente.

9. *Badiú* se opõe a *"sampadiudú*; o primeiro se refere aos habitantes da Ilha de Santiago e o segundo aos cabo-verdianos oriundos das outras ilhas do arquipélago (Cabral, 1980).

10. Tomo aqui o termo "sociedade" no sentido lato de realidade social existente para o agente, e não a uma unidade circunscrita do tipo Estado-Nação.

11. Em Cabo Verde, "crioulos" refere-se a uma identificação cultural cabo-verdiana, que combina a dimensão cultural e nacionalista. A análise dessa noção e os *genre*s nos quais ela se acha utilizada já é, em si, um vasto objeto que nos convida a uma profunda reflexão sobre a história, o presente e o futuro de Cabo Verde.

12. "Fora" é uma categoria muito freqüente e que marca forte diferença entre o campo e a cidade, não só como meios de qualidade diferentes mas também como meios humanos de qualidade diferente. O "fora" é estigmatizado pelos urbanos, mais freqüentemente em termos de "atraso". Encontraremos essa categoria nos discursos dos estudantes.

13. Rincão é uma povoação da costa oeste da Ilha de Santiago, um dos lugares mais afastados, por rodovia, que se tornou quase o símbolo do "fora", atrasado, desde que seus habitantes beberam metanol que tinha caído de um barco pensando que era uma bebida alcoólica. A história popular contada por pessoas de Praia vai mais longe ainda, dizendo que pensaram que era uma prenda dos deuses. Infelizmente, adultos e crianças morreram no episódio.

14. Acho que não poderia traduzir "dor" numa outra língua por uma palavra. Já notei que tenho dificuldade em exprimir essa emoção em francês, por exemplo; isso me leva a crer que a "tradução" que se pode dar a "dor" num texto antropológico é situá-la no seu contexto de expressão. Essa reflexão nos remete a uma pragmática das emoções (Crapanzano, 1992).

15. "Raça" em crioulo cabo-verdiano refere-se principalmente à família patrilinear extensa. Ela é uma rede de associados pelo sangue e nome dos machos.

16. Ver a etnografia de Abu-Lughod (1986).

17. Ver nota 12.

18. Para uma discussão crítica da noção de "sincretismo", ver Sanchis (1995).

19. Pela natureza lexical da língua crioula, principalmente composta por palavras de origem portuguesa, é muito fácil e natural incorporar uma palavra do léxico brasileiro.

20. Ver Anderson (1995).

21. Ver Latour (1992), especialmente o capítulo sobre o relativismo.

Referências Bibliográficas

ABU-LUGHOD L. *Veiled Sentiments:* Honor and poetry in a Bedouin society. Berkeley; Los Angeles: University of California Press, 1986.

ALONSO A-M. "The politics of space, time and substance: State formation, Nationalism, and ethnicity". *Annual Review of Anthropology*, n. 23, p. 379-405, 1994.

ANDERSON B. "Exodus". *Critical Inquiry*, p. 314-327, 1994.

BAKHTIN M. "The problem of speech *genres*". In Holquist (org.) *Speech Genres and Other Late Essays*. Austin: University of Texas Press, 1986.

BONNIOL J-L. *La Couleur Comme Maléfice:* Une illustration créole de la généalogie des Blancs et des Noirs. Paris: Albin Michel, 1992.

BRUNER E. "Experience and its expressions". In E. Bruner and V. Turner (orgs.). *Anthropology of Experience.* Chicago: Chicago University Press, 1986.

CABRAL N. *Le Moulin et le Pilon.* Les Îles du Cap-Vert. Paris: L'Harmattan. ACCT, 1980.

CARREIRA A. *Cabo-Verde:* Formação e extensão de uma sociedade escravocrata (1460-1878). 2 ed. Instituto Cabo-Verdeano do Livro. Com o patrocínio da Comunidade Económica Europeia, 1983.

CALHOUN C. "Nationalism and ethnicity". *Annual Review of Sociology*, n. 19, p. 211-239, 1993.

CRAPANZANO, V. *Hermes'Dilemma and Hamlet's Desire:* On the Epistemology of Interpretation. Cambridge and London: Harvard University Press, 1992.

CUNHA, O. M. G. "Bonde do mal: Notas sobre território, cor, violência e juventude numa favela do surbúrbio carioca, Rio de Janeiro". Seminário Raça em Debate. IFCS/UFRJ. Outubro, 1995.

DAMATTA R. *Carnavais, Malandros e Heróis:* Para uma sociologia do dilema brasileiro. 4 ed. (1983). Rio de Janeiro: Zahar Editores, 1978.

FABIAN, J. "Ethnographic misunderstanding and the perils of context". *American Anthropologist*, v. 97, n. 1, p. 41-50, 1995.

————. *Time and the Other:* How anthropology makes its object. Nova York: Columbia University Press, 1983.

FERREIRA, M. *A Aventura Crioula.* Lisboa: Platano Editora. S/d.

GIRAUD, M. "Assimilation, pluralisme, 'double culture': l'ethnicité en question". *Information sur les Sciences Sociales*, n. 31, p. 395-405, 1992.

GUMPERZ, J.J. e COOK-GUMPERZ J. "Introduction: language and the communication of social identity". In Gumperz J.J. (org). *Language and Social Identity*. Cambridge: Cambridge University Press, 1982.

HANKS, W. F. *Language and Communicative Practices*. Boulder: Westview Press, 1996.

HEATH, D. "The politics of appropriateness and appropriation: recontextualizing women's dance in urban Senegal". *American Ethnologist*, v. 21, n. 1, p. 88-103, 1994.

LATOUR, B. *Nous Avons Jamais Été Modernes:* Essai d'anthropologie symétrique. Paris: Editions La Découverte, 1991.

MARTINIELLO, M. *L'Ethnicité dans les Sciences Sociales Contemporaines*. Paris: PUF. Collection "Que sais-je?", 1995.

NAGEL J. "Constructing ethnicity: creating and recreating ethnic identity and culture". *Social Problems*, n. 41, p. 152-176, 1994.

PAGDEN A. *The Fall of Natural Man:* The American Indian and the origins of comparative ethnology. (1986 1st paperback edition.) Cambridge: Cambridge University Press, 1982.

PITT-RIVERS, J. "Un rite de passage de la société moderne: le voyage aérien". In Centlivres P. et Hainard J. (orgs.). *Les Rites de Passage Aujourd'hui*. Lausanne: Editions "L'âge de l'homme", 1986.

PRATT, M. L. Conventions of repesentation: where discourse and ideology meets. In Byrnes H. (org.). *Contemporary Perceptions of Language*: interdisciplinary dimensions. Washington: Georgetown University Press, 1982.

————. *Imperial Eyes:* Travel writing and transculturation. Londres: Routledge, 1992.

ROBERTSON, R. *Globalization*: social theory and global culture. Londres: Sage, 1992.

SANCHIS, P. "As tramas sincréticas da história: Sincretismo e modernidades no espaço luso-brasileiro". *Revista Brasileira de Ciências Sociais*, n. 28, p. 123-138, 1995.

SCHUTZ, A. "The stranger, an essay in social psychology". In *Collected Papers*, v. 2. The Hague: Martins Nijho, 1971.

————. "Bases da fenomenologia". In Wagner, R.H. (org.). *Textos Escolhidos de Alfred Schutz:* Fenomenologia e relações sociais. Rio de Janeiro: Zahar Editores, 1979.

SIMMEL, G. *On Individuality and Social Forms*. Chicago: The University of Chicago Press, 1979.

SOARES, E. L. Entrevista com Luiz Eduardo Soares. *Boletim da Associação Brasileira de Antropologia*, n. 24, p. 5-6, 1995.

STOLCKE, V. "Talking culture: New boundaries, new rhetorics of exclusion in Europe". *Current Anthropology*, v. 36, n. 1, p.1-13, 1995.

Do trabalho de campo à exposição do império: a viagem da bosquímana /Khanako pela África do Sul, 1936-1937

Ciraj Rassool e Patricia Hayes

Este artigo trata mais de visão do que de linguagem. Na África do Sul, as ciências sociais e as humanidades muitas vezes usam uma linguagem ocular, referindo-se à visibilidade e à invisibilidade para inserir a raça e o gênero na história. Em vez de procurar e identificar instâncias de "visibilidade" capazes de preencher nossa imagem histórica, este artigo enfoca a própria visualização. O texto procura entender os códigos e convenções visuais da atenção escópica que surgiu em 1936-1937, concentrada na presença anatômica de uma mulher chamada /Khanako, do sul do Kalahari, nas principais áreas urbanas da África do Sul (Johannesburgo e Cidade do Cabo).

/Khanako, nome ocasionalmente transcrito como /Ganaku, Anako ou Aniko, e que alguns também conhecem como "Ou Fytjie", fez parte de um grupo de mais de 70 bosquímanos (*bushmen*) estudados inicialmente no "campo", em um acampamento situado em Tweerivieren, no sul do Kalahari. No início de 1936, Donald Bain, fazendeiro e divulgador fracassado de causas de bosquímanos, reuniu um grupo de "exemplos adequados de bosquímanos". Os integrantes deste grupo, levados para Johannesburgo, foram pesquisados e descritos de forma visual, enquanto estavam no acampamento especialmente criado para eles, na Exposição Imperial do Império, e na fazenda de pesquisa da Universidade de Witwatersrand, em Frankenwald. Por fim, 53 membros do grupo tornaram-se o centro de atenção na Cidade do Cabo, onde foram mostrados nos locais de exposição de Rosenbank e onde Bain liderou-os em uma passeata simbólica até o Parlamento (chamado, em outros lugares, de passeio pelo centro da cidade), parte da mobilização em favor da criação de uma reserva de bosquímanos. O presente artigo levanta perguntas a respeito do que parece ter sido um "frenesi de alimento para os olhos" por parte de etnologistas, anatomistas, fotógrafos e cineastas, que convergiram sobre o grupo de bosquímanos de várias partes da África do Sul, reunidos por Bain.

Nesses momentos de hiperfocalização, /Khanako foi objeto de especial atenção em Tweerivieren, Johannesburgo e Cidade do Cabo, primeiro como filha de Abraham, ou !gurice, retratado como "líder" ou "chefe" do grupo, depois como líder, ela mesma, na Cidade do Cabo durante a ausência de Abraham, quando ficou conhecida como "bosquímana inteligente" e, na verdade, atuou como "intérprete". Mas /Khanako parece ter sido escolhida em termos visuais por ter sido considerada representativa, em termos anatômicos, da "bosquímana tipo". Como resultado de toda essa atenção, sobreviveram inúmeras representações visuais, em diversos meios: uma fotografia comercialmente produzida, para circulação pública; várias fotografias pertencentes ao acervo de diferentes instituições e enquadradas em diversos discursos visuais; filmes armazenados em sua forma original no Arquivo Nacional de Cinema da África do Sul, que circularam com diferentes fins desde que foram rodados, e moldagens de diferentes partes de seu corpo guardadas em um museu médico.

O presente artigo resulta de nossa entrada como historiadores no que restou dessa focalização. No espaço limitado de que dispomos aqui, não podemos fazer justiça a todos esses vestígios visuais e circuitos por que passaram, limitando-nos principalmente à discussão das fotografias. Contudo, um projeto mais amplo procuraria entender cada um dos fragmentos visuais, tanto os adormecidos em gavetas e arquivos (como nas últimas prateleiras do depósito do museu médico) como os que foram trazidos de volta à vida em exposições contemporâneas. Idealmente, acompanharíamos os significados atribuídos a essas representações em cada etapa, sua reapropriação em diversos momentos, suas mudanças de significado e as novas finalidades a que serviram.

A aspiração inicial deste trabalho foi efetuar uma reconstituição e reintegração do sujeito, /Khanako, como ato de reumanização e como parte da reconstrução de uma família e possivelmente de uma história social. Mas percebemos que, ao escrever este trabalho preliminar e estabelecer conexões entre alguns desses vestígios visuais e caricaturais, estávamos implicados em um processo que os empurra para mais circuitos de especulação e consumo sobre cujos limites temos pouco controle.

Saartjie Baartman, a chamada Vênus Hotentote, tirada do Cabo para ser exposta (e estudada) na Europa no fim do século XVIII, despertou forte interesse historiográfico relativo ao gênero. O presente trabalho analisa as formas pré-etnográficas que, no fim do século XVIII, início do XIX, regiam a produção de imagens e o conhecimento.[1] Recordamo-nos que o patologista Cuvier, que estudou Saartjie Baartman, contribuiu para o início das ciências do corpo. Até agora, contudo, pouco se tentou analisar fenômenos similares dentro da própria África do Sul. Por exemplo: na África do Sul da década de 1930, em processo de modernização, tais fenômenos tinham um imenso significado potencial para a antropologia (apenas para falar desta disciplina), pois inseriam-se politicamente entre as reivindicações da raça bosquímana, cuja população diminuía rapidamente e necessitava ser preservada. Afirmaremos (entre outras coisas) que /Khanako representa uma modernização do fenômeno da "Vênus Hotentote" em um contexto da "sul-africanização da ciência".[2]

Esse desenvolvimento da ciência inseriu-se em um complexo processo político, social, econômico e cultural de início de industrialização e urbanização, processos correlatos de transformação em periferia e aumento da miséria rural, bem como de nomeação e enquadramento de regiões da África do Sul em seus espaços centrais e recém-conquistados. Em suma, tratava-se de afirmações de uma nação sul-africana moderna e sua transformação em metrópole no sub-continente e no mundo.

Em grande medida, Saartjie Baartman ainda não foi totalmente historiada dentro de um paradigma mais amplo da produção de imagens de mulheres esteatopígicas inclinadas que continuou vigente tanto nas "metrópoles" como nas "periferias" do globo. Para além da dicotomia branco olha/negro é olhado, tão bem estabelecida nos estudos de Baartman, como entendemos realmente as condições coloniais, raciais e de gênero que levaram à reprodução dessas imagens em diferentes momentos e lugares? Os acadêmicos da África do Sul (AS) começaram a dedicar alguma atenção aos acontecimentos de 1936 e 1937 de que trata o presente artigo. Em seu estudo sobre raça e ciência na AS, Dubow chamou a atenção para o significado da antropologia física à época, a obra de Raymond Dart em particular. O trabalho de Hilton White a respeito do desempenho da identidade bosquímana no cenário turístico de Kagga Kamma no fim do século XX estabeleceu conexões históricas com o fato de esse povo ser privado de terras no distrito de Gordônia na década de 1930, principalmente em decorrência da criação do Parque Kalahari Gemsbok (PKG) em 1931 e conseqüentes experiências de salvação e destituição baseadas no acesso à proteção paternalista.[3]

O trabalho de H.P. Steyn, antropólogo, em um viés bastante primordialista, referiu-se aos dados coletados por Raymond Dart e seus colegas para seu trabalho sobre ecologia e dieta realizado em Tweerivieren, no sul do Kalahari, em 1936. Steyn, juntamente com seu colega L.J. Botha, também usou os mesmos dados para tentar determinar a autenticidade da afirmação dos bosquímanos Kagga Kamma, de que são, de fato, etnicamente bosquímanos, "os últimos sobreviventes e remanescentes coesos dos bosquímanos do Sul, ou do Cabo, na África do Sul". Essa pesquisa foi produzida para apoiar uma reivindicação de terras dos bosquímanos Kagga Kamma, agora intitulados "Bosquímanos do Sul de Kalahari", na região meridional do PKG. De acordo com a reivindicação, essa é "sua terra tradicional da qual foram privados e cuja ocupação e uso permitirá que pratiquem sua cultura e sobrevivam como povo".[4]

Talvez seja mais importante o fato de Robert Gordon ter estudado os acontecimentos que rodearam a tentativa feita por Donald Bain de "salvar o último bosquímano su-lafricano" em 1936 e 1937.[5] A pesquisa de Gordon também foi usada para apoiar a reivindicação da terra no PKG. O trabalho de Steyn e Botha, qualificado de "relatório etnológico", ateve-se inabalavelmente a uma noção primordial de um "primeiro povo" aborígine San como base para a salvação através do acesso à terra como "reserva bosquímana", ao passo que Gordon permaneceu crítico em relação à base primordial das contínuas tentativas de "recuperar o San". No entanto, nenhum título da literatura chegou ao ponto de estabelecer conexões para mostrar como a ciência e o espetáculo trabalharam juntos. Também não há nenhuma obra que tenha tentado efetuar uma desconstrução simultânea da pesquisa científica, bem como das formas de exposição visual.

ENCONTROS COM /KHANAKO

Quatro momentos-chave de descoberta permitiram que fizéssemos conexões entre diferentes traços visuais de /Khanako, o que nos levou a perceber até que ponto houve concentração escópica em um único ser humano por um breve período de tempo e a começar a historiar os processos de criação de imagem envolvidos em cada meio. Esses momentos ocorreram de forma seqüencial na Namíbia (no Arquivo Nacional de Windhoek), na Cidade do

Cabo, no ateliê da artista local Pippa Skotnes, em nossa casa da Cidade do Cabo, ao redor de um antigo álbum de família e, por fim, no Museu Médico Matthew Drennan da Universidade da Cidade do Cabo. O impacto cumulativo dessas experiências nos fez pensar de maneira direta sobre a leitura de imagens, o que estas revelam, o que ocultam e até que ponto chegam a assumir vidas independentes do momento em que foram criadas, destituídas do pessoal e do particular, com o representacional partindo para mundos de significados que talvez não tenham sido contemplados em sua formação.

O primeiro encontro com a imagem de /Khanako ocorreu durante a pesquisa sobre um comissário para assuntos relacionados a nativos, que trabalhou na Namíbia, de 1915 a 1947. Em meio à coleção de fotografias de "Cocky" Hahn, razoavelmente coerente, entre suas fotos de estúdio do primeiro-ministro Jan Smuts nas Nações Unidas, em Nova York, para ser precisa, destacou-se uma imagem perturbadora.[6] Era uma fotografia comercialmente produzida sobre cartão com bordas de luxo, não estritamente um postal e sem identificação de fotógrafo. Daqui em diante a chamaremos de "o cartão" (Foto 1).

Essa fotografia, em preto-e-branco, mostrava uma mulher colocada na pose discursiva visual da "Vênus Hotentote". Estava nua, de perfil, em pé diante de um arbusto típico de cerrado, como para significar uma locação semi-árida. Na foto, o rosto da mulher parecia mostrar desconforto, até desprazer. O pior de tudo é que havia uma suástica branca em sua nádega. Esse desenho não fora gravado em seu corpo, mas sobre a foto, impressa em um cartão e que aparentemente circulara de algum modo. Neste caso, destinava-se a um administrador de assuntos nativos — e possivelmente seus colegas —, para ser vista como uma piada, talvez, no contexto do ascenso do nazismo na Namíbia (ex-colônia alemã do sudoeste da África) na década de 1930. Hahn era radicalmente anti-nazista e esta é uma leitura possível da imagem.

O surgimento dessa imagem suscitou muitas perguntas. Por que uma mulher "Khoisan" fora submetida a esse tipo de agressão representacional extrema e outras mulheres africanas "nativas" não (tais como o Ovambo que Hahn dirigiu na parte norte do sudoeste da África)? Saartjie Baartman fora pesquisada e tornou-se alvo de disputa na política da representação. Mas por que foi ignorado o contínuo castigo de mulheres nos tempos modernos nessas formas distorcidas que fusionam raça e gênero? Será que esse descuido tem algo a ver com o fato de isso ocorrer no quintal da África Meridional, não nos espaços metropolitanos convencionais da Europa? Será que apenas Saartjie Baartman importa? Por que manchar *esta* mulher com uma suástica? Por que Hahn guardava essa imagem mesclada à sua coleção, de resto respeitável? O que essa imagem lhe dizia? O que essa imagem permitia que figuras administrativas como Hahn pensassem e fizessem?[7] Mas, acima de tudo, falemos sobre a mulher do cartão: quem era ela e como foi parar nessa foto?

Esse cartão foi o início de nossa pesquisa e começamos a tentar responder essas perguntas no presente artigo. Na interação, reduzida porém reveladora, do administrador Hahn com essa imagem, apontou-se um fator de ligação entre seu consumo de documentos visuais representando mulheres africanas de maneira negativa e sua propensão a se permitir o comportamento agressivo que lhe valeu o apelido de Shongola (o chicote). Apesar disso, a antropologia estava estabelecendo limites estritos e hierárquicos entre "bosquímanos" e "bantos". Estávamos começando a aprender algo importante sobre a fotografia etnográfica: apesar de sua particularização da diferença física, ela também tem um imenso poder de generalizar em seus efeitos.

Assim, nosso primeiro indício a respeito de /Khanako, cujo nome ainda não sabíamos, veio da coleção e do olhar particulares de uma figura localizada em um território de fronteira, distante do coração da África do Sul. Entretanto, depois de alguma detecção e investigação, e na medida em que as redes começavam a juntar as peças sobre a etiologia do cartão, logo se soube que a imagem daquela mulher seria encontrada em diversos lugares, alguns deles de localização bastante central.

A mesma fotografia fora publicada em um livro autobiográfico chamado *The jackpot story*, de Jack Stodel.[8] A legenda que acompanhava a foto dizia: "Ela só me respondia em alemão, de forma que pintei nela uma suástica (deserto da Namíbia)." A fotografia é atribuída ao próprio Stodel. Via-se que, nesse exemplar, haviam sido acrescentadas à figura não apenas uma suástica, mas também botas de montaria, o que não aparecia no cartão. Será que Jack Stodel tirou a foto na Namíbia, como indicou? Se a figura fotografada falava alemão, será que o aprendeu por viver na Namíbia? Um problema na legenda, nesta etapa inicial, era que a vegetação vista na foto em nada se parecia com a paisagem do deserto da Namíbia.

O encontro seguinte ocorreu no ateliê da artista Pippa Skotnes, na Cidade do Cabo, que estava preparando material para um projeto de exposição chamado *Miscast*, que procurou contrastar representações coloniais dos bosquímanos com a maneira como eles representavam a si mesmos.[9] Ela começara a reunir e concentrar massas de fotografias dos bosquímanos de quase todas as fontes conhecidas, proporcionando-nos uma oportunidade única de ter acesso simultâneo a diferentes imagens e gêneros fotográficos usados para a representação de bosquímanos. Ao estar exposto a tão maciça coleção de fotografias de bosquímanos, talvez reunidas pela primeira vez, o olho é gradualmente influenciado e sensibilizado para as construções fotográficas e as possibilidades de conexões discursivas e cronológicas.

Entre as pastas colocadas em um canto do ateliê de Skotnes, havia fotos da Coleção Haddon, de Cambridge, Inglaterra.[10] As pastas também continham fotografias da Coleção Cape Times, conservada na Biblioteca da África do Sul, na Cidade do Cabo. Entre as fotos desta última coleção, encontramos uma, de um grupo de bosquímanos, tirada no estúdio de uma rádio, com Donald Bain e mais três homens brancos de terno. À frente do grupo, ao microfone, estava uma bosquímana usando o que parecia ser um pingente ou uma corrente no pescoço. Em outra fotografia da mesma pasta, via-se um grupo de bosquímanos ao ar livre rodeado por árvores e contra um fundo de montanhas, com um homem branco, vestindo *short* e com uma criança no colo. Ao seu lado estava uma mulher, também com um pingente ou corrente no pescoço. Nessa foto, o rosto dela está totalmente de frente, iluminado pela esquerda. Com sua estrutura óssea particular e sua expressão, este rosto era impressionante. Era o mesmo rosto que figurava no cartão da coleção de Hahn. Na verdade, um exame mais atento mostrou que o cartão reproduzido do outro lado da página 103 do livro de Jack Stodel também mostrava uma mulher com um "pingente" em uma corrente no pescoço.[11]

Esse momento de leitura da fotografia foi de reconhecimento: por fim, a imagem tornara-se uma pessoa. Todas as fotos da coleção Cape Times haviam sido tiradas em 1937, quando Donald Bain trouxera um grupo de bosquímanos do sul do Kalahari para a Cidade do Cabo para mostrá-lo na exposição de Rosebank. Nessa oportunidade, liderara seus participantes durante uma passeata até o Parlamento (Foto 2), em defesa da idéia de criar uma Reserva de Bosquímanos, que, segundo Bain, era necessária para preservá-los após a criação recente do Parque Kalahari de Gemsbok. A mulher que estava com a corrente tinha um nome. Chamava-se /Khanako.

Outro avanço notável ocorreu quando, incitados por essa descoberta, tornamos a folhear um antigo álbum herdado da família Rassool. Pertencera a uma tia-avó já falecida, Carol Rijker, e passara de geração em geração junto com mais álbuns que continham um registro fotográfico narrando sua vida. Os álbuns — cinco no total — eram grandes, meticulosamente arrumados e anotados. Carol, professora nascida na Cidade do Cabo, passara férias em Johannesburgo, de agosto a outubro de 1936. Lá visitou Kensington Lake, Springs Mine, Mooi River e Turfontein. Mas o ponto alto da viagem foi sua visita à Exposição Imperial, onde viu maquetes do crescente poderio industrial da África do Sul, junto com uma reconstrução das ruínas do Zimbábue (na então Rodésia do Sul), bem como uma exposição de bosquímanos vivos. Carol Rijker fotografou religiosamente cada um dos aspectos e arrumou as fotografias com todo cuidado em um álbum. Em uma página dedicada a suas fotografias dos bosquímanos, as legendas eram: "O último dos bosquímanos do Cabo", "A carga especial do sr. Donald Bain", "Toda a tribo reunida", "Dança bosquímana de boas-vindas", "Especialmente apresentado para visitantes", "Cantando e batendo palmas para a dança". Havia uma fotografia intitulada "Anna, a mais velha bosquímana de raça pura viva". O rosto era reconhecivelmente o mesmo do cartão.

Mais peças do quebra-cabeça começaram a se encaixar à medida que novas partes do corpo de /Khanako surgiram no decorrer da investigação. Começávamos a perceber até que ponto as imagens fotográficas que afirmam representar bosquímanos primordiais, destituídos de historicidade, foram, na verdade, construídas em 1936 e 1937, tiradas de um único grupo de bosquímanos =Khomani e /? de língua Aunido, do sul do Kalahari. A natureza extremamente concentrada do foco nesse grupo foi ainda mais evidenciada pelos estudos que figuram em um livro editado por Doke e Rheinallt-Jones.[12] Seu material foi tirado de dois volumes da revista científica *Bantu Studies*, baseados em pesquisas realizadas em Tweerivieren — no extremo norte do Cabo/sul do Kalahari, na confluência dos rios Auob e Nossop —, por antropólogos, anatomistas, lingüistas e outros durante uma "viagem de campo" da Universidade de Witwatersrand, sob a direção do famoso Raymond Dart.

O trabalho publicado por Drennan nessa coleção falava sobre mutilação de dedos.[13] Era um dos poucos artigos não diretamente oriundos da pesquisa em Tweerivieren; descrevia, em vez disso, a oportunidade de pesquisa oferecida a Drennan pela visita de 53 bosquímanos homens, mulheres e crianças — à Cidade do Cabo. A maior parte dos resultados que figuram nesse breve artigo baseou-se na observação de /Khanako, descrita como "líder e intérprete do grupo". Obtivemos grande parte da pesquisa e observação de /Khanako em visitas que fizemos, no início de 1996, à Faculdade de Medicina da Universidade da Cidade do Cabo. Essas visitas revelaram que, em 1937, haviam sido feitas moldagens em gesso de /Khanako, autorizadas por Drennan, para fins pedagógicos e de pesquisa. Havia moldagens de sua cabeça, mão, pé, genitália e um meio molde do corpo inteiro. Tentou-se dar a cada peça cores e tonalidades naturais.

De início, o meio molde, que mostra o corpo de /Khanako de perfil, estava exposto no museu médico como um modelo anatômico, entre locais de pesquisa para estudantes e o que a maioria dos museus médicos costuma conter: armários com material cirúrgico, fetos em frascos, partes do corpo, naturais e em modelos plásticos. Só os estudantes tinham acesso a esse museu, que hoje tem o nome de Drennan. Em visitas posteriores, contudo, o perfil do corpo de /Khanako não estava mais lá: fora removido para a reserva. As moldagens de sua cabeça e de sua genitália ainda tinham cabelos de / Khanako presos, da época em que haviam sido feitas. Quando algumas das moldagens foram expostas, mais tarde, na Galeria Nacional Sul-Africana durante *Miscast*, o cabelo da cabeça de /Khanako ainda era claramente visível, questionando a distinção estabelecida pelo Comitê de Curadores durante a montagem da exposição entre restos humanos e meras representações.

CIÊNCIA E ESPETÁCULO: PESQUISA DE CAMPO EM TWEERIVIEREN

A expedição da Universidade de Witwatersrand, realizada em meados de 1936, destinou-se diretamente, por iniciativa de Donald Bain, a apresentar um "acampamento" de bosquímanos vivos na Exposição Imperial que se realizaria no fim do mesmo ano. No início de 1936, Bain e Dart já estavam em comunicação entre si a respeito das providências a tomar e dos preparativos. Bain inicialmente se propôs a sair da Cidade do Cabo para estabelecer sua base em um acampamento no Kalahari, a leste de Gobabis, no Sudoeste da África, no começo de abril. Sua intenção era passar de 3 a 4 meses "em estreito contato" com os bosquímanos, reunindo o maior número possível deles. Sua idéia era que, nesse período, iria unir-se a ele uma equipe de cientistas constituída do antropólogo físico Raymond Dart, dos lingüistas C. M. Doke e L. F. Maingard, do musicólogo P. R. Kirby e, possivelmente, do dr.

Gill, do Museu Sul-Africano da Cidade do Cabo. Bain pretendia conseguir a assistência e a cooperação desses "cientistas" para validar seus esforços, no intuito de que o seu acampamento de bosquímanos na Exposição Imperial "fosse completo em todos os detalhes".[14] Depois de investir um esforço considerável, tentando obter a aprovação da administração do Sudoeste da África, em Windhoek, e do Ministério de Assuntos Nativos, na África do Sul, para levar quarenta bosquímanos daquela área a Johannesburgo para a exposição, Bain recebeu a autorização do secretário para o Sudoeste da África. Entre as duas guerras mundiais, a África Meridional começara a atestar o aumento do número de exposições baseadas em encenação: após o sucesso do *show* de Botswanaland, em 1936, Windhoek estava preparando sua própria *performance* agrícola, sob os auspícios da Administração do Sudoeste da África. Previa-se a inclusão de demonstrações etnográficas. A exposição de bosquímanos em particular, e dos primitivos em geral, tinha uma história metropolitana, mas essas exposições de pessoas nativas só então estavam sendo adotadas nessa parte do mundo colonial. Um de seus objetivos era claramente encenar uma linha contínua de modernização em que o "tradicional" daria ao "progresso" um destaque lisonjeiro. Para Bain, contudo, o problema passou a ser o excessivo controle que a Administração do Sudoeste da África procurava manter, por considerá-lo um oportunista vindo de fora (o que não era tão justo).

De início, a permissão para exportar bosquímanos do Sudoeste da África para fora do território foi submetida a condições muito estritas, exigindo inclusive o consentimento do Departamento de Assuntos Nativos. A permissão foi dada (em meados de fevereiro de 1936), mas o Departamento de Assuntos Nativos recusou-se a aceitar qualquer responsabilidade pelo projeto e Bain foi informado de que o secretário para Assuntos Nativos não concordava com sua proposta. Assim, para realizar seu projeto com os bosquímanos, Bain tinha que voltar os olhos para outro lugar.[15]

Por sugestão especial da lingüista Dorothea Bleek, Bain rumou para o território situado "nos mais extremos confins da União, na fronteira com o Botswanaland e o Sudoeste da África", no intuito de obter os "melhores exemplos do tipo bosquímano" para a exposição pública. Dorothea Bleek passara um período de "trabalho de campo" nessa região quando realizara sua própria pesquisa, em 1911. Assim, foi para o Kalahari do Sul que Bain finalmente viajou poucos meses depois; em julho, transcorridos alguns meses, somaram-se a ele cientistas da universidade, participantes da Expedição Witwatersrand, sob a liderança de Dart.[16]

A pesquisa realizada sob os auspícios dessa expedição confirmou que era naquele exato local que vivia mais da metade dos bosquímanos lingüística e culturalmente distintos da África do Sul. Segundo Dart, eles (felizmente) representavam "o que sobrara dos bosquímanos meridionais que outrora povoavam do Kalahari ao Cabo, geralmente reconhecidos como do mais puro tipo bosquímano". Para Dart e seus colegas envolvidos na pesquisa do "povo nativo" da África do Sul, através da paleontologia, etnologia, lingüística, folclore nativo e línguas bantas, o acampamento implantado por Donald Bain em Tweerivieren, na confluência dos rios Auob e Nossob, ofereceu-lhes a melhor oportunidade "para determinar, por todos os meios de que dispomos, a constituição racial desse povo antigo e comparar os dados confirmados por meio da informação osteológica e somatométrica adquirida [...] nos últimos quinze anos".[17]

O grupo da Universidade de Witwatersrand era constituído de oito integrantes, cinco professores de diferentes campos: o antropólogo físico Raymond Dart, chefe da viagem de pesquisa; o lingüista L. F. Maingard; C. M. Doke, P. R. Kirby e I. D. MacCrone com três assistentes.[18] A universidade emprestou seu entusiástico apoio aos planos. O uso da noção da "expedição" reuniu (em uma categoria) exploração e pesquisa. Baseou-se conscientemente na tradição antropológica britânica de expedição, como no caso da viagem de Haddon para o Estreito de Torres. Este foi um dos primeiros exemplos de uma excursão de pesquisa com apoio institucional, grande força (cinco professores) e composição multidisciplinar na África do Sul. Como tal, fez parte de um processo de "sul-africanização" da ciência, bem no espírito das exortações do político liberal Jan Hofmeyr na reunião de 1929 da Associação Britânica para o Progresso da Ciência, realizada na Cidade do Cabo.[19]

Inicialmente, pensou-se em mandar a equipe de pesquisa de avião até o acampamento de Bain; em vista de sua suposta importância científica, procurou-se obter ajuda do Estado.[20] Como o Estado não deu apoio, Dart voltou-se então para a Associação Automobilística. Armado de informações detalhadas sobre as condições das estradas em todas as etapas da viagem de Johannesburgo a Tweerivieren, passando por Wolmaranstad, Kuruman e Witdraai, Dart e seus colegas começaram a reunir as provisões e o equipamento necessários para o safári. Os professores esforçaram-se muito para assegurar seu conforto no campo, com camas de armar em número suficiente, bacias e quatro cobertores por pessoa, carregados no veículo expedicionário, sem contar (na falta do dr. Galloway) o "estudante grandão (e/ou um nativo)" para ajudar com os carros, fotografia e medidas. Como Dart assegurou a Bain, "tomamos nota das necessidades sugeridas quanto a cobertores, travesseiros, colchões e camas de armar, bem como roupas de baixo, pulôveres, camisas, *shorts*, meias etc. [...] Levaremos nossa própria bebida [...] mas, além disso, é melhor vocês terem algumas garrafas de uísque". O equipamento realmente designado para a expedição incluía um *dictaphone* e outros instrumentos de gravação, "60 libras de instrumentos de antropologia" [*sic*], aparelhos cinematográficos, seis caixas para espécimes arqueológicos e material de embalagem. De seu inventário também constava "equipamento" de iluminação e magnésio para fotografia.[21]

Em meio aos preparativos de Dart, Bain enviava ao professor filmes fotográficos dos bosquímanos que começara a reunir para que Dart pudesse avaliar se os bosquímanos escolhidos eram adequados como "espécimes". Bain expressou sua empolgação com esses indivíduos: "Não acreditei que existisse um tipo tão puro."[22] Afirmou-se que a expedição Wits era uma "iniciativa absolutamente singular no campo das expedições científicas até então registradas no mundo acadêmico". Suas atividades de pesquisa em Tweerivieren foram descritas como um "laboratório no deserto" e seu equipamento constituía um laboratório quase completo, levado para o deserto em um caminhão especialmente construído. Tencionava-se gravar vozes e canções "de forma permanente", enquanto os instrumentos de medição registrariam características físicas e os equipamentos de gesso e moldagem fariam moldes e fôrmas de traços faciais.[23]

O acampamento em si fora especialmente configurado por Donald Bain, "autoridade" em matéria de Kalahari e "líder de expedições anteriores a locais ermos e não-mapeados". Ergueu alguns abrigos, uma tenda para si mesmo e começou a atrair pessoas para o acampamento por meio da caça. Ali, com rações de carne e água distribuídas por ele, o grupo vivenciou o que Van Buskirk mais tarde chamou de "realização final do 'céu bosquímano'", o "feliz terreno de caça de seus sonhos". Nesse contexto, Bain começou a preparar os bosquímanos para a chegada dos cientistas. O próprio Bain havia feito uma viagem especial a Ghanzi, em Bechuanaland, para conseguir mantos e ornamentos de pele a fim de assegurar-se de que os bosquímanos estivessem vestidos "corretamente". O "Velho Patriarca" Abraham fora convocado para atuar como recrutador e organizador e, em pouquíssimo tempo, "os bosquímanos começaram a surgir dos quatro cantos do Grande Kalahari". Para Bain, o maior problema agora era "o processo de seleção" de escolha dos "melhores espécimes" de um grupo crescente, cuja maioria ele qualificou de "inúteis do meu ponto de vista". Mas os que havia começado a selecionar, e cujas fotografias enviava a Dart, julgava ser de "um tipo muitíssimo mais desejável, para os fins da exposição, do que os da tribo Aron ou de qualquer outra das tribos". Para Bain, a pesquisa científica seria uma intervenção classificatória na vida dos integrantes desse grupo híbrido, assegurando, assim, a produção de bosquímanos autênticos para a Exposição Imperial.[24]

A expedição em si partiu de Johannesburgo em três carros e um caminhão em 23 de junho de 1936. Em Juruman, fizeram-se os preparativos para as condições do deserto. Embarcaram-se grandes tambores de água e de gasolina, os radiadores foram cobertos com gaze e os carros, cuidadosamente vistoriados e equipados com pneus novos. Quando chegaram ao acampamento de Bain, "o lugar todo ficou parecendo um grande laboratório científico ao ar livre". James van Buskirk, membro da Royal Geographical Society, atuou como divulgador oficial da viagem e o *Rand Daily Mail* publicou seus relatórios regulares a respeito das atividades de pesquisa. Sua posição-chave permitiu que Van Buskirk tivesse uma visão sobre o avanço da pesquisa e que a documentasse como jornalista. Eis a romântica introdução de seu primeiro artigo: "Este relato preliminar sobre as atividades do acampamento está sendo escrito na sede da base da expedição (Acampamento Bain), no coração do Kalahari, e será transportado pelas dunas até o correio mais próximo por uma patrulha especial cuja montaria é o camelo, fornecido por cortesia da Polícia do Deserto."[25]

Van Buskirk desempenhou outro papel-chave na expedição: foi fotógrafo antropométrico. Assim, não era apenas um observador, mas participava também da pesquisa da expedição. A pesquisa "científica" implicava coletar e compilar uma grande massa de detalhes empíricos. O trabalho começou com um recenseamento dos nomes de aproximadamente oitenta bosquímanos que haviam sido reunidos. A seguir, Dart e seu assistente, John Maingard, começaram a medir as características físicas dos bosquímanos, enquanto Kirby gravava vozes em seu *dictaphone* portátil, a fonética das línguas bosquímanas era escrita e anotados os métodos usados para fazer os venenos aplicados às flechas. A presença no acampamento de até quatro gerações de uma única família possibilitou a ampliação do estudo por meio da análise da hereditariedade e da herança de características físicas. Após duas semanas de trabalho no acampamento, que era uma "permanente colméia de atividade", os bosquímanos haviam sido "trabalhados até a exaustão sob todos os ângulos científicos".[26]

Durante todo o tempo de pesquisa no acampamento, os bosquímanos foram obrigados a usar uma espécie de crachá, "plaquetas de papelão como as dos cachorros", pendurado no pescoço a partir do momento em que suas medidas físicas eram registradas. A plaqueta destinava-se a anotar toda a história de cada bosquímano, que cada um dos professores podia completar em qualquer etapa da pesquisa. Era considerada importante para a harmonização dos dados coletados por diferentes "departamentos" da expedição sem fazer chamadas constantes. Para convencer os bosquímanos da importância dos crachás, e para evitar qualquer adulteração ou troca, sua colocação ao redor do pescoço de cada um era rodeada de grande cerimônia, fazendo com que parecessem "uma insígnia de mérito individual". Além disso, atribuía-se a cada bosquímano, adulto e criança, um número de espécime.[27]

Instalou-se um laboratório médico, em um grande local com paredes de folhas situado no centro do acampamento, onde ocorriam os exames médicos dos nativos: registravam-se cicatrizes ou marcas e verificava-se qualquer doença de que pudessem ser portadores. Quando havia alguma doença, fazia-se um acompanhamento matinal com tratamento e distribuição de medicamentos. Na verdade, pensava-se que essas intervenções médicas teriam consequências no desenvolvimento físico dos bosquímanos por muitos anos. O mais importante era que os estudos antropológicos e antropométricos físicos eram realizados ali.[28] Raymond Dart e seu assistente, Maingard, filho do professor, faziam medições físicas detalhadas dos bosquímanos, registrando os dados coletados nas plaquetas que usavam. Com base nesses dados, cada sujeito era então classificado em categorias de espécime de acordo com o grau de pureza. Coletavam-se dados detalhados sobre forma facial, "constituição" e traços, hábitos corporais e estatura, cor da pele e dos olhos e distribuição da pilosidade, membros e *mammae*. Os pesquisadores deram atenção considerável à genitália externa, à postura corporal e à "esteatopigia". Só depois dessa pesquisa é que o sujeito passava à seção de moldagem do rosto.

Uma das tarefas mais importantes da expedição era a produção de máscaras faciais. A arte de confeccioná-las fora adquirida, pela Universidade de Witwatersrand, através da participação de Raymond Dart na Expedição Científica Italiana, que saiu da Cidade do Cabo para o Cairo em 1930. Sob a orientação do genial professor Lidio Ciprioani, proveniente da Universidade de Florença, essa expedição apontara as máscaras faciais como parte importante da metodologia da antropologia física. Dart agora personalizava essa metodologia, substituindo a técnica de moldagem de peças usada por Cipriani por uma técnica de molde perdido do rosto inteiro. Essas técnicas, que produziam as máscaras "positivas", eram concluídas no laboratório, ao passo que os "negativos" do rosto inteiro eram feitos no campo.[29]

Sob os cuidados de seus assistentes Williams e Hall, Abraham, induzido a fornecer o primeiro "negativo", foi colocado sobre uma mesa longa, com canudos inseridos em suas narinas para poder respirar. Cobriram seu rosto com uma camada de gesso úmido, esperaram secar e depois retiraram-na juntamente com pêlos do rosto. Depois de Abraham, todos os sujeitos pesquisados no acampamento Bain foram submetidos ao mesmo processo.[30]

Outro componente essencial da antropologia física era a fotografia. James van Buskirk era o responsável por fotografar uma série de estudos antropométricos de "tipos faciais" de adultos e crianças, homens e mulheres, de frente e de perfil, acompanhados por descrições fenotípicas detalhadas. Essas fotos foram apenas uma pequena parte das que devia tirar. Todos os dias, após o desjejum, depois que Dart, como chefe da expedição, detalhava as tarefas diárias para que "houvesse muitos bosquímanos para estudar", Van Buskirk ouvia dos professores as instruções para seu trabalho fotográfico do dia. No fim da expedição de pesquisa, Van Buskirk fotografara os bosquímanos "em todas as posições concebíveis".[31]

Não é uma surpresa saber que Van Buskirk fez estudos fotográficos da genitália e da esteatopigia de mulheres. Foi chamado para fotografar as diferentes variedades de pequenos e grandes lábios femininos identificados pelos exames físicos e de acordo com critérios estabelecidos em um estudo anterior feito por Drury e Drennan.[32] Para tanto, colocava duas mulheres acocoradas diante da câmera, expondo a genitália para a lente. As nádegas eram fotografadas com base em uma série de imagens de mulheres, de bebês a adultas, que posavam de lado. Os comentários que acompanhavam as imagens publicadas detalhavam fenômenos como "as várias etapas do desenvolvimento ontogenético da esteatopigia de primeiro tipo", sugerindo que a onipresente tendência a criar tipologias era facilitada por essa forma de fotografia.[33]

Conforme relata Van Buskirk, essa focalização nas nádegas levou a "um incidente bastante divertido". Ele observou que todos os bosquímanos queriam estar na Exposição Imperial em Johannesburgo e explicou que: "Depois que os médicos examinavam esse relevo particular, e, é claro, falavam muito sobre sua origem, os bosquímanos de algum modo ficaram com a idéia de que somente os que tinham um relevo altamente esteatopígico seriam autorizados a ir a Johannesburgo." Segundo Van Buskirk, isso suscitou "muita inveja no coração das irmãs menos afortunadas da comunidade", fazendo com que "se esgueirassem de seu próprio acampamento [...] e batessem timidamente à porta da palhoça do sr. Bain, pedindo-lhe permissão para mostrar pessoalmente a ele o seu desenvolvimento particular e tentando saber dele se a parte anatômica em questão era suficientemente grande para lhes garantir a ida à Exposição".[34]

Durante a viagem, o lingüista Clement Doke também tirou fotografias de natureza etnográfica, que procuravam apresentar retratos seqüenciais do caçador e do coletor, dispor os bosquímanos de Tweerivieren em grupos familiares, em gerações, bem como descrever rituais sociais e o uso de objetos culturais. Também foram revelados fotogramas dos filmes sobre dança, provavelmente rodados por Hewitt, da Estrada de Ferro Sul-Africana.

/Khanako foi alvo de alguma atenção em Tweerivieren. Intitulada n° 5, mulher, /Khanako (ou /ganaku) foi descrita como membro de um grupo familiar, e a família foi verbal e fotograficamente representada como a principal unidade da organização social. Ela é filha de Abraham, n° 4, irmã de Malxas, n° 1. Fizeram-se conexões com pesquisas realizadas 25 anos antes por Dorothea Bleek. Também se determinou que sua mãe era Khora, primeira esposa de Abraham. Nessa família "muito unida", observa-se que /Khanako tem cinco irmãs: "n° 51, mulher, /kerikeri e n° 7, mulher, Marta, jovem, suas filhas com um *booi* bosquímano, n° 6, mulher, klein/khanako (ou klein/ganaku) e n° 9, mulher, kuskai, meninas, suas filhas com um hotentote não-nomeado, e n° 8, mulher, Lena, sua filha com um europeu não-nomeado". Toda esta informação visava a determinar o grau de pureza bosquímana. Os dados potencialmente interessantes coletados, que sugerem a existência de muitos híbridos em uma região altamente fluida, não foram explorados pela equipe de pesquisa.[35] Outras fotografias descrevem /Khanako como alguém que fazia coleta e carregava comida e água. Em Tweerivieren, as descrições detalhadas de todos os aspectos de sua anatomia não estavam reproduzidas em fotografias.

O encontro etnográfico de Tweerivieren não foi em sentido único. Quando chegaram a Johannesburgo, os bosquímanos estavam imitando os professores por meio da dança. Como escreveu Van Buskirk com indulgência:

> O bosquímano passa boa parte de seu tempo brincando e a mímica é sua maior realização. Ontem à noite, sentados ao redor da fogueira, brindaram-nos com uma representação de muitas das ações dos professores no deserto. A medição física feita pelo Professor Raymond A. Dart e pelo Dr. John Maingard forneceu a maior parte da inspiração para esses espetáculos improvisados pelos bosquímanos. Kein Anico [sic], uma das mais brilhantes jovens do grupo, fez o papel do Dr. Maingard e, com um graveto quebrado no lugar da régua ou metro, media cuidadosamente o nariz, o queixo, os olhos e a testa de vários outros indivíduos. Após cada medida, fazia uma declaração em som inidentificável, imitando a voz do médico, destinada a um companheiro que, sentado sobre uma caixa a pouca distância dali, fingia escrever a informação em um papel, fazendo uma imitação perfeita do Professor Dart.[36]

Na verdade, isto permitiu que examinássemos sob uma luz diferente o material de divulgação da autoria de Bain que acompanhou a Exposição Imperial. Fotografias de divulgação que figuravam em um folheto mostravam /Khanako, seu pai Abraham e outros indivíduos em várias posições de dança, apresentadas como "dança de boas-vindas", ou, com ironia, "a origem do *charleston*".[37] Parece provável que, entre as danças que os visitantes da Exposição presenciaram, e não conheciam, estava essa paródia dançada na qual (por um brevíssimo momento) as relações de representação podem ter-se invertido.

DE JOHANNESBURGO À CIDADE DO CABO: CIÊNCIA, IMPÉRIO E PRESERVAÇÃO

Enquanto permaneceu em Johannesburgo durante a Exposição Imperial, a Universidade de Witwatersrand deu continuidade a seu compromisso institucional de pesquisa com os bosquímanos de Bain. Além de prometer que o próprio

Dart (ou seu substituto) faria exames médicos diários em todos os bosquímanos, a universidade colocou sua fazenda de pesquisas de Frankenwald à sua disposição para que lá se instalassem. A presença dos bosquímanos em Frankenwald proporcionou aos integrantes iniciais da expedição a oportunidade de realizar mais "pesquisas de campo", e a outros pesquisadores, como Dorothea Bleek, a possibilidade de conhecer os bosquímanos de Bain. Também deu a outro destacado fotógrafo, Duggan-Cronin, a oportunidade de realizar seus próprios estudos fotográficos sobre o grupo. Tirou fotos tipo retrato e antropométricas, todas aparentemente artísticas em sua construção e documentais em sua maneira de retratar. Mais do que qualquer outro fotógrafo, foi o experiente Duggan-Cronin que retratou de maneira mais eficaz os bosquímanos de Bain como "autenticamente" primitivos. São fotos estruturadas para mostrar — como se fosse naturalmente — os contornos dos corpos, adornos e postura. É plausível sugerir, como faz Paul Landau, que, nas fotografias, a personalidade dos indivíduos parece "saltar da página". Como em uma fotografia de gênero, as imagens de Duggan-Cronin procuravam construir "tipos" raciais, transformando indivíduos em espécimes.[38]

Durante sua estada na Exposição Imperial de Johannesburgo, a apresentação pública dos bosquímanos foi o segundo ponto mais apreciado pelo público da exposição, associando-se cada vez mais a um paradigma de preservação. Isso foi articulado como "salvar os bosquímanos da extinção" e vinculado à idéia de Bain da criação de uma reserva bosquímana, segundo o modelo de uma reserva de animais, o que, a seu ver, ajudaria a evitar sua "extinção indubitável".[39] As atividades conexas de preservação de bosquímanos, exposição de bosquímanos vivos e pesquisa científica tinham como premissa a idéia de um bosquímano puro, racialmente distinto. Para Raymond Dart e seus colegas, a pesquisa desenvolvida em Tweerivieren e Frankenwald permitiu uma comparação entre as características físicas dos bosquímanos e o registro fóssil cuja análise estava dando fama a Dart e seu departamento. Dart e os demais participantes da expedição sonhavam com a criação de "uma ou mais reservas bosquímanas na África Meridional, onde os remanescentes desse grupo humano fascinante de povos bosquímanos podiam ser preservados durante gerações".[40]

Para apoiar essa reivindicação de uma reserva bosquímana, Bain levou 55 membros do mesmo grupo até a Cidade do Cabo em 1937. O senador Thomas Boydell assumiu sem sucesso a luta pela "preservação" por meio da formação de um Comitê para a Promoção da Preservação dos Bosquímanos da União, que unia políticos a eminentes cientistas da Universidade da Cidade do Cabo, como Drennan e Gill. Boydell conhecera o grupo por ocasião de sua "passeata" até o Parlamento com Bain. A passeata fora parte de um itinerário que incluiu uma visita ao mar, embora sua principal finalidade na Cidade do Cabo fosse mostrar o grupo em Rosebank.[41]

A presença dos bosquímanos na Cidade do Cabo deu a Bain a oportunidade de levar /Khanako e quatro membros de sua família ao Museu SulAfricano, onde participaram de "um interessante experimento científico". /Khanako e sua família haviam sido selecionadas para posar na sala de moldagens bosquímanas do Museu, para que, como "bosquímanos vivos", pudessem ser comparados com moldagens anteriormente feitas por James Drury, famoso moldador. Esse experimento foi realizado em meio a alegações da imprensa de que os bosquímanos não eram autênticos.[42]

Além disso, fora na própria Cidade do Cabo que Matthew Drennan, anatomista formado em Edimburgo, empreendera sua pesquisa sobre mutilação de dedos e outros temas. Ademais, Drennan organizou a realização de moldagens específicas. A julgar pela qualidade desses moldes de gesso, é muito provável que, apesar de sua idade avançada e de sua saúde debilitada à época, tenham sido feitos por James Drury, moldador e colaborador de Drennan de longa data.[43]

Não há dúvida de que esses moldes de /Khanako eram valorizados: ela era indubitavelmente vista como um bom "espécime" bosquímano. Durante a permanência de /Khanako na Cidade do Cabo, enquanto o "edifício empírico" de seu corpo[44] era reproduzido na Faculdade de Medicina, ela e outros membros do grupo foram "fotografados, medidos e manuseados".[45] Esta última parte foi realizada sob a supervisão de Drennan que, de acordo com seu assistente, era fascinado por seu "sorriso de Mona Lisa".[46] Até hoje não encontramos vestígios na Faculdade de Medicina dessas fotografias atribuídas a Drennan.

CIÊNCIA, TRABALHO DE CAMPO E OS BOSQUÍMANOS EM 1936

No estudo feito por Philip Tobias sobre a pesquisa etnográfica realizada no Kalahari,[47] tema que Dubow também aborda de passagem, os pesquisadores são apresentados como "de campo". Descobrimos que o safári do grupo de Dart em Tweerivieren e a pesquisa que lá desenvolveram foram aceitos de maneira acrítica e, sem serem problematizados, como "trabalho de campo". A natureza de encenação do acampamento de Bain e seu regime de "laboratório no deserto" na verdade suscitaram várias questões a respeito do que é e era implicitamente aceito como trabalho de campo. Será que imaginamos o "trabalho de campo" da década de 1990 como encontros de pesquisa que ocorrem em ambientes mais "naturais", em lugares onde o pesquisador não detém necessariamente o controle? Esses encontros de 1936 com =Khomani e /? de língua Auni ocorreram em ambientes encenados, disciplinados — e tinham mais probabilidades de reforçar opiniões pré-formadas do que de questioná-las.

Nesse trabalho de campo também parece ter existido um alto nível de controle sobre os sujeitos da pesquisa, quase uma relação espacial de poder. A colocação desses =Khomani e /? de língua Auni no acampamento de trabalho de campo sob a supervisão de Bain também tem insinuações sobre uma futura reserva bosquímana, onde o recinto significava a proteção dos primitivos, "um santuário e um refúgio".[48] Um processo que visava a torná-los inofensivos, ou a infantilizá-los através do paternalismo, assegurava que os processos gêmeos de produção de um discurso de preservação e da pesquisa científica ocorressem simultaneamente. Desta vez não era um palco colonial assegurando um campesinato cativo, como foi dito a respeito de outras partes da África; o que se procurava era ter uma "primitividade" cativa.

Com sua maneira de usar a noção do "método do safári em etnografia" para analisar administradores-etnógrafos da África Oriental, Peter Pels introduziu uma nova ênfase muito bem-vinda nos *processos* de trabalho de campo. Particularmente adequada no caso de Tweerivieren é a conceituação de Pel sobre o pré-terreno etnográfico, que explora as trajetórias a partir das quais os etnógrafos entram "no campo".[49] O obscurecimento desses processos na maior parte da historiografia sul-africana esconde muitas agendas ocultas, bem como fortes possibilidades de que toda a pesquisa de campo empreendida pode não ter sido tão ordenada ou profundamente investigativa como as últimas publicações querem dar a entender.[50] Vale a pena observar em que medida a etnografia praticada em Tweerivieren (também poderia ter sido em Gobabis, se a administração do Sudoeste da África tivesse autorizado) é de natureza encenada. Baseia-se na tradição de Haddon, que afirmava ter revolucionado a antropologia britânica e demonstrado que "os antropólogos que faziam sua própria pesquisa etnográfica podiam levar para o campo os rigorosos padrões científicos do laboratório".[51] Mas, apesar de sua alegação de que de início era uma "expedição", o safári de Witwatersrand terminou ao chegar ao acampamento; a partir daí começou um método etnográfico claramente não-exploratório. Tudo fora preparado por Bain. No Kalahari meridional havia, ao que parece, tão pouco contato administrativo com grupos marginais que um facilitador como Bain era considerado necessário para efetuar o que se saudava como uma etnografia muito séria para sua época.

A conjuntura de pesquisa e da exposição no contexto de Johannesburgo e Cidade do Cabo em 1936-1937 é ainda mais problemática e nos leva a sugerir que "ciência" e "espetáculo" são duas faces da mesma moeda. A apresentação dos bosquímanos na Exposição Imperial, nomeada como um acampamento, imitava a organização da vida social entre os bosquímanos que a expedição encontrou em Tweerivieren. Em ambos os lugares, Bain foi essencial para facilitar a *performance* social simulada dos bosquímanos. Robert Gordon está certo ao identificar os esforços de Bain como os que "criaram o padrão para a tradição emergente de exposição de bosquímanos".[52] Na Exposição Agrícola de Windhoek, 1936, a pesquisa científica e a apresentação dos "nativos" para o consumo público foram feitas no mesmo momento.[53] Em Johannesburgo, as duas atividades realizadas podem ter sido em locais ligeiramente diferentes, mas o interesse científico dos pesquisadores de Tweerivieren era sustentado/mantido através das apresentações públicas da Exposição Imperial em Milner Park. A união da atividade de cunho científico com o espetáculo era garantida pela figura de Donald Bain, e pela presença de Dart, Doke, Maingard, Kirby e demais, no Comitê do Acampamento dos Bosquímanos, responsável pelo transporte dos bosquímanos do palco da pesquisa para o palco da exposição em Johannesburgo.

Entre as várias representações de /Khanako e seu grupo na Exposição Imperial havia fotografias tiradas pelo público. Um desses fotógrafos era, como já mencionamos, Carol Rijker, visitante da Cidade do Cabo. Como devemos entender o que estava acontecendo em Johannesburgo para esses espectadores se sentissem encorajados a tirar suas próprias fotografias, e como isso se relaciona com a ciência?

Houve, é claro, grande público, masculino e feminino. Organizavam-se visitas especiais para espectadores negros. No entanto, é provável que, como mulher branca, Carol Rijker tenha feito sua visita à Exposição Imperial nos mesmos termos. Em seu encontro com essa exposição de bosquímanos, temos uma indicação dos padrões da vida social e do consumo cultural de uma mulher sul-africana educada, sofisticada e "moderna", cujo início da idade adulta no centro da Cidade do Cabo, do começo do século XX, ocorreu na fronteira entre brancos e pessoas de cor. Como professora e solteira, desfrutava de independência financeira e pessoal que lhe permitia viajar pela África do Sul e ao exterior. Como terá absorvido as invenções históricas e as genealogias raciais que se ofereciam à sua apreciação em 1936? Dado que Carol Rijker era capaz de dirigir aspectos de sua vida de branca em uma época anterior à introdução das definições mais rígidas do *apartheid*, o que ocorreu uma década depois, como historiar sua interação com essas apresentações, questionando as categorizações, como nós fazemos, e com um conhecimento anterior dos sistemas político e social, baseados em raça, da África do Sul, que estavam se desdobrando?

Não podemos responder a essas perguntas, mas a participação de Carol Rijker e de outros no espetáculo nos mostra um exemplo intrigante do que Nancy Rose Hunt afirmou, ou seja: "O colonialismo não pode mais ser visto como um processo de imposição de uma metrópole européia singular, mas deve ser encarado como 'camadas entremescladas de reações políticas' e linhas de projeções e domesticações em conflito entre si que convergiram em mal-entendidos, lutas e representações locais específicas."[54] A realização da Exposição Imperial em Johannesburgo reforça a idéia de Hunt a respeito das "múltiplas e distintas [...] metrópoles".[55] Mas as duas apresentações mais populares da exposição foram a reconstrução das "Ruínas do Zimbábue" e o acampamento bosquímano.

Será que essa nova apresentação cultural tornou-se parte das composições de identidades masculina, feminina, racial e outras, de vários homens e mulheres? Será que o mundo de Carol Rijker permitiu que ela instaurasse a si mesma como parte dessa cultura pública e que fosse incluída em uma nova identidade metropolitana como "mulher moderna", apesar de suas próprias conexões possíveis com os antepassados Khoisan?

Nesta celebração da modernidade da África do Sul, há muito mais sobre gênero a ser revelado. Não nos referimos apenas ao tratamento diferencial dado a homens e mulheres, nem a como homens e mulheres vivenciaram a representação de maneira diferente como público: estamos apontando para o desdobramento de metáforas de gênero e para as qualidades metafóricas do gênero dentro da própria representação. Outra característica encenada na Exposição Imperial que podemos mencionar brevemente aqui é o quadro vivo, no qual oito regiões diferentes da África Meridional e suas histórias estavam todas personificadas por jovens mulheres brancas que eram "líderes de quadro vivo". Na verdade, elas se tornaram símbolos dotados de gênero da história da África do Sul dentro de uma apresentação que procurava "descrever, em uma série de episódios, a longa luta que foi necessária para criar uma nação sul-africana e para que uma civilização branca se tornasse predominante no subcontinente".[56] Essas "beldades com personalidade" haviam sido selecionadas através de um concurso de beleza organizado por um jornal de Johannesburgo que publicou fotografias idealizando e aumentando sua atração estética convencional (Foto 3). Nos quadros vivos da exposição, esses objetos feminizados de representação histórica efetuaram uma transfiguração de histórias abstratas em corpos femininos concretos. É possível alegar que a presença concreta de /Khanako era o oposto — abstração e especulação histórica seguiram-se à apresentação (a especularidade) de seu corpo feminino concreto.

DE CIÊNCIA A ESPETÁCULO: ESTEATOPIGIA E SUÁSTICAS

Houve uma fragmentação do corpo de /Khanako por meio da hiperfocalização em suas partes específicas na fotografia (nádegas) e do recorte médico de partes cuidadosamente selecionadas de seu corpo (mão, pé, cabeça, órgão genitais). Esta divisão em partes e suas representações deixaram traços que sofreram concentração em alguns âmbitos (museu) e dispersão em outras (cartão). Esta é a conseqüência do desdobramento dual de ciência e espetáculo.

A imagem que figura no cartão achado nas pastas de Cocky Hahn dos arquivos de /Khanako em Windhoek, nua e de perfil, mas com um cinto e uma corrente no pescoço, entrou em outras rotas de circulação. Não está completamente claro (embora seja provável) se a suástica que aparece em sua nádega foi acrescentada ao fazer-se o cartão nem quem efetuou a adição. Mas esta foi a foto impressa no livro de Jack Stodel e este — em um ato de desafio — afirmou desonestamente ter tirado no deserto da Namíbia. Nesta imagem também foram acrescentadas botas de montaria. Uma fotografia que Robert Gordon tirou do cartão do Arquivo de Windhoek, com perspectiva ligeiramente distorcida, foi entregue a Pippa Skotnes, que então a imprimiu nas notas visuais finais para a publicação *Miscast: Negotiating the Presence of Bushmen*. Muitos detalhes da imagem, agora em sua 3ª ou 4ª geração, haviam sido perdidos por deterioração e subexposição. É simplesmente incluída em uma colagem de atrocidades pictóricas supostamente auto-explicativas contra o bosquímano em meio a legendas soltas tais como "empalhada", "descascada", "com cicatrizes", "marcada" e "esfolada".[57] Esta publicação gerou uma circulação adicional. Em junho de 1996, no Breakwater Lodge (antiga prisão), na Cidade do Cabo, essa imagem de /Khanako foi projetada em uma tela como parte de uma sucessão de materiais visuais relativos à biografia e à estética de Colin Richards, artista de Johannesburgo, durante apresentação em uma conferência. Na problemática da apresentação de Richards,[58] a reaparição de /Khanako, solta no ar e sem comentário algum, ainda era outra apropriação decontextualizada, "um esvaziamento de histórias profundas em um voyeurismo" momentâneo.[59]

O que, então, poderia ser uma história profunda da representação de /Khanako? Essa história está além das possibilidades de um artigo pequeno como este: em primeiro lugar, não esgotamos, de forma alguma, todas as fontes documentais, orais e visuais que podem nos falar de sua história e da circulação de suas imagens. Mas um aspecto que nos pareceu importante pelo menos identificar foi a ocasião em que se tirou a fotografia que depois veio a ser a de maior circulação. Só isto já foi um desafio. Poderia ter sido tirada em 1936, em Tweerivieren ou em Johannesburgo, ou em 1937, na Cidade do Cabo. O livro de Doke e Rheinallt-Jones nos diz que as fotografias antropométricas de corpos masculinos e femininos nus, isoladamente e em grupos, eram tiradas no contexto da pesquisa realizada por Raymond Dart e seus colegas em Tweerivieren. Entre essas havia fotografias de mulheres tiradas em uma pose de lado que efetivamente construía a esteatopigia. Essas imagens fotográficas são acompanhadas por estudos detalhados da genitália e das proporções corporais das pessoas. Também sabemos que, em Johannesburgo, durante a Exposição Imperial, A. M. Duggan-Cronin tirou uma série de fotografias antropométricas de /Khanako com Thobaku, a esposa de Abraham, seu pai, uma das quais figurou em seu livro publicado em 1942.

Surgiu outra versão da imagem que esclareceu ainda mais o problema. Trata-se de uma fotografia achada por Robert Gordon, nos Arquivos Estatais de Pretória. Havia sido incluída na Coleção dos Arquivos do Transvaal no fim da década de 1950 ou início da de 1960, e está em uma série de fotografias sobre esteatopigia (Foto 4). Essa versão da imagem mostra /Khanako com meias longas, botas na altura do tornozelo, sem a adição da suástica e de botas de montaria. Provavelmente se trata da fotografia original da qual todo o resto é derivado. Essa imagem mostra detalhes que não estão em nenhuma das outras versões. À direita do quadro, vê-se uma série de edifícios, com telhados, sacadas e janelas. O tamanho maior dessa versão também mostra um terreno em encosta. Isso sugeriu a possibilidade de que ela estivesse em uma colina dos subúrbios e que a fotografia tivesse sido tirada na Cidade do Cabo. Acreditamos que a presença da corrente em seu pescoço aponta para tal explicação. Uma reportagem de jornal[60] nos informou que ela só havia adquirido a corrente na Cidade do Cabo em 1937.

Se a Cidade do Cabo realmente foi o local da fotografia original, quem a tirou e por quê? Vários fotógrafos atuavam na Cidade do Cabo. Fotógrafos da Cape Times produziram inúmeras imagens. Há fotos de grupo, de grupo dançando (Foto 5) e retratos heróicos tirados no local de exposições de Rosebank. Além de uma série tirada no estúdio de rádio, onde /Khanako foi selecionada para participar da radiodifusão de uma coroação britânica (Foto 6), há fotos da passseata ao Parlamento, e séries marítimas, mostrando os bosquímanos cobertos de mantas a bordo de um barco situado perto do porto. Essas fotografias procuravam registrar os acontecimentos da visita à Cidade do Cabo. Os fotógrafos S. R. Noyes e Ilse Steinhoff também tiraram retratos e fotos de documentário na Cidade do Cabo para a *British South Africa Annual* (Foto 7). Os únicos estudos de natureza científica realizados na Cidade do Cabo foram da autoria de Matthew Drennan. Esses também continham estudos fotográficos, dos quais o Departamento de Anatomia da Universidade da Cidade do Cabo não guarda registro algum. Havia a possibilidade — se a fotografia tivesse sido tirada na Cidade do Cabo — de que o original fosse oriundo de uma seqüência antropométrica feita sob a supervisão de Drennan.

Pesquisas adicionais mostraram a possibilidade de a fotografia realmente ter sido tirada depois, até mesmo fora da Cidade do Cabo. Pode ser que a foto tenha sido feita entre 1939 e 1941, quando um certo C. F. MacDonald fotografou uma festa de bosquímanos em excursões controversas pela parte ocidental do Cabo.[61] Eles foram levados de volta a Tweerivieren no dia 3 de março de 1941. Os escassos registros desses acontecimentos indicam a presença no grupo de uma mulher de 55 anos, Fytjie (Komkoes). Se realmente foi assim, estaríamos diante da indicação de uma mudança discursiva chave, passando-se da imagem da "Vênus Hotentote", como gênero, oriunda da ciência, para formas mais populares de ocularização.[62] Também é possível que a fotografia tenha sido tirada em uma fazenda no Kalahari, como a legenda indica, talvez em 1940, por ocasião da estada do etnólogo do Departamento de Assuntos Nativos, Van Warmelo, em Gordonia, realizando pesquisas com a finalidade de "salvar" os bosquímanos.[63] Entretanto, tudo isso é especulação.

A existência da imagem inicial achada nos Arquivos Estatais de Pretória (Foto 4) também tornou possível — e talvez seja este o ponto mais importante — a identificação das mudanças introduzidas nos processos fotográficos que resultaram em versões diferentes da imagem. Assim, a fotografia parecia pertencer ao gênero antropométrico, padrão que procura retratar a "esteatopigia" da mulher bosquímana. Tinha a legenda em africânder: *"Boesmanvrou met tipiese steatopygia"* [Mulher bosquímana com esteatopigia típica]".[64] Como estudo supostamente científico, essa fotografia transforma o sujeito particular, /Khanako, em um tipo generalizado, pronto para novos paradigmas. Então, a partir desse canal estreito, a imagem foi ampliada para um delta de produções de /Khanako.

Tornou-se imagem impressa em um cartão mas, dessa feita, com uma suástica aplicada à superfície da impressão na nádega de /Khanako. É como se seu corpo tivesse sido marcado com ferro, como para animalizá-lo. Mas não se trata de uma marca qualquer. A suástica era um símbolo temível do ressurgimento da Alemanha entre as duas guerras. Estabelece um novo tropo a uma já hiperfocalizada parte da anatomia. Se essa produção de /Khanako tiver sido feita por e para brancos anglófilos da África Meridional, encaixa-se em um gênero de propaganda visual antialemã (na década de 1930, lêse antinazi). Assim, seu propósito teria sido apresentar como selvagens os alemães inimigos (que também eram seus rivais que reivindicavam o Sudoeste da África, após 1933), feminizá-los, "bosquimanizá-los", "esteatopigizá-los".[65] Eram sul-africanos falando a uma potência rival por meio de corpos africanos.

Outra explicação possível seria a de o cartão estar vinculado ao ressurgimento do interesse colonial alemão pelo Sudoeste da África, subseqüente à ascensão de Hitler ao poder na década de 1930 e suas reivindicações territoriais. Na eventualidade improvável de que tenha sido produzido por um fotógrafo alemão pró-nazi no Sudoeste da África, pode ter representado uma recuperação da terra da África pelos alemães por meio do novo e vigoroso símbolo da suástica. Mas isto supõe que os alemães tivessem sentimentos caridosos e positivos em relação à África. Era mais provável que o cartão tenha sido produzido por um fotógrafo antialemão, escarnecendo aspirações nazistas (provavelmente em relação ao Sudoeste da África) por meio de uma imagem que depreciava a África. Os discursos populares dos colonos a respeito da África nos anos do entreguerra costumavam ser altamente negativos: quem desejaria esse lugar impossível? O excesso na construção da esteatopigia na fotografia poderia ser um símbolo dos excessos da África aos olhos das mentalidades européias: calor excessivo, seca excessiva, distâncias excessivas, problemas de mão-de-obra etc.

Não se sabe, ao certo, até que ponto a imagem foi distribuída sob a forma de cartão, mas pelo fato de ter adquirido vida nova (como cartão) foi lançada a novos âmbitos de circulação além da universidade e do gênero "científico". Nessa forma mais comercial, também tinha alta mobilidade. É preciso lembrar o que disse Jonathan Crary a respeito do observador: este cartão pode ter sido feito com certas intenções, mas o aspecto crucial é o que seu público fez dele. Como cartão, certamente foi transferido para a esfera da política local sul-africana do fim da década de 1930, então centrada em debates sobre o nazismo. É possível que também tenha circulado na África do Sul, onde Hahn tirava periodicamente suas licenças.

Considerando que a imagem do cartão mostra características de deterioração pelo tempo — obscurecimento e subexposição —, e que foi obviamente cortada para excluir boa parte da paisagem, a fotografia publicada no livro de Jack Stodel é menos borrada (mesmo se também apresenta manchas mais escuras em decorrência de subexposição) e não foi cortada. Além da suástica, essa versão ostenta outras marcas. Há uma tentativa de contornar a metade inferior do corpo de /Khanako, possivelmente para compensar o escurecimento e a perda de clareza da fotografia nessa etapa de sua vida. As meias, na parte inferior de suas pernas, indistinguíveis das sombra do cartão, receberam uma definição e foram transformadas no que parecem ser botas de montaria. Isso inclui uma nova marca na fotografia. Somando-se à suástica, essa adição torna a parte inferior de seu corpo uma área militarizada. Duplica a finalidade do emblema nazista e aumenta a traumatização de seu corpo por meio dessa violência de representação.

Para os que produziram o original dessa imagem de /Khanako, a ironia é imensa. Eles podem ter tirado uma fotografia antropométrica com intenção "científica", mas a inserção posterior da suástica é um gesto profundamente antiintelectual, que inverte e escarnece seu propósito pretensioso. Suscita a polêmica, porém pouco discutida, questão da tensão entre forças intelectuais e antiintelectuais em culturas brancas e predominantemente masculinas da África Meridional entre as duas guerras e sugere que estas estavam longe de serem homogêneas.

Como vimos, os renascimentos da imagem de /Khanako não pararam por aí. A criação de um cartão com base em uma imagem fotográfica não a impede de se tornar outra vez fotografia. Foi exatamente o que aconteceu através das lentes de Robert Gordon nos Arquivos de Windhoek. Nas mãos de Skotnes, essa fotografia (derivada do cartão da coleção de Hahn), escaneada para um programa gráfico, em *desktop*, com vistas à produção de colagens fotográficas para o livro *Miscast*, ganha vida nova relacionada com fotografias de atrocidades contra os bosquímanos. O fato de essa imagem, presente neste livro, poder ter sido transferida para *slide* e usada em apresentação feita por Colin Richards em uma conferência atesta sua infinita transportabilidade. O que também se manifesta é a natureza extremamente porosa dos limites entre meios visuais diferentes e gêneros de imagem. Isto significa que todo o potencial de objetificação, despersonalização e enfraquecimento, implícito na encenação do estudo visual supostamente empírico e científico do corpo de /Khanako, foi realizado em usos que lhes foram dados sob sua forma de cartão e, por exemplo, na conferência de Colin Richards.

Ao apontar a porosidade dos limites entre meios visuais — começando pela ciência e terminando como espetáculo em cartão/nota final/*slide* —, não desejamos negligenciar o impacto da tecnologia sobre as produções culturais. O cartão de /Khanako com suástica é uma desfiguração da ciência e do conhecimento; pode até ser descrito como a marca do anticonhecimento. Tanto os cientistas como /Khanako foram afetados por este grafite antiintelectual: mas só foi preciso uma reprodução da imagem e uma inscrição no processo técnico de reimpressão da fotografia para que isso acontecesse. Assim, a mecanização da produção de imagem em torno da década de 1930 facilitou a comutação, por assim dizer, entre as versões intelectual e antiintelectual do mesmo tema para atender a diferentes públicos brancos na África do Sul.

Em suma, o que aconteceu a cada vez foi um aprofundamento da generalização de /Khanako como a bosquímana "tipo". Logo, as sementes desse procedimento foram lançadas na fotografia antropométrica, quando /Khanako foi discursivamente reduzida a um tipo físico através da hiperfocalização de suas nádegas. O fato de esta zona tornar-se o local da inscrição de significados adicionais, somando-se a uma imagem já familiar (a chamada "Vênus Hotentote"), reforçou a desumanização presente na marca do gênero. Ironicamente, isto ocorre até em circuitos que afirmam ser de integridade, resgate e redenção.

Temos consciência de que, em torno da representação, há uma luta entre os que têm o poder de representar e os que são representados. Isto não significa que estamos diante de uma dicotomia simples, pois o funcionamento da economia visual é muito complexo e dinâmico para aceitar esse reducionismo. Mas, no decorrer desta pesquisa, percebemos que é idealista e provavelmente impossível uma "reumanização" ou "reconstituição" de /Khanako por meio de uma tentativa de integrar os fragmentos e traços de sua passagem pela África do Sul em 1936-1937. Não podemos atribuir-nos esse poder de redenção. O máximo que podemos fazer é interrogar cada processo de representação e as fases pelas quais passou a produção de novos significados. Assim, devemos assumir plena responsabilidade pelos novos circuitos de representação que geramos em nosso próprio gênero acadêmico.

O DESTINO DE /KHANAKO

Custou-nos considerável esforço tentar descobrir o que aconteceu a /Khanako depois de 1937. Tudo que sabemos e examinamos neste artigo foi proveniente da interseção profunda entre a pesquisa científica e a exibição visual da África do Sul peculiar de /Khanako e seus companheiros em 1936-1937. Temos alguma idéia sobre o destino dos que falavam a língua khomani e que haviam sofrido desapropriação devido à reorganização da terra, ao norte do Cabo, na década de 1930. A partir da criação do Parque Kalahari Gemsbok em 1931, esse grupo do norte da Cidade do Cabo foi aprisionado em ciclos de destituição e salvação que implicaram mais relações de proteção paternalista nas décadas subseqüentes às atividades de Bain. Alguns descendentes desse grupo atualmente se exibem como bosquímanos no contexto do turismo em Kagga Kamma, nas montanhas de Cedarberg; outros estão reivindicando terras ao norte do Cabo, possivelmente incluindo uma parte do Parque Kalahari Gemsbok, assunto atualmente sendo analisado. Os levantamentos de histórias orais, realizados ao norte do Cabo, até agora não descobriram o destino de /Khanako, embora ela seja lembrada como "uma boa líder".

Nossas visitas às faculdades de medicina das universidades da Cidade do Cabo e de Witwatersrand revelaram que, após sua morte, o corpo de /Khanako não seguiu o mesmo percurso que o de sua filha /Keri/Keri — a dissecção médica. Isto poderia indicar que, depois de 1937 (ou depois de 1941), ela pode ter conseguido distanciar-se da representação de bosquímana-tipo. Porém, havia outra característica dos acontecimentos de 1936-1937 de que não escapou. Em uma estranha ironia do destino, soube-se que o corpo de Thomas Boydell — ex-senador e político da Cidade do Cabo que militava em favor de uma reserva bosquímana e que deu a uma fotografia antropométrica de/Khanako incluída em seu livro *My luck's still in*, a seguinte legenda: "Aniko, uma bosquímana inteligente" — foi doado à ciência. Perto da moldagem de gesso do perfil corporal de /Khanako, vemos o esqueleto de Boydell pendurado em uma vitrine na sala de dissecção da Faculdade de Medicina da Universidade da Cidade do Cabo.

Notas

1. Ver, por exemplo, Gould (1982); Gilman (1985); Schrire (1996).
2. Dubow (p. 7, 1996). Ver, em sentido mais geral, seu livro, *Scientific Racism in Modern South Africa*, Cambridge, 1995.
3. Saul Dubow (1995 e 1996); White (1995).
4. Steyn (1984), Botha e Steyn (1995).
5. Gordon (1995).
6. Pesquisa publicada em Hayes (1996).
7. Para uma breve discussão desta questão, ver Hayes (p. 381-382, 1996).
8. Agradecemos a Werner Hillebrecht, da Biblioteca Nacional da Namíbia, e a Wolfram Hartmann, do Departmento de História da Universidade da Namíbia, que pesquisaram com tanta eficácia e nos apontaram a foto no livro de Stodel. Ver Stodel (p. 102-103, 1965).
9. Ver a proposta original de Pippa Skotnes. A exposição em si, intitulada *Miscast: Negotiating Khoisan History and Material Culture*, foi realizada na Galeria Nacional Sul-africana em abril-outubro de 1996. O livro de Pippa Skotnes, *Miscast: Negotiating the Presence of the Bushmen*, foi publicado pela UCT Press em 1996.
10. Os autores haviam conhecido esta coleção em Cambridge, no início de 1995, observando que incluía fotos alegadamente tiradas pelo arqueólogo Goodwin em Botswanaland e enviadas a Cambridge para serem incluídas na grande coleção *Images of Man*, organizada em homenagem ao antropólogo A. C. Haddon.
11. Esta corrente e *pendentif* foram meios importantes que nos permitiram estabelecer vinculações entre fotografias. Contudo, pesquisas posteriores mostraram que, embora a corrente possa ser a mesma, o chamado *"pendentif"* é diferente em cada fotografia. Nas fotos tiradas em Rosebank e no estúdio de rádio, o *pendentif* é, na verdade, uma caixa de rapé que fora dada a /Khanako nessa época. No cartão, porém, parece ser uma cruz.
12. Rheinallt-Jones e Doke (1937).
13. Drennan (1937).
14. Donald Bain a Raymond Dart, 2/11/1936, Dart Papers.

15. Secretário para Assuntos Nativos ao Secretário para o Sudoeste da África, Cidade do Cabo, 2/12/1936; administrador, Windhoek, a Donald Bain, 14/2/1936 (Administração do Sudoeste da África, Arquivo Nacional da Namíbia, 978 A89/12).
16. Dart (p.159, 1937a)
17. Dart (p. 159, 1937a). O trabalho de Bain e seus colegas da Universidade de Witwatersrand foi realizado no contexto do Departamento de Estudos Bantos, que oferecia diplomas em línguas, etnologia, lei nativa e administração, antropologia física, sociologia primitiva e psicologia social bantos. A formação nessas disciplinas estava voltada para a produção de conhecimento sobre a mente dos nativos, bem como sobre cultura e língua nativa, tópicos necessários para administradores de nativos, antropólogos etc. Boa parte de sua pesquisa foi publicada na revista da Universidade de Witwatersrand, *Bantu Studies*, dedicada ao "estudo científico dos bantos, hotentotes e bosquímanos".
18. A pesquisa publicada em dois números da revista *Bantu Studies* (10, 4, 1936, e 11, 3, 1937) foi republicada, com algum material adicional, em J D Rheinallt-Jones e C M Doke (1937). Também foram publicadas nessas coleções 109 ilustrações fotográficas, a maioria das quais oriunda de fotos tiradas em Tweerivieren.
19. Dubow (1995, p. 13).
20. Dart a O. Pirow (Minister of Defence), 4/5/1936, Dart Papers.
21. Dart a Bain, 28/5/36; 5/6/1936, Dart Papers.
22. Bain a Dart, s.d. (c. maio de 1936), Dart Papers.
23. *Rand Daily Mail*, 8/7/1936.
24. *Rand Daily Mail*, 8/7/1936; Bain a Dart, 26/5/1936.
25. *Rand Daily Mail*, 8/7/1936.
26. *Rand Daily Mail*, 14/7/1936.
27. *Rand Daily Mail*, 14/7/1936.
28. Para uma discussão dos "resultados científicos" desta pesquisa, ver Dart (1937b).
29. *Guide to the Raymond Dart Gallery of African Faces* (1992).
30. *Rand Daily Mail*, 8/7/1936. Os visitantes do Museu Hunterian, da Faculdade de Medicina da Universidade de Witwatersrand, ficarão impressionados com a exposição de muitas das máscaras feitas no acampamento de Bain em Tweerivieren em 1936. Essas constituem o cerne da Raymond Dart Gallery of African Faces. Ver *Guide to the Raymond Dart Gallery of African Faces* (1992).
31. *Rand Daily Mail*, 14/7/1936.
32. Ver Drury e Drennan (p. 113-117, 1926).
33. Ver fotografias das ilustrações 75, 76, 93 e 94 de *Bantu Studies* (1937; reimpresso em Rheinallt-Jones e Doke 1937). Observar que, quando da primeira publicação desses volumes, foram eliminadas as fotografias que mostravam genitália masculina e feminina. "Especialistas" podiam ter acesso a exemplares não-encadernados.
34. *Rand Daily Mail*, 15/7/1936.

35. Não é uma surpresa que /Keri-/Keri, filha de /Khanako, identificada como "bosquímana pura", tenha sido o centro da atenção no Departamento de anatomia em Wits, tanto em vida como na morte. Em Tweerivieren, foram realizadas uma máscara em vida (kal 51) juntamente com outras representações anatômicas. Seu corpo voltou ao mundo da pesquisa do Departamento de Anatomia de Wits em 1952 após sua morte. Lá foi moldada em bronze e, nessa patografia, a falta de articulações nos dedos de sua mão esquerda, sua genitália e esteatopigia foram apontadas a observadores estudiosos. Mais adiante, seu corpo foi dissecado durante uma aula de anatomia; uma visita recente mostrou que seu esqueleto, que devia estar armazenado como item A 43 da Coleção Dart, havia desaparecido.

36. *Rand Daily Mail*, 17/8/1936.

37. *Bushman Reserve* (1936).

38. Duggan-Cronin(1942).

39. Ver Gordon (p. 29, 1995).

40. Dart (1937a, p. 167).

41. Boydell (1948).

42. *The Cape Argus*, 10 de maio de 1937.

43. Para uma descrição do projeto de Drury de produzir moldagens de bosquímanos, ver Rose (1961), capítulo 7. Para uma avaliação do projeto de moldagem do Museu Sul-africano, em que Drury desempenhou um papel central, ver Davison (1993).

44. Crary (1995).

45. Coetzee (s.d.).

46. Ibid.

47. Tobias (1961).

48. Bain (1936).

49. Ver Pels (1994). Ver também Pels e Salemink (1994, p. 1-34).

50. Tomamos nota da afirmação adicional de Pels de que a pesquisa etnográfica costumava ser redigida com uma distância no tempo e no espaço.

51. Kuklick (p. 15, 1991).

52. Gordon (p. 29, 1991).

53. Entre as publicações derivadas dessa pesquisa-espetáculo (na verdade organizada pelo Comissário para Assuntos Nativos Cocky Hahn), temos Galloway (p. 351-364, 1937).

54. Hunt (p. 326, 1996).

55. Ibid.

56. *Rand Daily Mail*, 15 de maio de 1936.

57. Skotnes (1996) conhece os detalhes da identidade de /Khanako. Foram incluídas neste livro, com cuidadosas legendas, mais duas imagens de /Khanako. A foto da seqüência Duggan-Cronin (MM 2277: Coleção Duggan-Cronin. Museu McGregor,

Kimberley) foi publicada por Duggan-Cronin (1942); a foto tirada no estúdio de rádio e que mostra /Khanako ao microfone (Foto 6 do presente artigo) provém da Coleção Cape Times, que está na Biblioteca Sul-africana. Ver *Miscast*, p. 196 e 256.

58. Durante sua apresentação, Richards confessou sua própria preferência racial pelas "pessoas de olhos azuis" e falou de seu serviço militar na Namíbia e em Angola como algo que não merecesse destaque.

59. Esta frase foi tirada da discussão de Tim Burke sobre abordagens problemáticas da cultura global. Ver Burke (p. 441, 1996).

60. *Die Burger*, 11 de maio de 1937.

61. MacDonald foi processado em Prince Albert e declarado culpado de expor os bosquímanos, o que era proibido pela legislação.

62. Há outro exemplo estranho do processo de viagem da imagem. Um pôster recente feito por Real Music Africa para promover e anunciar o *show* de *rock* Hangklip, realizado na Cidade do Cabo em 4 de janeiro de 1997, utiliza uma antiga fotografia de "Vênus Hotentote". Contudo, a imagem aqui é usada para descrever os movimentos do corpo feminino dançando.

63. "Proposed Establishment of Reserve for Bushmen in Gordonia District", Native Affairs Department Memo, 14 de março de 1940 (Documento no. 382/400). Ver Van der Merwe e Vlok (1996).

64. A legenda continua: "geneem op'n plaas in die Kalahari..." (tirada em uma fazenda do Kalahari). Mas dado que as fotos de Tweerivieren não incluíam esses estudos esteatopígicos de /Khanako e que o grupo de Bain dispersou-se em sua ausência, após seu fracasso em obter a criação de uma reserva bosquímana, é improvável que essas fotografias tenham sido tiradas no Kalahari. Além disso, a corrente e o *pendentif* que ela está usando nessas fotos só foram adquiridos em 1937 na Cidade do Cabo.

65. Havia precedentes dessa transformação de alemães em selvagens por sul-africanos durante a Primeira Guerra Mundial. Um deles ocorreu quando oficiais sul-africanos construíram as palavras "Kaiser Bill" na fronteira setentrional do antigo território alemão do Sudoeste da África usando os ossos de vítimas da fome de Ovambo. Ver Hayes, 1996.

Referências Bibliográficas

BAIN, Donald "Kalahari". "The Kalahari Bushmen". In *Bushman Reserve*. 1936. Folheto distribuído na Exposição Imperial, Johannesburgo. Johannesburgo: Tillet and Sons, 1936.

BOTHA, L. J. & STEYN, H. P. "Report on the Bushmen of Kagga Kamma, and their Southern Kalahari Origins". In *Land Claim and Submission to the Minister of Land Affairs Submitted by the Land Claim Committee, the Southern Kalahari Bushmen*, 7, agosto, 1995.

BOYDELL, Thomas. *"My Luck's Still In"*: With More Spotlights on General Smuts. Cidade do Cabo: Stewart, 1948.

BURKE, Timothy. "'Fork Up and Smile': Marketing, Colonial Knowledge and the Female Subject in Zimbabwe". *Gender and History*, v. 8, n. 3, novembro, p. 441, 1996.

Bushman Reserve. Folheto distribuído na Exposição Imperial, Johannesburgo. Johannesburgo: Tillet and Sons, 1936.

COETZEE, D.J. *Living with the Dead*. Cidade do Cabo: D. J. Coetzee e Sartorius Observatory. s.d.

CRARY, Jonathan. *Techniques of the Observer:* On Vision and Modernity in the Nineteenth Century. Cambridge, MA: MIT Press, 1995.

DART, Raymond. Donald Bain a Raymond Dart, 2/11/1936. In Raymond Dart Papers. Universidade de Witwatersrand, 1936.

————. "The Hut Distribution, Genealogy and Homogeneity of the /?Auni-=Khomani Bushmen". *Bantu Studies*, v. 11, n. 3, setembro, 1937.

————. "The Physical Characteristics of the /?Auni-=Khomani Bushmen". *Bantu Studies*, v. 11, n. 3, setembro, 1937.

DAVISON, Patricia. "Human Subjects as Museum Objects: A Project to Make Life-Casts of 'Bushmen' and 'Hottentots', 1907-1924". *Annals of the South African Museum*, v. 102, Parte 5, fevereiro, 1993.

Die Burger. Edição de 11 de maio de 1937.

DRENNAN, M.R. "Finger Mutilation in the Bushman". *Bantu Studies*, v. 11, n. 3, 1937.

DRURY, James e DRENNAN, Matthew. "The Pudendal Parts of the South African Bush Race". *Medical Journal of South Africa*, v. 22, novembro, p. 113-117, 1926.

DUBOW, Saul. "Human Origins, Race Typology and the **other** Raymond Dart". *African Studies*, 55 (1), 1996.

————. *Scientific Racism in Modern South Africa*. Cambridge: Cambrdige University Press, 1995.

DUGGAN-CRONIN, A. M. *The Bushman Tribes of Southern Africa*. Kimberley: Alexander McGregor Memorial Museum, 1942.

GALLOWAY, Alexander. "A Contribution to the Physical Anthropology of the Ovambo". *South-african Journal of Science*, v. 34, novembro: 351-364.

GILMAN, Sander. "Black Bodies, White Bodies: Toward and Iconography of Female Sexuality in Late Nineteenth Century Art, Medicine and Literature". In *Critical Inquiry*, 12, 1985.

GORDON, Robert. "Saving the Last South African Bushman: a Spectacular Failure?". In *Critical Arts*, v. 9, n. 2, p. 29, 1995.

GOULD, Stephen Jay. "The Hottentot Venus". In *Natural History*, 10, 1982.

Guide to the Raymond Dart Gallery of African Faces. Museu Hunterian, Departamento de Anatomia, Faculdade de Medicina, Universidade de Witwatersrand, 1992.

HAYES, Patricia. "Bone narratives: preliminary notes/visuals of South Africa's colonisation of Namibia, 1915-20s". Comunicação apresentada na Conferência "The Future of the Past", University of Western Cape, julho, 1996.

————. "'Cocky' Hahn and the 'Black Venus': the Making of a Native Commissioner in South West Africa, 1915-46". *Gender and History*, v. 8, n. 3, nov., p. 364-392, 1996.

HUNT, Nancy Rose. "Introduction". *Gender and History*, v. 8, n. 3, novembro: 326.

KUKLICK, Henrika. *The Savage Within:* The Social History of British Anthropology, *1885-1945*. Cambridge: Cambridge University Press, 1991.

PELS, Peter. "The Construction of Ethnographic Occasions in Late Colonial Uluguru". *istory and Anthropology*, 8, 1994.

PELS, Peter e SALEMINK, Oscar. "Introduction: Five Theses on Ethnography as Colonial Practice". In *History and Anthropology*, 8, p. 1-34, 1994.

Rand Daily Mail. Edições publicadas nas datas 8/7/1936, 14/7/1936, 15/7/1936, 17/8/ 1936, 15/5/1936.

RHEINALLT-JONES, J. D. e DOKE, C. M. (org.). *Bushmen of the Southern Kalahari*. Johannesburgo: Witwatersrand University Press, 1937.

ROSE, Walter. *Bushman, Whale and Dinosaur*. Cidade do Cabo: Howard Timmins, 1961.

SCHRIRE, Carmel. "Native Views of Western Eyes". In Pippa Skotnes (org.). *Miscast:* Negotiating the Presence of the Bushmen. Cidade do Cabo: UCT Press, 1996.

SKOTNES, Pippa. *Miscast:* Negotiating the Presence of the Bushmen. Cidade do Cabo: UCT Press, 1996.

STEYN, H. P. . Southern Kalahari San Subsistence Ecology: a Reconstruction". *The South-African Archaeological Bulletin*, v. 39, 1984.

STODEL, Jack. *The Jackpot Story*. Cidade do Cabo: Howard Timmins, 1965.

The Cape Argus. Edição de 10 de maio de 1937.

TOBIAS, Philip. 1961. "Studies of Bushmen in the Kalahari". *South African Journal of Science*, v. 57, n. 8, agosto, 1961.

VAN DER MERWE, J. A. e VLOK L. "Report 98/96: Kalahari Gemsbok National Park, District Gordonia", Department of Land Affairs, abril, 1996.

WHITE, Hylton. *In the Tradition of the Forefathers*: Bushman Traditionality at Kagga Kamma. Cidade do Cabo: UCT Press, 1995.

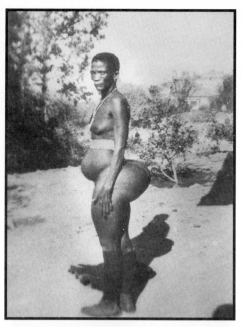

Foto 4: Fotografia original da esteatopigia de /Khanako, sem modificações (Arquivo Nacional da África do Sul, Pretória).

Foto 5: Grupo dançando em Rosebank, Cidade do Cabo, 1937. Fotografia da Coleção Cape Times, Biblioteca Nacional da África do Sul.

Foto 6: /Khanako como porta-voz durante uma radiodifusão internacional para celebrar a coroação britânica, em um estúdio de radiodifusão na Cidade do Cabo (Coleção Cape Times, Biblioteca Nacional da África do Sul).

Foto 7: Olho a olho: /Khanako fala com segurança a Donald Bain, na Cidade do Cabo. Fotografia de Ilse Steinhoff (*British South Africa Annual*, dezembro de 1937). Legenda original: "O 'pai' dos bosquímanos, Donald Bain, com um de seus protegidos."

Foto 1: Fotografia de /Khanako, produzida como cartão-postal com a adição de uma suástica, da coleção do Comissário para Assuntos Nativos Hahn (Arquivos Nacionais da Namíbia 450).

Foto 2: Os bosquímanos com Donald Bain (de camisa branca) marcham para o Parlamento, Cidade do Cabo, 1937 (Coleção Cape Times, Biblioteca Nacional da África do Sul).

Foto 3: Exposição do Império, Johannesburgo, 1936. Legenda original: "Quatro encantadoras colonas de 1820 (província oriental)." Fotografia da Coleção Duncan Abraham, Museum Africa.

Políticas de identidade no Moçambique colonial

José Luís Cabaço

UMA JANELA SOBRE MOÇAMBIQUE

A República de Moçambique é um país independente desde 25 de junho de 1975. Situado na parte oriental da África, estende-se por cerca de 2.300 quilômetros da costa banhada pelo Índico e tem fronteiras com seis países, cinco dos quais utilizam seus serviços de transporte e seus principais portos.

Inviabilizadas por Portugal as tentativas de diálogo político, um grupo de moçambicanos, provenientes de várias regiões da colônia, decidiu, em 1964, recorrer à luta armada de libertação nacional, que foi conduzida até o seu termo pela Frente de Libertação de Moçambique (Frelimo).

A sociedade moçambicana sofreu, neste último meio século, cruel processo de exploração, as brutalidades da guerra colonial e da repressão, os traumatismos de uma guerra de agressão (que assumiu, em meados da década de 1980, os contornos de um conflito civil) e a violência de radicais transformações político-culturais, que deixaram marcas profundas na vida das suas comunidades.

A jovem República compreende um território com cerca de 800 mil quilômetros quadrados e uma população de cerca de 16 milhões de habitantes, composta por dezenas de grupos étnicos de origem banto e diversas comunidades não-bantos com escassa expressão demográfica. Embora as religiões tradicionais continuem a constituir prática dominante, metade da população vive sob influência islâmica e a outra metade sofre influência cristã.

Sendo indiscutivelmente uma questão controversa, podemos contudo considerar a existência, em Moçambique, de 24 línguas (línguas maternas da população de origem banto), além do português, que permaneceu língua franca depois da independência.[1] Estes grupos etnolingüísticos podem ser associados em quatro agrupamentos culturais e populacionais, com base nas afinidades e na capacidade de se comunicarem entre si: o Emakhuwa, na maior parte da zona ao norte do rio Zambeze; o Complexo Zambeziano, refletindo a miscigenação característica do vale do Zambeze; o Sena-Karanga, na região central entre os rios Zambeze e Save; e o Tsonga, ao sul do rio Save.[2] Por motivos de ordem cultural, por razões históricas relacionadas com migrações e invasões, por embates derivados da cumplicidade de algumas chefaturas com traficantes de escravos ou colonos, por tradicionais disputas por gado, território e outras formas de riqueza e prestígio etc., a convivência entre os diferentes grupos etno-lingüísticos nem sempre foi fácil e as rivalidades conduziram com freqüência à guerra. As relações de dominador-dominado daí nascidas estão na origem da absorção de uns grupos por outros, bem como de polarizações que enraizaram no tecido social moçambicano vetores centrífugos ainda hoje recorrentes nos momentos de crise. A base econômica comum de agricultura de subsistência ou de pastoreio não foi suficiente para consolidar uma plataforma de entendimento suscetível de aproximar e tornar homogênea esta população de origem banto. Fanon explica bem como o sentimento de solidão no desespero da tenebrosa noite colonial levou o colonizado a explodir a própria raiva e frustração contra o seu irmão de destino, na "impossibilidade" de o fazer contra o colono.

As comunidades não-bantos em Moçambique desfrutaram, no período de dominação estrangeira, de privilégios que lhes facilitaram o acesso à educação e à riqueza. Isso veio a ter lógica repercussão, a despeito da reduzida expressão numérica, na sociedade reestruturada após a independência.

No período colonial existia em Moçambique uma comunidade de origem européia, na esmagadora maioria composta por portugueses e seus descendentes, que nunca chegou a representar sequer 2,5% dos habitantes do território (embora fosse a segunda comunidade mais numerosa). Todavia, nela se concentrava a totalidade dos poderes, o que lhe proporcionava amplas regalias e privilégios exclusivos.

Na escala de prestígio social da sociedade moçambicana seguiam-se dois grupos de imigrantes asiáticos, predominantemente na faixa da classe "compradora", dependentes, mas com um papel importante na economia colonial. A comunidade de origem chinesa, estimada em uma dezena de milhares de indivíduos[3] concentrados na sua maioria nas principais cidades e algumas povoações pesqueiras, dedicava-se principalmente ao comércio, ao cultivo de hortaliças e à pesca.

A outra comunidade de asiáticos, bastante mais numerosa, era de origem indiana, que, por sua vez, se diferenciava em dois grandes grupos: os indo-portugueses e os genericamente chamados indianos.

Entre os indo-portugueses era dominante a comunidade goesa, que englobava, como em Goa, mestiços e concanins. De religião católica, os goeses, que ostentavam modos e comportamentos europeizantes e cultivavam o domínio da língua portuguesa, constituíam predominantemente uma pequena burguesia burocrática psicológica e politicamente muito identificada com os colonos. Com menor expressão numérica e social, faziam igualmente parte desta comunidade os imigrantes provenientes de Diu (e muito poucos de Damão), que eram considerados como o estrato "inferior" da comunidade porque culturalmente muito mais próximos da matriz indiana.

Paquistaneses e industânicos dedicavam-se ao comércio e eram considerados normalmente pessoas abastadas[4]. Pela função de intermediários que ocupavam na economia, pela imagem que apresentavam de riqueza facilmente acumulada, pela sensação de instabilidade que transmitia a sua atitude desconfiada e defensiva, paquistaneses e industânicos constituíam uma comunidade fechada e economicamente abastada, vivendo freqüentemente em estreito contato com as populações, mas muitas vezes olhada com perplexidade e até com inveja. O seu instinto de sobrevivência inspirou a sagaz opção feita após a independência de Moçambique. Um pequeno núcleo de cada família continuou no país, muitas vezes reivindicando a nacionalidade moçambicana, para conservarem a posse e gestão dos bens familiares. Isto permitiu-lhes uma posição privilegiada para adquirirem novos bens, quando o seu valor de mercado era irrisório, e hoje a comunidade de origem indiana detém um papel de liderança na economia do país.

O grupo cuja caracterização, mesmo sumária, se apresenta mais complexa é, sem dúvida, o grupo dos mestiços. Como alerta Kabengele Munanga: "A noção de mestiçagem, cujo uso é ao mesmo tempo científico e popular, está saturada de ideologia. [Essa noção...] parece mais ligada à percepção de senso comum do que ao substrato genético."[5] Sendo uma categoria de intermediação (étnica, cultural, tipológica), ela não se define "por oposição a", mas define-se como complementar ou como tendencial. Por vezes, o conceito de mestiço dilui-se no mais abrangente de negro. Em outras ocasiões, dele se procura distinguir de forma acintosa. No caso da sociedade colonial moçambicana, as duas posições coexistem. O seu posicionamento traduz uma busca de identidade que tem muito a ver com o grau da sua marginalização ou integração da família (ou parte da família) na sociedade. É a falta de homogeneidade desta categoria cognitiva que me leva a referi-la como grupo dos mestiços em lugar de comunidade dos mestiços.

A concepção "pragmática" aqui utilizada funda-se na miscigenação surgida da história do convívio cosmopolita e da posterior colonização. Nesse processo se misturaram, no patrimônio genético deste grupo, o banto com o árabe, o português, o indiano, o francês, o persa, o italiano, os povos das ilhas do Índico, o espanhol, o chinês, o holandês, o inglês, e quem sabe quem mais! Com efeito, a partir do século XVII, no vale do Zambeze e em diversos pontos da costa entre Ibo, ao norte, e Inhambane, ao sul, começaram a constituir-se mestiçagens caracterizadas por diferentes combinações: afro-árabe, afro-portuguesa, afro-indiana etc. As famílias que se constituem da combinação afro-árabe-suaíle e da afro-luso-goesa são as que vão assumir papéis históricos mais preponderantes. Elas serão profundamente afetadas pela decadência do comércio de escravos e a intensificação da "ocupação efetiva" pelos portugueses.

Nas novas cidades surgiria um mestiço diferente, produto da penetração capitalista do início de 1900: a burguesia local, descendente dos grandes traficantes dos séculos XVIII e XIX, entra em crise com o colapso econômico no início de 1900 e refugia-se no funcionalismo público colonial; novos estratos, atraídos pela modernidade e pelo conhecimento, com acesso ao ensino profissional, tornar-se-iam operários especializados ou empregados de comércio e em empresas transitórias. O incremento da migração de portugueses e asiáticos para Moçambique condenaria o mestiço urbano à marginalização laboral, social, econômica e política, colocando-o perante a própria matriz africana. No seio dos grupos se distinguiriam aqueles que detinham o capital simbólico e cultural essencial para a futura elaboração teórica sobre a nação moçambicana. Deles nasceria uma grande parte dos escritores e intelectuais da primeira geração que começou a pensar a colônia em termos nacionais.

Apesar da importância do fenômeno entre os séculos XVII a XIX, estima-se que, nas vésperas da independência nacional, os mestiços eram um pouco menos de 1% da população do país.[6] A concentração de mestiços nos principais centros urbanos pode facilmente transmitir, ao observador desavisado, a sensação errada de que o grupo tem expressão demográfica no país.

Esse complexo e intrincado tecido étnico, racial e socioeconômico representou e continua a representar uma resistência muito forte aos vetores centrípetos, que impulsionam o processo de transição da sociedade para uma formação social (ou formações sociais) mais abrangente(s).

A procura de uma identidade nacional é recente como fenômeno de massas nas colônias e ganhou impulso depois da Conferência de Bandung, quando colonizados e colonizadores compreenderam que, irremediavelmente, iriam se confrontar.

UM IMPÉRIO SUBORDINADO

Quando as grandes potências coloniais, sob o ímpeto empreendedor das suas burguesias, começaram a ocupar os territórios mais importantes do ponto de vista econômico ou estratégico, iniciou-se um gradual processo de crise para Portugal, que sentiu reduzida a sua influência enquanto potentado marítimo e metrópole de um vasto império. Em fins do século XVIII, com o influxo liberalista do Marquês de Pombal, o colonialismo português quis adaptar-se à nova situação geopolítica e às novas idéias reinantes na Europa. Evidenciou-se, então, a sua debilidade intrínseca: o sonho do Império do Oriente soçobrou perante a voracidade do leão britânico, o qual ocupou o subcontinente indiano; em 1807, a Inglaterra proclamou a abolição da escravatura e criou o "Instituto Africano" para fiscalizar a lei em todo o mundo; o Brasil declarou, em 1822, a sua independência e iniciou um percurso econômico autônomo. Consumava-se, desse modo, a perda da Índia e do Brasil, os dois territórios vitais do império lusíada, e Portugal via-se sem alternativas econômicas perante a ameaça do fim do comércio de escravos, que substituíra o tráfico de ouro e marfim nas colônias.

As costas do Moçambique de hoje eram, há pouco mais de duzentos anos, ainda pouco flageladas pelo escravagismo. Os grandes produtores de açúcar franceses das ilhas do Índico começavam só então a procurar mão-de-obra escrava no continente. A política comercial fortemente restritiva dos portugueses não favorecia, inicialmente, a atividade dos navios negreiros.

Com o início da Revolução Industrial, ganhou impulso crescente o movimento antiescravagista. Moçambique, inexplorado, com uma ocupação administrativa e militar débil e longe do policiamento dos mares (que se concentrava nas tradicionais rotas atlânticas), atraiu progressivamente o tráfico ilegal da última fase. Portugal desregulamentou parcialmente os mecanismos restritivos do livre mercado, procurando ir ao encontro das pretensões quer dos negreiros e armadores, quer dos intermediários suaíles,[7] mestiços e portugueses que controlavam os fornecimentos. A procura continuava alta, especialmente no continente americano: o Brasil, até meados do século, e Cuba e Estados Unidos, por mais dez anos, mantiveram-se como mercados escravagistas, assim como, embora com menor importância, os fluxos das plantações de açúcar (feito por franceses e malgaxes) e as rotas para o norte, dominadas por muçulmanos.

A vulnerabilidade político-militar da presença portuguesa na África Oriental havia permitido a constituição de importantes reinos afro-islâmicos na costa, com chefes locais ou suaíles, que entraram em acordo direto com os traficantes internacionais evitando a concorrência, bem como a intermediação e o controle das autoridades portuguesas.[8] Enriquecidas por esse florescente comércio, apoiadas pelos traficantes, para quem esse contato direto era benéfico, essas chefaturas constituíram-se em pequenos estados com fortes exércitos que, em diversas ocasiões, se opuseram com sucesso às tentativas de controle por parte da administração portuguesa.

As estruturas da economia lusa ressentiram-se profundamente do processo de internacionalização da economia promovido pelo liberalismo econômico e tornado possível pelos extraordinários progressos realizados nos campos dos meios de transporte e das comunicações. A aristocracia rural portuguesa estava agonizante. A burguesia concentrava o seu esforço político e econômico no setor industrial. A exigência de compensar a crise da agricultura e assegurar o nascimento da indústria, suportando a concorrência internacional no mercado doméstico e no mercado externo, tornava indispensável o controle efetivo das colônias e o seu desenvolvimento como produtoras de bens agrícolas a baixo custo, fontes de matérias-primas e mercados de consumo privilegiado para a economia metropolitana. O sucesso dos investimentos, nessa época, em São Tomé e Príncipe dera corpo à nova geração de colonialistas que defendiam uma África, substituindo o Brasil, mas, ao contrário dos círculos liberais idealistas, como empreendimento controlado e custodiado por um Estado protecionista e decidido, sem veleidades moralistas, a exercer um governo forte e compelir os africanos ao trabalho produtivo.

Mas, para relançar a política africana, faltava o entusiasmo do povo pelas colônias da África. O português emigrava de preferência para as Américas, em geral regiões cuja imagem propunha paragens bem mais amenas e estáveis.[9] Para a empresa colonial, os impulsionadores do império sabiam quão importantes eram a atitude psicológica de quem parte, os seus estímulos, expectativas e determinação. Era imperativo que se assumisse que as colônias faziam parte da pátria e que era nesta que se decidia não apenas o futuro de cada português como também o da metrópole imperial.

A Inglaterra, aliada arrogante e poderosa, suscitava um sentimento misto de admiração, inveja e raiva impotente. Por isso, quando o presidente da República da França, marechal Mac Mahon, em arbitragem internacional, decidiu, a 24 de julho de 1875, a questão da soberania sobre a baía de Lourenço Marques em favor de Portugal, o fervor patriótico suscitou, na população, o entusiasmo pela África que a burguesia liberal se esforçava já por alimentar. A necessidade de uma política colonial transformava-se então numa reivindicação. Iniciava-se um ciclo novo na colonização lusíada.

Em fins desse mesmo ano (1875) criava-se a Sociedade de Geografia de Lisboa. Baluarte de intelectuais absolutistas[10] desde a sua fundação, esta instituição proporcionava uma fundamentação científica, cultural e humanística ao relançamento da colonização. A África e, em especial, Angola surgiram de imediato como a possível alternativa à saudade do Brasil.

O renascido interesse pelos territórios africanos foi catalisado no plano do Mapa Cor-de-Rosa, ligando, como território lusitano, Angola, no oceano Atlântico, a Moçambique, no oceano Índico. Este desígnio colonial colidia, porém, com o projeto britânico de um território da Cidade do Cabo ao Cairo. E quando os portugueses, em fins de 1889, iniciaram uma guerra contra o povo Mokololo e atravessaram para a margem norte do rio Chire (no atual Malauí), Lord Salisbury recebeu instruções de Londres e, a 11 de janeiro de 1890, apresentou o *Ultimatum*: ou as forças portuguesas se retiravam imediatamente para a margem sul, suspendendo a invasão, ou a Inglaterra considerava-se em estado de guerra com Portugal. A arrogância britânica causou uma onda de nacionalismo pelo território do império que havia sido ameaçado. O princípio proclamado pela revolução liberal de 1820, 'de que cada parcela do império é uma parte de um todo nacional, manifestava-se, enfim, como o sentimento do cidadão comum em cortejo pelas ruas das cidades.

Ao proclamar as colônias parte integrante da nação, Portugal procurava compensar a sua fragilidade como potência imperial e alargar àqueles territórios os vínculos das alianças e tratados internacionais, protegendo-as, pela força do direito internacional, da cobiça das outras potências coloniais. A Conferência de Berlim convertera a "ocupação efetiva" em princípio de direito público internacional.

A ocupação efetiva exigia a vassalagem dos chefes tradicionais que governavam Moçambique e Portugal teve de lançar-se, no fim do século XIX, numa guerra de ocupação colonial que só terminaria nos alvores do século XX. Os oficiais portugueses que a comandaram, posteriormente conhecidos como a "geração de 95", tornaram-se os administradores do território e viriam a revelar-se os primeiros grandes teóricos do colonialismo português contemporâneo.[11] As obrigações que Portugal assumira com o acordo de fronteiras e a ratificação dos documentos de Berlim implicavam um esforço superior às suas capacidades quer no plano administrativo quer infra-estrutural. Daí, a cessão a companhias majestáticas de poderes de soberania real sobre vastas regiões do centro e norte da colônia e a criação das grandes companhias do vale do Zambeze. Com esta política, alienava-se temporariamente a soberania efetiva para se dar início à consolidação de Moçambique como colônia do império: assegurava-se a ocupação efetiva e passava-se para os concessionários a responsabilidade pelos empreendimentos que Portugal se comprometera a levar a cabo nas áreas abrangidas pela decisão. O princípio de que "cada parcela era uma parte de um todo nacional" revelava-se bem mais flexível nos fatos do que nas palavras. Os interesses coloniais remeteram ao esquecimento os princípios liberais, que, aliás, nunca tinham sido aplicados nas colônias. Até o princípio do século XX não havia qualquer projeto de identidade para os povos que constituíam "a nação indivisível". Como "súditos dóceis", os habitantes das "províncias do ultramar" deviam apenas cumprir a lei do trabalho obrigatório.

Antônio Enes e Mouzinho de Albuquerque são as figuras predominantes na geração de políticos e militares que se opuseram à transferência, para a realidade colonial, do pensamento liberal triunfante em Portugal. Inspirados no modelo britânico, eles defenderam uma desmistificada relação de senhor e servidor entre colonizador e colonizado e uma crua divisão de tarefas na produção econômica que não deixava espaços à mobilidade social.

Enes sabia que o poder econômico constituía a razão de ser da disputa colonial e que só uma burguesia forte e competitiva daria voz a Portugal no concerto das potências imperiais. Ele defendia a descentralização da administração das colônias a fim de agilizar a exploração econômica e consolidar a ocupação efetiva dos territórios. Priorizando o controle da terra e dos homens e investindo todos os recursos disponíveis, seria possível conseguir, nas colônias, o crescimento material necessário para, de pesados fardos para as finanças da metrópole, as converter em prósperos contribuintes para o progresso e o bem-estar de Portugal. Impunha-se, segundo Enes, que Lisboa abandonasse, sem ambigüidades, a idéia de fazer de Moçambique uma colônia de povoamento. A prioridade, sustentava, ia para uma ação política com o objetivo de atrair capitais e *know-how* estrangeiros, dada a exigüidade e falta de entusiasmo do capital português pelas colônias. Para Antônio Enes, as populações indígenas das colônias eram uma "raça inferior", "selvagem", "bêbeda", "libidinosa" e "indolente". O seu processo de "civilização" deveria ser lento e proporcionar uma educação parcial, respondendo às exigências da economia mas salvaguardando a docilidade e subserviência do colonizado. A melhor estrada para isso seria a promulgação de uma "lei do trabalho obrigatório" capaz de oferecer braços negros aos setores produtivos, "educando" os indígenas pelo trabalho na disciplina e na vida organizada. O trabalho braçal competia "ao preto", já que outro trabalhador vindo de Portugal teria imensas dificuldades em suportar o sol escaldante dos trópicos. O desenvolvimento de um território não se poderia fazer com pequenos projetos e muito menos com a importação de trabalho braçal da metrópole. Lisboa, segundo Enes, era o destino lógico dos benefícios da exploração desse prolongamento da "mãe-pátria", era o império. Obstinado como era, conseguiria, vinte e um anos mais tarde, fazer aceitar, num diploma regulamentar, o princípio do trabalho forçado.[12]

Mereceu igualmente a indignação do seu nacionalismo ferido a ação missionária. Encontrara-a, à sua chegada a Moçambique, num estado lastimável, corrupta e desmotivada. A permanência dos missionários, nessas condições, era desfuncional, na sua opinião, aos interesses de Portugal nas colônias.[13] Antônio Enes propôs a organização de uma congregação das missões portuguesas na África Oriental, "com a proteção do Estado", para criar institutos capazes de "educarem os seus membros no próprio meio físico e social onde hão de funcionar[...]."[14] A ação missionária deveria dotar-se de eclesiásticos preparados ao sacrifício e capazes de "apressar a conquista moral de África e educar os habitantes das províncias portuguesas desse escuro continente para súditos dóceis da nossa soberania e obreiros produtivos dos nossos empreendimentos colonizadores [...]".[15]

ASSIMILAÇÃO NA PORTUGALIDADE

O sistema colonial funda-se numa contradição sem solução: só o baixo custo da mão-de-obra indígena e o lucro fácil compensam o risco do investimento; mas a onipresença ostentatória do mundo do colonizador choca brutalmente com a condição do colonizado; o sistema, pela persuasão ou pela força, procura legitimar a ordem hierárquica como "natural" e, para quem assim a aceita, acena com o "generoso" prêmio de lhe manter a esperança de mobilidade social. Para se perpetuar, o colonialismo deve, pois, abrir ao colonizado a aspiração de poder deixar de ser um excluído e vir a integrar a sociedade de abundância que está criando com o seu trabalho. Porém, a realização dessa "profecia" comprometerá, inevitavelmente, a motivação que a inspirou.

O colonialismo português viveu uma permanente ambigüidade entre a cobiça da pilhagem e a "expansão da fé" pela evangelização dos "mouros e dos primitivos". "Assimilação e colonização são contraditórias", dizia Memmi. Por isso, a relação com os povos das colônias fez-se sempre, sob a sombra protetora da cruz, pelo frio aço da espada.

Os ideais humanistas da Revolução Francesa vieram agudizar a contradição intrínseca do modo de produção colonial. Sem presença efetiva nas suas possessões, principalmente desde que o vendaval do liberalismo lhe havia levado o Brasil, Portugal não tinha, em meados do século XIX, outro pensamento africano que não fosse o projeto do Marquês de Pombal. O *lobby* de uma burguesia interessada na exploração produtiva de mão-de-obra a baixo custo ainda não existia em Portugal. Assim, quando as idéias liberais dominaram a monarquia lusitana depois da chamada "Revolução de 1820" as colônias foram juridicamente proclamadas como extensão do território metropolitano, passando a chamar-se "províncias ultramarinas", e a elas foram tornados formalmente extensivos, por conseqüência, os princípios de igualdade, justiça e fraternidade.

A "redescoberta" das colônias restituía ao pequeno país europeu, saudoso de glória, uma dimensão planetária. As colônias não podiam, portanto, ser entendidas senão como "parte integrante" de Portugal, como a continuidade física do país e, portanto, da nação. Na esteira deste silogismo, os habitantes das colônias são, *malgré eux*, portugueses; só que portugueses diferentes, incivilizados, não-cristãos, perante os quais é dever evangélico e civilizador de Portugal eliminar a diferença pela sua assimilação aos valores e comportamentos lusos.

Antônio Enes, com toda a veemência e sem hesitações nem ambigüidades, opunha-se à doutrina liberal da assimilação e considerava um delírio perigoso para a pátria que se proclamasse, estendendo-a às colônias, a unificação de "todos os portugueses [...] sem distinção de raças". Tão coerente nos projetos como racista e reacionário nos princípios, ele protelava a assimilação, interpretando-a como processo parcial, lento e gradual. Enes sabia que a assimilação, levada às últimas conseqüências, entraria em inevitável rota de colisão com a necessidade imperiosa, para Portugal, de uma brutal exploração das colônias, única forma de recuperar o atraso em relação ao resto da Europa. Outra preocupação reforçava a sua determinação em não apressar a assimilação: a urgência de ocupação física dos territórios impelia Portugal, país pobre e de baixo índice escolar, a enviar para as suas colônias cidadãos sem quaisquer qualificações, logicamente em desvantagem no mercado de trabalho perante os colonizados, muito mais adaptados às condições locais para o trabalho braçal. Para além do seu custo social, esses colonos corriam o risco da "cafrelização", representando um grave problema para quem, como os portugueses, se apresentava na África como "superiores".[16]

Mouzinho de Albuquerque, vencedor de Gungunhana, o imperador de Gaza que se opunha à ocupação portuguesa, demonstrou em textos anteriores e posteriores ao Relatório de Enes uma surpreendente convergência de pontos de vista que a rivalidade que dividia os dois homens não conseguiu diluir. Distancia-se, porém, do pensamento daquele quando se revela feroz inimigo do comerciante indiano, acusando-o de "elemento de desnacionalização", ou quando avalia o papel do capital estrangeiro em Moçambique. Para Albuquerque, as companhias concessionárias eram extremamente nocivas porque promoviam a penetração do grande capital internacional e porque, sem trazerem benefícios públicos, dilapidavam a colônia, usando as portas abertas pelos privilégios e incentivos.

Estes dois expoentes da geração de 95 traçaram, na virada do século XX, os alicerces da teoria em que iria se assentar a ação colonialista portuguesa e, em especial, a política colonial de Salazar.

A crescente influência da maçonaria na colônia e o "honesto" governo de Freire de Andrade,[17] também ele dessa geração, abriram espaços no autoritarismo da sociedade colonial moçambicana que permitiram a afirmação de alguns elementos da burguesia local como cidadãos destacados ou ativos intelectuais. Se a criação da Secretaria dos Negócios Indígenas em 1907 já fora uma advertência sobre a reação da máquina colonial ao alargamento de tais liberdades, o advento da República, com o seu cortejo de instabilidade e alternância de orientações políticas, permitiu que a pequena burguesia colonialista local se apropriasse das instituições e iniciasse, beneficiando-se da descentralização existente, um processo de consolidação do seu poder e de marginalização desses assimilados, vistos como um perigo.[18] Neste contexto se promulga, em 1917, a portaria determinando a obrigatoriedade de um requerimento para que ao assimilado fosse conferido o estatuto social de que já dispunha tacitamente. A regulamentação jurídica da categoria determina a sua existência como diferente, marginalizado na sociedade em que se insere e em que aspirou a ser um igual. Os assimilados recusaram a humilhação do alvará de assimilação e sucederam-se as discriminações e vexames decorrentes do fato de não possuírem legalmente o estatuto que os tornaria cidadãos portugueses. O projeto da assimilação na portugalidade sofre os seus primeiros reveses já na década de 1920.[19]

É legítimo afirmar-se, hoje, que a política de assimilação, se foi um enunciado importante na teoria política do colonialismo português, não foi, de fato, um objetivo real em qualquer das fases da dominação colonial anterior à década de 1960. Até então, os representantes em Moçambique do poder colonial não promoveram (e proclamar não é promover) o princípio da criação de uma identidade portuguesa abrangendo todos os habitantes do território: quando, em 1961, for abolido o Estatuto do Indigenato,[20] o número oficial de "assimilados" em Moçambique não atingirá 1% da população.[21]

Os intelectuais africanos de origem urbana do princípio do século procuraram responder, organizando-se no quadro do movimento associativo, naquele período em grande expansão. Em 1908 criava-se *O Africano*, um jornal bilíngue em português e ronga,[22] que seria, nos anos que se seguiram, o arauto das ilusões, das tomadas de posição, das aspirações, dos desencantos e da revolta desses assimilados. João Albasini e o seu irmão José foram chamados para dirigir esse semanário. Quando a sua voz de indignação e protesto deixou de ter espaço nas páginas desse jornal, os dois irmãos fundaram, em 1918, o seu próprio jornal: o prestigiado e histórico *Brado Africano*.[23] Nas suas páginas, com outros intelectuais assimilados, insurgiram-se contra as injustiças da sociedade colonial e a discriminação dos "naturais da colônia", em benefício de "os que vêm da metrópole". A evolução dos acontecimentos ia convencendo essa elite da falsidade dos princípios da assimilação, que eles haviam aceitado e defendido.

O grupo dos assimilados iniciou, então, uma longa "travessia do deserto" em busca de si próprio, de uma identidade-mãe capaz de acolher o seu isolamento e corporizar a sua ira reivindicativa. De críticos da monarquia, os seus integrantes passaram, num primeiro momento, a opositores da república e saudosistas daquele outro colonialismo que, pelo menos, "cumpria o que prometia". Apodados de monárquicos e reacionários pelos portugueses liberais e socialistas de então, recolhem à sua matriz católica e aliam-se com a Igreja mais retrógrada e anti-republicana. O espartilho do clericalismo obtuso impele os Albasini e alguns dos seus companheiros a um breve período de referências aos movimentos de massas sob a bandeira vermelha do socialismo. Mas os socialistas locais acusavam os assimilados de reacionários políticos e estes "sentiam" que aqueles não estavam a seu lado na humilhação e discriminação que viviam.[24] Isolada, essa elite foi compreendendo que a marginalização legal acentuava, de dia para dia, o seu posicionamento do lado dos "africanos" e "dominados", por oposição aos colonos portugueses e dominadores. Na sua viagem a Portugal, em fins de 1919, João Albasini apresenta as suas reivindicações, já como a voz dos colonizados, mesmo se ainda deixava transparecer o quanto os assimilados admitiam que o governo da colônia podia não refletir a vontade do governo do império. Na metrópole colonial fez ouvir a sua voz através da imprensa socialista portuguesa e conviveu ativamente com a Liga Africana, organização pan-africanista que recentemente se constituíra na linha de pensamento de Du Bois. A ação concertada com a Liga permite, durante a sua estadia, a pressão necessária para a revogação, embora efêmera, da famigerada portaria discriminatória. Prestigiado pelos resultados, Albasini regressa também entusiasmado com a Liga Africana e as idéias do pan-africanismo.

Porque outro caminho se lhes não deparava, ensaiavam alternativas para o reconhecimento da igualdade social e a sua reintegração na sociedade dos colonos mas, agora, já batiam à porta na qualidade de "representantes" dos colonizados, preparando-se mesmo para se candidatarem às eleições do regime. No *Brado Africano*, começaram a divulgar o pensamento pan-africanista da Liga Africana, proposta pelo próprio Albasini como organização centralizada em Portugal.[25] O movimento alastra-se a outras cidades. Em meados de 1920, seis anos após a criação oficiosa do Grêmio Africano de Lourenço Marques, funda-se o Grêmio Africano de Quelimane na capital da Zambézia, a que se segue o da Ilha de Moçambique e, em 1932, o de Manica e Sofala. Com todos os seus limites, essas elites representariam, no seu tempo, a voz mais significativa de um grupo social moçambicano em formação em torno de valores de "modernidade".

UM CRIOULO DE MOÇAMBIQUE

A partir do século XVII, a Coroa portuguesa institui um estatuto peculiar para portugueses e indo-portugueses que se fixaram na região do vale do rio Zambeze e sua foz. Nasciam os "Prazos", aforamentos de terras concedidos pela Coroa "por três vidas", com amplos poderes de governação. Os "prazeiros" consolidaram o seu poder, estabelecendo laços familiares com prestigiadas famílias locais. Os descendentes, e por vezes eles próprios, acabaram ocupando posições de poder nas estruturas tradicionais das sociedades africanas e alguns viriam, mais tarde, a tornar-se destacadas figuras da resistência militar ao domínio português. O regime dos "Prazos" deu, assim, origem a uma verdadeira aristocracia que condicionou culturalmente toda essa região, rio acima, até a atual cidade de Tete.[26] Por ação da fixação de comunidades árabes e suaíles, e também de pequenos grupos de indianos e portugueses, nasceram, em toda a costa de Moçambique ao norte do rio Zambeze, comunidades afro-árabes, afro-portuguesas e afro-indianas que assumiram relevância circunstancial, em particular, no período do comércio de escravos. Trata-se de outro tipo de fenômeno de miscigenação, com processos de fusão cultural profundos que marcaram as regiões sob sua influência. No sul de Moçambique, um processo desta natureza verificou-se principalmente na zona de Inhambane, onde os portugueses se fixaram por longa data, sede de contingentes militares, e estabeleceram relações familiares locais.

Estes três exemplos são significativos porque, mais do que simples processos de miscigenação, foram momentos raros de integração, nas duas direções, das comunidades em contato.

Michel Cahen, historiador francês que se tem ocupado do estudo da realidade de Moçambique,[27] referindo-se a essas comunidades e ao grupo de intelectuais africanos em torno de João Albasini, considera-os como integrados numa categoria sociocultural mais ampla, que define como "crioulo", cujo papel será importante no nascimento de uma consciência protonacionalista. Segundo Cahen, "no império português, os crioulos não são definidos pela cor da pele; trata-se de meios sociais heterogêneos que se caracterizam por uma antiga relação com o Estado colonial, formados por pessoas que podem ser negras, mestiças, brancas, goesas, até chinesas etc.". Ele distingue os "crioulos" do vale do Zambeze, e das zonas litorais como Angoche e as ilhas de Moçambique e Ibo, dos "crioulos" de Lourenço Marques e Beira, os quais seriam, segundo o autor citado, "mais negros, sem tradição [...] totalmente submissos às características coloniais contemporâneas".

Distanciando-me de Cahen na generalização e, principalmente, na análise desta distinção, condivido, contudo, quer a concepção alargada da sua definição quer a constatação de que estes dois tipos do fenômeno "crioulo" se diferenciam. Para os efeitos deste trabalho denominarei "crioulo histórico" os do vale do Zambeze (incluindo Quelimane), do litoral norte e de Inhambane e usarei a expressão "elite moderna emergente" para os núcleos nascentes nas principais cidades (de que o grupo do *Brado Africano* é precursor).

O crioulo histórico ficou marginalizado da dinâmica da modernização quando, nos fins do século XIX, os centros de decisão política e administrativa se transferiram para o sul, com a mudança da capital para Lourenço Marques. A cultura aristocrática da tradição dos "prazeiros" condicionou, de uma forma ou de outra, todos esses núcleos "crioulos" que, com a perda da sua influência política e a redução da importância econômica do norte de Moçambique, se refugiaram, a exemplo de todas as aristocracias, na fruição de um passado mitificado e no culto da própria tradição. Esse foi sempre, dominantemente, um grupo que viveu das rendas de uma média propriedade rural de família (alguém os chamou também a "aristocracia do coqueiro"[28]), da troca comercial ou da prestação de serviços, em especial, do funcionalismo público. Não foi certamente, no decurso do século XX, um grupo que produziu idéias ou que propôs novos caminhos.

Os "crioulos" do litoral norte e da zona de Inhambane, pequenos em número mas importantes como referências do seu tempo, divididos desde o início sobre questões de percepção da realidade circunstante, diferenciaram-se, de fato, com base no diverso grau de integração de cada um no processo de desenvolvimento econômico e tecnológico, isto em conformidade com a sua participação ativa no quotidiano da modernidade colonial.[29]

A elite moderna emergente representará uma linha de pensamento a montante do itinerário que conduzirá à "moçambicanidade". Esses intelectuais e cidadãos respeitáveis eram pessoas instruídas, profissionalmente competentes e, em geral, gozavam de uma situação econômica minimamente estável. Viviam "à moda européia", reunindo, portanto, condições para se ajustarem ao modelo de "civilização" preconizado pela política oficial. No entanto, a sociedade dos colonos, ainda que formalmente tolerante, não os aceitava como parte integrante da sua comunidade; no inconsciente coletivo da comunidade permaneciam sempre como "os outros". Tal situação estimulou entre os membros desse grupo social a tomada de consciência de que a sua identidade, já não sendo plenamente a da tribo dos seus antepassados — dadas as exigências de modernidade suscitadas pela vivência urbana —, não era também a de "portugueses como os outros". O sentimento de alteridade ir-se-á gradualmente potenciando e reforçará a dicotomia irredutível do colonialismo para a qual a única saída só poderia ser a separação de uma metrópole que, por recusá-los, se apresentava cada vez menos como a "sua" metrópole. Esse processo, levado às últimas conseqüências pelo efeito de avalanche provocado pelas discriminações e injustiças, significará a independência nacional.

Na periferia desse grupo "crioulo" se inserirão também setores da sociedade dos colonos, que, tendo iniciado e desenvolvido a sua atividade econômica em Moçambique, viverão na pele, com freqüência, a função subordinada que a administração lusa atribui à economia da colônia. Cria-se, assim, uma identidade por oposição não ao português (de que culturalmente esses setores fazem parte), mas ao centralismo de decisões que não só despreza as especificidades e ignora os interesses de Moçambique e "dos que aqui vivem", mas muitas vezes defende precisamente os interesses que se lhes opõem. Eles são, de alguma forma, os herdeiros das reivindicações autonomistas da geração de 95, mas também dos republicanos que ameaçaram proclamar a independência de Moçambique nos alvores de 1919 se a monarquia fosse restaurada em Portugal. Só que o novo "separatismo" renasce num tecido sociocultural muito menos ligado à matriz portuguesa da sua ascendência, pois esses setores da burguesia colonial nutrem um latente conflito com a "metrópole", embora tais sentimentos careçam de genuíno conteúdo nacionalista. É o que designarei, no decurso deste texto, por "moçambicanismo".

Esses "moçambicanistas" começarão, por sua vez, a dividir-se quando, anos mais tarde, a independência surgir já como iminente. A ala mais radical continuará a ver Moçambique como parte integrante de um Portugal pluricontinental e a sua presença no território, um intrínseco direito de soberania. Nesta convicção se fundamentará a "legitimidade" da sua rebelião contra quem, assinando o acordo para a independência, os privava dos seus "direitos". Como os *pieds noirs*,[30] esses colonos extremistas tentarão desesperadas rebeliões contra a Frelimo.[31] Todavia, a maior parte dos colonos, porque se recusou a acreditar no fim do sonho colonial e não foi capaz de romper com a mãe-pátria, manteve uma atitude de expectativa, sujeitando-se aos acontecimentos e acabando por abandonar Moçambique pela incapacidade de conceber a sua inserção numa sociedade em que os seus padrões deixariam de ser dominantes.

O ESTADO NOVO SALAZARISTA

Com o golpe de Estado de 28 de maio de 1926 e a instauração do regime de direita que se ia converter muito em breve na ditadura corporativista de Salazar, a política colonial manteve uma linha de continuidade. Duffy não tem qualquer dúvida em afirmar que o regime de Salazar se inspirou nos escritos e documentos da geração de 95, no que é acompanhado por muitos outros estudiosos da história da colonização portuguesa[32].

O regime recuperou, em Moçambique, a administração total do território, num conjunto de medidas que se inseriam numa política econômica de caráter nacionalista que, através da intervenção do Estado, se propunha definir os fluxos das trocas entre as colônias e proteger as relações econômicas destas com Portugal. O sonho do espaço econômico português, para uma rápida acumulação da burguesia da "metrópole", acompanharia o império até a sua queda, ainda que a abertura aos capitais internacionais se tivesse, entretanto, tornado inevitável.

Em 1930, dois anos após a subida de Salazar ao poder, foi publicado o Ato Colonial, que constituiria, por trinta anos, o documento orgânico do colonialismo português. Três anos mais tarde, foi promulgada a Reforma Administrativa Ultramarina (RAU), que lançou as bases da nova filosofia da ocupação administrativa do território. Retomava-se o legado teórico da geração de 95. Salazar proclamou: "Portugal não é um país pequeno. Tende cada vez mais a sê-lo cada vez menos!" A expansão agora não se anunciava no aumento dos territórios sob sua dominação, mas no crescimento da "Nação Portuguesa" pela integração de outros povos.

O respeito pelos "usos e costumes" das populações colonizadas opunha-se à idéia da assimilação. Mas a retomada da variável "gradualismo" no processo de integração civilizadora resolvia temporariamente a contradição: a assimilação absorvia a curto prazo apenas uma minoria e os "usos e costumes" tornavam-se, eles próprios, uma riqueza do modelo colonial português.

A presença da Igreja Católica em Moçambique permanecia fraca, desorganizada e desprestigiada, quando o golpe de Estado de 28 de maio triunfou. A ditadura retomou, com fervor confessional, as propostas de Enes e Mouzinho sobre o papel relevante que os missionários, devidamente enquadrados e apoiados, podiam assumir na consolidação da ocupação colonial e na construção da sua imagem "civilizadora".

A Igreja Católica aceitava a cumplicidade no processo colonial: pregava a resignação cristã pela ordem social do colonialismo; difundia o dever de obediência e a subserviência perante as instituições coloniais e privilegiava o ensino rudimentar com o argumento de que facilitava a integração dos moçambicanos num mercado de trabalho mais digno (mas usando nas suas plantações os alunos e alunas como mão-de-obra gratuita).

Nos seus primeiros anos, o salazarismo viveu a "síndrome brasileira": a ameaça ao "Portugal uno e indivisível" podia surgir apenas de tendências autonomistas de certos círculos de colonos já que, então, era inimaginável um separatismo negro. Mas quando, em meados da década de 1950, a febre da independência começou a tomar o continente africano, a máquina repressiva do colonialismo foi fortemente reforçada até atingir a eficiência brutal e a desumanidade perversa dos anos de guerra.

A diferenciação de Antônio Enes entre "indígenas" e "civilizados", a quase inexistente mobilidade entre estas duas condições sociais, a sua implicação direta na estrutura do trabalho produtivo dos moçambicanos permanecerão, por toda a vigência do Ato Colonial, as traves mestras da ordem social então prevalecente. Empunhando "numa mão a cruz e na outra a espada",[33] o colonialismo português realizava o seu destino muito mais próximo de Maquiavel do que de Camões.

LIBERDADE, CONTRAGUERRILHA E POLÍTICA

Só a partir de década de 1960 a assimilação começa a ser encarada como um elemento político importante, como resultado da intensificação da luta dos povos africanos pela liberdade. Mas, no seio do sistema, dois fatores influenciam essa mudança: a estratégia global da contraguerrilha e a exigência de argumentação política e jurídica capaz de sustentar internacionalmente a posição portuguesa.

Em 4 de fevereiro de 1961 ocorreu uma rebelião em Luanda, prontamente reprimida com grande ferocidade. Cinco semanas mais tarde, dá-se a explosão de raiva das populações ao norte da capital angolana, os bakongos, que massacraram cerca de 2 mil colonos e assumiram o controle de um vasto território. Salazar foi informado da iminência da revolta e não tomou quaisquer providências. Os fatos que se seguiram permitem-nos, hoje, afirmar que o ditador português pretendeu criar, com o massacre, um estado de espírito nacional e internacional capaz de legitimar a palavra de ordem "Para Angola em Força", que lançou a guerra colonial.

A campanha de propaganda lançada por Lisboa baseou-se na exploração do horror e na exortação à retaliação. Essa campanha de choque acendeu desejos de vingança e fez transbordar ódios contidos, mas, ao mesmo tempo, tornou o exemplo de Angola conhecido por vastíssimos setores da população de Moçambique. Para estes, a violência dos angolanos surgia como legítima, em face da violência primária do colonialismo, e a sua simpatia não estava com os colonos trucidados mas com os angolanos vítimas da repressão. A revolta em Angola revelava-lhes a vulnerabilidade do colonialismo. O seu destino não era, por imposição divina, a portugalidade. Os habitantes de Moçambique foram postos, de chofre, perante a questão da própria identidade.

Nos anos 60, multiplicavam-se na África e na Ásia as independências das colônias. A Organização de Unidade Africana e o Movimento dos Não-alinhados tornavam-se protagonistas na cena internacional, perturbando o equilíbrio nascido no pós-guerra. O pan-africanismo renascia das cinzas, como ideal inspirador do ressurgimento africano, com o Congresso de Manchester.[34] A urgência de justiça social pós-colonial e a importância de uma síntese entre as próprias raízes e as exigências do mundo moderno davam origem a um pensamento político africano de conteúdo socializante.

Em Moçambique, nos fins da década de 1950, por influência dos movimentos políticos anticolonialistas em Tanganica e no Quênia, na Federação das Rodésias e Niassalândia, bem como na África do Sul, começaram a ser sentidos os primeiros efeitos dos *winds of change*, anunciados pelo *premier* britânico Harold MacMillan, na Cidade do Cabo. Em 1960, verifica-se um acontecimento importante: a população de Mueda, Cabo Delgado, pede às autoridades portuguesas a independência da sua zona. A resposta da máquina colonial traduziu-se no massacre de 16 de junho, revelador do futuro que se reservava à colônia. Entre os moçambicanos emigrados nos territórios coloniais confinantes nascem, então, três organizações nacionalistas inspiradas em forças políticas independentistas desses países, que se juntarão, em 1962, na Frente de Libertação de Moçambique (Frelimo). Eram elas:

1) MANU (Mozambique African National Union), criada em 1961 em Momivassamnole (Quênia), por Matthwe Mnole e Milinga, dois makondes residentes em Tanganica, à qual logo aderiu a maioria do TMMU (Tanganica-Moçambique Makonde Union). A MANU foi constituída por trabalhadores moçambicanos de etnia makonde residentes em Tanganica, Zanzibar, Quênia e Uganda para reivindicar a independência (dos makondes) até ao rio Messalo;

2) Unami (União Africana de Moçambique Independente), formada no Malauí, essencialmente por emigrantes provenientes de Tete e Zambézia;

3) Udenamo (União Democrática Nacional de Moçambique), fundada em 1960 por Adelino Gwambe em Bulawayo, na Rodésia do Sul, com a adesão de trabalhadores emigrantes do sul e centro da colônia.[35]

No plano internacional, alteravam-se as correlações de forças e as mentalidades. As derrotas francesas na Indochina e na Argélia e as concessões a que foram forçados os britânicos no Quênia e na Malásia determinaram um repensamento, por parte dos estrategos das potências imperialistas, sobre a resposta a dar a essas guerras não-convencionais. A ciência militar apropria-se das teorias da guerra popular revolucionária, descobre a importância estratégica da sua "base social" e compreende a natureza política da confrontação. Estrutura-se o conceito político-militar da "guerra subversiva". Os militares, antes dos políticos, apercebem-se de que se está encerrando, de forma irreversível, uma época.

O exército colonial português será herdeiro dessa experiência. No plúmbeo panorama da vida política portuguesa, dominada por um fascismo cansado e *démodé*, os militares treinados na Inglaterra, na França e nos Estados Unidos, estagiários nas suas diversas frentes de combate, trazem novas exigências para a política colonial. Aprenderam que as guerras não eram ganhas quando se opunham às aspirações profundas dos povos e quando os políticos das potências ocupantes, recusando-se a aceitar a história, pautavam a sua ação pela hesitação e pela falta de audácia. A solução era antecipar as reivindicações que se iam exprimir inevitavelmente por via revolucionária.

Como componente imprescindível da contra-guerrilha, impunha-se a ação político-ideológica, chamada na terminologia militar de "guerra psicológica". Naqueles anos, esta ação desenvolvia-se em dois planos: inserindo a revolta dos povos do Terceiro Mundo na estratégia global da guerra fria e criando mecanismos nacionais na orgânica administrativa que obrigassem o aparelho de Estado a assumir ativamente essa dimensão político-ideológica. Elemento-chave da guerra psicológica, na experiência francesa, era a chamada ação psicossocial, a qual tentava incorporar à tradicional ação psicológica a aplicação de medidas bem definidas de administração e governo para dar resposta a exigências concretas e prementes da população suscetíveis de se transformarem em motivos de agitação e propaganda dos revoltosos. A resposta à guerra subversiva concebia a participação crescente de tropas locais nas ações militares e a motivação social das populações com o objetivo de mobilizar um número sempre maior na oposição à atividade guerrilheira. Este esforço requeria estudos detalhados das características dos vários grupos populacionais, bem como das suas diferenças e rivalidades. Nasce, assim, uma verdadeira "antropologia da guerra", que iria permitir a evolução da contra-subversão, de estratégia defensiva para estratégia ofensiva. Essa mutação está na base da teorização, década e meia mais tarde, dos "conflitos de baixa intensidade" (*low intensity conflicts*) que caracterizaram a guerra moderna não-nuclear e transformaram o panorama geopolítico neste fim de século. Para ganhar a guerra, por conseguinte, os militares portugueses tinham de impor aos seus políticos novas idéias, novos métodos, novas estratégias de ação, isto é, uma diversa atitude política em relação às colônias.

No campo ideológico e diplomático, o regime sentia também a necessidade de novos argumentos e de uma estratégia refrescada. O Ato Colonial contemplava a assimilação dos indígenas como o processo da sua absorção política, cultural e econômica no corpo da "nação portuguesa". A eliminação da diferença, representada pela assimilação, significaria o fim da hierarquia colonialista, dado que a sua "legitimidade" se baseava na "superior civilização" do colono ou, por outras palavras, exatamente na diferença. Paralelamente, o respeito pelos "usos e costumes" dos indígenas, defendido pelo Ato Colonial, entrava em conflito com a própria doutrina assimilacionista, tinha o condão de desvelar a verdadeira natureza da formulação tão cara à teoria colonial lusa. Nos inícios da década de 1960, o projeto português apresentava-se, despido dos seus ouropéis, esfarrapado e cabisbaixo, carpindo a vergonha da sua falsidade: o apregoado humanismo cristão da doutrina resumia-se, afinal, a um maquiavélico plano de cooptação, para a portugalidade, de uma pequena liderança africana colaboracionista. Esse modelo desenvolvia-se na linha de continuidade de um enunciado em conflito com a prática do colonialismo. A quase totalidade dos colonizados era relegada para a periferia da modernidade, onde, em regime de subsistência, devia constituir uma subserviente reserva de mão-de-obra excedente.

Do Brasil vem um inesperado apoio. O sociólogo Gilberto Freyre fala de "lusotropicalismo", de uma especial vocação que os portugueses teriam para os trópicos, onde se harmonizariam de maneira privilegiada com as condições ambientais, com uma psicologia tropical de hospitalidade e brandos costumes e com a cultura das populações locais. Desse encontro teria surgido o mulato, consangüíneo e definitivo interlocutor entre as duas comunidades, as duas culturas, as duas civilizações. Ao mulato caberia, segundo Freyre, a responsabilidade histórica de dinamizar a formação de uma nova nacionalidade.

Gilberto Freyre vê nos portugueses um exemplo de "tolerância cultural e religiosa" que, "desde sempre", teria sido característica do seu relacionamento com as populações autóctones. O "respeito pela diversidade de culturas" tornaria os colonos portugueses, no decurso do gradual processo de assimilação dos indígenas, permeáveis, também, a influências "locais".

A idéia-força que suportava o "lusotropicalismo" residia na sedução da imagem idealizada de um Brasil em que, de forma harmoniosa, a contraposição racial se teria sintetizado numa nova identidade. Curiosamente, um conceito que surge hoje como inequivocamente funcional à passagem do colonialismo luso para o neocolonialismo gerou então anticorpos no regime salazarista, que só mais tarde seriam eliminados. Conceitos como "uma nova nacionalidade" negavam o princípio consagrado da unicidade e indivisibilidade da nação lusíada. De maneira análoga, aceitar o colono tropicalizado e promíscuo, proposto como modelo por Freyre, colocava em discussão a imagem de "superioridade" que o colonialista tinha de si próprio. A tolerância perante a presença do Islã nos territórios africanos punha em causa a eficiência com que "defendia", nas suas "províncias ultramarinas", a civilização (judaico-cristã) ocidental. Ironicamente, o pensamento de Freyre contribuiria, na época, para alimentar uma imagem mítica da realidade brasileira na formação da consciência política e social dos intelectuais das colônias.

Intensificava-se, todavia, a pressão da comunidade mundial para demover Portugal das suas posições rígidas, forçando Lisboa a buscar novas formulações teóricas que pudessem proporcionar, aos seus políticos e diplomatas, argumentos frescos e respeitáveis. A imobilidade ideológica não permitia sequer inovações retóricas. Os teóricos do colonialismo deixam-se gradualmente fascinar pela sociologia moderna de Freyre e aproximam-se do modelo analítico do "lusotropicalismo". Racionalizam uma leitura menos emocional e preconceituosa e entendem que o modelo de Freyre salva a hegemonia do português tropicalizado "na unidade de sentimento e de cultura"[36] que se criaria. Marcello Caetano, primeiro, e Salazar, mais tarde, desposam finalmente a teoria. Perante a ameaça da queda do império, o modelo Brasil deixa de constituir o perigo para se propor como solução. Reformula-se a "missão" da guerra colonial. A guerra psicológica, sendo guerra política, carecia de uma idéia-força capaz de se contrapor às idéias-força dos movimentos de libertação.

Nos alvores da década de 1960, Salazar escolheu um ministro da nova geração, o professor Adriano Moreira, intérprete de um pensamento de direita mais adequado àqueles tempos, e apoiou-o na revogação, em fins de 1960, do velho Ato Colonial (que, entretanto, fora objeto de duas revisões sem significado). Mesmo considerando que as alterações tivessem pesado mais na forma do que nos efeitos imediatos sobre o quotidiano da sociedade colonial, a revisão legislativa elaborada pelo novo ministro, ao abolir o Estatuto do Indigenato, desvinculava, pela primeira vez, o acesso à "nacionalidade portuguesa" da condição de "civilizado"/"assimilado". Adriano Moreira atribuiu ao conceito de "cidadania" contido no quase centenário Código Civil português — como faz notar Macagno, no seu estudo[37] — "o significado de nacionalidade". Os originários das colônias, vivendo sob soberania portuguesa, passavam a ser considerados juridicamente membros da "Nação Portuguesa", ainda que, na vida prática, não usufruíssem, em nome do respeito pelo seu patrimônio consuetudinário, dos mesmos direitos políticos de que gozavam os membros da "Nação Portuguesa" na metrópole.[38] A "cidadania", se quase não afetou o dia-a-dia dos colonizados, veio a ter repercussões políticas que não se podem ignorar.

CIÊNCIAS SOCIAIS E GUERRA COLONIAL

A conjuntura nacional e internacional, que se desenvolvia rapidamente, levou à criação em Moçambique dos Serviços Provinciais de Ação Psicossocial e dos Serviços de Centralização e Coordenação de Informação (SCCI). O regime harmonizava-se com a "guerra psicológica" não apenas nos centros de estudo e investigação em Portugal, buscando fundamentos históricos, antropológicos e estratégicos para "legitimar a presença portuguesa no mundo", como também, agora, nas próprias "Províncias Ultramarinas" e, neste caso, de Moçambique. A novidade introduzida foi o incentivo que passou a ser dado no âmbito de serviços estatais à pesquisa socioantropológica, até então reduzida. A "investigação científica" passou a ser realizada também por investigadores contratados e pelos quadros práticos da administração mais qualificados. A seleção dos temas e das áreas era feita de forma a tornar esses estudos imediatamente funcionais aos objetivos políticos suscitados pela dominação colonial.

Assim se começam a efetuar trabalhos concretos de antropologia,[39] sociologia e psicologia voltados para os problemas das comunidades locais, visando à definição de métodos eficazes de relacionamento com as populações e objetivando soluções para situações concretas. Aproveitando as investigações realizadas por funcionários administrativos dos mais experientes e preparados, estudaram-se os diferentes grupos étnicos moçambicanos, já não na perspectiva exótica dos "usos e costumes", mas procurando distinguir as suas dinâmicas internas, os valores mais sagrados, as estruturas de poder, a história e as tradições. Mas o trabalho tinha horizontes mais amplos. Seguiu-se com atenção a problemática inerente à socialização do africano nas novas realidades urbanas; acompanhou-se a presença e influência de confissões e congregações religiosas e de seitas sincréticas e procedeu-se à análise criteriosa do crescimento dos sentimentos nacionalistas entre os diversos estratos populacionais, bem como da gênese e do desenvolvimento dos movimentos nacionalistas que nasciam nos países vizinhos.

Os estudos eram feitos para apoiar e tornar mais adequada a ação de elementos decisivos do Estado (administradores, polícias e militares) junto às populações, procurando aumentar a eficiência da propaganda, da persuasão e coação psicológica ou da pura repressão. O objetivo principal era identificar pontos-chave sobre os quais agir; conhecer melhor o destinatário para mais facilmente o atingir; antecipar as suas aspirações e reivindicações realizando-as ou reprimindo-as antes que se tornassem explícitas e organizadas; reduzir o espaço de manobra política, psicológica e física do "inimigo".

Em 1964, os SCCIs efetuaram um estudo sobre "a ação a realizar com vista à conquista da adesão das populações". Depois de um inquérito às autoridades administrativas (o autor[40] queixa-se da falta de respostas), produziu-se um relatório bem representativo da elite mais "antropológica" do regime, o qual considera como uma tendência dominante, se não mesmo um processo inevitável, a "integração" das populações moçambicanas na perspectiva da formação de uma "Nação". É possível, diz o relatório, infiltrar as "forças sociais" que impulsionam os "grupos nativos", e disso é prova a experiência dos "Prazos da Coroa". Esta seria a estrada para se passar de uma fase de "mandar nas populações" (que o autor identifica com o relacionamento autoritário e violento que caracterizou o apogeu do colonialismo) a uma nova abordagem de "comandar as populações". Logicamente, ao apontar os "Prazos" como referência, o documento concebe como idéia-força do seu projeto civilizacional uma "Nação Portuguesa" peculiar, na qual convergem culturalmente os dois pólos em causa. A "superioridade" da cultura portuguesa deve prevalecer, é certo, mas o resultado final é qualquer coisa mais do que o puro e simples "desaparecimento" da cultura africana.

Para o autor, a "subversão" devia-se à crise vivida pela comunidade em virtude do processo de aculturação. Tratava-se, pois, de uma crise causada pelo crescimento em direção à modernidade, como resultado, portanto, da "ação civilizadora" do colonialismo, e não determinada pela crescente tomada de consciência da dominação, da exploração e da despersonalização motivadas pela ocupação colonial. Nesse modelo, o apoio aos "usos e costumes" visaria à estabilização interna da comunidade para neutralizar a influência da "subversão" e daí partir para um novo relacionamento, ganhando a adesão das populações para as vantagens da sua integração na "Nação Portuguesa".

A atribuição ao "indígena" do estatuto de cidadania no contexto da soberania portuguesa levantava a questão fundamental: conseguiria o colonialismo evitar que o novo "cidadão", no uso dos direitos adquiridos, desenvolvesse predominantemente uma identidade moçambicana ou seria capaz de conseguir que ele se procurasse exprimir como português?

Para os colonos portugueses também essa "viragem" da política causou profunda perturbação. O regime criara um ambiente propício à resposta violenta e à exacerbação da fratura racial. De repente, propõe uma atitude psicossocial que é vista como "protegendo" o colonizado de violências que eram prática "normal" e apregoando uma relação harmoniosa entre as comunidades. O colono, em geral, conhecia mal o colonizado. Tinha dele preconceitos, representações caricaturais, desrespeito pelos "usos e costumes", menosprezo pela sua "inferioridade". A paridade, mesmo formal, era inadmissível. O colono via diminuir a sua margem de impunidade e a sua "superioridade institucional". A elite moderna emergente, pelo seu lado, sentia alargar-se o seu espaço estrutural e, com este, crescer a consciência dos recentes direitos constitucionais. De dia para dia, em lugar da integração sonhada pelos teóricos do colonialismo lusíada, consolidava-se a polarização.

A dialética entre a vontade política de uma minoria teórica "iluminada" e a incapacidade de uma prática consentânea demonstrava o irrealismo da proposta da portugalidade.

Esse contexto reflete-se no domínio da produção cultural, cujos sinais apontam para uma opção. A literatura moçambicana, tanto na prosa como na dicção dos seus poetas, assume-se como voz da elite moderna emergente em Lourenço Marques (Maputo) e na Beira,[41] buscando as próprias raízes e denunciando as iniqüidades da ordem colonial. "A contestação da assimilação como sistema foi iniciada pela geração pós-guerra (1939-1945) numa luta que se transformou no gérmen da consciência nacionalista, cujas letras e as artes desempenharam um papel de relevo no despertar da consciência do africano. Tal contestação, por ironia da história, foi liderada por assimilados e elites urbanas, como uma tentativa de retornar às origens relegadas num passado recente em favor da portugalidade", afirmou o pastor Boaventura Zitha na Beira em 1994.[42]

O sistema não foi capaz de contrapor uma alternativa literária e cultural de portugalidade. As escassas publicações que exprimiam uma visão colonial não se impunham como referências da literatura de Moçambique não só pela sua baixa qualidade literária mas sobretudo pelo vazio social, psicológico e temático da problemática que propunham. A elite intelectual, continuadora da tradição dos protonacionalistas do início do século, exprimia, pois, uma proposta incontestável na direção da "moçambicanidade".

No plano administrativo, a nova ordem jurídica implantada a partir de 1960 descentralizava espaços de decisão. Para ganhar novos aliados internacionais e novos *lobbies*, Lisboa abriu Moçambique ao investimento estrangeiro e à livre concorrência entre as instituições de crédito. Prepararam-se grandes investimentos infra-estruturais com o intuito de interessar investidores internacionais nas oportunidades de negócios e um sistema privilegiado de créditos bancários à construção civil para facilitar a fixação dos colonos ao território.

O fracasso da proposta da portugalidade levava uma parte da população de origem portuguesa, sentindo-se "desamparada" pelo Estado colonial, a nutrir, de novo, sentimentos de moçambicanismo quando, nas zonas sob controle da Frelimo, fermentava a consciência de uma moçambicanidade que, diversamente do moçambicanismo, se afirmaria pela sua autonomia e, simultaneamente, pela sua contraposição e confrontação com a portugalidade.

JORGE JARDIM, O LONGO BRAÇO DO COLONIALISMO

A incapacidade da sociedade colonialista de interiorizar a estratégia da portugalidade e a resistência passiva da própria máquina estatal em Moçambique abriram espaço para a tentativa de comprometer uma parte da sociedade colonial num projeto integrado e paralelo às estruturas governamentais, introduzindo na metodologia da assimilação a variável inovadora da autonomia. Marcello Caetano não era insensível ao fascínio de uma possível solução "à brasileira". Jorge Jardim, um salazarista convicto na alvorada do Estado Novo, iria ser o seu impulsionador.

Nos anos 50, na cidade da Beira, a segunda maior do território, evidencia-se um administrador de empresas, o engenheiro Jorge Jardim, ex-subsecretário de Estado do Comércio e Indústria do governo de Lisboa e recém-chegado de Portugal para assumir a direção da empresa Lusalite de Moçambique, no Dondo, nos arredores da Beira. No ano seguinte era já presidente da Associação Comercial da cidade. A sua reputação de protegido de Salazar viria a ser reforçada, no início da década de 1960, por rumores sobre "missões secretas" e rocambolescas aventuras em Angola, na Índia, no Congo Belga etc. O seu nome surgia, então, associado à polícia política, a PIDE, mas, como mais tarde se viria a provar, embora colaborando ativamente, ele operou, de forma independente ou em relação direta com o governo central. Em 1964, expôs-se como protetor do tenente Orlando Cristina,[43] tirando-o do cárcere militar onde estava acusado de ter desertado para a Frelimo. Só mais tarde se veio a saber que Cristina fora enviado numa operação ultra-secreta, com o intuito de se infiltrar na Frelimo, onde conseguira chegar à sede central do movimento. Com essa iniciativa Jardim ganharia um precioso colaborador.

Procurando romper o cerco diplomático que se criava com as independências dos países da região, Jardim aproximara-se logo em 1964 do presidente Kamuzu Banda do Malauí. Para demonstrar a sua boa vontade, concebeu e organizou, para o presidente, uma milícia da juventude malauiana, de modelo fascista, os Young Pioneers, que foi criada e treinada por Cristina. A "fidelidade" a Banda granjeara-lhe a sua estima e valeu-lhe a nomeação como cônsul honorário do Malauí na Beira, principal ponto de acesso ao mar daquele país. Essa amizade permitiu que, com a ajuda da diplomacia do Malauí, Jardim pudesse aceder a alguns chefes de Estado africanos, nomeadamente do Magrebe e da costa ocidental, e, posteriormente, ao governo da Zâmbia, país que, embora dependente dos portos moçambicanos, era favorável à descolonização.

Entretanto, com a ajuda da PIDE, organizou a desestabilização dos países vizinhos, tentando enfraquecer as bases logísticas da Frelimo e o importante apoio dado, principalmente, pelo governo tanzaniano. Estabeleceu, sempre por intermédio da sua "conexão malauiana", contatos com um forte oposicionista de Nyerere, Oscar Kambona, preparando operações militares no país, sabotagens nos portos e vias de comunicação e a intensificação da criminalidade e insegurança em Dar es Salaam. Essa atividade terrorista e subversiva foi, depois, tornada extensiva a Zanzibar, com o apoio ao sultão deposto e o envolvimento no assassinato do presidente da ilha e vice-presidente da Tanzânia, xeque Abeid Karume.[44]

Nos fins da década de 1960, Jardim é autorizado a organizar grupos militares especiais totalmente constituídos por moçambicanos, treinados sob a direção, mais uma vez, do Cristina. Essa força especial, designada por GEs (Grupos Especiais), comandada, primeiro, por oficiais portugueses, deveria realizar tarefas complementares e libertar as forças especiais portuguesas do exército colonial para operações prioritárias. A experiência da "vietnamização" do conflito no Sudeste Asiático estimulou Jardim a solicitar cada vez maior autonomia para os seus GEs. Sempre com a sua base no Dondo, próximo da sua residência, conseguiu autorização para criar unidades especiais pára-quedistas (os GEPs) e, depois de 1970, para enquadrar as suas forças com sargentos e oficiais subalternos nascidos em Moçambique.

Em 1970, o exército colonial lançou a Ofensiva Nó Górdio, a maior operação militar de toda a guerra colonial portuguesa, anunciada pelo comandante da Região Militar de Moçambique, general Kaúlza de Arriaga, como decisiva. A ofensiva não atingiu os seus objetivos principais e a guerrilha aproveitou a concentração de forças na frente norte para contra-atacar na frente ocidental e, em 1971, passar a guerra para o sul do rio Zambeze, estendendo-se para regiões vitais do ponto de vista da economia e da segurança dos colonos. Jorge Jardim compreendeu, então, a inevitabilidade de uma solução política para a guerra e a importância de um interlocutor que fosse moçambicano. Era urgente, para o seu projeto, transformar a guerra colonial numa guerra entre moçambicanos.

Jardim conseguiu que os seus GEs e GEPs fossem chamados para frentes de combate nas regiões centrais, fato que se vai revelar importante no processo histórico pós-independência na medida em que contribuiu para o aprofundamento de uma rivalidade, já existente, entre o Centro e o Sul do território. Vivida na região de Manica e Sofala pelos vários estratos da população, tal rivalidade derivava de uma conjugação de fatores. As populações africanas, principalmente do grupo ndau, tinham ainda bem vivas, na memória coletiva, a despótica ocupação nguni até meados do século XIX, e o ressentimento pelo cortejo de atrocidades e humilhações infligidas pelo invasor.[45]

A Beira surgia como símbolo de rebeldia contra o governo da colônia, representante do poder em Lisboa. Jorge Jardim queria constituir-se como ponto de referência desse capital de separatismo, ao mesmo tempo que avaliava as forças em campo e preparava um exército que fosse expressão do seu projeto. Jardim sempre procurara ter prestígio entre a população branca e a elite moderna emergente da cidade e conseguira, pelo menos, que os estratos sociais por ele visados se polarizassem, uma parte em torno do bispo Dom Soares de Resende, acérrimo crítico das injustiças da sociedade colonial e seu adversário, e a outra à sua volta. Presidente da Associação Comercial da Beira por vários anos, ele procurou a liderança do setor econômico, dividido entre a fidelidade a Portugal e uma crescente simpatia pelos separatistas da UDI.[46] Quis a providência que Dom Soares de Resende falecesse, o que permitiu a Jorge Jardim adquirir o *Diário de Moçambique* ao seu substituto e encerrar o jornal. Perante a desconfiança da comunidade branca, nomeou para a direção do seu semanário *A Voz Africana*[47] Miguel Murrupa, um antigo quadro da Frelimo, originário da Beira e que se havia entregue às autoridades coloniais. Criou um novo diário, ressuscitando um velho título, *Notícias da Beira*, que usou para os seus editoriais programáticos, assinados C. A. Quando em janeiro de 1974 ocorreu uma violenta manifestação dos colonos junto ao quartel-general do Comando da Região Militar de Moçambique, na Beira, Jorge Jardim interveio como apaziguador da multidão, mostrando a Marcello Caetano a sua força como mediador da situação interna em Moçambique. Escreverá mais tarde: "Estava demonstrado que as populações me respeitavam, seguiam a minha orientação e me escutavam mesmo nos estados emotivos mais agudos."[48]

A ALTERNATIVA DO "MOÇAMBICANISMO"

A partir de 1973, Jardim mandou que, aos GEs e GEPs, começasse a ser explicada a inevitabilidade da independência de Moçambique e que eles se deveriam preparar para constituir o futuro exército do país. A Frelimo, explicava-se, seria uma das forças políticas presentes no Moçambique independente e os seus soldados e oficiais, que demonstrassem capacidade para tanto, seriam integrados no referido exército. Ao mesmo tempo, porém, tentava mobilizar e armar as estruturas do poder tradicional para combaterem a Frente de Libertação, procurando deste modo envolvê-las nos seus planos. Os militares e os colonos reagiram energicamente quando se soube que ele ordenara a distribuição de armamento moderno aos chefes tradicionais na região do Barué. Torna-se, nessa fase, de domínio público que a alternativa de Jorge Jardim e do seu grupo envolvia a autonomia como etapa intermediária para uma independência de Moçambique. No seu projeto, os símbolos visíveis do poder (governo e exército) seriam detidos prioritariamente por personalidades políticas e militares africanas (de que fariam parte indivíduos da elite moderna emergente, personalidades políticas dissidentes da Frelimo e crioulos históricos), investidas nessas funções por "generosidade" do governo português, auspiciado como protetor e parceiro privilegiado do novo Estado. O controle efetivo e real do aparelho estatal e, principalmente, da economia permaneceria nas mãos de um empresariado integrando, de preferência, elementos da comunidade branca, sobretudo aqueles animados por forte sentimento regionalista, e de crioulos tradicionais de Nampula, Zambézia, Tete e Inhambane. Apesar da sua importância na colônia, as comunidades indianas e paquistanesas eram secundarizadas em benefício dos goeses e chineses. A absorção futura dos elementos da Frelimo, nesse seu desenho de sociedade, farseia a um ou a outro nível, nas oportunidades oferecidas pela "generosidade" de um governo de "transição e unidade", no qual participaria uma componente representativa dos interesses de Portugal.[49]

O diálogo com a Frelimo era essencial no seu projeto para não deixar de fora tanto a contestação política e social, representada pelo movimento nacionalista, como a identidade moçambicana em desenvolvimento no contexto da sua luta libertadora. Acreditando na inferioridade ética e civilizacional da raça negra, Jardim estava certo de absorver no moçambicanismo o processo identitário conduzido pela Frelimo. Estava, sem dúvida, seguro de que o seu plano seria capaz de realizar, a médio termo, o essencial das reivindicações e motivações da maioria dos indivíduos que haviam aderido à Frelimo. A minoria politizada e/ou radical seria, assim, isolada e neutralizada.

No início de 1974, Jardim considerava-se o dirigente predestinado e legitimado para uma solução "diferente" e preparava-se para a pôr em prática. Ordenou uma avaliação das forças que apoiariam uma iniciativa sua, concentrando-se nas unidades especiais do exército português (comandos, tropas pára-quedistas, fuzileiros navais) e nas unidades locais (GEs, GEPs, milícias, etc.). "À nossa influência só escaparam, sempre, os 'Flechas' (corpo militarizado da 'DGS') e algumas 'milícias' distritais, como as que dependiam do famoso comandante Roxo."[50]

Com o 25 de Abril de 1974, em Portugal, os acontecimentos precipitaram-se. Quando se tornou evidente que estava iminente a independência sob a direção da Frelimo, Jardim adaptou-se rapidamente à nova realidade: escreveu a Samora Machel[51] e solicitou a adesão àquele movimento; ao mesmo tempo, procurava conquistar o apoio do prestigiado advogado negro Domingos Arouca[52] para uma organização política que se opusesse a Machel e, na busca de alternativas político-militares, persistia conspirando para a hipótese de a Frelimo não aceitar a solução que preconizava. Com o objetivo de se preservar como contraparte credível de uma negociação política sobre a independência, recusou o apelo feito pelos colonialistas extremistas da tentativa de rebelião de 7 de setembro e evitou um envolvimento público com os antigos dissidentes em revolta contra o movimento de libertação.[53]

A partir do momento que começou a conceber uma solução separatista, Jardim sempre se revelou preocupado com uma identidade moçambicana alternativa à que se vai construindo nas zonas libertadas e nas elites, principalmente a sul do rio Save e em Lourenço Marques. Procurou colher o impacto junto à juventude da discussão sobre a moçambicanidade que animava os círculos mais intelectualizados dos centros urbanos, retirando a componente dialética da ruptura traumática com Portugal e diluindo essa moçambicanidade, com a "cumplicidade" tácita de crioulos históricos, numa maneira de identificar Moçambique como produto e prolongamento espiritual da lusitanidade. Com roupagem moderna, repropunha-se, uma vez mais, o moçambicanismo.

Com o projeto de Jorge Jardim fecha-se, de certa maneira com lógica, o itinerário tortuoso do dilema insolúvel do colonialismo português. Jardim é a derradeira tentativa deliberada de mobilizar os elementos de resistência à mudança presentes na sociedade, as suas forças conservadoras,[54] oferecendo-lhes uma alternativa. Mas, como disseram Abrahamsson e Nilsson,[55] com a aplicação rígida da estratégia econômica de proteção ao capitalismo em Portugal "(...) perdeu-se a possibilidade de criar uma classe média moçambicana preta, com a qual os portugueses residentes se poderiam aliar quando da independência. Quando a política, tarde demais aliás, começou a se modificar nesse aspecto, a resistência anticolonial tinha já sido radicalizada e estava totalmente absorvida pela Frelimo". Sem classe média, não há projeto neocolonial. Com efeito, tal como o colonialismo português sempre se "moveu atrás da História", também o neocolonialismo havia de conceber a sua estratégia só após estar consumada a independência de Moçambique.

FRELIMO: A MOÇAMBICANIDADE

O processo de formação da "moçambicanidade" percorreu caminhos diferenciados que a História faria convergir. A exploração violenta e alienante do colonialismo português levara centenas de milhares de habitantes de Moçambique a buscar trabalho menos mal pago nas plantações e minas dos territórios vizinhos. Aí se integraram no quotidiano local e, com os povos desses territórios, viveram, depois da Segunda Guerra Mundial, o trabalho das organizações políticas nacionalistas (sindicatos e partidos), a radicação entre as populações dos ideais panafricanistas e independentistas, o anúncio dos primeiros programas de governação concebidos e propostos por africanos. Nesses países vizinhos os trabalhadores provenientes de Moçambique tomaram conhecimento dos direitos universalmente consagrados e, dentre estes, do direito a reivindicar a própria liberdade. Unidos pela marginalização como estrangeiros, mas também por vínculos étnicos e lingüísticos, criaram as suas primeiras organizações políticas, ainda com caráter regional, e procuraram levar a experiência adquirida aos seus conterrâneos no interior da colônia. A Frelimo, como se mencionou, surgiu da unificação dessas organizações que, individualmente, se haviam mostrado incapazes de levar a cabo um projeto político conseqüente e, menos ainda, uma abordagem realmente nacional.

Paralelamente, desenvolvia-se nos meios urbanos uma *intelligentsia* africana que, na esteira de João Albasini e dos animadores dos grêmios africanos, refletia sobre a própria condição e procurava resistir. O contraditório itinerário desse protonacionalismo marcaria ainda a poesia de Rui de Noronha, o primeiro grande poeta moçambicano. Da sua obra emerge a tensão dialética que se cria na descoberta da própria africanidade — uma "africanidade irresoluta", no dizer de Rui Knopfli[56] — quando perseguia a afirmação da sua portugalidade.

Na década de 1930 e nos anos da Segunda Guerra Mundial, não se registraram manifestações de resistência ativa contra o colonialismo. Com a derrota dos grandes chefes tradicionais, diluíra-se o elã combativo das populações e a reação à dominação estrangeira cingia-se, passivamente, à proteção das tradições e à preservação de comportamentos e valores. Particular importância assumiram os cânticos e contos orais em que as metáforas e a ironia mimetizavam o protesto. Os ideais de libertação e autonomia ficariam confinados às seitas protestantes sincréticas e aos ritos evangélicos, objeto de feroz repressão por parte das autoridades coloniais. A conjuntura do pós-guerra, dominada por ideais de liberdade e democracia, viria a influenciar a juventude de diversos grupos socioculturais urbanos, com incidência maior sobre aqueles marginalizados pela sociedade colonial. A contestação social torna-se mais complexa e alimenta a percepção de que a portugalidade não correspondia às concepções em voga. Arma-se, então, o quadro que propiciaria o aparecimento de uma identidade que se relaciona com uma nova entidade: Moçambique. Este sentimento ganharia densidade e, também através da intervenção de setores intelectuais, iria gradualmente assumindo os contornos da moçambicanidade.

Começa a constituir-se em Moçambique um projeto literário empenhado na reflexão sobre a identidade nacional, fenômeno que ocorre em consonância com as mudanças em curso em outras colônias portuguesas.[57] Como ocorrera no Brasil, o desejo de construção do sentimento nacionalista impulsiona a vida literária, sugerindo a eleição de novas referências. Se a portugalidade deixa de configurar a aspiração, os modelos associados a essa concepção serão deslocados e no seu lugar serão convocados valores identificados com as propostas emergentes. Entraria, pois, em cena, a negritude como um canto que, ao exaltar um universo marginalizado, viabiliza um instrumental eficiente contra as tentativas de despersonalização organizadas pela engrenagem colonial. De vários pontos do continente africano e também da América viriam influxos dinamizadores da resistência. Desse diálogo são representativos muitos dos poemas de José Craveirinha e Noémia de Souza, bem como os contos de João Dias.

Em Portugal, a Casa dos Estudantes do Império tornava-se um espaço fértil em discussões que reforçavam o sentimento anticolonial das elites que se formavam nas universidades. Os estudantes promoviam iniciativas para divulgação e valorização da cultura das diferentes colônias e organizavam várias antologias com textos dos seus escritores e poetas. O movimento ganha dimensão política e reforça a consciência de uma identidade incompatível com as propostas de portugalidade. Os jovens intelectuais africanos ensaiam na capital do Império as primeiras formas de ação política organizada.[58] Da experiência da Casa dos Estudantes do Império e da militância clandestina em Portugal, fogem para os estrangeiro muitas centenas de estudantes quando, nas frentes africanas, se inicia a insurreição armada pela independência nacional. Jovens escritores moçambicanos como Fernando Ganhão, Jorge Rebelo, Sérgio Vieira juntam-se aos guerrilheiros da Frelimo e fazem do seu talento literário mais uma arma de combate pela liberdade da pátria. No seio da sociedade colonial, também escritores e artistas como José Craveirinha, Rui Nogar, Luís Bernardo Honwana, Malangatana Valente integram a organização clandestina da luta e são presos e condenados.

A Frelimo é, em 1962, fruto da convergência de todas estas experiências: os nacionalistas formados na imigração e no exílio, os jovens intelectuais urbanos em busca das próprias raízes, os sobreviventes dos massacres com que o poder colonial respondeu às primeiras reivindicações de liberdade e independência.

IDEOLOGIA, UNIDADE E DISCIPLINA

"Todos os movimentos políticos sentem necessidade, para justificar a sua existência, de construir ideologias. Isto é particularmente evidente no caso de movimentos relativamente jovens, como os movimentos nacionais da África colonial que não podem contar — como, por exemplo, os partidos Conservador e Trabalhista da Grã-Bretanha — com a fidelidade habitual de um vasto corpo de simpatizantes hereditários, para garantir a sua eficiência. Eles têm de criar os seus próprios apoiantes e, para tal, devem vencer os sentimentos de impotência, de sujeição e de irresponsabilidade gerados pela própria natureza da dominação colonial. Devem igualmente enfraquecer ou orientar para os seus objetivos os tradicionais laços tribais que representam obstáculo à formação de uma consciência nacional."

Estas palavras, que configuravam o pensamento político prevalecente na África no fim dos anos 50, escreveu-as Thomas Hodgkin[59] quando estavam nascendo os movimentos de libertação nas colônias africanas.

A Frente de Libertação de Moçambique, movimento de libertação do país na fronteira sul do Tanganica, mantinha a sua sede em Dar-es-Salaam, então a "capital" da libertação da África, e os seus campos de treino situavam-se naquele país. Na fase de preparação para a guerra, a Frelimo analisava com atenção as experiências de luta em curso, os seus méritos e os problemas que as afetavam. De particular importância foram os ensinamentos colhidos da derrota da resistência lumumbista no antigo Congo Belga, que a direção da Frelimo atribuiu, principalmente, à falta de unidade do movimento. Esta, segundo a análise dos combatentes moçambicanos, devia-se à fraca disciplina da organização, a qual, por sua vez, teria sido ocasionada pelo escasso rigor ideológico na avaliação e condução da própria luta.

A contraposição política e militar ao colonialismo português, a necessidade de objetivos estratégicos claros, a organização da vida nas zonas de guerra, a importância da mobilização das populações para os combates e para as tarefas de apoio, assim como a exigência de estimular e fazer crescer a consciência dos guerrilheiros, tornavam prioritárias a reflexão ideológica e a politização dos combatentes e das populações envolvidas na luta. A história da resistência anticolonial, as contradições vividas no seio dos movimentos nacionalistas e o próprio processo de formação da Frelimo já tinham tornado evidente a relevância da unidade de todos os moçambicanos para a conquista da independência nacional.[60] Finalmente, a experiência da luta armada ensinava ao movimento de libertação que a disciplina era uma questão vital.

Nos campos de treino da Frelimo, e depois nas zonas que se libertavam da administração colonial portuguesa, germinava a identidade nacional e começava a ganhar forma o pensamento político que iria caracterizar o processo de emancipação. A ideologia do movimento ia-se estruturando a partir da tomada de consciência da própria condição de colonizado e explorado. A confrontação aberta impunha a necessidade político-militar de uma ruptura radical, epistemológica e ética, com o mundo do colonizador e com o modo de vida urbano. A atividade político-ideológica procurava situar-se acima das diferenças socioculturais e lingüísticas que distinguem as várias etnias; ela concentrava-se, nesse período, no estímulo da autoconfiança dos moçambicanos ("contar com as próprias forças"), assim como na valorização dos laços de solidariedade e fraternidade forjados nas frentes de combate e produção, por um objetivo comum, procurando transformar tal objetivo num ideal comum. Nos campos de treino político-militar, em especial em Nashingwea,[61] na Tanzânia, buscava-se um nivelamento de experiências não só entre guerrilheiros de diversos grupos étnicos, como também de raças e de classes diferentes. A disciplina e a austeridade militares, o sentido do dever e da obediência, a mística da camaradagem, da dedicação e do sacrifício desinteressados eram princípios sempre presentes na formação do exército e da organização política. Nesta concepção político-militar fundiam-se os interesses do "povo" e da pátria. Através do estudo da ciência militar e dos estrategos da "guerra popular revolucionária" (Mao Tsé-tung e Giap, principalmente), este pensamento nascido da conscientização da experiência vivida ganhará conteúdo mais teórico e universal.

Alicerçada no patrimônio comum sem precedentes que é a experiência da confrontação violenta com o ocupante estrangeiro, foi-se forjando, sob o trinômio ideologia, unidade e disciplina, um sentimento de identidade nacional. Eduardo Mondlane definia, já em 1967, os fundamentos desse projeto político: "A nação Moçambicana, como várias nações do Mundo, é composta de muitos povos com tradições e culturas diferentes, mas unidos por uma experiência histórica e o mesmo destino político, econômico e social, engajados na mesma tarefa sagrada — a de lutar pela sua libertação."[62]

A ideologia e a identidade nacional cresciam de forma integrada a partir de uma base comum que se pretendia enraizada na história pessoal e coletiva de cada um. Inspirada na experiência chinesa, a Frelimo instituiu para os novos membros uma cerimônia iniciática, a narração de sofrimentos, na qual cada um apresentava perante os companheiros um relato da própria vida, das penas e humilhações de que fora vítima ou testemunha na sociedade colonial, ou ainda do processo que levara cada um a optar pela luta de libertação. Um comissário político moderava essas sessões intervindo para destacar o caráter particularmente odioso de um ou outro caso, para pedir detalhes e explicações sobre passagens menos claras e, acima de tudo, para sublinhar analogias entre as experiências dos militantes provenientes de diferentes pontos do país e de diversificadas vivências. Tratava-se de um momento crucial na identificação da plataforma sobre a qual construir a unidade. Essa narração de sofrimentos será, após o 2º Congresso, tornada extensiva à população das zonas libertadas, especialmente quando o contraste entre o movimento guerrilheiro e os representantes do poder tradicional exigiu um salto qualitativo na politização e mobilização das populações envolvidas na guerra.

O modelo de vida rural em que se "devia aprender com o povo" e ganhar "sensibilidade popular" era concebido como distinto da sociedade tradicional por ter uma organização social e produtiva em moldes mais modernos e democráticos. Sendo a luta armada "o agente acelerador das transformações sociais",[63] os guerrilheiros eram a vanguarda desse processo de transformação. No pensamento político nacionalista, a vanguarda representava a parte "de nós" (entendido como a identidade coletiva da comunidade africana) mais familiarizada com os conhecimentos e os instrumentos de controle que tinham permitido aos "estrangeiros" o poder e a riqueza que ostentavam. Associada à noção de vanguarda, a sensibilidade popular constitui-se garantia da natureza popular da revolução.

Na visão dos jovens nacionalistas, a identidade nacional formar-se-ia no processo de "demarcação entre a nova e a velha sociedade". Os novos valores impor-se-iam pelo seu conteúdo mais rico e atual, mas era essencial não desprezar o combate permanente aos valores da sociedade colonial, nos quais se incluiriam os "elementos feudais e retrógrados" que, em sua opinião, teriam sido deliberadamente encorajados pelo colonialismo na sociedade tradicional.

A afirmação da própria identidade — "a nossa zona" — por ativa e radical contraposição com o adversário — "a zona do inimigo" —, está na origem da atenção que se atribui a "uma correta definição do inimigo", tão importante ideologicamente — "a fim de o combater implacavelmente em todas as suas manifestações" — como o era no plano militar. "Assim, a direção do movimento definia o inimigo em termos globais (instituições, idéias, comportamentos — até a linguagem usada) de que os guerrilheiros e os nacionalistas em geral se deviam demarcar com clareza. A libertação, definia a Frelimo, não era só um hino, uma bandeira e uma constituição, mas exigia o corte do cordão umbilical com os antigos colonos."[64]

"À medida que se aprofunda o processo político da guerra revolucionária, faz-se sentir cada vez com mais força a necessidade do combate pela criação de um Homem novo com uma mentalidade nova, capaz de assumir globalmente as exigências do combate revolucionário."[65] Este projeto radical marcará profundamente a formação de uma identidade moçambicana e a história da futura República.

A FRELIMO E A SOCIEDADE TRADICIONAL

Nos primeiros anos da luta armada, a Frelimo procurou, através do apoio de algumas prestigiadas famílias e chefes tradicionais, a ligação epistemológica com a tradição de resistência. A luta armada propunha-se como a continuidade da resistência, ativa e passiva, à ocupação colonial.[66] Em Cabo Delgado, onde se iniciou a luta, o movimento de libertação reconheceu a estes chefes um estatuto de destaque na organização administrativa das zonas libertadas, nomeando-os *chairmen* locais, mas, à medida que a luta se ia consolidando, as divergências começaram a surgir como resultado de duas visões de mundo radicalmente diversas.

As áreas de conflito foram inúmeras: os *chairmen* opunham-se à estratégia da "guerra de longa duração" da Frelimo, e pretendiam a proclamação da independência dos makondes e a consolidação do território para, só depois, se continuar a guerra para o sul; os *chairmen* identificavam os brancos como inimigos e eram favoráveis à sua eliminação quando feitos prisioneiros, contrariamente à direção da guerrilha, que identificava como inimigo o sistema colonial e defendia a aplicação de uma política de clemência em relação aos prisioneiros; os chefes tradicionais opunham-se à participação da mulher em todas as tarefas, incluindo as militares, que a Frelimo preconizava promovendo o seu papel paritário na sociedade; os *chairmen* queriam organizar a economia como tinham aprendido com a administração portuguesa, enquanto a guerrilha, em nome da eliminação da exploração, propunha um sistema cooperativo de produção e comercialização. Finalmente, os régulos, sentindo-se ameaçados pelo prestígio crescente dos comandantes da guerrilha, rebelaram-se contra a decisão política de se abolir a distinção entre "políticos" e "militares", assassinando dirigentes nacionalistas, o que levou à ruptura definitiva e à sua substituição, na estrutura administrativa das "zonas libertadas", pelo comando guerrilheiro. Deste conflito nasceram deserções de relevo por parte de alguns desses chefes, provocando atrasos na luta de libertação.

O poder tradicional, que não fora capaz de desafiar abertamente a dominação estrangeira, que, pelo contrário, colaborara repetidas vezes contra os interesses do próprio povo, surgia na dinâmica político-militar da guerra mais uma vez como um poder "retrógrado",[67] na análise dos guerrilheiros, incapaz de responder às exigências da história e às aspirações de liberdade e independência. Nos casos em que o líder de um movimento para a independência da África foi um chefe tradicional, ele teve de se organizar para a sua luta em estruturas modernas e, em caso nenhum, a luta foi conduzida vitoriosamente com base nas estruturas e métodos tradicionais. É emblemático o caso dos

Mau Maus, no Quênia, a que Georges Balandier faz referência[68]: "Essa insurreição fracassou, não somente devido à escassez de recursos materiais, mas também *por não ter sido concebida em termos de subversão moderna*. Permanecia como uma força *orientada para um passado idealizado,* o do tempo anterior à colonização, mais do que uma força *dirigida para um futuro definido* com muita precisão." (os grifos são meus)

A fundamentação da acusação, hoje polêmica,[69] de que o poder tradicional teria sido colaborador, ou até parte, do poder colonial é importante para se compreender o conflito entre as duas gerações. A documentação e a legislação colonial corroboram a acusação feita pelos dirigentes nacionalistas. Na sua comunicação ao seminário sobre o poder tradicional organizado pelo Ministério de Administração Estatal de Moçambique, em 1994, o antigo administrador Teixeira Alves afirmava: "Em suma, as autoridades tradicionais eram, indubitavelmente, preciosos colaboradores da autoridade administrativa e, usando das prerrogativas que lhes eram conferidas e da grande influência, digamos mística, que gozavam entre as populações, conseguiam dominar todos os problemas da sua regedoria, estando aptos, a qualquer momento, para darem informação sobre tudo o que sucedesse nas respectivas áreas."[70]

Em função do tipo de relações sociais e de relações de produção dominantes, a sociedade tradicional era ainda definida como de natureza feudal. Questões como a forma de escolha do seu "governo" (por legitimação de linhagem) ou o processo de socialização das novas gerações eram consideradas conseqüências, e não causas, do tipo de relações sociais e de produção prevalecentes. No plano da produção material, ela é dominada pela produção para a subsistência, e não para a obtenção de excedentes, o que determina a sua principal contradição com o processo de modernização científica e tecnológica. A organização do trabalho resulta, por conseguinte, elementar e o seu enquadramento espaço-temporal, inadequado aos parâmetros de eficácia e de rentabilidade indispensáveis para vencer o subdesenvolvimento e poder concorrer internacionalmente. Nesse sentido, a sociedade tradicional era apodada de "desorganizada" e "ultrapassada".[71]

A *weltanshaung* da sociedade tradicional assenta numa "cultura de certezas" que a impediria de competir com um "primeiro mundo" com uma dinâmica fundada na metodologia da dúvida, motivada pelo princípio da acumulação, devotada à reprodução de riqueza. Ao *medium* era atribuída a responsabilidade de, evocando e manipulando a autoridade dos antepassados, evitar que as contradições intrínsecas à sociedade tradicional se agudizassem (condição *sine qua non* para o desenvolvimento[72]) e favorecer uma atitude de resignação e de dependência. A infalibilidade deste limitaria o questionamento da realidade e uma investigação sistemática. O pensamento abstrato e o rigor na definição de espaço e tempo, pedras miliares da ciência moderna, seriam pouco influentes na vida comum. Compreendia-se, naturalmente, que a educação nas sociedades desenvolvidas também tivesse uma componente de valorização e preservação do patrimônio acumulado pela comunidade, de manutenção dos fundamentos do *status quo*, mas suscitava entusiasmo nos jovens nacionalistas a constatação de que ela introduzia a dúvida como fundamento metodológico da aprendizagem e incentivava a investigação de novas soluções, mesmo para os velhos problemas. Ao demarcar "a sua zona", o movimento de libertação englobava grande parte dos conteúdos da sociedade tradicional na "zona do inimigo", ressalvando apenas "valores positivos" que lhe eram reconhecidos, tais como o passado de "resistência secular" à ocupação estrangeira, a preservação da própria história, a transmissão do patrimônio e da expressão cultural, a defesa da solidariedade comunitária etc.

Para os guerrilheiros, a economia de subsistência, as relações sociais que nela se instituem e a representação do mundo e da vida a ela inerentes constituíam as principais causas não só do triunfo da colonização no passado como do atraso econômico, técnico e científico dos camponeses moçambicanos no presente. Em contrapartida, as vitórias sobre o exército português resultavam de fatores intimamente ligados a uma concepção e a uma visão moderna da história, da sociedade e do mundo. Eram disso exemplos:

— a educação "política e científica" dos combatentes e da população e o seu treino para as tarefas concretas da comunidade e da guerra, "contando com as próprias forças";
— a unidade do movimento, fruto de uma clara avaliação e da rigorosa definição das contradições, dos objetivos e das aspirações populares;
— a planificação cuidada das tarefas militares, produtivas e sociais, a organização pormenorizada dos meios e a execução disciplinada das decisões;
— o uso apropriado da ciência militar e o domínio dos meios técnicos necessários e disponíveis;

— a inserção cuidada da luta de libertação na conjuntura política e estratégica internacional.

A sociedade a construir no Moçambique independente implicaria a geração de sinergias capazes de vencer o subdesenvolvimento a que o país parecia condenado. Para tal impunha-se, segundo a Frelimo, que as comunidades rurais fossem capazes de introduzir, na sua dinâmica interna, elementos suscetíveis de provocar uma ruptura no círculo vicioso em que se enredava o modelo tradicional e permitir a sua passagem gradual para uma compreensão "moderna e científica" do mundo.[73]

TRADICIONALISMO E IDEOLOGIA DA MODERNIDADE

A contraposição que tem caracterizado a dinâmica política e sociocultural em Moçambique não tem sido tanto entre a tradição e a modernidade quanto entre duas posições ideológicas radicalizadas: o "tradicionalismo" e a "ideologia da modernidade".

Para a maior parte dos dirigentes da Frelimo, incluindo os seus dois presidentes, Eduardo Mondlane e Samora Machel, a entidade política a que chamam o "povo" é constituída, essencialmente, pelos camponeses (e por quem com eles se identifica).[74] Filhos de pastores, de pequenos criadores de gado ou de camponeses, vivendo no campo até a adolescência, a maioria dos dirigentes conhece suficientemente bem a sociedade rural tradicional, as suas "grandezas e misérias". Em diversas intervenções públicas se enfatizou a sua complexidade e se fez referência destacada às suas estruturas e tradições fortemente arraigadas.

A maioria dos dirigentes moçambicanos tinha tido um percurso de vida "da aldeia à modernidade" e estava consciente dos obstáculos e resistências que tivera de vencer. Se tal tinha sido possível para si, não havia motivo para que, criadas as condições favoráveis (de que eles não se tinham beneficiado), o mesmo não fosse possível para o povo. Era seu desejo, em síntese, que o povo percorresse os itinerários que a sua experiência demonstrava possíveis, em direção à vida organizada (a obsessão dos dirigentes com os programas de ação e com o respeito pelo tempo), à compreensão científica da realidade (a sua preocupação com o trabalho manual e o estudo), à democracia e ao controle sobre o próprio destino (o empenho na política). Eles não acreditavam que isso pudesse afastar os moçambicanos da sua moçambicanidade, uma vez que não se sentiam erradicados da sua condição de changane, ndau, cheua, sena, macua, makonde ou ajaua, ou das suas raízes culturais e de civilização. Assim, para eles, o povo nunca foi *o outro*; foi *eles próprios, "ontem"*.[75]

A Frelimo estava em consonância com a reflexão que então se fazia sobre unidade e identidade nacional no quadro da descolonização. Amilcar Cabral dizia:

> "[...] Um povo que se liberta do domínio estrangeiro não será culturalmente livre, a não ser que, sem complexos e sem subestimar a importância das contribuições positivas da cultura do opressor e de outras culturas, retome os caminhos ascendentes da sua própria cultura, que se alimente da realidade do meio e negue tanto as influências nocivas como qualquer espécie de subordinação a culturas estrangeiras. *Vemos assim que, se o domínio imperialista tem como necessidade vital praticar a opressão cultural,* a libertação nacional é, necessariamente, um ato de cultura"[76] (os grifos são da edição consultada).

A dinâmica da luta de libertação rasga horizontes geográficos a camponeses até então confinados à aldeia ou ao exílio, envolve-os na solução inimaginável de problemas inéditos, revela-lhes novos conhecimentos e novas técnicas. Paralelamente, como diz Fanon, "o intelectual colonizado assiste, numa espécie de auto-de-fé, à destruição de todos os seus ídolos: o egoísmo, a recriminação orgulhosa, a imbecilidade infantil de quem tem sempre a última palavra. Esse intelectual colonizado, atomizado pela cultura colonialista, descobrirá igualmente a consciência das assembléias de aldeias, a densidade das comissões do povo, a extraordinária fecundidade das reuniões de quarteirão e de célula".[77] Samora Machel diria, anos mais tarde, dirigindo-se à população de Quelimane, na província da Zambézia: "Eu fui um assimilado! [...] Não sabia falar para os 'indígenas', só sabia falar com os 'compadres'. Mas felizmente fugi. Abandonei esse ambiente todo e o povo educou-me bastante. O povo é uma fonte permanente para a educação, para a nossa transformação [...]."[78]

A luta armada de libertação nacional converte-se, assim, na ponte que liga passado e futuro. Nessa ponte, os sentidos da história são contrários. Os termos da confrontação definem-se: de um lado, o futuro a construir, uma conflitualidade agregante, a troca das experiências diferentes postas em íntimo contato nos campos de treino, nos acampamentos militares, nas aldeias, nas reuniões políticas e de trabalho; do outro lado, o regresso ao passado, a passividade centrífuga, em que cada um se refugia na segurança da vivência consolidada e da própria ancestralidade. Este é um programa cauteloso e rotineiro. A luta pela independência é um projeto ousado, agregante, enriquecedor, que cria condições para uma síntese entre tradição e modernidade.

CONCLUSÃO

A assimilação/portugalidade, o moçambicanismo e a moçambicanidade, os projetos de identidade apreciados neste trabalho, tiveram diferentes incidências sobre os moçambicanos.

A política de assimilação do colonialismo português estava condenada porque era assente em estímulos subjetivos e individuais, repressores e destruidores da própria ancestralidade cultural e civilizadora, cuja essência nascia e permanecia exterior à comunidade sobre a qual pretendia incidir. As adesões à identidade proposta foram individuais, quando não oportunistas e arrivistas, e não estabeleceram solidariedades, porque elas teriam que ser transversais na estratificação racial da sociedade colonial. A rigidez do sistema, a teia de interesses de casta a proteger e as pressões sociais fortíssimas que defendiam o *status quo* da sociedade colonial opunham-se com veemência a essa transversalidade e remetiam os assimilados para um duplo gueto: marginalizados da sua africanidade e discriminados no seio da portugalidade. Daí que a assimilação fosse, freqüentemente, um posicionamento hesitante, a meio caminho, mais uma escolha da modernidade do que da portugalidade. Quem se assimilou de fato adquiriu obviamente uma identidade de português e, no momento da independência, foi... para Portugal.

Já o projeto de Jorge Jardim tem características diversas. Após o nó górdio, usa a tensão da guerra para propor uma afirmação de identidade, o moçambicanismo, que evita a ruptura com a ancestralidade e busca o *trait d'union* na cultura "crioula" das sociedades aculturadas. A motivação, a breve termo, é reforçada com um incentivo pessoal, um lugar nas estruturas do futuro Estado, e com uma proposta de contraposição — a luta contra a Frelimo

— agora vista como concorrente nos lugares desse futuro Estado. Embora as motivações objetivas não estivessem, na maioria dos casos, em harmonia com as motivações subjetivas mais propícias,[79] são inegáveis as marcas deixadas na sociedade moçambicana. Das cinzas ainda quentes desse projeto viriam a nascer as principais contestações ao poder instalado com a independência.

Enfim, a libertação nacional foi indiscutivelmente o acontecimento político, social e cultural de resultados mais profundos. A guerra contra os colonialistas e o forte desejo de independência total faziam coincidir as motivações objetivas com genuínas motivações de natureza pessoal. A proposta de uma identidade nacional funda-se na procura das próprias raízes e na sua projeção na modernidade, evitando a mediação "estrangeira".

No momento da independência, mercê do grande entusiasmo, das expectativas excessivas que se tinham criado, do voto de confiança que se dava a uma Frelimo que conseguira o impensável — derrotar os colonialistas — e da ausência total de alternativas, a coesão nacional atingiu o seu ponto mais elevado. A primeira mensagem política do movimento para a esmagadora maioria dos moçambicanos chegara nos meses do governo de transição como a fórmula mágica e unificante da felicidade. Em torno dessa coesão, mesmo se conjuntural, se cria um sentimento comum, que é o embrião de uma identidade nacional, a moçambicanidade.

As expectativas criadas com a independência constituirão o rubicão da moçambicanidade e, por conseqüência, da identidade nacional. Da sua realização vai depender a confiança nas "tradições inventadas" e a aceitação do desafio ou o refúgio na proteção segura dos antepassados e da ordem social por eles instituída na memória dos tempos.

Notas

1. Adotou-se esta estimativa da situação lingüística moçambicana que é baseada no Relatório do Primeiro Seminário sobre a Padronização da Ortografia de Línguas Moçambicanas, do Núcleo de Estudo das Línguas Moçambicanas, em 1989, complementado com a pesquisa promovida pelo mesmo Núcleo em 1992, e que Marcelino Liphola usa no seu trabalho Utilização das Línguas Moçambicanas no Processo Eleitoral (1995).

2. Chipire, 1994.

3. A quantificação usada para as comunidades menores é inferida de dados parcelares. Ela é usada principalmente com o intuito de transmitir, a quem não está familiarizado com a realidade de Moçambique, uma indicação da disparidade existente entre a importância relativa, do ponto de vista quantitativo, de cada comunidade e a sua importância relativa dos pontos de vista social, econômico e político.

4. O governo colonial tolerava-os porque necessitava da sua intermediação comercial, mas mantinha-os sob pressão enquanto grupos religiosos não-cristãos. Mas, quando em dezembro de 1961 a União Indiana anexou os territórios sob administração portuguesa naquele sub-continente, os naturais daquele país foram presos em campos de concentração, as suas residências seladas e os bens confiscados. O processo culminaria com a expulsão, em 1963, de cerca de 15 mil industânicos.

5. Munanga, 1997.

6. Os dados estatísticos sobre a composição étnica e lingüística do país são muito insuficientes porque, no recenseamento de 1980, o governo decidiu não incluir as questões de raça, língua e religião, argumentando que desse modo se procurava evitar que uma manipulação tendenciosa desses dados pudesse ser usada "para tentar dividir os moçambicanos".

7. Os suaíles, designação usada para os povos dos territórios a norte de Moçambique e que se estendem hoje do sul do Sudão à Tanzânia, mantiveram contatos regulares com toda a costa, tendo chegado até Inhambane, controlando as trocas comerciais com o norte e o Oriente. Traficantes, corsários e chefes suaíles ocuparam e dominaram territórios na costa moçambicana, até quase a foz do rio Zambeze, participando ativamente no tráfico de escravos. Os reinos afro-islâmicos, alguns dos quais se

mantiveram autônomos até a segunda metade do século XIX, eram uma curiosa formação política, comercial e religiosa, nascida da fixação suaíle na costa moçambicana, com vínculos espirituais a Zanzibar e Oman. Os principais foram: o sultanato de Angoche e os xecados de Sancul, Sangage e Quitangonha. Ver Departamento de História da Universidade Eduardo Mondlane, 1982.

8. Abrahamsson e Nilsson, 1994.

9. Antônio Enes, p. 245-247, 1971, expõe, na elegância de estilo que o caracteriza como escritor, o seu ponto de vista sobre as causas desta preferência da emigração portuguesa.

10. Newitt, p. 11, 1977. Sobre este assunto, ver Macagno, 1996.

12. Pélissier, p. 125, 1984.

13. A ocupação missionária sofrera um profundo revés com o anticlericalismo, de matriz liberal, que predominou em Portugal desde o Marquês de Pombal até ao fim da 1ª República. Só depois da subida ao poder de Salazar e, em especial, depois da celebração da Concordata com a Santa Sé e da publicação do Acordo Missionário em 1940 e do Estatuto Missionário no ano seguinte é que a Igreja regressou com força à ação evangélica em Moçambique, com a proteção e remuneração do Estado, cabendo lhe o monopólio da "educação dos indígenas". Sobre o papel da Igreja Católica no período colonial e o seu comprometimento com o colonialismo português, ver P. Bertulli 1974 e 1979.

14. Enes, A. Op. cit., p.223.

15. Enes, A. Ibid., p. 208.

16. Meio século mais tarde, o projeto do colonato do Limpopo viria a dar razão a este temor de Enes. Desenvolvido nos anos 50, foi um projeto de fixação de camponeses vindos de Portugal que deveriam reproduzir, no fértil vale do rio Limpopo, na Província de Gaza, o modo de vida do campo em Portugal, procurando com o seu "exemplo" induzir a população africana local a adotá-lo. O governo fez um notável esforço infra-estrutural: construiu uma barragem para aprovisionamento de águas, irrigou uma vasta área de parcelamentos de 1 hectare (a média propriedade do centro de Portugal), ergueu reproduções de aldeias típicas portuguesas (inclusivamente sem água canalizada, "para manter o hábito do convívio no chafariz"), deu-lhes nomes tipicamente portugueses etc. Os resultados foram desastrosos: os colonos tiveram de competir com os camponeses "indígenas", muitas vezes em situação desfavorável por desajuste às especificidades locais, e a esperada aculturação verificou-se, na maioria dos casos, em sentido inverso aos desígnios do projeto.

17. A qualificação é atribuída ao jornalista assimilado João Albasini em Moreira (1997).

18. Quer como possíveis competidores no mercado de trabalho, especialmente no funcionalismo, quer como potenciais lideranças das populações africanas.

19. Sobre este processo, ver Moreira, J. Op. cit.

20. O código que, no âmbito do Ato Colonial promulgado três décadas antes, regulava a condição especial de "indígena". Segundo o Código do Trabalho dos Indígenas das Colônias de África, de 1928, era abrangido pelo regime de indigenato o indivíduo... "de raça negra ou dela descendente, que pela sua ilustração e costumes se não distinguia do comum daquela raça".

21. Segundo Allen e Barbara Isaacman, citados por Fry, 1995.

22. A língua da população originária da região onde se situa a capital de Moçambique.

23. Semanário de propriedade dos irmãos Albasini, o *BA* foi o mais importante órgão de informação em defesa das populações não-brancas da colônia, momento de reflexão cultural e plataforma de divulgação dos ideais pan-africanistas que então estavam surgindo principalmente entre as populações negras na América e nos intelectuais africanos estudando ou residindo na Europa.

24. Moreira, José. Op. cit., p. 169.

25. Sobre toda esta problemática, ver Moreira, José. Op. cit., cap. IV.

26. O regime, na sua estrutura jurídica, econômica e social, entrou em crise no fim do século XIX. Os "Prazos" viriam a ser, então, reagrupados em vastas áreas e dados em gestão a grandes companhias concessionárias.

27. Cahen, 1993.

28. Curiosamente, a Zambézia, Inhambane e o litoral norte são zonas de extensos palmares.

29. Os "crioulos" de Inhambane constituem um caso muito particular, pois mantêm as características gerais do "crioulo histórico" mas, estando próximos dos centros de poder, não se desligaram da dinâmica da modernização da sociedade. Depois da independência de Moçambique, constatou-se que eles representam a etnia mais escolarizada e a que detém postos de maior importância no aparelho estatal e econômico do país.

30. *Pieds noirs* ("pés negros") é a designação dada aos colonos franceses nascidos ou profundamente radicados na Argélia e que se insurgiram, pela violência, contra a independência do país em nome de uma "Argélia francesa".

31. Em 7 de setembro de 1974, colonialistas extremistas e jovens dos auto-intitulados "Dragões da Morte" tomaram a rádio nacional na capital, Lourenço Marques, conclamaram à desobediência aos Acordos de Lusaka — firmados naquele mesmo dia, estabelecendo mecanismos e data da independência — e atacaram os bairros suburbanos, disparando indiscriminadamente sobre indefesos cidadãos. Perante a

impassividade da polícia e do exército portugueses, a população dos subúrbios organizou-se e a reação popular começou, a partir do dia 10, a ser violenta. Três dias depois a situação se acalmou. A rebelião dos colonos originou cerca de duas centenas de mortes, quase todas registradas entre a população negra. Em 21 de outubro seguinte, uma unidade de "Comandos" do exército português lançou um novo ataque a bairros suburbanos que deu origem a que a população, já então organizada, erguesse barricadas e exercesse represálias imediatas sobre os indivíduos de raça branca nos bairros da periferia. Os mortos foram quase trezentos; desta vez, porém, mais de duas centenas das vítimas pertenciam à minoria branca. Estes incidentes deram origem a alucinantes boatos que criaram, em muitos portugueses (e não só), o estado de pânico que levou ao abandono em massa registrado nos meses que se seguiram.

32. Duffy, 1963. Mas também a quase unanimidade dos autores consultados e nomeadamente Eduardo Mondlane, René Pélissier, Allen Isaacman, Michel Cahen, José Capela e Lorenzo Macagno.

33. Sobre o assunto, ver Bertulli, op. cit.

34. Trata-se do V Congresso Pan-africano, realizado em outubro de 1945, e cujo documento final já se referia "a sua [dos povos africanos] determinação de serem livres"...

35. Dados recolhidos de Chipire, 1995. Para mais detalhes, ver também Ngoenha, 1992.

36. Freyre, 1940.

37. Macagno, L. Op. cit.

38. Tal identificação entre cidadania e nacionalidade é falaciosa, como demonstra Cahen na distinção a que nos referimos. Trata-se, na realidade, de dois momentos do processo de tomada de consciência da nova identidade. Cahen. M., op. cit.

39. A pesquisa de Jorge Dias, publicada com o título *Os Macondes de Moçambique* (4v.), inaugurou, de certo modo, essa aproximação entre o governo e as ciências sociais. Ao ser nomeado para a chefia da Missão de Estudos das Minorias Étnicas do Ultramar Português (MEMEUP), Dias elaborava, a par das suas pesquisas científicas, relatórios anuais para o Ministério do Ultramar. Ver Pereira, 1986.

40. Freitas (1965).

41. Algumas vozes do crioulo histórico (em Quelimane e Porto Amélia, sobretudo) produzem, significativamente, uma poesia mais lírica e contemplativa e menos "militante".

42. Zitha, p. 95, 1995.

43. Orlando Cristina, um branco nascido em Portugal mas crescido na Província do Niassa, em Moçambique, conhecedor profundo daquela região, falando fluentemente cinyanja e ciyao, fugiu para a Rodésia depois da independência, onde trabalhou para os serviços secretos daquele país na seleção dos moçambicanos que deveriam inte-

grar as forças especiais para operar em Moçambique. Estas forças deram origem, anos depois, à Renamo, de que Cristina foi secretário geral até o seu assassinato na África do Sul em meados dos anos 80.

44. Jardim, p. 88, 1976 admite-o no seu livro.

45. Cahen, no artigo citado (1993), refere-se a esta rivalidade dizendo que "[...] os cinqüenta anos de autonomia majestática fundaram um sentimento particularista na elite colonial, e depois na elite crioula, a qual, combinada com o forte sentimento de identidade dos grupos étnicos chona, não cessou de se exprimir politicamente até os nossos dias".

46. UDI é a designação pela qual é conhecida a Declaração Unilateral de Independência proclamada em 1965, em Salisbury, a então capital da Rodésia do Sul, por Ian Smith, líder dos rodesianos brancos em rebelião contra o governo britânico de Harold Wilson.

47. O semanário, que nasceu como órgão do Grêmio Africano de Manica e Sofala, mantinha-se muito popular entre a população negra no fim dos anos 50 e início da década de 1960. Fazia, então, parte, juntamente com *Economia de Moçambique*, do grupo editorial depois comprado por J. Jardim. Com as cartas dos leitores enviadas a este semanário, José Capela organizou, nos anos 60, o admirável livro *Moçambique pelo seu Povo* (1974), durante anos proibido pela censura do regime.

48. Jardim. Op. cit., p. 169.

49. Para a presente interpretação do "projeto Jardim", socorro-me, além da biografia citada, de notas pessoais recolhidas num exercício que levei a cabo com base em conversas, provocadas ou acidentais, com seus colaboradores diretos, GEs/GEPs, militares portugueses, elementos da PIDE/DGS, membros da administração colonial e personalidades econômicas, principalmente de Lourenço Marques e Beira, entre 1971 e 1974. A estas fontes diretas, mas poucas vezes documentadas com precisão, adiciona-se a análise sistemática e quotidiana da sociedade moçambicana que realizei naqueles anos, e informações das quais tive conhecimento depois da independência, através da Frelimo, além da bibliografia citada.

50. Jardim. Op. cit., p. 143.

51. Samora Moisés Machel foi o segundo presidente da Frente de Libertação de Moçambique, escolhido pela direção do movimento após um breve período de luta política que se seguiu ao assassinato do dr. Eduardo Mondlane em 1969. De extração militar, Samora (como foi popularmente conhecido) conduziu a Frelimo à vitória militar e conquistou a independência. Ele demonstrou ser um dirigente carismático pela inabalável dedicação patriótica, pela sua forte personalidade, pela firme oposição à corrupção e à injustiça, pela inteligência brilhante e pela invulgar capacidade

de comunicação com as massas. Faleceu em outubro de 1986, num misterioso desastre aéreo em território sul-africano.

52. O dr. Domingos Arouca foi o primeiro advogado negro moçambicano, tendo sido preso pela polícia política por envolvimento com a rede da Frelimo no sul de Moçambique, pelo que cumpriu 9 anos de cadeia em Portugal. É indiscutivelmente um expoente do crioulo tradicional de Inhambane. Contactado por Jardim em 1973, não se comprometeu com qualquer solução. Já depois de 25 de abril, Jardim faz uma derradeira e infrutífera tentativa de obter o seu apoio.

53. Como Uria Simango, antigo vice-presidente da Frelimo, Mateus Gwengere e outros, que depois da proclamação da independência foram presos e posteriormente executados secretamente. Simango e Gwengere, entre outros dissidentes, eram originários do centro do país.

54. A expressão não pretende ter um significado político-ideológico (embora não se possa eximir de o ter), mas um conteúdo mais antropológico das forças e dos vetores que favorecem a preservação dos valores e até das tradições criadas na sociedade.

55. Abrahamsson, H.; Nilsson. A. Op., cit.

56. Rui Knopfli, de origem européia, é um dos grandes nomes da literatura moçambicana pré-independência. Poeta, ensaísta, crítico e jornalista, Knopfli abandonou Moçambique após a independência e foi adido cultural da Embaixada de Portugal em Londres até a sua morte, em 1998.

57. Chaves, 1993.

58. Projetam-se, nesse contexto, nomes que se tornarão símbolos dos movimentos de libertação nacional, como Agostinho Neto, Alda do Espírito Santo, Amílcar Cabral, Aquino de Bragança, Marcelino dos Santos e Mário Pinto de Andrade, para só mencionar alguns.

59. Hodgkin, p. 133, 1959.

60. Machel (1975b).

61. Sobre o campo de Nashingwea, seu significado e sua importância na formação do pensamento político da Frelimo, na concepção da sociedade a edificar após a independência e nos próprios erros que foram cometidos, ver Cabaço (1995, p. 85-86).

62. Mondlane, 1975.

63. Machel, 1976.

64. Cabaço, J. L. Op. cit., p. 86, nota 6.

65. Resolução de Política Geral, em *Documentos da 8ª Sessão do Comitê Central* (1976).

66. Naroromele (1995). O autor refere-se a este relacionamento, ainda que o analise sob um prisma tático: a Frelimo buscaria, no apoio do poder tradicional, a legitimidade de que carecia perante as populações.

67. Lundin, p. 19, 1995 A Autora observa, a propósito da percepção que as populações rurais têm desta análise da Frelimo: "Para a grande massa [...] a autoridade africana local representa no plano simbólico a expressão mais alta do sociocultural [pelo que] não poderia encontrar no seu seio, eco para a explicação ligada ao termo 'retrógrada'."

68. Balandier, p. 211, 1976.

69. Teixeira Alves (1995) é inequívoco sobre esta colaboração. Lundin (1995) diz que a população não é unânime sobre esta avaliação e certos indivíduos identificam manifestações de "resistência que se traduzia em diferentes maneiras de lutar". Muteia (1995) refere-se a um "equilibrismo" do chefe tradicional e o fato de que ele, ainda que reconhecido "guardião dos bons costumes e valores da comunidade", por vezes, "tinha de contar com a máquina opressiva do colonizador, o que o colocava escandalosamente ao lado do opressor". Alfane e Nhancale (1995), depois de demonstrarem que "os chefes gentílicos" eram chamados a desempenhar um papel fundamental na administração", têm presente essa dupla faceta do poder tradicional quando apelam à compreensão para "o papel um pouco ambíguo das autoridades tradicionais [que] deviam defender os interesses da administração e, por outro lado, os seus, junto às populações". Por fim, Nilsson (1995) explica como esta ambigüidade serviu ao colonialismo: "o régulo tornou-se o fiel da balança entre a opressão e a legitimidade. A sua capacidade de fazer este equilíbrio tornou-se decisiva para o grau de legitimidade do Estado colonial, aos olhos da população".

70. Teixeira Alves, op. cit.

71. Machel, 1975a.

72. Como marxista, influenciado pelo texto de Mao Tsé-tung, "Sobre a Contradição", Machel era muito rigoroso na identificação das contradições como elemento fundamental da sua análise da realidade.

73. Ngoenha, 1992. O filósofo moçambicano chama a atenção para o essencial deste dilema, que a Frelimo tentou afrontar, recordando G. Burdeau em L'État, Paris: Ed. Seuil, quando este diz que, "no continente africano, é o Estado que deve fazer o esforço nacional; simplesmente, como o Estado só pode nascer de um esforço nacional, o drama político fecha-se num círculo vicioso".

74. A realidade da guerra era exclusivamente rural. A sociedade urbana era uma abstração; os guerrilheiros desconheciam os seus mecanismos e a sua complexidade, como se viria a constatar depois da independência.

75. Alguns autores defendem que a Frelimo viu a sociedade tradicional como uma "tábua rasa", partindo do "zero" para a construção do Homem Novo. Sobre este assunto, ver Fry (1995) e o sociólogo moçambicano Sulemani (1995). O texto de referência para esta análise tem sido muitas vezes o texto de Vieira (1978).

76. Cabral, 1980.
77. Fanon, p. 35, 1979.
78. Machel, p. 36-37, 1983.
79. No maniqueísmo da sociedade colonial, resultava por vezes conflituoso, com as motivações objetivas, o fato de que "os amigos" fossem colonialistas e "os inimigos" fossem irmãos de sangue e de sofrimento.

‘

Referências Bibliográficas

ABRAHAMSSON, Hans e NILSSON, Anders. *Moçambique em Transição*. Maputo: Padrigu, CEEI — ISRI, 1994.

ALFANE, Rufino e NHANCALE, Orlando. "Como a legislação administrativa colonial incidiu na autoridade tradicional em Moçambique". In Lundin, I. e Machava, F. (orgs.). *Autoridade e poder tradicional*. Maputo: MAE, 1995.

BALANDIER, Georges. *As dinâmicas sociais*: sentido e poder. São Paulo: Difel, 1976.

CABAÇO, J. L. "A longa estrada da democracia moçambicana". In Brazão Mazula (org.). *Eleições, democracia e desenvolvimento*. Maputo, 1995.

CABRAL, Amílcar. "A cultura nacional". In Comitini, Carlos (org.). *Amílcar Cabral, a arma da teoria*. Rio de Janeiro: Ed. Codecri, 1980.

CAHEN, Michel. "Histoire geopolitique d'un pays sans nation". In *Geopolitique Des Mondes Lusophones*, Paris, 1993.

CAPELA, José. *Moçambique pelo seu povo*. Porto: Edição Afrontamento, 1974.

CHAVES, Rita de Cássia Natal. *Entre intenção e gestos*: a formação do romance angolano. Mimeo. São Paulo: USP, 1993.

CHIPIRE, Felizardo. Comunicação à Conferência sobre Cultura e Democracia, Beira, 1994.

————. "Cultura política e democracia". In Afonso, Ana Elisa de Santana (org.). *Cultura de paz e democracia*. Maputo Edição: Comissão Nacional de Moçambique para a UNESCO, 1995.

DEPARTAMENTO DE HISTÓRIA DA UNIVERSIDADE EDUARDO MONDLANE. *História de Moçambique* (l° v.), Coleção História, Maputo: Ed. Cadernos TEMPO, 1982.

DIAS, Jorge. *Os macondes de Moçambique* (4 v.). Lisboa: Junta de investigação de Ultramar, 1964.

DUFFY, James. *Portugal in Africa*. Maryland: Penguin Books, 1963.

ENES, A. *Moçambique. Relatório Apresentado ao Governo*. 4. ed. Lisboa: Agência Geral do Ultramar, Imprensa Nacional, 1971.

FANON, Frantz. *Os condenados da terra*. 2. ed. Rio de Janeiro: Civilização Brasileira, 1979.

FREITAS, Romeu Ivens Ferraz de. Doc. sem título (Relatório do estudo da ação a realizar com vista à conquista da adesão das populações). Lourenço Marques: Mimeo, 1965.

FREYRE, Gilberto. O mundo que o português criou. Rio de Janeiro: José Olympio, 1940.

FRY, Peter. Modernidade, Tradição e a Pessoa na África Austral: reflexões sobre o passado recente em Zimbábue e Moçambique. Rio de Janeiro: IFCS/UFRJ. Mimeo, 1995.

HODGKIN, Thomas. Nazionalismo nell'Africa Coloniale. Torino: Ed. Riuniti, 1959.

JARDIM, Jorge. Moçambique, terra queimada. Lisboa: Ed. Intervenção, 1976.

LIPHOLA, Marcelino. "Utilização das línguas moçambicanas no processo eleitoral". In Mazula, Brazão. (org.) Eleições, democracia e desenvolvimento. Maputo, 1995.

LUNDIN, Iraê. "Pesquisa piloto sobre a autoridade e poder tradicional em Moçambique". In Lundin, I. e Machava, F. (orgs.) Autoridade e Poder Tradicional. Maputo: MAE, 1995.

MACAGNO, Lorenzo. Os Paradoxos do Assimilacionismo: "usos e costumes" do colonialismo português. Dissertação de mestrado em Sociologia. Rio de Janeiro: IFCS/ UFRJ, 1996.

MACHEL, Samora. Estabelecer o poder popular para servir as massas. Lourenço Marques: Edição Frelimo, Coleção Estudos e Documentos, 1975.

––––––. Segunda década, novos combates. Lourenço Marques: Ed. Frelimo/Imprensa Nacional, 1975.

––––––. "Discurso de abertura". In Documentos da 8ª Sessão do Comitê Central. Maputo: Edição DIP. da Frelimo, 1976.

––––––. A Nossa Força está na Unidade. INLD, 1983.

MONDLANE, Eduardo. "1967". In João Reis (org.). Datas e documentos históricos da Frelimo. Lourenço Marques: Imprensa Nacional, 1975.

MOREIRA, José. Os assimilados, João Albasini e as eleições, 1900-1922. Maputo: Ed. Arquivo Histórico de Moçambique, Col. Estudos, n. 11, 1997.

MUNANGA, Kabengele. Rediscutindo a mestiçagem no Brasil (identidade nacional versus identidade negra). São Paulo/USP: Mimeo. USP, 1997.

MUTEIA, Hélder. "Autoridade tradicional e outros paradigmas da democracia em Moçambique". In Afonso, Ana Elisa Santana de (org.). Cultura de Paz e Democracia. Maputo Edição: Comissão Nacional de Moçambique para a UNESCO, 1995

NAROROMELE, Albano. "Não há alternativa ao poder/autoridade tradicional no Planalto de Mueda". In Lundin, I. e Machava, F. (orgs.) Autoridade e poder tradicional. Maputo: MAE, 1995.

NEWITT, Malin. História de Moçambique. Mem Martins: Biblioteca da História, Pub. EuropaAmérica, 1997.

NGOENHA, Severino Elias. Por uma dimensão moçambicana da consciência histórica. Porto: Edições Salesianas, 1992.

NILSSON, Anders. "Legitimidade, economia, conflito e guerra". In Lundin, I. e Machava, F. (orgs.). *Autoridade e poder tradicional*. Maputo: MAE, 1995.

PÉLISSIER, René. *Naissance du Mozambique*. Paris: Ed. Pélissier, 1984.

PEREIRA, Rui. "Antropologia aplicada na política colonial portuguesa do Estado Novo". *Revista Internacional de Estudos Africanos*, n. 4 e 5, jan-dez, 1986.

P. BERTULLI, Cesare. *Croce e Spada in Mozambico*. Roma: Coines Edizioni, 1974.

———. *Iglesia en Mozambique Hoy*: entre el colonialismo y la revolucion. Madri: Ed. Instituto de Estudios Políticos para América Latina y Africa (IEPALA), 1979.

Resolução de Política Geral. *Documentos da 8ª Sessão do Comitê Central*. Maputo: Edição DIP da Frelimo, 1976.

SULEMANI, Davide Aloni. "Experiência democrática na tradição histórica africana". In: Afonso, Ana Elisa Santana (org.). *Cultura de paz e democracia*. Maputo Edição: Comissão Nacional de Moçambique para a UNESCO, 1995.

TEIXEIRA ALVES, Armando MN. "Análise da política colonial em relação à autoridade tradicional". In Lundin, I. e Machava, F. (orgs.) *Autoridade e Poder Tradicional*. Maputo: MAE, 1995.

VIEIRA, Sérgio. *O Homem Novo*. Maputo: Ed. Frelimo, 1978.

ZITHA, Boaventura. "Identidades culturais". In Afonso, Ana Elisa de Santana (org.). *Cultura de Paz e Democracia*. Maputo Edição: Comissão Nacional de Moçambique para a UNESCO, 1995.

A "natureza" da nacionalidade

Verena Stolcke

O homem nasceu livre, mas em toda parte está acorrentado.

J. J. Rousseau, 1762

INTRODUÇÃO

A cidadania é a quintessência da moderna emancipação e a igualdade política do indivíduo perante a lei. Contudo, como conjunto de direitos civis de que desfrutam cidadãos livres e formalmente iguais, a cidadania foi limitada, quase desde o início, no mundo burguês emergente dividido em Estados-nação territoriais que rivalizavam entre si pela supremacia. A aquisição de direitos de cidadania tornou-se condicionada por normas legais específicas — chamadas leis de nacionalidade — que codificaram as exigências formais às quais os indivíduos deviam satisfazer para ter o direito de tornar-se cidadãos de Estados concretos. Como conseqüência, os direitos de cidadania tornaram-se privilégio exclusivo dos que eram reconhecidos como pertencentes a um Estado particular, com exclusão dos que pertenciam a qualquer outro Estado assim constituído.

Dos três elementos constitutivos do Estado moderno — território, governo e povo —, a delimitação de "povo" mostrou ser a questão mais controvertida (Lichter, 1955). Um território sem povo e um governo sem uma comunidade claramente delimitada a ser governada não têm sentido. Portanto, limitar a cidadania determinando as condições para se tornar membro de um Estado adquiriu uma lógica própria como dilema político constitutivo fundamental no período de formação dos Estados-nação territoriais modernos.

A qualidade de membro de um Estado-nação tem três dimensões analíticas diferentes. A primeira delas refere-se ao *status* legal do indivíduo em uma sociedade que lhe assegura direitos civis, políticos e sociais inquestionáveis. Em segundo lugar, esse *status* político fundamenta-se formalmente em uma relação jurídica anterior negociada entre o indivíduo e um Estado (Keller; Trautmann, 1914, p. 32; *Staatslexikon — Recht, Wirtschaft, Gesellschaft*, 1962, p. 570).[1] Terceiro, muitas vezes se considerou que, além do mais, pertencer a um Estado-nação significava ser "dotado" de um sentimento interno, subjetivo, de identidade nacional partilhada.

No presente trabalho, reconstituirei a maneira pela qual o conceito de *nacionalidade* — entendida como posse de certas qualificações juridicamente estipuladas que tornam os indivíduos membros de um Estado-nação e que, por sua vez, condicionam a cidadania — foi elaborado no processo de construção nacional na Alemanha, França e Grã-Bretanha do século XIX.

Recentemente, crises econômicas persistentes e exclusões sociais cada vez mais profundas deram à cidadania um novo destaque político. As incertezas em torno da integração política européia, conjugadas à alegada ameaça da assim chamada imigração extracomunitária, acentuaram as preocupações com a identidade, a unidade e a soberania nacionais. A cidadania e a "identidade nacional" ocupam um espaço central nas agendas políticas, no debate acadêmico e na pesquisa contemporâneos. Contudo, o papel constitutivo que a *nacionalidade* assumiu na moderna construção nacional tem merecido uma atenção analítica surpreendentemente reduzida da parte das ciências sociais (p. ex.: Hobsbawm, 1990, Wallerstein e Balibar, 1988, Finkielkraut, 1987, Anderson, 1983).[2] O motivo de tal situação é que, como apontarei, a nacionalidade foi amplamente *naturalizada* ao longo de todo o período de formação do Estado-nação moderno. Cidadania e nacionalidade foram subsumidas em um *status* indistinto, inerente ao indivíduo moderno, e não adquirido por ele, tornando-se assim, ao mesmo tempo, quase que auto-evidente.

Pode-se ilustrar o caráter evidente que a nacionalidade assumiu, por meio da dificuldade conceitual em separar as exigências jurídicas formais para a aquisição da cidadania dos direitos civis, políticos e sociais, manifesta na ambigüidade semântica que rodeia os dois conceitos. Enquanto Brubaker, por exemplo, define a cidadania como "uma instituição jurídica que regula o pertencimento ao Estado, e não como um conjunto de práticas participativas ou de atitudes especificamente cívicas", Silverman insiste em que "[...] quando a cidadania é equiparada à nacionalidade, esta é essencial para a aquisição de certos direitos" (Brubaker, 1992, p. 51; Silverman, 1992, p. 160-161). Na maioria dos dicionários contemporâneos, os dois termos conotam indistintamente as condições *para* ser membros de um Estado-nação e as *de* seus membros. Nacionalidade e cidadania são consideradas intercambiáveis para significar a qualidade nominal e substantiva de membros de um Estado que, além disso, muitas vezes se acredita estar baseada em um sentimento subjetivo "étnico-nacional" partilhado de identidade (p. ex. Ritter, 1986, p. 285).[3]

Devido a seu caráter auto-evidente, as leis de nacionalidade são, para o cidadão comum, semelhantes ao texto em letras miúdas que figura no verso das apólices de seguro: raramente lidas e, em grande medida, ignoradas. A pergunta de por que uma pessoa possui nacionalidade francesa, britânica ou alemã normalmente encontra como resposta um olhar vazio ou, no melhor dos casos, uma alusão vaga e hesitante ao fato de o indivíduo em questão (ou seus pais) ter nascido no respectivo país. Mesmo entre os acadêmicos, especialistas confiáveis em direito internacional privado ou em política de imigração, essa pergunta costuma suscitar comentários sobre nacionalismo e identidade nacional.

O uso indiferenciado dos termos nacionalidade e cidadania tende a disfarçar o papel constitutivo da nacionalidade para a cidadania e a identidade nacional. Na realidade, esses termos nem são sinônimos nem podem ser fundidos ao Estado-nação em sentido fenomenológico, embora esses três fenômenos estejam histórica e ideologicamente ligados uns aos outros.

Neste capítulo, em vez de tratar o tema da cidadania ou o tópico, que é um modismo dramático, do "nacionalismo" em seu sentido imediato, examinarei um aspecto mais impalpável de ambos — a *nacionalidade* —, mais *básico*, na verdade tão *básico* para nossa concepção de pertença e de eu (*self*) que se tornou, por assim dizer, uma segunda natureza, motivo pelo qual quase não temos consciência dele.

Como escreveu Gellner, em um mundo de Estados-nação, "um homem [*sic*] deve ter uma *nacionalidade*, da mesma maneira como deve ter um nariz e duas orelhas". Se, assim como a "nacionalidade", o nariz e as orelhas são atributos intrínsecos dos seres humanos, obviamente não precisam ser explicados (Gellner, 1983, p. 6, ênfase minha). Mas aqui Gellner se refere, é claro, à identidade nacional como sentimento subjetivo de pertença, e não à *nacionalidade* como conjunto de requisitos legais para tornar-se membro de um Estado. Este é apenas um exemplo do deslizamento conceitual ao qual me refiri acima. Trata-se de algo mais do que um simples jogo de palavras. As confusões etimológicas e semânticas que cercam a nacionalidade, a cidadania e a identidade nacional são somente uma das manifestações de imperativos políticos e pressupostos ideológicos cruzados que informaram os esforços do século XIX em delimitar de maneira inequívoca os cidadãos de Estados conflitantes em um mundo burguês dividido, embora interdependente.

Para entender o sentido de conceitos políticos-chave, é preciso situá-los em seu contexto histórico. A Europa é o berço do Estado-nação territorial democrático. No entanto, as regras do jogo da moderna nacionalidade foram estabelecidas por alguns Estados-nação, mais do que por outros. No decorrer do século XIX, definiu-se, de maneiras aparentemente disparatadas, o que era preciso para se tornar membro dos Estados. Contudo, no intuito de resgatar traços históricos comuns significativos subjacentes, relativos à maneira como o "povo" dos novos Estados-nação passou a ser circunscrito, tanto jurídica como ideologicamente, é preciso transcender à distinção convencional entre o modelo alemão de *Kulturnation* e o conceito francês de *Staatsnation* (Meinecke, 1919), bem como aos contrastes de tipo ideal entre as tradições republicana, ético-nacional e liberal. Assim, em vez de analisar as imperfeições demonstráveis que existem na implementação democrática de nacionalidade e cidadania, enfocarei as contradições, e decorrentes limitações, intrínsecas a suas próprias origens que marcaram seu desenvolvimento posterior.[4]

A fusão ideológica de nacionalidade, cidadania e identidade nacional, assim como o ressurgimento nacionalista contemporâneo, estão enraizados em uma contradição fundamental que data da fase inicial da construção das nações européias e que as leis modernas de nacionalidade foram elaboradas para superar (Stolcke, 1995; Bader, 1995).

O crescimento do capitalismo e das burguesias nacionais concorrentes, a dissolução dos laços tradicionais de fidelidade política e a resultante liberdade de movimento das populações emprestaram nova urgência à questão da pertença nacional. O século XIX assistiu ao surgimento de uma multiplicidade de Estados territoriais que rivalizavam entre si em torno de soberania e dominância. Entretanto, as comunidades tradicionais não coincidiam necessariamente com os Estados territoriais como sociedades modernas politicamente organizadas. Assim, tornou-se imperioso dispor de uma regulamentação clara a respeito de seus membros, ao foco de lealdade de seus habitantes e à fonte dos direitos civis e deveres em expansão, e também de desprezo a todos os estrangeiros.

Um espírito cosmopolita irrestrito inspirou a nova ordem republicana pela qual lutaram os revolucionários franceses e que se tornaria o modelo do Estado-nação democrático moderno. O pensamento revolucionário democrático defendia a idéia universalista e voluntarista de cidadania, baseado no consenso nascido do livre-arbítrio. No entanto, como observou, com razão, Kamenka, "[...] ao estabelecer as instituições de soberania popular, é necessário definir o que é o povo: a autodeterminação exigia uma comunidade que fosse o eu (*self*)" (Kamenka, 1976, p. 14; ver também Cranston, 1988, p. 101 e Hobsbawn, 1990, p. 19). Os direitos de cidadania, que exaltavam a liberdade e, portanto, a escolha individual, substituíram a antiga noção do súdito do Antigo Regime, alicerçada na fidelidade vertical tradicional e nas lealdades primordiais. Em última instância, a doutrina cosmopolita revolucionária do novo Estado territorial, povoado por cidadãos livres que se autodeterminam, teria tornado supérflua toda delimitação jurídica do "povo".

No entanto, a realidade política era diferente: a divisão daquele mundo novo em Estados-nação concorrentes, cada um dos quais reivindicando o direito de controlar sua própria população e excluir todas as outras. Assim, uma das funções cruciais do Estado moderno passou a ser a regulamentação do movimento de pessoas através das fronteiras. As modernas leis de nacionalidade visavam a superar a contradição entre seu ideal de cidadania original — cosmopolita, democrático e voluntarista — e a restrição imperiosa da sociedade politicamente organizada.

As leis de nacionalidade cumpriram uma função limitadora semelhante aos princípios de parentesco nas chamadas sociedades "tribais". Ambos os conjuntos de regras desempenham o papel estrutural de fixar os limites do número de pessoas de grupos sociopolíticos significativos, sejam eles "tribos" ou Estados-nação modernos. Essas regras têm em comum o fato de serem o resultado de convenções históricas positivas, apesar das metáforas muitas vezes "sangüinárias" invocadas para proporcionar uma imagem de permanência dos grupos sociais assim constituídos. Contudo, nesse sentido, há também uma notável diferença entre as sociedades "tribais" e os Estados modernos. Como bem sabem os antropólogos, nas sociedades "tribais", os princípios de parentesco definem de maneira inequívoca a pertença ao grupo, com seus direitos e deveres. No mundo moderno, supostamente povoado por indivíduos livres e formalmente iguais, a atribuição de nacionalidade e, portanto, de direitos civis, políticos e sociais constitui, ao contrário, um evidente paradoxo. De fato, o liberalismo democrático estava e está comprometido com a liberdade e a igualdade individuais, de tal forma que as reivindicações morais, políticas e legais do indivíduo transcendem à comunidade e ao Estado (Goldberg, 1993, p. 4-5), ao passo que a idéia emancipatória de cidadania nasceu limitada por leis de nacionalidade excludentes que, além disso, foram cada vez mais naturalizadas no transcurso do século XIX. Como observaram Huxley e Haddon, ao referir-se ao princípio de autodeterminação nacional na década de 1930, "o desejo de ser livre de dominação soberana [...] é muito diferente do desejo da liberdade em si, com o qual é muitas vezes confundido..." (Huxley, Haddon e Carr-Saunders, 1939, p. 18).

Além de criar um vínculo jurídico formal entre um indivíduo e um Estado concreto em determinado momento, as leis de nacionalidade também regulam a reprodução de uma comunidade nacional ao longo do tempo. As leis de nacionalidade não só são fenômenos históricos situados em contextos específicos — e, portanto, abertos à mudança —, como também configuram a *reprodução nacional*, ou seja, a maneira como se assegura o número de membros de um Estado ao longo do tempo, de formas muitas vezes vinculadas ao gênero. Além de excluir estrangeiros da comunidade dos nacionais, como mostrarei, as leis de nacionalidade também introduzem desigualdades formais, entre nacionais, que afetam particularmente as mulheres.

NACIONALIDADE E REPUBLICANISMO UNIVERSALISTA FRANCÊS

A nacionalidade, no sentido das condições que os indivíduos têm de satisfazer para reivindicar o *status* de cidadania, data da Revolução Francesa e da luta subseqüente pela soberania popular. De acordo com Rousseau, uma vez que o homem [*sic*] é livre e senhor de si mesmo, ninguém pode, sob pretexto algum, subjugá-lo sem o seu consentimento. No intuito de preservar a liberdade individual contra a submissão a outros na sociedade, a vontade geral terá de ser a expressão coletiva de vontades individuais. Aqui temos os primeiros elementos da moderna idéia de cidadania democrática a seguir consagrada na *Déclaration des Droits de l'Homme et du Citoyen* (1789), que é uma declaração dos direitos dos homens [*sic*] como cidadãos. A soberania residia na "nação" composta de homens que dão seu livre consentimento.[5] Embora tivesse em comum com o absolutismo a crença na soberania unificada, esse ideal democrático e republicano universalista do Estado-nação soberano substituiu o súdito do Antigo Regime pelo cidadão livre e formalmente igual. À época, os pensadores políticos tinham consciência das dificuldades da limitação da comunidade de indivíduos soberanos capazes de celebrar um contrato social. Desenvolveram várias soluções de compromisso que iam dos modelos republicano universalista, territorial liberal e comunitário orgânico do Estado à idéia de Estado mundial tal como proposto, por exemplo, por Hegel e Kant. Todos, exceto este último modelo, eram tolhidos pela mesma contradição entre o ideal de autodeterminação individual e a necessária restrição de "povo".

Em vez de permitir uma crescente liberdade de movimento dos indivíduos entre os Estados, os Estados-nação emergentes passaram a codificar a nacionalidade traçando juridicamente um limite em torno do número de cidadãos e, assim, condicionando a aquisição de direitos de cidadania. Duas doutrinas contrastantes de nacionalidade foram usadas para limitar os cidadãos de Estados particulares: a) o princípio conservador e excludente da *jus sanguinis* (lei do sangue), que dava à nacionalidade uma característica quase ontológica, pois estabelecia uma dependência entre a pertença a um Estado e a partilha de um patrimônio cultural transmitido por hereditariedade, típica da *Kulturnation*, convencionalmente associada à Alemanha; b) a *jus soli* (lei do solo), mais includente, segundo a qual a nacionalidade estava vinculada ao nascimento no território de um Estado, característica do *Staatsnation*, típica da França (Meinecke, 1919, Kohn, 1948).[6] Contudo, uma análise histórica comparativa de leis de nacionalidade em desenvolvimento revelará que essa disparidade entre as tradições "nacionais" alemã e francesa é mais aparente do que real.

A França foi o primeiro Estado moderno a codificar a nacionalidade. O cosmopolitanismo revolucionário conferiu cidadania na República a todos os que desejassem tornar-se cidadãos. Naqueles tempos politicamente turbulentos, as constituições revolucionárias visavam menos a delimitar a "nação" do que a assegurar direitos de cidadania a todos os habitantes. A Constituição de 1791 e as leis de 1789 e 1793 consagraram o princípio pré-revolucionário de nascimento no território e, secundariamente, a *naturalização* (atenção ao termo!), como base para tornar-se *citoyens français* com plenos direitos civis. A Constituição de 1793 deu um passo adiante ao admitir *a vontade de tornar-se francês*.[7] Em nítido contraste com o cosmopolitanismo dos primórdios da Revolução, no contexto da restauração, o Código Napoleônico de 1804 decretou que a principal regra de nacionalidade era *ser descendente de um homem francês* (*sic*), sendo que os filhos de estrangeiros nascidos em solo francês teriam, se desejassem, direito à cidadania francesa. À medida que as guerras napoleônicas atingiam a Europa, o *jus sanguinis* foi considerado como fundamental para assegurar a lealdade da parte das forças armadas (Weiss, 1907, p. 47 e s.).[8]

Com a articulação de uma ideologia social de liberdade e igualdade e a dissolução de estruturas feudais que haviam definido os papéis das mulheres, a Revolução também catalisou a consciência e a atividade femininas. O mais famoso manifesto com reivindicações feministas é a *Déclaration des Droits des Femmes et des Citoyennes*, de Olympe de Gouges, de 1791, crítica radical das limitações da retórica revolucionária que, enquanto combatia a opressão de classe e afirmava representar princípios universais, esquecia, na verdade, a subordinação das mulheres. A nova "nação" as excluía do gozo da mesma liberdade e igualdade, partindo do pressuposto de que as mulheres, por sua natureza, pertenciam à família, instituição natural, e não social. Uma vez que, por esse motivo, eram dependentes de seus familiares do sexo masculino, as mulheres só podiam ser *citoyennes passives*. A *paranóia reformatória* de Olympe de Gouges, seus veementes ataques feministas contra os revolucionários, particularmente Robespierre, valeu-lhe a guilhotina em 1793, pouco depois de todos os clubes e associações de mulheres terem sido declarados ilegais pela Convenção Nacional (Diamond, 1990).

Com o Código Napoleônico de 1804, as mulheres passaram a ter ainda menos poder do que antes da Revolução. Daí em diante, a nacionalidade da mulher dependia da de seu marido, além de outras desqualificações (Crozier, 1934).[9]

A lei espelha as circunstâncias e interesses político-econômicos subjacentes a significados ideológicos situados em contextos contemporâneos de conhecimento. Durante a Segunda República, a lei francesa de nacionalidade combinava princípios de descendência e de território. Em 1851, quando se tornou aguda a procura de mão-de-obra qualificada, uma nova lei declarava que eram franceses os filhos de pais franceses natos, em uma época na qual foi feito um primeiro censo para distinguir os *étrangers* (estrangeiros) dos nacionais.

O conceito de *étranger* fora cunhado durante a Revolução Gloriosa para designar os inimigos políticos e traidores da causa revolucionária — a nobreza francesa que tramava contra os *patriotes* e os britânicos suspeitos de conspirar para restaurar a monarquia em Paris. A imputação ao *étranger* de deslealdade à nação seria uma poderosa solução em tempos de guerra (Wahnich, 1966).[10]

Em 1889, após a guerra franco-prussiana e a fundação do Império Alemão, a Terceira República francesa promulgou seu primeiro código de nacionalidade, genuíno e independente, o *Code de la Nationalité,* que traçava uma fronteira nítida entre nacionais e *étrangers.* Em contraste com o que ocorria na Alemanha — onde os imigrantes haviam sido amplamente naturalizados —, os estrangeiros de origem belga, polonesa, italiana e portuguesa tinham uma forte presença na França. Esse código estipulava que a descendência de pai francês e, no caso de filhos ilegítimos, de mãe francesa era a condição primordial para a obtenção da nacionalidade francesa; além disso, as pessoas nascidas e residentes na França podiam tornar-se francesas por meio da naturalização. O serviço militar obrigatório foi introduzido ao mesmo tempo.

A relativa proeminência dada ao *jus soli* no código francês de nacionalidade de 1889 muitas vezes foi interpretada como solução liberal inclusiva, mas Noiriel manifestou recentemente o seu desacordo a esse ponto de vista (Brubaker, 1992; Noiriel, 1988, p. 83).[11] De fato, essa combinação de norma de ascendência e local de nascimento também pode ser vista como uma engenhosa solução de compromisso elaborada por razões militares e ideológicas no contexto do confronto com a Alemanha em torno da Alsácia-Lorena, solução essa baseada tanto na concepção voluntarista original como na organicista, posterior, da República, que, embora contraditórias, eram inerentes à noção francesa de Estado-nação quase desde o início.

A identidade nacional é histórica e relacional (Sahlins, 1989). Portanto, os confrontos militares entre Estados atuam fortemente no sentido da consolidação de sentimentos de pertença nacional e de vinculação entre todos os setores da população. Haddon, antropólogo, observa que, durante o bombardeio de Paris na guerra franco-prussiana, o Museu Histórico Nacional sofreu alguns danos por causa das bombas. Pouco tempo depois, seu diretor, o eminente craniólogo conservador Quatrefages, publicou um folheto sobre *La Race Prussienne* (1871) no qual afirmava que os prussianos não eram teutônicos, e sim meros bárbaros com ódio à cultura a qual eram incapazes de apreciar. Em sua qualidade de descendentes dos finlandeses, classificados junto aos lapões, os prussianos de fato eram intrusos estrangeiros na Europa. O professor Virchow, de Berlim, respondeu iradamente a isso (Haddon, 1910, p. 27).

O clássico ensaio de Renan, *Qu'est-ce qu'une nation?*, data do mesmo período. Trata-se de um texto emblemático sobre a tensão intrínseca entre idéias republicanas democráticas e comunitárias de nação. Os defensores liberais de uma idéia de "nação" ajustada ao moderno individualismo democrático costumam citar a famosa metáfora de Renan: "A existência de uma nação é um plebiscito cotidiano." Contudo, tendem a esquecer que Renan recorria, ao mesmo tempo, a outro argumento culturalista para solucionar o problema de como delimitar as "pessoas" que tinham direito a participar desse plebiscito, nomeadamente

> a posse partilhada de um rico patrimônio de memórias [...]. A nação, assim como o indivíduo, é a realização de um longo passado de esforços, sacrifícios e devoção. *O culto dos ancestrais está entre os mais legítimos, pois eles fizeram de nós o que somos* [...] (Renan, 1992, p. 54).

Em 1893, supostamente sob o impacto do caso Dreyfus e do nacionalismo racista em ascensão, do qual o julgamento foi apenas um exemplo, o *jus sanguinis* conquistou mais terreno na França, que já revelara ser um campo fértil para o desenvolvimento do racismo científico do século XIX. Mas raça e nação eram termos então usados de maneira intercambiável em todo o continente. Essa reforma, como a de 1889, deu preferência ao *jus sanguinis* até no caso de filhos de franceses nascidos no exterior e restringiu o acesso à nacionalidade francesa aos filhos de estrangeiros nascidos na França. Como declarou Weiss, jurista francês, em 1907, os indivíduos precisam pertencer "a um grupo mais ou menos restrito [...] como a família. As relações sociais são necessárias à vida social, e é na nacionalidade que encontram sua forma e sua regulação *natural*".[12] A família, o povo e a nação encontram-se, pois, organicamente ligados por um laço "essencial", o que tem conseqüências particulares para a mulher. Essa concepção organicista também suscita uma pergunta nova e importante: por que, apesar da progressiva naturalização da nacionalidade, a mitologia universalista republicana mostrou-se tão resistente?

No transcurso do século XIX, à medida que a nacionalidade tornava-se objeto de legislação independente na França, a regulamentação abandonou o princípio do local de nascimento e abraçou o da descendência. Nesse processo, foi negada às mulheres a nacionalidade independente.

DE SANGUE E SOLO ALEMÃES

Vejamos agora o caso da Alemanha. Os Estados alemães logo seguiram o exemplo francês na dissolução dos laços territoriais de fidelidade. No interesse da brevidade, enfocarei a Prússia, que pode ser vista como representativa dos outros Estados alemães. A lei prussiana "Sobre a aquisição e a perda da condição de súdito prussiano e a admissão ao serviço civil estrangeiro", de 1842, costuma ser considerada como a primeira lei moderna genuína de nacionalidade (Lichter, 1955, p. 1 e s).[13] Essa lei substituiu a pré-constitucional *Untertanenrecht* (lei dos súditos), que definia por domicílio a fidelidade do súdito ao monarca ou senhor e limitava o movimento pessoal e a escolha de um ofício sem, contudo, excluir os estrangeiros, desde que cumprissem com suas obrigações fiscais. "Prussiano é todo aquele que tem o desejo de sê-lo", escreveu Gaus em 1832 (citado em Koselleck, 1967, p. 60). A lei de 1842, ao contrário, tornou o *status* de súdito prussiano dependente da descendência de pai prussiano, da legitimação, da naturalização e, no caso das mulheres, do casamento com um súdito prussiano. Os súditos ausentes da Prússia por mais de dez anos perdiam sua nacionalidade (Lichter, 1955, p. 519-526). Por fim, a fundação da *Norddeutscher Bund* suscitou a lei de 1870 sobre aquisição e perda de nacionalidade, que se tornou a primeira lei do gênero no Império Alemão e confirmou o *jus sanguinis* como princípio primordial que conferia nacionalidade alemã, agora denominada *Staatsangehörigkeit* (literalmente: qualidade de membro do Estado).[14]

No jogo dinâmico entre Estados-nação durante o período de sua formação, os aspectos econômico-políticos e demográficos, de caráter prático, combinavam-se a pressupostos ideológicos que informavam noções de identidade e pertença nacional para plasmar a conceituação de nacionalidade como pré-requisito de cidadania. Contudo, os critérios básicos que conferem nacionalidade devem ser diferenciados dos procedimentos subsidiários; assim, poderemos discernir razões práticas e lógica ideológica, que se cruzam.

Na década de 1880, as semelhanças entre as leis de nacionalidade francesa e alemã eram claramente superiores a suas diferenças. Em ambos os estados, o *jus sanguinis* patrilinear era a principal regra que fazia de alguém um membro do Estado. Os critérios subsidiários apresentavam contrastes mais acentuados. Na França, o local de nascimento atenuava a regra de descendência, ao passo que o Império Alemão permitia a nacionalidade por legitimação ou naturalização através de um ato de Estado. As regras básicas de nacionalidade espelhavam os significados morais mais profundos de que a nação era dotada. Os critérios subsidiários eram tipicamente mais flexíveis por serem o campo em que podiam entrar em jogo, e de fato entravam, as razões de Estado de natureza demográfica, econômica e política.

A prioridade dada ao *laço de sangue* contradizia-se frontalmente com o individualismo moderno. Os direitos civis haviam sido conquistados pela Revolução Francesa, ao passo que os direitos políticos — ou seja, o direito de participar do exercício do poder político como membro da comunidade, ou como eleitor — foram adquiridos, embora com a notável exceção das mulheres, no transcurso do século XIX (Marshall, 1965). Conflitos territoriais inevitáveis tornaram imperiosa a delimitação e consolidação da "nação-comunidade", mas isto ocorreu em óbvio detrimento dos ideais universalistas revolucionários, liberais e democráticos.[15]

O SÚDITO BRITÂNICO DA COROA

Se voltarmos o olhar para o outro lado do Canal, para a Grã-Bretanha, berço do individualismo e do liberalismo modernos, não encontraremos nacionalidade ou cidadania claramente delimitadas pelo menos até o fim da Segunda Guerra Mundial. A Grã-Bretanha não tinha uma constituição sob forma de documento único nem lei fundamental, e sua teoria constitucional não contemplava uma nação britânica, ou povo soberano (Dummett e Nichol, 1990, p. 2). A história "nacional" do Reino Unido, por sua vez, é a história de um território que abrange uma diversidade de povos, que tinham em comum um laço vertical de fidelidade indestrutível à Coroa e a seu Parlamento como *súditos britânicos natos-naturais,* que deviam lealdade ao rei e que tinham direito à sua proteção. As leis de naturalização de 1844 e 1870 introduziram uma qualificação por gênero na fidelidade à Coroa, pois a nacionalidade da mulher tornou-se dependente da de seu marido, de forma que seu laço de lealdade era automaticamente cortado quando ela se casava com um estrangeiro. Contudo, mantinha-se o *jus soli* incondicional.[16]

Até agora mostrei que, no fim do século XIX — não apenas na Prússia e, mais tarde, no Império Alemão, mas também na França, indo de encontro ao espírito republicano cosmopolita da revolução —, a nacionalidade foi progressivamente *naturalizada*, como demonstra a crescente importância dada à atribuição de nacionalidade. À luz deste debate, o caso britânico suscita questões especiais.

Na década de 1880, os defensores franceses do *jus sanguinis* já haviam rejeitado o *jus soli* britânico incondicional devido às suas alegadas conotações feudais e ao seu caráter inclusivo, que, a seu ver — e acabamos vendo que com razão —, era conflitante com um conceito mais excludente de cidadania como laço substancial, duradouro, e não acidental, com a França (Brubaker, 1992, p. 90).[17] Contudo, Colley mostrou recentemente que, mesmo se a Grã-Bretanha não dispunha de uma noção constitucionalmente consagrada de soberania popular no sentido francês, desenvolveu-se, no século XVIII, um nacionalismo britânico forjado sobretudo por uma sucessão de guerras com a França, embora a Grã-Bretanha nunca tivesse sofrido uma grande invasão externa (Colley, 1994, p. 1-7). Há uma peculiaridade adicional. Em contraste com as migrações substanciais entre Estados continentais, as Ilhas Britânicas quase não trocaram migrantes com o continente a partir do século XVII (Lucassen, 1996).

A fidelidade indestrutível ao rei também era claramente conflitante, em outro aspecto, com a idéia liberal moderna do indivíduo livre e igual. A condição indissolúvel de súdito estava em contradição com a adesão baseada no livre consentimento. Dummett e Nicol atribuem essa peculiaridade britânica ao fato de a revolução inglesa não ter chegado a obter o consentimento do indivíduo e sua ativa participação política (Dummett e Nichol, 1990, p. 88).

No entanto, a Coroa aboliu, em 1870, a fidelidade indestrutível no caso de homens britânicos vivendo no exterior e de esposas de estrangeiros, permitindo que renunciassem a ser súditos britânicos. O argumento da Comissão revelava que a fidelidade indestrutível era "conflitante com o liberalismo e o individualismo, com a liberdade de ação, agora reconhecida como a mais favorável para o bem comum, assim como para a felicidade e prosperidade individual". A partir de então, a liberdade de ação só seria restringida no caso de "pessoas com alguma deficiência, nomeadamente crianças, lunáticos, idiotas ou mulheres casadas" (Dummett e Nichol, 1990, p. 88). Em 1886, um tribunal estatuiu que a fidelidade era devida à Coroa, não à pessoa do monarca, mas manteve a regra do *jus soli*.[18] Foi só o *British Nationality Act* de 1981, dos conservadores, que restringiu fortemente o *jus soli* incondicional, exercendo uma "vingança colonial" que transformou os imigrantes do *Commonwealth* em estrangeiros. Enquanto a Europa luta para se tornar uma sociedade politicamente organizada supranacional, um estilo europeu continental de Estado-nação renasce paradoxalmente das cinzas do Império Britânico.

A proeminência do *jus sanguinis* no continente tornou-se excludente em sentido tanto instrumental como ideológico. Embora tachado de feudal, o *jus soli* britânico criou um povo aberto aos recém-chegados, desde que os imigrantes tivessem filhos nascidos em solo britânico. No entanto, Sir Arthur Keith, anatomista, apontou logo depois da Primeira Guerra Mundial:

> Ao longo dos séculos, a habilidade dos estadistas conseguiu suscitar na mente de todos os habitantes das Ilhas Britânicas — salvo na maior parte da Irlanda — um novo e mais amplo sentido de nacionalidade, um espírito de nacionalidade britânica, porque, ao contrário da antiga crença, os habitantes das Ilhas Britânicas são a mais uniforme de todas as grandes nacionalidades da Europa no que diz respeito ao tipo físico (isto é, à raça). (Keith, 1919, p. 22)

Para fins de análise, distingui nacionalidade como regulação jurídica do acesso à cidadania das noções subjetivas de identidade e unidade nacionais. Como convenções jurídicas, no entanto, as leis mutáveis de nacionalidade e cidadania não podem ser separadas das concepções ideológico-políticas de pertença que essas leis espelham e aplicam.

Ocasionalmente, por exemplo, os autores alemães justificavam a adoção da ascendência (*Abstammung*), em vez do lugar de nascimento, em termos muito pragmáticos, afirmando que o recrutamento para o serviço militar obrigatório exigia um princípio de alistamento mais simples e confiável do que o proporcionado pelo domicílio (Rehm, 1892, p. 320). Contudo, devido à distinção e independência da nacionalidade dos pais, a nacionalidade por lugar de nascimento na verdade ocasiona muito menos dificuldades que a nacionalidade por ascendência, que exige também a determinação da nacionalidade do pai, do avô etc. Assim, às vezes recorreu-se à presunção de ascendência para superar incertezas "genealógicas" insolúveis (Makarov, 1947, p. 316; Strupp, 1925, v. 2, p. 589). Entretanto, esses argumentos são, em grande medida, retóricos, pois as leis de nacionalidade estão ligadas, acima de tudo, a noções historicamente situadas de pertença, exclusão e diferença.

A proeminência contraditória que a "lei do sangue" foi conquistando no Continente e, mais tarde, na Grã-Bretanha, não é mera questão de agilidade político-econômica, mas está intimamente vinculada à noção primordial e essencialista de nação que evoluiu no transcurso do século XIX. Na medida em que o Estado-nação tornou-se uma realidade auto-evidente e que a nacionalidade era derivada de um fato moral, passou-se a encarar a nacionalidade como "propriedade interna e inseparável da pessoa", como tão bem formulou o filósofo russo Solovyev (citado em Kamenka, 1976, p. 9).[19] Em vez de ser reconhecida como condição jurídica formal baseada no vínculo legal entre um indivíduo e um Estado particular, de acordo com normas jurídicas específicas codificadas no processo formativo do moderno Estado-nação, a nacionalidade passou a ser entendida como qualidade quase "natural" da pessoa, no sentido tão bem expresso pelo "*habitus* nacional" de Norbert Elias (Elias, 1991). Ou seja, uma vez que ser membro do Estado tornou-se expressão formal de identidade nacional, a nacionalidade passou a ser interpretada como o alicerce mesmo do Estado-nação, e não como resultado da moderna formação de Estados.

Portanto, agora temos literalmente o Estado-nação impresso em nossos corações e mentes. Para alimentar essa concepção essencialista de nacionalidade, é crucial que exista o medo, real ou imaginário, de uma intervenção estrangeira na sociedade politicamente organizada, no contexto de um mundo desigual de Estados-nação em guerra, de Estados ao mesmo tempo "abertos" e "fechados" (Anderson, 1983, p. 129; Huxley, Haddon e Carr-Saunders, 1939, p. 25). Também foi por essas razões essenciais que os direitos de cidadania, símbolo da emancipação política e da igualdade formal do indivíduo moderno, tornaram-se excludentes quase desde o momento em que foram conquistados.

UM HOMEM E SUA ESPOSA SÃO UM, E ELE É A UNIDADE

Mas há outra contradição, pelo menos tão grande quanto a anterior, embutida no moderno Estado-nação: a nacionalidade dependente da mulher. A nacionalidade e, com ela, a cidadania não só adquirem uma realidade excludente em si, como ambas tornaram-se, propriamente, domínio masculino. Apesar das reivindicações universalistas de cidadania, as mulheres não foram incorporadas ao Estado moderno por direito próprio, como a maioria dos homens, mas em virtude de um laço social que contraem com um homem constituído como chefe de família e como seu representante (Pateman, 1986). Ao estabelecer, em 1797, a distinção entre cidadãos ativos e passivos, Kant também colocou as mulheres nesta última categoria. Isso porque

> é apenas a capacidade de dar o seu consentimento que qualifica o cidadão; no entanto, essa capacidade pressupõe a independência do indivíduo entre o seu povo (*Volk*), não como mera parte da comunidade, mas como seu membro; ou seja, por seu livre-arbítrio, ele deseja, em comunidade com outros, ser parte ativa desta. Mas esta última qualidade exige que o cidadão ativo seja diferenciado do cidadão passivo, mesmo se este último conceito pode parecer contraditório com a própria definição de cidadão. Os exemplos a seguir podem ser úteis para superar essa dificuldade: o aprendiz de um comerciante, ou de um artesão, o criado [...], o menor [...], *todas as mulheres e, de maneira geral, todos os que são obrigados a ganhar seu sustento, alimento e abrigo, não por iniciativa própria, mas sob as ordens de outros (exceto o Estado), são destituídos da personalidade de um cidadão (bürgerliche Persönlichkeit) e sua existência é, por assim dizer, apenas intrínseca* (Kant, 1977, p. 423; tradução e ênfase da autora).

A exclusão das mulheres do exercício de direitos civis e políticos proclamados como universais está amplamente documentada (Vogel, 1991). A luta das sufragistas pela libertação da mulher "corrigiu" parcialmente essa desigualdade. Durante o século XIX, os três países analisados neste artigo também negaram à mulher, além da libertação, a nacionalidade independente. Uma vez que a nacionalidade é convencionalmente subsumida na cidadania, a "natureza" de gênero da nacionalidade passou, em grande medida, despercebida.[20]

No século XIX, a França e a Alemanha, assim como a Grã-Bretanha, tornaram-se "pátrias" no sentido mais literal do termo. A nacionalidade da mulher estava submersa na de seu pai ou de seu marido por uma *matriz patrilinear* dupla. As mulheres casadas adotavam a nacionalidade do marido, que, portanto, transmitia a *sua* nacionalidade aos filhos da mulher, salvo quando ilegítimos, ou seja, quando nenhum homem podia ou queria assumi-los como filhos, de forma que recebiam a nacionalidade da mãe à revelia, por assim dizer.[21]

A filosofia subjacente, que é a de unidade familiar, e a suposição de que, ao casar-se, a mulher transferia seus direitos para o marido, como chefe de família, não eram novas, é claro (Vogel, 1991). No direito alemão pré-constitucional, as mulheres passavam a estar sob a tutela do marido no que diz respeito à sua qualidade de membros da comunidade. Conforme a explicação dada por um jurista alemão à *Geschlechtsvormundschaft* (a tutela das mulheres por pais ou maridos),

> no direito contemporâneo, o caráter especial dos direitos de pais e filhos, do pátrio poder, de relações conjugais e da predominância do marido no lar ainda se baseia, em grande medida, no conceito mais profundo de família e na força moral especial que o espírito do povo alemão atribui a esse laço natural (citado em Gerhard-Teuscher, 1986, p. 117).

Na Grã-Bretanha do século XIX, a individualidade jurídica da esposa era "submersa na do marido, de acordo com o chamado 'princípio de nacionalidade idêntica' subseqüente à norma do direito consuetudinário britânico segundo a qual 'um homem e sua mulher são um, e ele é a unidade'" (Bhabha, Klug e Shutter, 1985, p. 10-14).

Na França, o caráter dependente da pertença da mulher casada à comunidade, tal como existia anteriormente, foi incorporado ao Código Napoleônico e, a seguir, ao Código Civil.

A nacionalidade dependente da mulher não deveria ser uma surpresa. Se a qualidade de membro do Estado-nação moderno tornou-se quase uma qualidade "natural" da pessoa em um mundo de Estados territoriais delimitados, a nação, suas fronteiras e lealdades precisavam ser preservadas. Isso pôde ser conseguido negando-se à mulher, como "portadora da nação", a capacidade de tomar decisões independentes a respeito de sua própria pertença e da de sua prole. Contudo, é preciso frisar que a nacionalidade, seja ela dependente ou independente, sempre impõe restrições à escolha de pertença. A nacionalidade independente para as mulheres casadas pode libertá-las do laço conjugal nesse sentido, mas não as libertará do vínculo com uma pátria concreta. Por isso, uma advogada nazista insistiu, em 1934, em que "nós, mulheres nacional-socialistas, travamos a mesma luta [pela nacionalidade independente], mas por outras razões: sendo alemãs de sangue, não queremos perder necessariamente nossa pertença à pátria ao casar-nos com um estrangeiro" (Endemann, 1934, p. 331-332).[22]

Nesse sentido, uma breve comparação entre a maneira como se desenvolveu a nacionalidade das mulheres casadas nas Américas em contraste com a Europa é esclarecedora. Ao mobilizar-se pelo direito de voto na segunda metade do século XIX, o movimento de mulheres da Grã-Bretanha começou a questionar a nacionalidade dependente, embora inicialmente com pouco sucesso (Dummett e Nichol, 1992, p. 89-90). No início do nosso século, organizações internacionais de mulheres desenvolveram campanhas mais vigorosas pela nacionalidade independente das mulheres casadas. No Congresso Internacional de Mulheres, realizado em Paris em 1900, as participantes exigiram formalmente uma revisão da lei de nacionalidade nesse ponto. Em 1923, a Aliança Internacional pelo Voto das Mulheres (International Women's Suffrage Alliance) apresentou um projeto de convenção que exigia a nacionalidade independente. Após a Primeira Guerra Mundial, a campanha recebeu um novo impulso quando o Conselho da Liga das Nações criou uma comissão especial de peritos cuja agenda tinha como prioridade número um a codificação da nacionalidade. Para as mulheres, contudo, o resultado foi desalentador. Preocupada basicamente com a questão das apátridas e da dupla nacionalidade, problemas que haviam adquirido particular urgência em virtude das modificações de fronteiras decorrentes da guerra, a Comissão limitou-se a elaborar um dispositivo destinado a evitar que as mulheres se tornassem apátridas ou tivessem dupla nacionalidade caso o marido se naturalizasse em outro país ou quando houvesse dissolução de um casamento. Não foram contempladas as reivindicações mais gerais de nacionalidade independente da do marido e do direito da mulher de transmitir sua própria nacionalidade.

Essa ausência de reação às reivindicações políticas das mulheres prefigurava acontecimentos posteriores. A nacionalidade das mulheres tornou a ocupar um espaço central na agenda do Comitê de Nacionalidade durante a Conferência Mundial para a Codificação do Direito Internacional de 1930. A delegação do Chile apresentara um projeto de convenção muito mais abrangente que fora aprovado na reunião de Havana da Comissão Interamericana de Mulheres, que precedera essa Conferência. Organizações internacionais de mulheres haviam, ao mesmo tempo, apresentado um memorando exigindo direitos de nacionalidade iguais para as mulheres. No entanto, a convenção votada pelo Plenário da Conferência contemplava apenas casos de conflito legal a respeito de nacionalidade, decorrentes de casamento entre nacionais de diferentes estados, mas relegou as reivindicações de tratamento igual apresentadas pelas mulheres a uma morna recomendação sem conseqüências na prática. No ano seguinte, os Estados, membros da Conferência, decidiram, por voto majoritário, que, naquela etapa, era inviável introduzir mais alguma mudança na lei de nacionalidade (Bhabha, Klug e Shutter, 1985, Société des Nations, 1932).

De fato, as mulheres européias só conquistaram a nacionalidade independente na década de 1960 (Nações Unidas, 1950; Nações Unidas, 1962). Nas Américas, os direitos de nacionalidade das mulheres desenvolveramse de maneira bastante diferente a partir da década de 1930.

Em sua sétima conferência, realizada em Montevidéu em 1933, a União Pan-Americana decidiu que "não haverá distinção baseada em sexo no que diz respeito à nacionalidade, nem na legislação nem na prática" (Brown Scott, 1934, p. 219). Depois dessa data, as mulheres das repúblicas das Américas adquiriram progressivamente o direito de conquistar, manter e transmitir a nacionalidade a seus filhos, da mesma maneira que os homens (Shapiro, 1984).

Os países europeus convencionalmente se dizem países de emigração, apesar das provas em contrário. Sabe-se que as Américas foram o destino clássico da imigração européia. Para Estados europeus exclusivistas, a nacionalidade independente das mulheres teria significado que, caso estas se casassem com um estrangeiro, trariam indesejáveis bastardos estrangeiros para a "família nacional", ou o país teria perdido seu próprio "sangue". Nas jovens repúblicas americanas, a nacionalidade baseou-se, desde o início, no *jus soli* incondicional e os imigrantes sempre eram vistos como cidadãos em potencial. Isso correspondia ao ideal dominante de povoar e, assim, "embranquecer" seus vastos territórios, supostamente vazios, em óbvio detrimento dos "primeiros nacionais", contraditoriamente transformados em cidadãos de segunda classe ou privados por completo de direitos de cidadania. Nesse ambiente ideológico, a nacionalidade independente das mulheres tinha a vantagem de que os filhos nascidos de imigrantes, não só de homens como também de mulheres, idealmente de origem européia, passavam a fazer inequivocamente parte da nova nação, cortando-se os laços com seus países de origem.

Em sua condenação, muito difundida, do pensamento racista nazista da década de 1930, *We Europeans,* os destacados Haddon, antropólogo físico, e Huxley, biólogo, haviam enfatizado "o *contraste entre família e nação,* pois a família é um fator biológico antigo, ao passo que o *Estado-nação* é uma concepção e um produto moderno, resultado de circunstâncias sociais e econômicas peculiares" (Huxley, Haddon, CarrSaunders, 1939, p. 15). Só tinham razão em parte. As noções de relação familiar, é claro, não são menos histórica e culturalmente construídas do que a de Estado-nação. No entanto, uma vez "naturalizado" o Estado-nação, seus vínculos com a família, biologizada de maneira similar, de fato tornaram-se "exclusivamente" cruciais.

CONCLUSÃO

Ao derrubar o Antigo Regime e afirmar o princípio da soberania popular como base da nova ordem política na Europa, a Revolução Francesa de 1789 estava abrindo as portas para um mundo radicalmente novo. Barruel, padre francês ferrenhamente antijacobino e criador do termo nacionalismo, previu lucidamente os acontecimentos nacionais subseqüentes. Barruel escreveu em 1789:

> No momento em que se reuniram em nações, os homens deixaram de reconhecer-se uns aos outros por um nome comum. O *nacionalismo,* ou amor à nação [*l'amour national*], tomou o lugar do amor à espécie humana em geral [*l'amour général*] [...] Tornou-se uma virtude expandir o próprio território às custas daqueles que não pertenciam ao mesmo império. Tornou-se permissível, com esse fim, desprezar estrangeiros, enganá-los, feri-los. Essa virtude foi chamada de *patriotismo* [...] e, se é assim, por que não definir esse amor de maneira ainda mais estreita? [...] Assim, o *patriotismo* deu à luz o *localismo* (particularismo) ou espírito de família e, por fim, o *egoísmo* (citado em Kamenka, 1976, p. 8).

Enquanto o pressuposto "da nação e do Estado-nação como *forma ideal natural ou normal* de organização política internacional, como foco das lealdades dos homens [*sic*] e quadro indispensável de todas as atividades sociais, culturais e econômicas..." (Kamenka, 1976, p. 6) conquistava terreno, a nacionalidade naturalizava-se na totalidade do Continente. No intuito de proteger sua recém-descoberta identidade e unidade nacionais da imigração proveniente do *Commonwealth*, a Grã-Bretanha só o seguiu mais recentemente.

Uma breve referência a recentes acontecimentos "nacionais" na França pode servir para ilustrar a resistência da "natureza" paradoxal da nacionalidade que examinei acima. Em setembro de 1991, Giscard d'Estaing manifestou estar profundamente alarmado com a "invasão da França por imigrantes", conclamando a um retorno ao conceito tradicional de *"droit de sang"*. Seguiram-se um clamor público e uma acirrada polêmica entre defensores do *jus sanguinis* como princípio supremo de acesso à nacionalidade francesa e republicanos universalistas que tentavam disfarçar essa realidade jurídica exaltando o critério subsidiário do *jus soli*.[23] Os últimos perderam. Em 1993, a reforma que o novo governo conservador introduziu no *Code de la Nationalité* restringiu, uma vez mais, a regra do *jus soli*, dando, assim, importância ainda maior ao *jus sanguinis*.

Creio que foi por todas as razões acima — fronteiras, exclusões e guerras mortíferas — que Virginia Woolf proclamou entre as duas grandes guerras européias: "Como mulher, não tenho país; como mulher, não quero país; como mulher, meu país é o mundo inteiro." Trata-se, é claro, de um sonho cosmopolita impossível em nosso tempo. Embora hoje seja lugar-comum profetizar o fim do Estado-nação, a lógica ideológica poderosa do Estado-nação na verdade parece estar longe de desaparecer. Ao contrário, leis de nacionalidade cada vez mais restritas controlam a liberdade de movimento — em particular a de certos povos —, não obstante uma concorrência econômica globalizada cada vez mais intensa, ou precisamente por esse motivo.

Notas

1. A teoria jurídica moderna enfoca a nacionalidade como um vínculo jurídico: "de um lado desse vínculo [há] um sujeito único, concreto, o Estado individual, e, do outro lado, cada *Staatsangehörige* individual, isto é, um indivíduo cuja condição como membro do Estado deve ser determinada". Makarov, p. 22, 1947.
2. A análise das leis de nacionalidade tem sido uma exclusividade dos estudiosos da imigração.
3. Ritter define "nação" e "nacionalidade" como "termos correlatos de classificação e identidade de grupo. 'Nacionalidade', que costuma ser o mais restrito e menos ambíguo dos dois, refere-se à consciência de grupo baseada em uma gama variável de traços culturais comuns — língua, tradições históricas, convenções sociais ou valores, por exemplo". Ritter, p. 285, 1986.
4. Quero agradecer especialmente a Rainer Bauböck e Hans Ulrich Jessurun d'Oliveira por seus comentários úteis e instigantes a respeito de meu trabalho original, que me ajudaram, assim espero, a esclarecer minhas próprias idéias. Este artigo é uma versão abreviada daquele trabalho.
5. A *Déclaration des Droits de l'Homme et du Citoyen* de 1789 proclamava que "cada povo tem o direito de organizar-se e mudar as formas de seu governo. Um povo não tem o direito de interferir no governo de outros. Iniciativas contra a liberdade de um povo constituem ataques contra todos os povos". A Declaração não contém qualquer definição de quem são os "povos".
6. Kohn descreve apropriadamente o espírito voluntarista que inspirou a luta pela soberania popular na França revolucionária. Além de alguns fatores objetivos (língua comum, território), "o elemento mais essencial é uma vontade viva e corporativa. A nacionalidade é formada pela decisão de formar uma nacionalidade. Assim, a nacionalidade francesa nasceu da manifestação entusiástica de vontade de 1789" — Kohn, p. 15, 1948. Brubaker é partidário da distinção clássica de Meinecke. Brubacker, 1992.
7. Essas leis identificam explicitamente a nacionalidade como pré-requisito para a aquisição de direitos de cidadania. Contudo, a Constituição de 1791 distinguia "cidadão ativo", que gozava de plenos direitos civis e políticos, de "cidadão passivo",

cujos direitos eram subsumidos aos do "cidadão ativo" (Makarov, p. 107, 1947; Weiss, p. 45, 1907).

8. À época, D. Louchak alegou que, nas circunstâncias demográficas reinantes, a França podia muito bem passar sem os cidadãos que teriam sido franceses caso se adotasse o *jus soli* (Weiss, p. 80, 1907).

9. O Código Napoleônico continha dois artigos relativos à nacionalidade das mulheres casadas. O artigo 12 determinava que uma mulher estrangeira que se casasse com um cidadão francês passaria a ter nacionalidade francesa. O artigo 19 exigia que a mulher francesa que se casasse com um estrangeiro abrisse mão de sua nacionalidade francesa (Crozier, p. 129, 1934).

10. Desde então, "cada povo goza, e deve gozar, de soberania sobre seu território"; este é um dos princípios dos direitos dos povos que pode ser considerado indiscutível. Dele derivam dois termos: *patrie* e *étranger*, em que um é a causa e o outro, o efeito (Block, v. 1, p. 982, 1863).

11. G. Noiriel, p. 83, 1988.

12. Weiss pondera: "Se, para constituir-se e funcionar normalmente, a sociedade precisa da contribuição de todos os indivíduos, o próprio homem precisa da ajuda de outros homens para satisfazer plenamente seus apetites e desejos. Assim, deve, e esta é uma lei da natureza, pertencer a um grupo mais ou menos restrito dentro do qual possa exercer suas faculdades. Sua fraqueza intrínseca força-o a vincular-se a uma força social superior e coletiva que lhe servirá de apoio e refúgio [...] como a família. As relações sociais são necessárias à vida social e é na nacionalidade que encontram sua forma e sua regulamentação natural." (Weiss, p. 20-21 e 54 e s., 1907).

13. Em contraste com a noção de súdito, que prevalecia na Prússia, na Saxônia, em Baden e nos grão-ducados de Mecklenburg-Strelitz e Sachsen Weimar, a lei bávara falava de *Indigenat* (o *status* do cidadão nato).

14. É a *Gesetz über die Erwerbung und den Verlust der Bundes — und Staatsangehörigkeit*; esta lei confirmou as regras de nacionalidade em vigor nos estados alemães. Seguindo o *jus sanguinis*, a nacionalidade alemã era adquirida por descendência de pai alemão, legitimação, casamento com um nacional da Alemanha ou concessão do Estado (Keller e Trautmann, p. 4-5, 1914). Vale a pena observar que a linguagem política alemã estabelece uma nítida distinção entre "nacionalidade" (*Staatsangehörigkeit*) e cidadania (*Staatsbürgerschaft*).

15. O intenso debate entre historiadores políticos franceses e alemães em torno do princípio da autodeterminação nacional após a guerra franco-prussiana de 1870 ressalta, uma vez mais, como é difícil conciliar o direito democrático de todos os povos à autodeterminação em um mundo de Estados-nação concorrentes. A troca de idéias entre Theodor Mommsen, historiador alemão, e Fustel de Coulange, historiador

francês do direito, é muitas vezes citada como mais uma prova do contraste entre as tradições "nacionais" francesa e alemã. Vale a pena citar a resposta dada por Fustel de Coulange à reivindicação de Mommsen em relação à Alsácia-Lorena: "Não queremos conquista, trata-se de uma reivindicação; queremos o que é nosso, nada mais, nada menos." Fustel de Coulange replicou: "Os senhores invocam o princípio de nacionalidade, mas o entendem de maneira diferente de todo o resto da Europa. A seu ver, esse princípio autoriza um Estado poderoso a apropriar-se de uma província pela força, com a única condição de declarar que essa província é povoada pela mesma raça que o Estado. De acordo com a Europa e o bom senso, isso apenas autoriza uma província ou uma população a não obedecer um dominador estrangeiro contra sua própria vontade [...] Fico surpreso ao ver um historiador como o senhor pretender ignorar que o alicerce da nacionalidade não é nem a raça, nem o idioma [...] Os homens sentem em seus corações que são um povo porque constituem uma comunidade de idéias, de interesses, de afetos, de recordações e esperanças. É isso que faz uma *Vaderland* (*patrie*). É isso que faz com que as pessoas queiram avançar juntas, trabalhar juntas, lutar juntas, viver e morrer umas pelas outras. É a *patrie* que amamos. A Alsácia pode ser alemã pela raça ou a língua; mas a nacionalidade e o sentimento de patriotismo a tornam francesa. Sabe o que a torna francesa? Não é Luís XIV, é a nossa revolução de 1789. Desde então, a Alsácia partilha nosso destino; vive nossa vida. Tudo que pensamos a Alsácia pensa; tudo que sentimos, sente. Partilhou nossas vitórias e adversidades, nossas glórias e erros, nossas alegrias e tristezas." (Citado em Weil, p. 20-21, 1938) O nacionalismo culturalista de Fustel de Coulange, assim como o de Renan, sem dúvida, era um anátema para os teóricos contemporâneos da raça, mas contradizia igualmente o voluntarismo republicano universalista.

16. Em reação às discussões em torno de nacionalidade e lealdade provocadas pela independência dos Estados Unidos, o *jus sanguinis* fora adotado no caso especial de filhos de pais britânicos nascidos no exterior e mais tarde estendido à segunda geração de descendentes sem, contudo, tornar-se hereditário de maneira perpétua.

17. De maneira semelhante, o destacado jurista holandês François Laurent escreveu, em 1880: "que os anglo-americanos devam manter o seu direito consuetudinário, bem, isso é problema deles; ninguém lhes invejará um direito que é incerto, indigesto e impregnado de feudalismo. Não é para a Idade Média que os povos modernos devem voltar-se à procura de seu ideal de liberdade e igualdade" (citado em Jessurun d'Oliveira, p. 826, 1989).

18. No fim do século, discutia-se na Grã-Bretanha a questão de saber se o que devia ser partilhado indistintamente por todos os habitantes do Império Britânico era uma nacionalidade comum, e não a própria regra que conferia nacionalidade. A lei de nacionalidade e *status* dos estrangeiros, de 1914, de fato estendeu a todo o

Império a fidelidade à Coroa (Hampe, p. 9 e s., 1951, Bhabha, Klug e Shutter, cap. 1, 1985).

19. Solovyev escreveu: "Aceitemos que o objeto imediato da relação moral é a pessoa individual. Mas uma das peculiaridades essenciais dessa pessoa — a continuação e expansão diretas de sua personalidade individual — é sua nacionalidade (no sentido positivo de caráter, tipo e poder criativo). Não se trata de um mero fato físico, mas também psicológico e moral." (citado em Kamenka, p. 9, 1976).

20. Em seus comentários à comunicação que apresentei no Colóquio sobre Cidadania e Exclusão, Jessurun d'Oliveira objetou que a nacionalidade independente como fator de ligação para os direitos das mulheres como cidadãs tinha pouca importância prática para elas. As mulheres não estavam submetidas ao serviço militar obrigatório; partilhavam, com outros grupos sociais desfavorecidos, da exclusão do direito de voto e, no século XIX, havia uma proporção ainda maior que a atual de homens e mulheres que não eram casados, devido ao "casamento livre", tão comum entre os pobres. Restrições da nacionalidade independente, como apontei, escolha não-qualificada de pertença e igualdade jurídica formal não são, é claro, garantias de igualdade de fato. No entanto, a questão aqui é que a nacionalidade dependente da mulher estava em contradição com as reivindicações universalistas em mais um sentido, que não só precisa adquirir visibilidade como exige uma explicação.

21. A reprodução social foi analisada de diversos pontos de vista. A atenção concentrou-se principalmente na hierarquia de gênero que estrutura as relações familiares, vinculada à economia e à sociedade politicamente organizada. A maioria dos estudos examina as exclusões específicas das mulheres no contexto das leis trabalhistas e do código de família nos Estados de Bem-Estar. A cidadania foi submetida à análise feminista, mas a regulamentação e a codificação da "reprodução nacional" pouco foram abordadas. Sobre nacionalidade da mulher, ver: Bhabha, F. Klug e S. Shutter, 1985; Shapiro, 1984; Yuval Davis, 1980; Cohen, 1985; MacKinnon, 1982. Sobre fontes históricas, ver: Nickel, 1915; Endemann, 1934; Beck, 1933; Aubertin, 1939; Collard, 1895; Lournoy Jr., 1924; Crozier, 1934; Maguire, 1920; Delitz, 1954; Rauchberg, 1969.

22. Em 1939, Aubertin argumentou, de maneira semelhante, que "o Estado, particularmente aquele que dá importância à unidade racial e à comunidade espiritual de seu povo (*völkische Gesinnungsgemeinschaft*), deve estar interessado em evitar que as indesejáveis mulheres estrangeiras, que podem ameaçar sua segurança política, sejam a ele impostas através do casamento com nacionais, sem passar pela avaliação habitual em caso de naturalização" (Aubertin, p. 56, 1939).

23. Ver *Le Monde* (23 a 26 de setembro de 1992) e *Die Zeit* (26 de setembro de 1991).

Referências Bibliográficas

ANDERSON, B. *Imagined Communities*: Reflections on the Origin and Spread of Nationalism. Londres: Verso, 1983.

AUBERTIN, A. "Die Staatsangehörigkeit der Verheirateten Frau". *Zeischrift für ausländisches öffentliches Recht*, 6, 1993.

BADER, V. M. *Rassimus, Ethnizitat, Bürgerschaft, Sociologische und philosophishe Überlegungen*. Münster: Westfälisches Dampfboot Verlag, 1995.

BECK, E. *Die Staatsangehörigkeit der Ehefrau*. Zurique e Leipzig: Orell Füssli Verlag, 1933.

BHABHA, J., KLUG, F. e SHUTTER, S. *Worlds Apart:* Women under Immigration and Nationality Law. Londres: Pluto Press, 1985.

BLOCK, M. (org.) *Dictionnaire Général de la Politique*. Paris: O Lorenz Libraire-Éditeur, 1863.

BROWN SCOTT, J. "The Seventh International Conference of American States". *The American Journal of Internation Law*, 28, 1934.

BRUBAKER, R. *Citizenship and Nationhood in France and Germany*. Cambridge, Mass.: Harvard University Press, 1992.

COHEN, S. J. D. "The Origins of the Matrilineal Principle in Rabbinic Law". *Association of Jewish Studies Review*, 10, 1985.

COLLARD, E. *Die Staatsangehörigkeit der Ehefrau nach Deutschem Recht*. Erlangen: Diss. Friedrich-Alexander-Universität, 1895.

COLLEY, L. *Britons:* Forging the nation 1707-1837. Londres: Vintage, 1994.

CRANSTON, M. "The Sovereignty and the Nation". In C. LUCAS (org.) *The French Revolution and the Creation of Modern Political Culture*, vol. 2. Oxford: Pergamom Press, 1988.

CROZIER, B. "The Changing Basis of Women's Nationality". *Boston University Law Review*, 14, 1934.

DELITZ, A. "Der Gleichberechtigunsentwurf im Staatsangehörigkeitsrecht". *Das Standesamt*, 7, 1954.

DIAMOND, M. J. "Olympe de Gouges and the French Revolution: the Construction of Gender as Critique". Dialectical Anthropology, 15, 1990.

DUMMETT, A. e NICHOL, A. *Subjects, Citizens, Aliens and Others.* Londres: Weidenfeld & Nicolson, 1990.

ELIAS, N. *La Société des Individus.* Paris: Fayard, 1991.

ENDEMANN, M. L. "Zur Reform des Staatsangehörigkeitsrechts der Ehefrau". *Deutsches Recht,* 4, 1934.

FINKELKRAUT, A. *La Défaite de la Pensée.* Paris: Éditions Gallimard, 1987.

GELLNER, E. *Nations and Nationalism.* Oxford: Basil Blackwell, 1983.

GERHARD-TEUSCHER, U. "Die Frau als Rechtsperson — über die Voreingenommenheit der Jurisprudenz als Dogmastiche Wissenschaft". In K. HAUSEN e H. NOWOTNY (orgs.) *Wie Männlich ist die Wissenschaft?* Frankfurt a.M: Suhrkamp Verlag, 1986.

GOLDBERG, D. T. *Racist Culture, Phylosophy and the Politics of Meaning.* Oxford: Blackwell, 1993.

HADDON, A. C. *History of Anthropology.* Londres: Watts & Co, 1910.

HAMPE, K. A. *Das Staatsangehörigkeitsrechts von Grossbritannien.* Frankfurt a.M.: Wolfgang Metzger Verlag, 1951.

HOBSBAWN, E. J. Nations and Nationalism since 1780. Cambridge: Cambridge University Press, 1990.

JESSURUN D'OLIVEIRA, H. U. "Principe de Nationalité et Droit de Nationalité: Notes de Lecture au Sujet du Droit Civil International de François Laurent" In J. Erauw et al. *Liber Memorialis François Laurent 1810-1887.* Bruxelas: E. Story-Scientia, 1989.

KAMENKA, E. "Political nationalism — the Evolution of an Idea". In ____. (org.) *Nationalism: the Nature and Evolution of an Idea.* Nova York: St. Martin's Press, 1976.

KANT, E. *Die Metaphysik der Sitten.* Frankfurt a.M: Suhrkamp Verlag, 1977.

KEITH, Sir A. *Nationality and Race: From an Anthropologist's Point of View.* Oxford: Oxford University Press (Robert Boyle Lecture apresentada ao Oxford University Junior Scientific Club em 17 de novembro de 1919).

KELLER, F. V. e TRAUTMAN, P. *Kommentar zum Reichs — und Staatsangehörigkeitsgesetz.* Munique: C. H. Becksche Verlagsbuchhandlung, Oskar Beck, 1914.

KOHN, H. *The Idea of Nationalism: a Study in its Origins and Background.* Nova York: The MacMillan Company, 1948.

KOSELLECK, R. *Preussen Zwischen Reform und Revolution: Allgemeines Landrecht, Verwaltung und Soziale Bewegung von 1791 bis 1848.* Stuttgart: W. Kohlhammer Verlag, 1967.

LOURNOY Jr, R. W. "The New Married Women's Citizenship Law". *The American Journal of International Law,* 18, 1924.

LUCASSEN, Jan. Comment on Leslie Page Moch, "Moving Europeans: Historial Practices in Western Europe". Trabalho apresentado no Colóquio sobre Cidadania e Exclusão, Universidade de Amsterdam, 1996.

MacKINNON, C. A. "Feminism, Marxism, Method, and the State: an Agenda for Theory". *Signs*, 7, 1982.

MARSHALL, T. H. *Class, Citizenship, and Social Development.* Nova York: Doubleday, 1965.

MAKAROV, A. N. *Allgemeine Lehren des Staatsangehörigkeitsrechts.* Stuttgart: W. Kohlhammer Verlag, 1947.

MEINECKE, F. *Weltbürgertum und Nationalstaat.* Munique: R. Oldenbourg, 1919.

NICKEL, H. *Erwerb und Verlust der Staatsangehörigkeit seitens der Ehefrau un der Ehelichen Kinder nach altem und neuem Recht.* Erlangen: Buchdruckerei Louis Seidel Nachf, 1915.

NOIRIEL, G. *Le Creuset Français: Histoire de l'Immigration XIXe-Xxe siècle.* Paris: Éditions du Seuil, 1988.

PATEMAN, C. "Feminism and Participatory Democracy: Some Reflections on Sexual Difference and Citizenship". Trabalho apresentado na reunião da American Philosophical Association, Missouri, EUA, maio de 1986.

RAUCHBERG, H. "Die erste Konferenz zur Kodifikation des Völkerrechts". *Zeitschrift für öffentliches Recht*, 10, 1969.

REHM, H. "Der Erweb von Staats- und Gemeindeangehörigkeit in geschichtlicher Entwicklung nach römischem und deutschem Staatsrecht". *Annalen des Deutschen Reiches*, 1892.

RENAN, E. *Qu'est ce qu'une nation?* Paris: Presses Pocket, 1992.

RITTER, H. *Dictionary of Concepts of History.* Nova York: Greenwood Press, 1986.

SAHLINS, P. *Boundaries: the Making of France and Spain in the Pyrenees.* Berkeley: the University of California Press, 1989.

SHAPIRO, V. "Women, Citizenhip, and Nationality: Immigration and Naturalization Policies in the United States". *Politics and Society*, 13, 1984.

SILVERMAN, M. *Deconstructing the Nation: Immigration, Racism and Citizenship in Modern France.* Londres: Routledge, 1992.

Société des Nations, "Nationalité de la Femme". *Journal Officiel, Actes de la 13ème Session Ordinaire de l'Assemblée*, Seances des Commisions, Procés-Verbal de la Première Commission, Genebra, 1932.

STAATSLEXIKON — *Recht, Wirtschaft, Gesellschaft.* Freiburg: Verlag Herder, 1962.

STOLCKE, V. "Cultural Fundamentalism: New Boundaries and New Rhetorics of Exclusion in Europe". *Current Anthropology*, 36, 1995.

STRUPP, K. *Wörterbuch des Völkerrechts und der Diplomatie.* Berlim e Leipzig: Walter de Gruyter & Co, 1925.

United Nations. *Nationality of Married Women.* Commission on the Status of Women. Report submitted by the Secretary General, New York, 1950.

——————. *Convention on the Nationality of Married Women.* Department of Economic and Social Affairs, New York, 1962.

VOGEL, U. "Is Citizenship Gender-specific? In U. VOGEL e M. MORAN (orgs.) *The Frontiers of Citizenship*. Londres: Macmillan, 1991.

WAHNICH, S. "L'Étranger dans la Lutte des Factions: Usage d'un Mot dans une Crise Politique". *Langages: Langue de la Revolution Française*, Mots 16, 1966.

WALLERSTEIN, I. e BALIBAR, E. *Race, Nation, Classe: les Identités Ambigues*. Paris: Éditions La Découverte, 1988.

WEIL, G. *L'Europe du XIXe Siècle et l'Idée de Nationalité*. Paris: Editions Albin Michel, 1938.

WEISS, A. *Droit International Privé*, vol I. Paris: Librairie de la Société du Revueil J. B. Sirey et du Journal du Paris, 1907.

WIHTOL de WENDEN, C. *Citoyenneté, Nationalité et Immigration*. Paris: Arcantère Éditions, 1987.

————. *La Citoyenneté et les Changements de Structures Sociales et Nationales de la Population Française*. Paris: Edilig/Fondation Diderot — La Nouvelle Encyclopédie, 1988.

YUVAL DAVIS, N. "The Bearers of the Collective: Women and Religious Legislation in Israel". *Feminist Review*, 4, 1980.

Estilos de interpretação e a retórica de categorias sociais

Vincent Crapanzano

Devo iniciar pedindo desculpas pela natureza preliminar e experimental do tema que vou falar hoje.[1] Estou no meio de um projeto de pesquisa sobre estilos literalistas de interpretação nos Estados Unidos — estilos que parecem propagar-se rapidamente à medida que o país caminha cada vez mais para a direita. Meu projeto tem, assim, implicações políticas que não podem ser ignoradas e é, portanto, politicamente engajado.

À primeira vista, meu interesse com modos e estilos de interpretação pode parecer distante das questões centrais de raça e etnicidade, que foram debatidas hoje. Mas, creio, é, de fato, criticamente pertinente. Em termos simples: a classificação é um pré-requisito para toda interpretação e — o que é da maior importância — suas categorias são usadas retoricamente, e não apenas semanticamente, em qualquer interpretação. Como os desconstrucionistas demonstraram amplamente, essa retórica muitas vezes é mascarada pela semanticidade das próprias categorias. Este ponto ficará mais claro à medida que minha argumentação for sendo apresentada.

Permitam-me observar aqui que qualquer sistema de classificação tem pelo menos duas dimensões importantes. A primeira, chamo de semântica ou, mais precisamente, de semântico-referencial. Em estudos comparativos de classificação social, como a raça, muitas vezes notamos diferenças dramáticas nas categorias — as unidades semânticas — do sistema de classificação. Para o norte-americano, por exemplo, o sistema brasileiro de classificação de cor que os americanos (e os brasileiros) identificam correta ou incorretamente com raça contrasta fortemente com a classificação racial bipolar característica dos Estados Unidos e do Canadá. A etnociência e a análise componencial das décadas de 1960 e 1970 talvez tenham sido os estudos mais rigorosos com orientação semântica de sistemas classificatórios, e sua influência na antropologia cognitiva e na ciência contemporâneas foi significativa.

A segunda dimensão de um sistema classificatório, que quero debater, é mais sutil — mais difícil de determinar com precisão. Refiro-me à sua dimensão pragmática: à maneira como as categorias de classificação suscitam, proclamam e até criam seu contexto de relevância, incluindo o próprio sistema classificatório. A pragmática dos sistemas classificatórios foi ampla e sintomaticamente ignorada pelos etnocientistas e analistas componenciais, que pareciam contentar-se em procurar isomorfismo estrutural nos vários sistemas classificatórios que investigavam. A exemplo de Lévi-Strauss e dos estruturalistas, pensavam que esses isomorfismos revelariam, se não as estruturas cognitivas da mente, ao menos o efeito estruturante da linguagem. Pensem em todas as "árvores" e "paradigmas" que construíram. Estavam fazendo ciência pura! Claro que devemos lembrar que é recorrendo a contextos de relevância através da pragmática, e não da semântica "pura", que o poder opera.

Hoje, à luz de seu fortalecimento, quero frisar as funções pragmática e metapragmática das categorias de classificação social. Todo sistema classificatório não apenas divide o mundo em unidades semânticas que já têm, elas mesmas, efeito pragmático, mas também "declara" a maneira como essas unidades devem ser manipuladas e avaliadas. Em outras palavras, esses sistemas determinam o jogo permissível de suas unidades semânticas, gramaticais e pragmáticas. Determinam a maneira como as unidades de classificação — de raça, por exemplo — podem ser manipuladas. Permitam-me ilustrar essas diferenças por meio de dois exemplos: um do Marrocos, outro da África do Sul. O primeiro deles salienta a dimensão pragmática da classificação; o segundo, sua dimensão semântica. O primeiro parece(-me) solto, fluido e retórico; o segundo, rígido e aprisionante e dedutivamente diagnóstico.

Mohammed, caminhoneiro, era apelidado de al-Qbida, o fígado, porque diziam que era da cor do fígado, ou seja, de pele escura e de origem saariana. Seus ancestrais provavelmente haviam sido escravos. Mohammed era amigo de Omar e, de todos os seus amigos, Omar era o que mais o provocava a respeito de sua raça. Omar tinha uma filha, Khadija, que fora raptada, encontrada em um bordel e devolvida à família, na qual teve de suportar a raiva e a repugnância de seu pai. Omar culpava-a, de forma inteiramente irracional, por ter sido raptada. Uma vez que a filha não era mais virgem, Omar a considerava sem valor, e preocupava-se com o reduzido dote que obteria por ela, se é que lhe pagariam algo. Um dia, pouco depois do retorno de Khadija, visitei Omar. Ele estava empolgado. Mohammed pedira a mão de Khadija em casamento e estava disposto a pagar um bom dote por ela (embora menor do que se a noiva fosse virgem). Felicitei Omar e perguntei-lhe quem era este Mohammed. [Obviamente, Mohammed é um nome muito comum no Marrocos.] "Eu o conheço?", perguntei. "Claro que conhece. É meu amigo, você sabe, o caminhoneiro", respondeu Omar. "Ah, você quer dizer al-Qbida", respondi. Omar pareceu irritado e depois riu, sem dúvida lembrando de minha condição de estrangeiro que nunca conseguia captar as qualidades óbvias, e ainda menos as sutis, da vida marroquina. "Mohammed é Mohammed", disse ele. "Não é mais al-Qbida. Vai ser marido de minha filha." Afinal, Mohammed acabou não se casando com Khadija, pois um homem de muito mais *status*, um engenheiro, pediu-a em casamento. Mohammed, pobre Mohammed, tornou a ser al-Qbida, e Omar voltou a provocá-lo ainda mais do que antes do noivado.

A história completa do rapto de Khadija é contada no livro de Jane Kramer, minha esposa, *Honor to the bride like the pigeon that guards its grain under the clove tree* (1990). Meu segundo exemplo é tirado do filme documentário de Yolande Zuberman, *Classified people*. É a história de um velho sul-africano que sempre fora considerado, e considerava-se, branco, até que um dia foi reclassificado como de cor pelo regime do *apartheid* da África do Sul e obrigado a mudar-se do bairro branco, no qual passara toda a sua vida, para um bairro destinado a negros. Foi abandonado pelos amigos, e até seus dois filhos, que não se casaram (talvez temendo uma prole de pele escura), nunca permitiram que o pai os visitasse. Às vezes iam às escondidas ao novo bairro do pai para jantar com ele aos domingos. A razão básica para a reclassificação do pai foi que, na juventude, muito antes do *apartheid*, ele participara, junto com alguns amigos, de uma brigada "de cor" para lutar na Primeira Guerra Mundial. (Embora "branco", crescera em um bairro pobre no qual moravam muitos dos seus amigos que seriam classificados como "de cor".) Ele também foi submetido a outros testes, é claro, incluindo a infame prova do lápis: se o lápis ficasse preso no cabelo, este era encarapinhado, portanto, a pessoa não era branca.

Tenho certeza de que, ao ouvir essas duas histórias, vocês estão procurando inserir o racismo brasileiro em um dos dois sistemas classificatórios descritos e, sem dúvida, acham que não se encaixa exatamente em nenhum dos dois. Claro que o discurso racial é ainda mais complexo do que minhas duas histórias indicam. Devemos reconhecer que nem nas sociedades mais homogêneas existe *um* discurso, e sim discursos racistas. Há, por exemplo, diferenças marcantes entre os discursos que tentam sistematizar o racismo, como os da antropologia física, e os sem dúvida imprecisos, e muitas vezes contraditórios, que falam menos do racismo do que "o mostram". A pragmática desses discursos será diferente. Impõe sistematicamente restrições que estão ausentes (ou ao menos são diferentes) da conversa informal, cotidiana. Fundir esses vários discursos em um constructo único, como "racismo brasileiro", como os antropólogos têm feito, é distorcê-los e criar uma imagem congelada: imagem que pode combinar com o nosso — dos antropólogos — próprio desejo de sistematicidade, mas perde contato com a realidade.

Em termos simples: estou argumentando que, para chegar à compreensão dos efeitos político e social de sistemas de classificação social, racial ou outros, qualquer estudo a seu respeito deve levar em conta a maneira como o sistema determina as manipulações e aplicações permissíveis de suas unidades. É no plano da pragmática — do jogo retórico — que o poder se introduz na classificação. O fato de nós, antropólogos, termos ignorado essa dimensão da classificação sugere até que ponto estamos submetidos às nossas próprias restrições discursivas e às dos discursos que estudamos. Não devemos esquecer que não dispomos de linguagem de descrição e análise, de metalinguagem, totalmente independente de nossa língua-alvo. Por mais crítica que seja nossa visão das categorias de racismo, por mais que nos distanciemos delas, inevitavelmente as "reforçamos" — ao menos o sistema que elas suscitam — quando as discutimos e analisamos. Esse "reforço" é, decerto, um subproduto de toda análise social e cultural, e sua inevitabilidade deve ser reconhecida, e não negada através de fantasias de uma metodologia perfeita e uma linguagem científica pura.

Em meu trabalho mais recente, prefiro falar de campos de interpretação competitiva, e não de culturas, com a finalidade de resistir à localização e à homogeneização que nossas noções de cultura e sociedade acarretam. Parece-me que, no mundo de hoje, com toda a sua mobilidade — viagens, imigração, deslocamentos —, com a comunicação global instantânea e com a dissolução, ou pelo menos a transformação radical, das normas intelectuais, sociais e de comunicação, é necessário repensar nossas categorias de descrição social e cultural, bem como seu uso. É preciso repensar as próprias categorias que tendem à localização e à homogeneização — "brasileiro", "americano", "carioca" — e reconhecer seu papel retórico no nosso mundo em transição.

Será que precisamos começar sempre um estudo de diferentes sistemas de interpretação, por exemplo, com os atores — os intérpretes — bem definidos em termos daquela incessante litania de raça, classe, gênero e etnicidade? Talvez seja mais proveitoso começar de modo mais impessoal, com compromissos e confrontações interpretativas *no intuito de determinar as condições pragmáticas por meio das quais essas próprias categorias são definidas e aplicadas.* Ou seja: descobrir a maneira como "raça", "classe", "gênero" e "etnicidade" emergem dessas confrontações interpretativas e como funcionam retórica e politicamente. Talvez — para falar de maneira extravagante — nossas sociologias tenham entendido tudo ao contrário. Ao começar por categorias como "raça" e "classe", talvez não estejamos senão reproduzindo o sistema — sistema/estrutura e classificação social — que tentamos entender analítica e criticamente, confirmando e reconhecendo, assim, esse sistema e classificação.

Temos que admitir que, do ponto de vista do senso comum, as conclusões, muitas das conclusões, dos cientistas sociais que tentam correlacionar atitude, valores e visões de mundo com atores definidos em termos de raça, classe, gênero e etnicidade são freqüentemente banais ou apenas tautológicas. São precisamente essas tautologias, essa banalidade, que sustentam o papel das categorias na articulação das relações de compromisso interpretativo. As categorias que provêm dessas confrontações interpretativas não só dão aos participantes as chaves para interpretar a própria confrontação como também regem as relações entre eles. Proporcionam-lhes um ponto de vista, um protocolo segundo o qual respondem ao outro, ao ponto de vista do outro. Oferecem tanto um rótulo como uma etiqueta (*etiquette*). Fornecem um discurso sintomatizante. Você sabe de onde vem o outro — agora definido em termos de raça, classe etc. — e não precisa realmente reagir ao desafio que ele lança à sua maneira de ver e entender o mundo. Parece-me que, no mundo supostamente pós-moderno de hoje, é extremamente importante entender como essas categorias regem as relações entre as pessoas — os outros notórios — que não compartilham dos mesmos estilos de interpretação.

Ali, onde há ruptura nas hierarquias comunicativas e interpretativas tradicionais — como no mundo "pós-colonial", no qual uma presunção igualitária, apenas uma presunção, substituiu a hierarquia colonial —, desenvolvem-se novas convenções de comunicação e interpretação. Estas são, a meu ver, consideravelmente mais complexas que as tradicionais, quanto mais não seja, por serem menos conhecidas, mais retóricas (e arriscadas), pois testam os limites de sua eficácia pragmática e, na medida em que fazem referência às convenções tradicionais, são mais irônicas e, mesmo, assumem a forma de paródias. Muitas vezes são sintomatizantes. Sabe-se, manipula-se a conversa para saber de onde vem o interlocutor. Claro que essas novas convenções comunicativas e hermenêuticas têm de ser estudadas caso a caso, pois até as convenções mais simples, tipo "ordene e obedeça", são sujeitas a diferentes interpretações e respostas em contextos diversos. O sul-africano branco podia ordenar — e tinha de levar sua ordem a sério —, ao passo que o sul-africano negro, embora forçado a obedecer, podia receber a ordem com irônica resistência. Fora esses estudos empíricos, é urgente proceder a uma investigação crítica da maneira como nossas categorias de entendimento social e cultural, inclusive a "científica", espelham essas convenções comunicativas e interpretativas tradicionais. Em *Hermes' dilemma and Hamlet's desire* (1992), sugiro que são derivadas das características pragmáticas da conversação. Aqui sugiro que agora analisemos a maneira como convenções novas — instáveis — afetam nosso entendimento social e cultural. Como apóiam, como mistificam, novas articulações de poder e as ambições a elas relacionadas?

Hoje, pelo menos em Los Angeles, onde realizei parte de minha pesquisa sobre literalismo, as categorias de entendimento social e cultural, como "fundamentalismo" e "pentecostalismo", freqüentemente recebem representação icônica. Podem ser configuradas em imagens particulares e particularizantes. O efeito dessas imagens é atomístico e elas parecem resistir à sistemização e à elaboração ideológica. Não oferecem nenhum ponto de vista transcendente para a compreensão crítica.

É preciso observar aqui — entre parênteses e, pelo tempo de que disponho, tenho que de maneira simplista — que, nos Estados Unidos, a línguagem predominante para interpretar a ação social é moral, ao passo que no Brasil, e com certeza em outros países da América Latina, ela é política. Ao contrário do discurso político, o moral — certamente o encontrado nos Estados Unidos, coordenado com a filosofia de individualismo desse país — tende a ser particularista. Há pouca elaboração ideológica, em relação à qual existe, na verdade, desconfiança. O foco está mais voltado para o ator individual, para sua condição moral, do que para o poder ou o interesse próprio de um grupo, classe ou partido. O fracasso muitas vezes é compreendido em termos de falhas de caráter, e não como resultado de arranjos políticos e econômicos; no entanto, o sucesso não é necessariamente entendido em termos de virtude. Os americanos tendem a afastar-se da política (daí a baixa participação eleitoral), mas, quando existe uma causa — uma causa "moral" —, como a segregação racial ou a guerra do Vietnã, ou, nesse sentido, o aborto, engajam-se ruidosamente. O impressionante é que essa "política centrada na causa" é *ad hoc* e tem vida curta. Assim que a "causa" é resolvida, as organizações, muitas vezes elaboradas, que a apoiaram ou lutaram por ela se desfazem, em vez de voltar sua atenção para outras questões. A linguagem política, em compensação, incentiva a coesão partidária ou de classe ao longo do tempo e através das causas. Proporciona uma posição vantajosa, compartilhada, que "transcende" o indivíduo. Ao contrário da linguagem moral, produz divisões duradouras, em função de classe ou linha partidária, e pode ser socialmente fragmentadora: revolucionária, sou tentado a dizer. A exemplo dos ícones que mencionei acima, a linguagem moral é atomística, resistente à revolução e, devido à natureza particularizante e imprevisível da oposição, pode levar à manipulação do indivíduo e do grupo.

Os ícones de que falo podem referir-se a grupos (fundamentalistas cristãos, extrema direita), a valores (valores familiares, que hoje estão sendo muito discutidos nos Estados Unidos) e temas como aborto, direitos dos estados e governo central. As imagens que veiculam esses ícones costumam ser pessoas identificáveis: Billy Graham representa, para muitos americanos, os evangélicos; Benny Hinn, o pentecostalismo teatral; Pat Robertson, a direita cristã; Jimmy Swaggert, o pregador transviado, o fornicador. Os valores familiares muitas vezes são expressos por meio da imagem de uma família branca de classe média sentada ao redor de um pai que lê a Bíblia ou, em versões mais seculares, a família está sentada em torno da lareira, ou fazendo um piquenique ou praticando esportes, esportes americanos, nunca "estrangeiros" como o futebol. Os opositores ao aborto usam todo tipo de imagens horrendas em sua propaganda: fetos mutilados, meninas virginais, normalmente louras, deitadas sob o bisturi de médicos de cabelos escuros e fisionomia maléfica. Agora que, nos Estados Unidos, os cheques podem ser ilustrados, é possível comprar talões de cheques "pró-vida". No canto inferior esquerdo aparece um feto pouco nítido; à direita, logo acima da linha onde se escreve a quantia por extenso, uma menininha bonita. Descrevi ícones da direita, direita cristã, mas a esquerda e o centro também têm os seus e, é claro, lêem os da direita de forma diferente dos seus partidários. Para eles, os fetos mutilados tornam-se ícones dos antiabortistas, e não dos horrores do aborto. O contrário também é verdade.

Esses ícones têm seus equivalentes verbais: *slogans* semelhantes aos usados na publicidade. Muitas vezes estão presentes nos pára-choques de automóveis. Como os visuais, são produzidos e manipulados pela mídia, por agências de publicidade e publicitários. Sem dúvida, muitas vezes são lidos de maneira tão acrítica quanto a publicidade. Quero destacar aqui que tanto os ícones visuais como os verbais encorajam respostas atomísticas, isolantes e ideologicamente não-elaboradas, coordenadas com a linguagem moral corrente nos Estados Unidos. Quando perguntaram ao terrorista de Oklahoma por que explodira a sede do FBI em Oklahoma City no dia 19 de abril de 1995, sua resposta foi, se lembro bem o que li no jornal, que ele era contra o governo central (*big government*). "*Big government*" é, obviamente, um ícone verbal popular entre os conservadores. Quando lhe pediram que explicasse, acrescentou apenas que era por causa de Waco. Referia-se a um ataque contra o ramo dravidiano, uma seita de Waco, no Texas, em cuja sede mais de oitenta pessoas foram mortas durante o ataque realizado pelo FBI em 19 de abril de 1993, dois anos antes. (Aliás, 19 de abril de 1970 foi a data de nascimento que o terrorista usou em sua carteira de motorista falsa, que apresentou ao alugar o caminhão usado na explosão.) Ele simplesmente associou um ícone, "*big government*", com outro, "Waco", cujos aniversários comemorava. Não conseguiu estabelecer outra relação, racional ou ideológica, entre esses ícones.

A representação icônica dos fundamentalistas cristãos em termos de pregadores individuais está, é claro, coordenada com a tendência das igrejas evangélicas americanas a organizarem-se em torno de pastores individuais em sua determinação a resistir à organização hierárquica. Coordena-se com a tendência americana a encarar os processos sociais e culturais de maneira personalista — em termos de indivíduos — e a explicá-los com base em uma psicologia cuja pretensão científica autoriza este foco no indivíduo. (Não estou argumentando nem contra nem a favor da psicologia. Simplesmente chamo a atenção para sua função retórica no entendimento social e cultural americano.) Ao destacar o indivíduo, a psicologia americana não só perpetua a filosofia americana do individualismo como também encobre os processos social e cultural impessoais — o político — que a motivam: que criam o indivíduo.

Provavelmente não é por acaso que, durante a última década mais ou menos, quando os Estados Unidos operaram a maior redistribuição de riqueza de sua história, talvez da história do mundo, sem nenhum discurso crítico, na verdade, sob silêncio quase completo, a política americana foi-se concentrando cada vez mais no indivíduo: na figura do político, nos aspectos triviais de sua biografia (dele ou dela), que com freqüência são irrelevantes para o cargo que ele ou ela ocupa. O apelo do político dirige-se, é claro, ao eleitor individual e é lançado em termos do interesse próprio daquele eleitor — iconicamente representado por uma redução de impostos. Nossos escândalos políticos relacionam-se com o político individual e são descritos de modo a excluir qualquer referência à estrutura política e social. Nossa crítica política tornou-se caracterológica, tendência fomentada por um jornalismo que enfatiza o aspecto pessoal. Claro que isso é complementado por uma enorme indústria da personalização que vai dos programas de entrevistas e dos perfis do *New Yorker* aos livros de auto-ajuda, instrutores pessoais de ginástica, terapias de centramento do eu e fortalecimento individual prometido pelos gurus da Nova Era. Também é complementado pelo destaque dado aos heróis culturais e desportivos.

É nesse contexto que deve ser entendido o racismo americano. Temos nossos ícones de negritude: heróis e vilãos culturais afro-americanos, como O. J. Simpson, o boxeador Mike Tyson, o pastor-político Jessie Jackson e a apresentadora de televisão Oprah Winfrey. São encarados — ou ao menos descritos — como modelos de comportamento (*role models*). O modelo de comportamento tornou-se um conceito importante na psicologia educacional americana. Como outros ícones, os modelos de comportamento particularizam e impossibilitam a consideração crítica dos contextos nos quais os modelos se desenvolvem e são aceitos. Como exemplo reproduzirei, da melhor maneira que posso, uma conversa que tive com o taxista que me levou ao Aeroporto Kennedy quando vim para cá. Era um negro, de uns 30 ou 35 anos, inteligência mediana e baixo nível educacional. "Vinte e cinco milhões, imagine, vinte e cinco milhões de dólares por dois minutos", disse ele de repente, como se sonhasse em voz alta. Perguntei-lhe do que estava falando. Olhou-me, surpreso. Referia-se ao dinheiro que Mike Tyson ganhara recentemente na luta contra Peter McNeely. Reconheci que era muito dinheiro. Continuou dizendo que haviam garantido 850 mil dólares (na verdade, 700 mil) ao adversário de Tyson. "Por essa grana eu também entraria no ringue", disse ele. "Para falar a verdade, entraria por 500 mil, e até por 100 mil." Temendo que seu preço caísse para 5 mil dólares, interrompi-o dizendo que aquele tipo de dinheiro era obsceno quando havia tantas pessoas sem teto. Ele não prestou nenhuma atenção ao meu comentário, mas pelo menos fixou sua cifra mínima em 100 mil dólares. "Sabe o que eu faria com esse dinheiro?", perguntou, acrescentando: "Sei exatamente o que faria." "O quê?", indaguei. "Eu investiria." Frisando "investiria". "Em quê?" Depois de uma longa pausa, disse com satisfação: "Depositaria no banco." Observei que havia algo de errado em uma sociedade na qual a única maneira de conseguir 100 mil dólares era indo a nocaute, mas ele me ignorou, preferindo sua fantasia. "É, depositaria no banco e compraria um apartamento para mim no Upper East Side e uma casa de campo em Long Island, em East Hampton, e arranjaria três mulheres, uma para cada casa e uma para eu me divertir."

Sua fantasia me deixou constrangido. Era realmente um delírio. Ele estava vivendo de modo vicário; não, como se tivesse acontecido com ele, e desfrutando. E eu, apesar do meu cinismo, estava chocado com sua incapacidade — ou ao menos sua resistência — para entender, considerar as estruturas políticas e econômicas que podiam produzir tamanhas diferenças de riqueza e condição. Observem que, ao descrever para vocês esse encontro, estou produzindo um ícone — estereotipado, visual e dramático — que participa da personalização que estou condenando.

Gostaria de chamar a atenção para outro efeito das representações icônicas: tendem a isolar os estilos (de interpretação) que representam. O fundamentalismo — sua visualização em termos, digamos, de um evangélico da televisão — torna-se um ícone para o entendimento literalista/texualista. O próprio literalismo é reduzido a uma prática evangélica cristã. Os paralelos com outras práticas interpretativas, de outras áreas, são mascarados. Não vemos que os mesmos princípios literalistas são aplicados aos enfoques conservadores — intencionalista e textualista — da Constituição americana, tratada como texto sagrado e imutável, semelhante à Sagrada Escritura. A seus autores é atribuída uma onisciência — uma antecipação — verdadeiramente divina. Jurisconsultos inteligentes, porém extremamente conservadores, que não são fundamentalistas cristãos, como Robert Broke, alegam que qualquer interpretação da Constituição deve basear-se na intenção original de seus autores, como se estes fossem plenamente lúcidos e suas intenções pudessem ser descobertas com certeza objetiva. Também podemos discernir estilos literalistas nas práticas dos tribunais, na compreensão americana do positivismo, do marxismo e da psicanálise — pensem na resistência à abordagem figurativa dada por Lacan a Freud — e nas versões populares da genética e sua associação imediata com procedimentos de identificação em investigações policiais e pesquisa genealógica, bem como em sua relação real e potencial com políticas de identidade, incluindo a racista.

Até agora, falei sobre o literalismo e os estilos literalistas de interpretação sem apresentar nenhuma definição do que sejam. Sugiro, a título especulativo, que o literalismo é um estilo de interpretação que possui as seguintes características:

1) Concentra-se na dimensão referencial ou semântica da linguagem — mais especificamente na palavra —, e não em suas dimensões retórica ou pragmática.
2) Pressupõe uma correlação simples, inequívoca, entre palavra e coisa.
3) Insiste no significado único, essencial, "ordinário", "habitual", "de senso comum" da palavra.
4) Oferece resistência a qualquer compreensão figurativa, vista como distorcida e até adulterada.
5) Frisa a intenção autoral — "intenção original" — como indicadora do significado correto.
6) Encara certos textos como fundamentais, como significado básico.
7) Dá prioridade ao escrito — o texto — sobre o falado e, no caso de textos sagrados, como a Bíblia, às vezes até sobre a experiência.

Claro que nem todas essas características estão necessariamente presentes em toda interpretação literalista. Conforme o que está sendo interpretado, quem interpreta, para quem a interpretação é feita, uma ou outra delas será enfatizada. Essas características estão unidas pelo que Wittgenstein chamou de semelhança familiar. Mais que uma lista de características essenciais, formam uma constelação de características.

Percebo que, ao distinguir o estilo literalista de outros mais figurativamente sensíveis, estou simplificando tanto o literalismo como esses outros estilos. Corro o risco de reificá-los, exagerando sua importância, criando uma dicotomia que, se não é falsa, é pelo menos simplista. Os estilos de interpretação nunca são puros ou sem contradição. Não são — nem mesmo o mais rigidamente sistêmico — imunes aos fatores contextuais, incluindo outras interpretações. De fato, sempre estão envolvidos com outras interpretações — com outros estilos interpretativos. E reagem defensivamente à autoridade, social ou epistemológica, desses outros estilos e visões do que quer que esteja sendo interpretado. São, ao menos aqueles com os que estou familiarizado, contestatórios, duplamente: em sua reação a seu objeto e a outras interpretações possíveis desse objeto. Mesmo o mais potente deles sempre é — no sentido teológico — apologético e, portanto, permeável.

Há no literalismo uma abordagem essencialista da palavra e da coisa. Procura-se aplicar a palavra corretamente e, uma vez aplicada, sabe-se como reagir ao objeto determinado. Isso porque há um colapso de palavra e coisa através do que os lingüistas modernos ignoraram: nomeadamente, a dimensão moral da significação, do vínculo entre palavra e coisa, significante e significado, símbolo e simbolizado. Quando a ordem moral da sociedade se rompe — como em Corcira, conforme descreveu Tucídides em *A guerra do Peloponeso* —, durante revoluções e outros períodos de mudança social acelerada ou em condições anômicas que prevalecem em boa parte do mundo de hoje, o vínculo moral de significação se parte, gerando uma sensação difusa de falta de sentido. T. S. Eliot descreve-o bem em *Burnt Norton*.

> As palavras se distendem,
> Racham e às vezes se partem, sob o fardo,
> Sob a tensão, escorregam, deslizam, perecem,

Deterioram-se com imprecisão, não ficam no lugar
Não ficam quietas.

Um estilo interpretativo que insista não só na possibilidade de uma correlação simples entre palavra e coisa como também na natureza moral dessa correlação, ou vínculo, produzirá, por exemplo, um racismo muito distante desses discursos de orientação mais retórica sobre raça e cor, que não apenas toleram a figuração — metáfora, hipérbole, ironia — como nela se comprazem. Esses racismos de orientação retórica — esses que têm consciência de seu jogo pragmático —, como os que encontramos no Marrocos, na Europa Mediterrânea e, creio, no Brasil, não são semanticamente comparáveis, mesmo quando participam das "mesmas" categorias semânticas, com os racismos mais literalistas existentes na África do Sul, nos Estados Unidos e na Europa do Norte. Nestes últimos, critérios de diagnóstico mais ou menos articulados servem de base à denominação racial. Uma vez feita a denominação, uma vez declarada a raça de alguém, a relação de cada um com outras pessoas racialmente denominadas está fixada. É um processo cruel, dedutivo, que pode levar à morte — como no caso da Alemanha nazista —, à discriminação violenta — como no *apartheid* sul-africano — e, devo acrescentar, a uma versão essencialista de políticas de identidade como a que se está disseminando nos Estados Unidos.

Nessas sociedades em que prevalece uma abordagem mais retórica da classificação social, parece que uma política de identidade seria mais flexível, mais tolerante, mais irônica do que nas sociedades literalistas. Mas é preciso se ter sempre cuidado com esses prognósticos, especialmente em um mundo no qual os estilos retórico e interpretativo podem ser importados quase com a mesma facilidade que armas, computadores e carros. (Estou simplificando, pois pode haver uma resistência considerável a esses estilos, como ouvimos esta manhã dos professores de favelas do Rio, que descreveram a resistência de seus alunos "negros" à política de identidade negra, "estilo norte-americano".[2] Mais pertinente, contudo, é o fato de que os sistemas retóricos de classificação podem ser explosivos e se transformarem em sistemas rígidos, totalitários. Acredito que isso ocorre quando a âncora (na terminologia lacaniana, *points de capiton* — pontos de estofo) que liga a cadeia de significantes à cadeia de significados, a palavra à coisa, é, ela mesma, exposta como artifício. É como nesses momentos em que o sentido corre solto.

É nesses momentos que pode ocorrer, e freqüentemente ocorre, um movimento severamente corretivo para a direita, uma política de intolerância. Não devemos esquecer as ditaduras e regimes militares que se esforçam — muitas vezes com sucesso, ao menos por um tempo — em produzir sistemas de classificação semanticamente fixos e agem de acordo com a "realidade" que seus sistemas proclamam.

Notas

1. Uma vez que o presente texto está sendo publicado em sua versão preliminar, mantive o estilo oral de sua apresentação original, em 25 de agosto de 1995, no Instituto de Filosofia e Ciências Sociais do Rio de Janeiro.
2. No original, os termos entre aspas estavam em português e em itálicos. (*N. da T.*)

Referências Bibliográficas

CRAPANZANO, Vincent. *Hermes' Dilemma and Hamlet's Desire*. Cambridge, Mass.:Harvard University Press, 1992.

KRAMER, Jane. *Honor to the Bride like the Pigeon that Guards its Grain under the Clove Tree*. Nova York: Penguin Books, 1990.

Colaboradores

John Burdick — Professor de Departamento de Antropologia da Maxwell School of Citizenship and Public Affairs, Syracuse University

José Luis Cabaço — Sociólogo e Presidente da Empresa Ébano Multimidia

Olívia Maria Gomes da Cunha — Professora do Departamento de Antropologia Cultural do Instituto de Filosofia e Ciências Sociais, da Universidade Federal do Rio de Janeiro

Peter Fry — Professor do Departamento de Antropologia Cultural do Instituto de Filosofia e Ciências Sociais, da Universidade Federal do Rio de Janeiro

Flávio dos Santos Gomes — Professor do Departamento de História do Instituto de Filosofia e Ciências Sociais, da Universidade Federal do Rio de Janeiro

Patricia Hayes — Professora do Departamento de História da University of the Western Cape, África do Sul

Yvonne Maggie — Professora do Departamento de Antropologia Cultural do Instituto de Filosofia e Ciências Sociais, da Universidade Federal do Rio de Janeiro

Guy Massart — Doutorando na École Normale Supérieure — Lettres et Sciences Humaines (ENS-LSH), França e Membro do Laboratoire d'Anthropologie de la Communication (LAC) Université de Liège, Bélgica.

John M. Norvell — Professor Visitante do Departamento de Antropologia da University of Montana

Ciraj Rassool — Professor do Departamento de História da University of the Western Cape, África do Sul

Claudia Barcellos Rezende — Professora do Departamento de Ciências Sociais da Universidade do Estado do Rio de Janeiro

Livio Sansone — Diretor Científico do Centro de Estudos Afro-Asiáticos da Universidade Candido Mendes

Robin E. Sheriff — Professora do Departamento de Sociologia e Antropologia da Florida International University

Verena Stolcke — Professora do Departamento de História das Sociedades Pre-capitalistas e de Antropologia Social da Universidad Autonoma de Barcelona

O texto deste livro foi composto em Sabon, desenho tipográfico de Jan Tschichold de 1964, baseado nos estudos de Claude Garamond e Jacques Sabon no século XVI, em corpo 10/ 13,5. Para títulos e destaques, foi utilizada a tipografia Frutiger, desenhada por Adrian Frutiger em 1975.

A impressão se deu sobre papel Off-set 90g/m² pelo Sistema Cameron da Divisão Gráfica da Distribuidora Record.